le conte
la nouvelle } short story

De qui est ce conte? ... story?

Ne que - only
Ne plus - no longer or only
assister a - to be present

pareille à - to be like, the same as,
faire une retraite - to retire
entretien - support

Lesson 15
all of it.

Selected French Short Stories

OF THE

NINETEENTH AND TWENTIETH CENTURIES

Edited for Rapid Reading
With Progressive Page Vocabularies
and Notes

BY

JAMES L. CATTELL
HEAD OF DEPARTMENT OF MODERN LANGUAGES
PURDUE UNIVERSITY

AND

JOHN T. FOTOS
PROFESSOR OF MODERN LANGUAGES
PURDUE UNIVERSITY

THOMAS Y. CROWELL COMPANY
NEW YORK

First Printing, February, 1939
Second Printing, July, 1939
Third Printing, July, 1940
Fourth Printing, October, 1941
Fifth Printing, September, 1943
Sixth Printing, September, 1945
Seventh Printing, June, 1946
Eighth Printing, October, 1946
Ninth Printing, September, 1947
Tenth Printing, February, 1949
Eleventh Printing, January, 1954

PRINTED IN THE UNITED STATES OF AMERICA
BY THE VAIL-BALLOU PRESS, INC., BINGHAMTON, N. Y.

PREFACE

The present edition of French short stories is the outgrowth of the constant effort of the editors to improve their teaching of modern languages. It was felt that the traditional type of French reading material at the second and third semester levels calls for so much vocabulary thumbing that it dulls the student's interest and tends to make the reading a task rather than a pleasure. That this opinion is shared by others is indicated by the recent appearance of editions which go to the opposite extreme; that is, they contain a complete visible alphabetical vocabulary for every page of text, with no general vocabulary. Thoughtful teachers, however, question the value of this attempted solution on the ground that the advantage in time thus gained is more than offset by the lack of incentive for vocabulary building.

In this collection the editors have, in their opinion, adjusted these difficulties by the introduction of a progressive, or modified, form of visible page vocabularies. These page vocabularies present, in the order in which they occur in the text, words beyond the 2000 most frequently occurring items in the various French frequency word studies, and words included in the first 2000 that have unusual meanings. Easily recognizable cognates and words used in all elementary French grammars have been omitted even though they are listed as uncommon in the frequency counts. The 250 most frequently occurring idioms of Cheydleur's *French Idiom List* have also been omitted from the visible page vocabularies.

This plan of editing enables the student to read more rapidly and thus derive more pleasure from his reading. It also serves as an incentive to vocabulary building, since the student who does not know all of the words omitted from the page vocabularies will doubtless recognize his deficiency and correct it by looking them up in the complete vocabulary in the back of the book. To emphasize their importance these words have here been starred. The student will thus acquire the 2000 most frequently occurring words and the 250 commonest idioms of the French language, which have been shown to constitute from 80 to 95 per cent of the number of words encountered in a page of ungraded French text.

In making their selection of stories, the editors have sought for general balance as well as the usual objectives, such as literary worth, student interest, and the reflection of various phases of French life. As evidence of this balance, more than half the stories have proved themselves favorites in many similar collections, while the others are relatively new and fresh and should be welcome additions to the repertory of French short stories.

The present edition is the result not only of theory but of actual practice. For several semesters mimeographed editions have been tried out with large classes of students. The editors have therefore found it possible to check their own ideas and opinions in the light of actual classroom experience.

From the beginning, the actual results from the use of even the trial editions have exceeded the editors' expectations. Not only has the attitude of the students toward their work improved considerably, but there is a noticeable saving in time which can generally be used to good advantage. In this connection it should be noted that this edition lends itself equally well to the translation method and to the direct method. The questionnaire on each story at the end of the book provides ample material for oral work for those who wish to stress this phase of instruction. The sections on French Word Formation and the Verb Review have also been found helpful to students.

The stories are presented in order of their difficulty. This order was determined by an actual count of the number of new words that the average student has to look up in the complete vocabulary in the back of the book. It will be noted that, according to this criterion of difficulty, the four stories by Maupassant and the four by Daudet are not presented as groups.

The text of these stories is presented as originally written, without simplification or alteration, with the exception of an occasional omission which seemed advisable.

The editors wish to acknowledge their indebtedness to all the compilers of other collections of French short stories, whose works they have consulted, and personally to M. André Maurois and M. Pierre Mille for permission to publish for the first time in the United States "La Naissance d'un Maître" and "Le Condamné Cardevaque." For permission to include the stories "Un Baptême" by Nadaud and "Le Pas Relevé" by Prévost, they are indebted to both the French authors and publishers, as well as to their colleague Professor Greenfield, in whose edition "Parmi les Conteurs Modernes" these stories appeared for the first time in the United States. They also wish to thank the following publishing houses for permission to use the stories not mentioned above: Librairie Delagrave, J. Ferenci et Fils, Albin Michel, Bernard Grasset, Plon Nourrit et Cie., Calmann-Lévy, and Arthème Fayard.

J. L. C.
J. T. F.

Purdue University

FRENCH WORD FORMATION

RELATIONSHIP BETWEEN ENGLISH AND FRENCH

With the conquest of England by the French-speaking Normans in 1066, French became the language of the ruling class, and Anglo-Saxon, a Germanic dialect, continued to be the language of the masses.

The result of the gradual fusion of Norman French and Anglo-Saxon was modern English. The French element in present-day English is consequently very large. Over 50 per cent of the English words used in literary works are directly related to French words.

This close relationship between French and English greatly facilitates the reading of French for the English-speaking student.

Cognates

Cognates are words in different languages which have developed from the same word in the parent language. Through a study of cognate words, the relationship between English words and French words may be used to build up a recognition knowledge of French words.

Changes in spelling, in pronunciation and, in some cases, in meaning have taken place in both French and English words during the past 800 years.

In the following paragraphs, an attempt has been made to show the student how to acquire a recognition knowledge of a great number of French words by using his knowledge of English and the 2000 most frequently occurring French words. For this reason the student should study the following paragraphs before beginning the reading of the stories.

Helps for the Recognition of French Words

I. *Perfect, Partial, and False Cognates*

1. ***Perfect Cognates.*** Perfect cognates are words which have the same, or practically the same, spelling and the same meaning in both French and English:

moment = moment
nature = nature
rose = rose

forêt = forest
beauté = beauty
artiste = artist
chat = cat

curieux = curious
atmosphère = atmosphere
théâtre = theatre

démocratie = democracy
circonstance = circumstance
soumission = submission
conjugaison = conjugation

2. ***Partial Cognates.*** Partial cognates are words which have cognate forms, but which may have different meanings in French than in English:

anxieux = anxious, worried, *but not* eager
crier = to cry out, shout, *but not* to weep
défendre = to defend, *but also* to forbid
assistance = presence, attendance, *rather than* aid

3. ***False Cognates.*** False cognates are words which are cognate in form, but which differ entirely from the English meaning. There are some 1500 such words.

conférence = lecture, *not* conference
lecture = reading, *not* lecture
cave = cellar, *not* cave
actuel = present, *not* actual
journée = day, *not* journey
troubler = to disturb, *not* trouble

Note. The meanings of 2 and 3 are listed in the page vocabularies if the word occurs beyond the first 2000 most frequently occurring French words.

II. *Cognate Nouns and Adjectives which Differ in Prefix*

Many French words differ from the English equivalents in having a slightly different prefix. By prefix is meant a letter or a syllable added to the root word.

1. The French prefixes **dé–** or **dés–** often become *de–* or *dis–* in English. **Dé–** implies the opposite of the word to which it is joined.

faire = to do
défaire = to undo
honorer = to honor
déshonorer = to dishonor
déplacement = displacement
désobéir = to disobey
dépouiller = to despoil
détruire = to destroy

2. The French initial **é–** or **es–** often becomes initial *s–* in English:

école = school
étrange = strange
épargner = to spare, save
épier = to spy on
épine = spine
espagnol = Spanish
espace = space
esclave = slave

3. The French prefix **re–** (**ré–**) often has the idea of repetition, and is frequently translated by the English *again* or *re–:*

retrouver = **re** + **trouver,** to find again
reparaître = **re** + **paraître,** to reappear
réagir = **ré** + **agir,** to react
relire = **re** + **lire,** to read again, reread
remplacer = **re** + **placer,** to replace

4. The French prefixes **im–**, **in–**, like the English equivalents *im–, un–, not,* imply the opposite:

impoli = **im** + **poli,** impolite, not polite
inédit = **in** + **édit,** unpublished, not published
immobile = **im** + **mobile,** immovable
inouï = **in** + **ouï,** unheard of

III. *Cognate Nouns and Adjectives which Differ in Suffix*

1. The French suffix **–ain** changes to English *–an:*

Américain = American
puritain = puritan
humain = human
urbain = urban

2. The French suffix **–aire** changes to English *–ary:*

honoraire = honorary
adversaire = adversary
secrétaire = secretary
contraire = contrary

3. The French suffixes **–é** and **–at** change to English *–ate:*

désolé = desolate
obstiné = obstinate
délicat = delicate
consulat = consulate

4. The French ending –**eur** generally changes to English *–or:*

docteur = doctor
horreur = horror
créateur = creator
spectateur = spectator

5. The French ending –**eux** changes to English *–ous:*

généreux = generous
curieux = curious
pieux = pious
vertueux = virtuous

6. The French ending –**ique** changes to English *–ic:*

scientifique = scientific
musique = music
comique = comic
exotique = exotic

7. The French ending –**té** changes to English *–ty:*

curiosité = curiosity
générosité = generosity
cité = city
qualité = quality

8. The French ending –**if** changes to English *–ive:*

motif = motive
adjectif = adjective
actif = active
possessif = possessive

IV. *Cognate Verb Suffixes*

1. French verbs ending in –**er** change as follows:

–**er** = *ate:* **terminer** = to terminate
agiter = to agitate
–**er** = *e:* **amuser** = to amuse
arranger = to arrange
disputer = to dispute
–**er** = (*er*) **accepter** = to accept
absorber = to absorb
–**ier** = *y* **justifier** = to justify
spécifier = to specify

2. The infinitive ending –**ir** often becomes *–ish* in English:

finir = to finish
punir = to punish
abolir = to abolish
accomplir = to accomplish
établir = to establish
polir = to polish

3. The infinitive ending –**cevoir** often = *–ceive:*

recevoir = to receive
concevoir = conceive

V. *Word Formation*

By knowing the basic words of the French language, the student will be able to recognize many other French words by noting the following principles. The basic words of French are preceded by an asterisk in the vocabulary at the end of the book.

1. The ending –**ment** added to an adjective makes of it an adverb:

triste, sad	**tristement**, sadly
vrai, true	**vraiment**, truly
heureuse (f.) happy	**heureusement**, happily

2. Many feminine abstract nouns are formed from adjectives:

–eur:	**haut**, high	**hauteur**, height
	long, long	**longueur**, length
	grand, great	**grandeur**, greatness
–té:	**bon**, good	**bonté**, goodness
	beau, beautiful	**beauté**, beauty
	pauvre, poor	**pauvreté**, poverty
–ise:	**bête**, stupid	**bêtise**, stupidity
	franc, frank	**franchise**, frankness

3. Many nouns are formed from other nouns:

–ier:	**fruit**, fruit	**fruitier**, fruiterer
	pomme, apple	**pommier**, apple tree
	encre, ink	**encrier**, ink-well
–erie:	**gant**, glove	**ganterie**, glove factory
	lait, milk	**laiterie**, dairy, dairying
	boulanger, baker	**boulangerie**, bakery
–ée:	**bras**, arm	**brassée**, armful
	bouche, mouth	**bouchée**, mouthful
	nid, nest	**nichée**, nestful
	soir, evening	**soirée**, the whole evening
–eur:	= *–euse:* **danseur**, dancer	**danseuse**, feminine dancer
	= *–rice:* **acteur**, actor	**actrice**, actress

4. Many verbs are formed from nouns and adjectives:

Nouns:	*Verbs:*
arrivée, arrival	**arriver,** to arrive
attaque, attack	**attaquer,** to attack
voyage, trip	**voyager,** to travel
travail, work	**travailler,** to work
Adjectives:	
brave, brave	**braver,** to brave
rouge, red	**rougir,** to blush
jaune, yellow	**jaunir,** to turn yellow

CONTENTS

GUY DE MAUPASSANT

(1850–1893)

Guy de Maupassant naquit en Normandie, au nord de la France. Il y passa son enfance et sa jeunesse. Après avoir fini ses études au lycée de Rouen, capitale de la Normandie, il dut servir dans la guerre franco-prussienne de 1870. A la fin de cette guerre, il alla à Paris où il trouva une place au Ministère de l'Instruction Publique. C'est là qu'il écrivit ses romans: *Une Vie*, *Bel Ami*, *Fort comme la Mort*, *Pierre et Jean*, etc. sous la direction de son parrain Gustave Flaubert.

Maupassant écrivit aussi de nombreux contes, dont *L'Aventure de Walter Schnaffs*, *Mon Oncle Jules*, *La Parure* et *La Ficelle* sont parmi les mieux connus.

Maupassant est sans doute un des plus grands écrivains français du dix-neuvième siècle. Le sujet de beaucoup de ses œuvres est le paysan normand, dont il connaît si bien la vie et qu'il dépeint sans y laisser entrer ses sentiments personnels.

MON ONCLE JULES

PAR

GUY DE MAUPASSANT

Un vieux pauvre, à barbe blanche,[1] nous demanda l'aumône. Mon camarade Joseph Davranche lui donna cent sous.[2] Je fus surpris. Il me dit: — Ce misérable m'a rappelé une histoire que je vais te dire et dont le souvenir me poursuit sans cesse. La voici:

Ma famille, originaire du Havre,[3] n'était pas riche. On s'en tirait, voilà tout. Le père travaillait, rentrait tard du bureau et ne gagnait pas grand'chose. J'avais deux sœurs.

Ma mère souffrait beaucoup de la gêne où nous vivions, et elle trouvait souvent des paroles aigres pour son mari, des reproches voilés et perfides. Le pauvre homme avait[4] alors un geste qui me navrait. Il se passait la main ouverte sur le front, comme pour essuyer une sueur qui n'existait pas, et il ne répondait rien. Je sentais sa douleur impuissante. On économisait sur tout; on n'acceptait jamais un dîner, pour n'avoir pas à le rendre; on achetait les provisions au rabais, les fonds de boutique. Mes sœurs

aumône, alms
misérable, poor wretch
cesse: sans —, constantly
originaire de, originally from, native of
tirer: s'en —, to get along, make both ends meet
gêne, poverty
aigre, bitter
voilé, insinuating
navrer, to rend the heart, distress
sueur, perspiration
se passer: — la main sur le front, to pass one's hand across one's brow, to stroke one's brow
impuissant, that was beyond help
économiser: — sur tout, to economize in every way
rabais: au —, at bargain rates
fond: les —s de boutique, old stock

1. **à barbe blanche**, *with a white beard;* **à** is used idiomatically to express physical characteristics. 2. **cent sous** = **pièce de cinq francs**; formerly worth $1.00. 3. **Le Havre**, the most important sea-port for commerce with North America; it is located at the mouth of the river Seine. 4. **avait** = **faisait.**

faisaient leurs robes elles-mêmes et avaient de longues discussions sur le prix d'un galon qui valait quinze centimes le mètre.[1] Notre nourriture ordinaire consistait en soupe grasse et bœuf accommodé à toutes les sauces. Cela est sain et réconfortant, paraît-il;[2] j'aurais préféré autre chose.

On me faisait des scènes abominables pour les boutons perdus et les pantalons déchirés.

Mais chaque dimanche nous allions faire notre tour de jetée en grande tenue. Mon père, en redingote, en grand chapeau, en gants, offrait le bras à ma mère, pavoisée comme un navire un jour de fête. Mes sœurs, prêtes les premières, attendaient le signal du départ; mais, au dernier moment, on découvrait toujours une tache oubliée sur la redingote du père de famille, et il fallait bien vite l'effacer avec un chiffon mouillé de benzine.

Mon père, gardant son grand chapeau sur la tête, attendait, en manches de chemise, que[3] l'opération fût terminée, tandis que ma mère se hâtait, ayant ajusté ses lunettes de myope, et ôté ses gants pour ne pas les gâter.

On se mettait en route avec cérémonie. Mes sœurs marchaient devant, en se donnant le bras. Elles étaient en âge de mariage,[4] et

galon, lace, braid
consister en, to consist of
soupe grasse, meat soup
accommodé, prepared
sauce: à toutes les —s, in all sorts of ways
réconfortant, nourishing
pantalon, trousers
faire: — un tour de jetée, to go for a walk on the pier
tenue: en grande —, all dressed up
redingote, frock-coat
chapeau: grand —, silk hat
gant, glove
pavoisé, decked out, dressed up
navire, ship
fête: jour de —, holiday
tache, stain
père de famille, head of the household
chiffon, rag, cloth
mouillé de, moistened with
manche: en —s de chemise, in shirt sleeves
lunettes, *pl.* spectacles
myope, near-sighted person; **de —**, near-sighted
mettre: se — en route, to set out
bras: en se donnant le —, arm in arm

1. **le metre** = *per (a) yard.* 2. **paraît-il** = **à ce qu'il paraît**; rhetorical inversion. 3. **que** = **jusqu'à ce que.** 4. French girls, when this story was written, had little chance of getting married after they were past twenty-five years of age, or if they had no dowry. This is still true in some of the rural districts.

on en faisait montre en ville. Je me tenais à gauche de ma mère, dont mon père gardait la droite. Et je me rappelle l'air pompeux de mes pauvres parents dans ces promenades du dimanche, la rigidité de leurs traits, la sévérité de leur allure. Ils avançaient d'un pas grave, le corps droit, les jambes raides, comme si une affaire 5 d'une importance extrême eût dépendu[1] de leur tenue.

Et chaque dimanche, en voyant entrer les grands navires qui revenaient de pays inconnus et lointains, mon père prononçait invariablement les mêmes paroles:

— Hein ! si Jules était là-dedans, quelle surprise ! 10

Mon oncle Jules, le frère de mon père, était le seul espoir de la famille, après en avoir été la terreur. J'avais entendu parler de lui depuis mon enfance, et il me semblait que je l'aurais reconnu du premier coup, tant sa pensée[2] m'était devenue familière. Je savais tous les détails de son existence jusqu'au jour de son départ pour 15 l'Amérique, bien qu'on ne parlât qu'à voix basse de cette période de sa vie.

Il avait eu, paraît-il, une mauvaise conduite,[3] c'est-à-dire qu'il avait mangé quelque argent, ce qui est bien[4] le plus grand des crimes pour les familles pauvres. Chez les riches, un homme qui s'amuse 20 fait des bêtises. Il est ce qu'on appelle, en souriant, un noceur. Chez les nécessiteux, un garçon qui force les parents à écorner le capital devient un mauvais sujet, un gueux, un drôle !

montre: faire — de, to show off
tenir: se —, to stand, be, walk
raide, stiff
hein ! eh! huh!
là-dedans, on that one
entendre: — parler de, to hear people talk about
coup: du premier —, at once, at the first glance
voix: à — basse, in an undertone
dire: c'est-à- —, that is to say
manger, to squander
bêtise: faire des —s, to make a fool of one's self
noceur, playboy
nécessiteu-x, -se, poor
écorner, to dissipate, impair
sujet: mauvais —, bad lot
gueux, rascal
drôle, rogue

1. **eût dépendu = aurait dépendu;** the pluperfect subjunctive is used in literary style in French for the past conditional. 2. **tant sa pensée,** *so much (had) the thought of him,* etc. 3. **il avait eu une mauvaise conduite,** *his conduct had been bad.* 4. **ce qui est bien,** *which is certainly;* **bien** has several English meanings besides "well", to be determined from its use in the context.

Et cette distinction est juste, bien que le fait soit le même, car les conséquences seules déterminent la gravité de l'acte.

Enfin l'oncle Jules[1] avait notablement diminué l'héritage sur lequel comptait mon père, après avoir d'ailleurs mangé sa part jusqu'au 5 dernier sou.

On l'avait embarqué pour l'Amérique, comme on faisait alors, sur un navire marchand allant du Havre à New-York.

Une fois là-bas, mon oncle Jules s'établit marchand de je ne sais quoi, et il écrivit bientôt qu'il gagnait un peu d'argent et qu'il 10 espérait pouvoir dédommager mon père du tort qu'il lui avait fait. Cette lettre causa dans la famille une émotion profonde. Jules, qui ne valait pas, comme on dit, les quatre fers d'un chien,[2] devint tout à coup un honnête homme, un garçon de cœur, un vrai Davranche, intègre comme tous les Davranche.[3]

15 Un capitaine nous apprit en outre qu'il avait loué une grande boutique et qu'il faisait un commerce important.

Une seconde lettre, deux ans plus tard, disait: « Mon cher Philippe, je t'écris pour que tu ne t'inquiètes pas de ma santé, qui est bonne. Les affaires aussi vont bien. Je pars demain pour un 20 long voyage dans l'Amérique du Sud. Je serai peut-être plusieurs années sans te donner de mes nouvelles.[4] Si je ne t'écris pas, ne sois pas inquiet. Je reviendrai au Havre une fois fortune faite. J'espère que ce ne sera pas trop long, et nous vivrons heureux ensemble . . . »

notablement, considerably
embarquer, to ship off
savoir: de je ne sais quoi, in some line or other
dédommager (de), to reimburse (for)
cœur: garçon de —, noble-hearted fellow
intègre, honest, upright
apprendre, to inform
outre: en —, besides
louer, to rent
boutique, shop, store
commerce: faire un — important, to do a big business
inquiéter: s'— de, to worry about
fortune: une fois — faite, once my fortune is made

1. **l'oncle Jules = mon oncle Jules.** 2. **ne pas valoir les quatre fers d'un chien = ne valoir rien;** translate: *Julius was a worthless fellow.* 3. **les Davranche;** when personal names are used to designate all the members of a family, no **-s** is added to form the plural. 4. **sans te donner de mes nouvelles,** *without letting you hear from me.*

Cette lettre était devenue l'évangile de la famille. On la lisait à tout propos, on la montrait à tout le monde.

Pendant dix ans, en effet, l'oncle Jules ne donna plus de nouvelles; mais l'espoir de mon père grandissait à mesure que le temps marchait; et ma mère aussi disait souvent:

— Quand ce bon Jules sera là,[1] notre situation changera. En voilà un qui a su se tirer d'affaire!

Et chaque dimanche, en regardant venir de l'horizon les gros vapeurs noirs vomissant sur le ciel des serpents de fumée, mon père répétait sa phrase éternelle:

— Hein! si Jules était là-dedans, quelle surprise!

Et on s'attendait presque à le voir agiter un mouchoir, et crier:

— Ohé! Philippe.

On avait échafaudé mille projets sur ce retour assuré; on devait[2] même acheter, avec l'argent de l'oncle, une petite maison de campagne près d'Ingouville. Je n'affirmerais pas que mon père n'eût[3] point entamé déjà des négociations à ce sujet.

L'aînée de mes sœurs avait alors vingt-huit ans; l'autre vingt-six. Elles ne se mariaient pas, et c'était là[4] un gros chagrin pour tout le monde.

Un prétendant enfin se présenta pour la seconde. Un employé, pas riche, mais honorable. J'ai toujours eu la conviction que la lettre de l'oncle Jules, montrée un soir, avait terminé les hésitations et emporté la résolution du jeune homme.

On l'accepta avec empressement, et il fut décidé qu'après le mariage toute la famille ferait ensemble un petit voyage à Jersey.[5]

évangile, Gospel, Bible
propos: à tout —, on every occasion
mesure: à — que, in proportion as, as
tirer: se — d'affaire, to get along, succeed
vapeur, steamer
vomir, to belch forth
attendre: s'— à, to expect
ohé! hello! hey there!
échafauder, to build up, make
projet, plan
sujet: à ce —, about this matter
prétendant, suitor
emporter la résolution, to help make a decision
empressement: avec —, eagerly

1. **là** = **ici** in conversational style. 2. **on devait même acheter,** *we were even to buy.* 3. **n'eût point entamé déjà,** *had not already begun.* 4. **c'était là** = **cela était.** 5. **Jersey** [ʒɛrzɛ], *the Isle of Jersey,* an island in the English channel, near the French coast; it has belonged to England since the Norman conquest (1066).

Jersey est l'idéal du voyage pour les gens pauvres. Ce n'est pas loin; on passe la mer dans un paquebot et on est en terre étrangère, cet îlot appartenant aux Anglais. Donc, un Français, avec deux heures de navigation, peut s'offrir la vue d'un peuple voisin chez lui
5 et étudier les mœurs, déplorables d'ailleurs, de cette île couverte par le pavillon britannique,[1] comme disent les gens qui parlent avec simplicité.[2]

Ce voyage de Jersey devint notre préoccupation, notre unique attente, notre rêve de tous les instants.

10 On partit enfin. Je vois cela comme si c'était d'hier: le vapeur chauffant contre le quai de Granville; mon père, effaré, surveillant l'embarquement de nos trois colis; ma mère inquiète ayant pris le bras de ma sœur non mariée, qui semblait perdue depuis le départ de l'autre, comme un poulet resté seul de sa couvée; et, derrière
15 nous, les nouveaux époux qui restaient toujours en arrière, ce qui me faisait souvent tourner la tête.

Le bâtiment siffla. Nous voici montés, et le navire, quittant la jetée, s'éloigna sur une mer plate comme une table de marbre vert. Nous regardions les côtes s'enfuir, heureux et fiers comme tous ceux
20 qui voyagent peu.

Mon père tendait son ventre, sous sa redingote dont on avait, le matin même, effacé avec soin toutes les taches, et il répandait au-

idéal: l'— du voyage, an ideal trip
paquebot, steamer
offrir: s'—, to treat oneself to
chez lui, in his own country
pavillon, flag
attente, expectation
chauffer, to get up steam
quai, wharf
effaré, dismayed
embarquement, loading
colis, piece of baggage
marié: non —, unmarried
poulet, chicken
couvée, brood
époux: nouveaux —, bride and groom
arrière: en —, behind
bâtiment, boat
siffler, to whistle
monté, on board
éloigner: s'—, to depart, sail
plat, flat, smooth
marbre, marble
enfuir: s'—, to disappear
ventre: tendre son —, to throw out one's chest

1. **couverte par le pavillon britannique,** this is a bombastic expression for "**sous le pavillon britannique.**" 2. **avec simplicité,** *in a simple way;* this, of course, is ironical.

tour de lui cette odeur de benzine des jours de sortie, qui me faisait reconnaître les dimanches.

Tout à coup, il avisa deux dames élégantes à qui deux messieurs offraient des huîtres. Un vieux matelot déguenillé ouvrait d'un coup de couteau les coquilles et les passait aux messieurs, qui les tendaient ensuite aux dames. Elles mangeaient d'une manière délicate, en tenant l'écaille sur un mouchoir fin et en avançant la bouche pour ne point tacher leurs robes. Puis elles buvaient l'eau [1] d'un petit mouvement rapide et jetaient la coquille à la mer.

Mon père, sans doute, fut séduit par cet acte distingué de manger des huîtres sur un navire en marche. Il trouva cela bon genre, raffiné, supérieur, et il s'approcha de ma mère et de mes sœurs en demandant:

— Voulez-vous que je vous offre quelques huîtres ?

Ma mère hésitait, à cause de la dépense; mais mes deux sœurs acceptèrent tout de suite. Ma mère dit, d'un ton contrarié:

— J'ai peur de me faire mal à l'estomac. Offre ça aux enfants seulement, mais pas trop, tu les rendrais malades.

Puis, se tournant vers moi, elle ajouta:

— Quant à Joseph, il n'en a pas besoin; il ne faut point gâter les garçons.

Je restai donc à côté de ma mère, trouvant injuste cette distinction. Je suivais de l'œil mon père, qui conduisait pompeusement ses deux filles et son gendre vers le vieux matelot déguenillé.

Les deux dames venaient de partir, et mon père indiquait à mes sœurs comment il fallait s'y prendre pour manger sans laisser couler

sortie: jours de —, days we went out
aviser, to notice
huître, oyster
matelot, sailor
déguenillé, in rags and tatters
coup: d'un — de couteau, with a knife-thrust
coquille, shell
écaille, shell
tacher, to spot
séduire, to tempt
distingué, refined
marche: en —, moving
genre: bon —, good form
raffiné, refined
contrarié, vexed, annoyed
mal: se faire — à l'estomac, to get the stomach ache
gendre, son-in-law
prendre: s'y — à, to go about it, manage it
couler, to run out

1. **elles buvaient l'eau**, *they drank the juice* (of the oysters). Oysters are often served in France on the half-shell, the juice remaining in the shell.

l'eau; il voulut même donner l'exemple et il s'empara d'une huître. En essayant d'imiter les dames, il renversa immédiatement tout le liquide sur sa redingote et j'entendis ma mère murmurer:

— Il ferait mieux de se tenir tranquille.

Mais tout à coup mon père me parut inquiet; il s'éloigna de quelques pas, regarda fixement sa famille pressée autour de l'écailleur, et, brusquement, il vint vers nous.

Il me sembla fort pâle, avec des yeux singuliers. Il dit, à mi-voix à ma mère.

— C'est extraordinaire, comme cet homme qui ouvre les huîtres ressemble à Jules.

Ma mère interdite demanda:

— Quel Jules ? . . .

Mon père reprit:

— Mais . . . mon frère . . . Si je ne le savais pas en bonne position, en Amérique, je croirais que c'est lui.

Ma mère effarée balbutia:

— Tu es fou ! Du moment que tu sais bien que ce n'est pas lui, pourquoi dire ces bêtises-là ?

Mais mon père insistait:

— Va donc le voir,[1] Clarisse; j'aime mieux que tu t'en assures toi-même, de tes propres yeux.

Elle se leva et alla rejoindre ses filles. Moi aussi, je regardais l'homme. Il était vieux, sale, tout ridé, et ne détournait pas le regard de sa besogne.

emparer: s'— de, to seize
regarder fixement, to stare at
pressé autour, crowded around
écailleur, oyster-opener
mi-voix: à —, in a whisper, in an undertone
interdit, dumbfounded
position: en bonne —, well-established
balbutier, to stammer
moment: du — que, since, as long as
bêtise, stupid thing
assurer: s'— de, to make sure of
rejoindre: aller —, to go and rejoin
sale, dirty, filthy
ridé, wrinkled; **tout —,** very wrinkled
regard: détourner le —, to take one's eyes from

1. **Va donc le voir,** *Do go and see him.* **Donc** usually means *therefore;* however, with the imperative it is used for emphasis and is to be translated by *do, just,* or an equivalent word.

Ma mère revint. Je m'aperçus qu'elle tremblait. Elle prononça très vite:

— Je crois que c'est lui. Va donc demander des renseignements au capitaine. Surtout sois prudent, pour que ce garnement ne nous retombe pas sur les bras, maintenant! 5

Mon père s'éloigna, mais je le suivis. Je me sentais étrangement ému.

Le capitaine, un grand monsieur, maigre, à longs favoris, se promenait sur la passerelle d'un air important, comme s'il eût commandé [1] le courrier des Indes.[2] 10

Mon père l'aborda avec cérémonie, en l'interrogeant sur son métier avec accompagnement de compliments:

— Quelle était l'importance de [3] Jersey? Ses productions? Sa population? Ses mœurs? Ses coutumes? La nature du sol, etc., etc.[4] 15

On eût cru [5] qu'il s'agissait [6] au moins des États-Unis d'Amérique.

Puis on parla du bâtiment qui nous portait,[7] *l'Express;* puis on en vint à l'équipage. Mon père, enfin, d'une voix troublée:

— Vous avez là un vieil écailleur d'huîtres qui paraît bien intéressant. Savez-vous quelques détails sur ce bonhomme? 20

Le capitaine, que cette conversation finissait par irriter, répondit sèchement:

— C'est un vieux vagabond français que j'ai trouvé en Amérique l'an dernier, et que j'ai rapatrié. Il a, paraît-il, des parents au Havre, mais il ne veut pas retourner près d'eux, parce qu'il leur 25

garnement, good-for-nothing, scamp
bras: se retomber sur les —, to fall back on one's hands
favoris, side-whiskers
passerelle, bridge (of a ship)
accompagnement: avec — de, accompanied with
mœurs, manners
coutume, custom
venir, to come; **en — à,** to come to
équipage, crew
troublé, agitated, excited
finir par (+ *inf.*), finally (+ *pr. part.*)
sèchement, bluntly

1. **comme s'il eût commandé = comme s'il avait commandé,** *as if he were the capitan of.* 2. **courrier des Indes,** *East Indies mail boat.* 3. **quelle était l'importance de . . .?,** *how large was . . .?* 4. **etc. = et cetera,** pronounced in French [ɛtsɛtra]. 5. **on eût cru = on aurait cru.** 6. **il s'agissait de,** *it was a question of;* i.e. *the conversation dealt with.* 7. **qui nous portait = sur lequel nous voyagions.**

doit de l'argent. Il s'appelle Jules... Jules Darmanche ou Darvanche, quelque chose comme ça, enfin. Il paraît qu'il a été riche un moment là-bas, mais vous voyez où il en est réduit maintenant.

Mon père qui devenait livide, articula, la gorge serrée, les yeux hagards:

— Ah! ah! très bien..., fort bien... Cela ne m'étonne pas... Je vous remercie beaucoup, capitaine.

Et il s'en alla, tandis que le marin le regardait s'éloigner avec stupeur.

Il revint auprès de ma mère, tellement décomposé qu'elle lui dit:

— Assieds-toi; on va s'apercevoir de quelque chose.[1]

Il tomba sur le banc en bégayant:

— C'est lui, c'est bien lui!

Puis il demanda:

— Qu'allons-nous faire?[2]...

Elle répondit vivement:

— Il faut éloigner les enfants. Puisque Joseph sait tout, il va aller les chercher.[3] Il faut prendre garde surtout que notre gendre ne se doute de rien.

Mon père paraissait atterré. Il murmura:

— Quelle catastrophe!

Ma mère ajouta, devenue tout à coup furieuse:

— Je me suis toujours doutée que ce voleur ne ferait rien, et qu'il nous retomberait sur le dos! Comme si on pouvait attendre quelque chose d'un Davranche!...

moment: un —, for a short while
où, to what a condition
en être réduit, to be reduced to
articuler, to reply
serré: la gorge —e, gasping
marin, sailor
stupeur: avec —, with surprise
décomposé, upset
bégayer, to stammer
garde: prendre —, to take care
douter: se — de, to suspect
atterré, floored, overwhelmed
catastrophe, calamity
retomber: nous — sur le dos, to fall back on our hands

1. **on va s'apercevoir de quelque chose**, *people will see that something is wrong;* note the way of expressing the conversational future in French. 2. **Qu'allons-nous faire? = Que ferons-nous?** 3. **il va aller les chercher = il ira les chercher.**

Et mon père se passa la main sur le front, comme il faisait sous les reproches de sa femme.

Elle ajouta:

— Donne de l'argent à Joseph pour qu'il aille payer ces huîtres, à présent. Il ne manquerait plus que d'être reconnus par ce mendiant. Cela ferait un joli effet sur le navire. Allons-nous-en à l'autre bout, et fais en sorte que cet homme n'approche pas de nous!

Elle se leva, et ils s'éloignèrent après m'avoir remis une pièce de cent sous.

Mes sœurs, surprises, attendaient leur père. J'affirmai que maman s'était trouvée un peu gênée par la mer, et je demandai à l'ouvreur d'huîtres:

— Combien est-ce que nous vous devons, monsieur?

J'avais envie de dire: mon oncle.

Il répondit:

— Deux francs cinquante.[1]

Je tendis mes cent sous et il me rendit la monnaie.

Je regardais sa main, une pauvre main de matelot toute[2] plissée, et je regardais son visage, un vieux et misérable visage, triste, accablé, en me disant:

— C'est mon oncle, le frère de papa, mon oncle!

Je lui laissai dix sous de pourboire. Il me remercia:

— Dieu vous bénisse,[3] mon jeune monsieur! avec l'accent d'un

manquer: ne — plus que, to be the last straw
effet: faire un —, to create a sensation
sorte: faire en — que, to see to it that
monnaie, change
plissé, wrinkled
accablé, dejected
pourboire, tip

1. **cinquante,** supply **centimes,** *half a franc.* 2. **toute** is here used adverbially, and means *all, quite, entirely.* Note that **tout** as an adverb is invariable except before a feminine adjective beginning with a consonant, where it takes the feminine singular form. 3. **Dieu vous bénisse,** *God bless you.* Note the use of the third person singular and the third person plural of the subjunctive, without **que,** to express a wish. **Je veux,** or some equivalent expression, is understood in such cases.

pauvre qui reçoit l'aumône. Je pensai qu'il avait dû mendier, là-bas ![1]

Mes sœurs me contemplaient, stupéfaites de ma générosité.

Quand je remis les deux francs à mon père, ma mère, surprise, demanda:

— Il y en avait pour trois francs ?[2] ... Ce n'est pas possible.

Je déclarai d'une voix ferme:

— J'ai donné dix sous de pourboire.

Ma mère eut un sursaut et me regarda dans les yeux:

— Tu es fou ! Donner dix sous à cet homme, à ce gueux !...

Elle s'arrêta sous un regard de mon père, qui désignait son gendre. Puis on se tut.

Devant nous, à l'horizon, une ombre violette semblait sortir de la mer. C'était Jersey.

Lorsqu'on approcha des jetées, un désir violent me vint au cœur de voir encore une fois mon oncle Jules, de m'approcher, de lui dire quelque chose de consolant,[3] de tendre.

Mais, comme personne ne mangeait plus d'huîtres, il avait disparu, descendu sans doute au fond de la cale infecte où[4] logeait ce misérable.

Et nous sommes revenus par le bateau de Saint-Malo, pour ne pas le rencontrer. Ma mère était dévorée d'inquiétude.

Je n'ai jamais revu le frère de mon père !

Voilà pourquoi tu me verras quelquefois donner cent sous aux vagabonds.

Mon Oncle Jules fait partie de " Miss Harriett."

contempler, to stare at
stupéfait de, astonished at
sursaut: avoir un —, to be startled
regarder: — dans les yeux, to stare at
regard: sous un — de, at a look from
venir: — au cœur, to come over
cale, hold (of a ship)
infect, filthy
bateau, boat, vessel
dévorer, to consume

1. **qu'il avait dû mendier là-bas,** *that he must have had to beg over there.* 2. **il y en avait pour trois francs?** *was there three francs worth of them?* 3. **quelque chose de consolant,** *something consoling;* note that **de** is not translated after **quelque chose.** An adjective that follows the indefinite pronouns **personne, rien, quelque chose** and **quelqu'un** is always preceded by the preposition **de.** 4. **où logeait ce misérable;** note the inverted word order.

JULES LEMAÎTRE

(1853-1914)

Jules Lemaître est connu surtout comme critique littéraire. Mais il a réussi aussi dans d'autres genres. Il a écrit un roman, plusieurs pièces de théâtre bien connues, — *Le Pardon, l'Age difficile, la Massière,* etc. —, de remarquables *Impressions de théâtre* et aussi des contes. Le conte *La Cloche* a été tiré du recueil intitulé *Myrrah.*

Ce qui caractérise Jules Lemaître, c'est sa langue claire, souple et élégante, sa psychologie pénétrante et son ironie fine mais bienveillante.

LA CLOCHE

PAR

JULES LEMAÎTRE

La petite paroisse de Lande-Fleurie [1] avait une vieille cloche et un vieux curé.

La cloche était si fêlée que sa sonnerie ressemblait à une toux de vieille femme, qui faisait mal à entendre [2] et qui attristait les laboureurs et les bergers répandus dans les champs.

Le curé, l'abbé Corentin, était solide encore, malgré ses soixante-quinze ans. Il avait une figure d'enfant ridée, mais rose encadrée de cheveux blancs pareils aux écheveaux que filaient les bonnes femmes de Lande-Fleurie. Et il était adoré de ses ouailles à cause de sa bonhomie et de sa grande charité.

Comme l'époque approchait où l'abbé Corentin devait accomplir la cinquantième année de son sacerdoce, ses paroissiens résolurent de lui offrir un cadeau d'importance pour fêter cet anniversaire.

Les trois marguilliers firent secrètement la quête dans toutes les maisons et, quand ils eurent réuni cent écus, ils les portèrent au

cloche, bell
paroisse, parish
curé, priest
fêlé, cracked
sonnerie, ringing, pealing
toux, cough
attrister, to sadden, grieve
laboureur, plowman, worker in the field
berger, shepherd
l'abbé, father
encadré de, fringed with
écheveau, skein (of wool)
ouaille, flock, parishioner
bonhomie, good-nature, geniality
accomplir, to complete
sacerdoce, priesthood
paroissien, parishioner
cadeau d'importance, valuable gift
fêter, to celebrate
anniversaire, anniversary
marguillier, churchwarden
quête: faire la —, to take up a collection
écu, crown (about three francs)

1. **Lande-Fleurie,** an imaginary place name. 2. **qui faisait mal à entendre,** *which it hurt one to hear.*

curé, en le priant d'aller à la ville et d'y choisir lui-même une cloche neuve.

— Mes enfants, dit l'abbé Corentin, mes chers enfants... c'est évidemment le bon Dieu qui... pour ainsi dire... en quelque manière... 5

Et il n'en put dire plus long, tant il était ému. Il ne sut que[1] murmurer:

— *Nunc dimittis servum tuum, Domine, secundum verbum tuum in pace.*[2]

Dès le lendemain, l'abbé Corentin se mit en route pour acheter 10 la cloche. Il devait faire à pied deux lieues de pays, jusqu'au bourg de Rosy-les-Roses,[3] où passait la diligence qui menait à la bonne ville de Pont-l'Archevêque,[3] chef-lieu de la province.[4]

Il faisait beau. La vie des arbres, des oiseaux et des plantes utiles ou agréables bruissait sous le soleil des deux côtés du chemin. 15

Et le vieux curé, la tête déjà pleine des beaux carillons futurs, marchait allègrement, en louant Dieu, comme saint François,[5] de la gaieté de la création.

Comme il approchait de Rosy-les-Roses, il vit, sur le bord de la route, une voiture de saltimbanques dételée. Non loin de cette 20 voiture, un vieux cheval était couché sur le flanc, les quatre jambes

dire: pour ainsi —, so to speak
pouvoir: n'en — dire plus long, to be unable to say any more
lieue, league (2½ miles); **faire une —,** to travel a league
bourg, market-town
diligence, stage-coach
plantes utiles, vegetables
plantes agréables, flowers
bruire, to rustle
côtés: des deux —, on either side
carillon, chime
allègrement, briskly
louer de, to praise for
saltimbanque, strolling player
dételé, unharnessed, i.e. without a horse
couché, lying
flanc, side

1. **il ne sut que murmurer,** *he could only mutter.* 2. Latin for "**Maintenant, Seigneur, tu renvoies ton serviteur en paix, selon ta parole (ton désir).**" Words of the Jewish patriarch Simeon, after he saw the Messiah (New Testament, according to St. Luke, II, 25). i.e. *Now, oh Lord, I can die, after seeing my fondest hopes fulfilled.* 3. **Rosy-les-Roses . . . Pont-l'Archevêque,** imaginary place names. 4. **chef-lieu de la province,** *county-seat.* 5. **saint François,** Saint Francis of Assisi, famous for his love for animals, birds and nature.

allongées et raidies, les cerceaux des côtes et les os pointus de la croupe crevant la peau usée, du sang aux naseaux, la tête informe et les yeux blancs.

Un vieil homme et une vieille femme, vêtus de haillons bizarres, étaient assis au bord du fossé et pleuraient sur le vieux cheval mort.

Une fille de quinze ans surgit du fond du fossé et courut vers l'abbé en disant:

— La charité, monsieur le curé ! [1] la charité, s'il vous plaît !

La voix était rauque et douce à la fois et modulait sa prière comme une chanson de zingara. L'enfant, dont la peau avait la couleur du cuir fraîchement tanné, n'était pas mieux vêtue que les vieux; mais elle avait de très larges prunelles noires et veloutées et les lèvres comme des bigarreaux mûrs: ses bras jaunes étaient tatoués de fleurs bleues et un cercle de cuivre retenait ses cheveux noirs, étalés en éventail de chaque côté de son visage maigre, comme cela se voit aux figures égyptiaques.

L'abbé, ralentissant sa marche, avait tiré de son portemonnaie une pièce de deux sous. Mais, ayant rencontré les yeux de l'enfant, il s'arrêta et se mit à l'interroger.

— Mon frère, expliqua-t-elle, est en prison, parce qu'on a dit qu'il avait volé une poule. C'est lui qui nous faisait vivre et nous n'avons pas mangé depuis deux jours.

allongé, stretched out
raidi, stiffened, stiff
cerceau, hoop, circle
côte, rib
os, bone
pointu, pointed, sharp
croupe, back
crever, to split, puncture
naseau, nostril
informe, shapeless
'haillon, rag
fossé, ditch
surgir, to rise, come out
rauque, husky
chanson, song
zingara, gipsy
cuir, leather
fraîchement, freshly, newly
prunelles, *pl.* eyes
velouté, velvet-like, soft
bigarreau, (white-heart) cherry
cercle, band
étalé, spread, spread out
éventail: en —, fan-wise
égyptiaque, Egyptian
ralentir, to slacken
portemonnaie, pocket-book
poule, hen
vivre: faire —, to support

1. **monsieur le curé,** *Father.*

L'abbé remit les deux sous dans sa bourse et en tira une pièce blanche.

— Moi, continua-t-elle, je sais jongler, et ma mère dit la bonne aventure. Mais on ne nous permet plus de faire notre métier dans les villes et dans les villages, parce que nous sommes trop misérables. Et maintenant, voilà que[1] notre cheval est mort. Qu'est-ce que nous allons devenir ?[2]

— Mais, demanda l'abbé, ne pourriez-vous point chercher de l'ouvrage dans le pays ?

— Les gens ont peur de nous et nous jettent des pierres. Puis nous n'avons pas appris à travailler; nous ne savons faire que des tours. Si nous avions un cheval et un peu d'argent pour nous habiller, nous pourrions encore vivre de notre état. . . . Mais il ne nous reste plus qu'à mourir.

L'abbé remit la pièce blanche dans son porte-monnaie.

— Aimes-tu le bon Dieu ? demanda-t-il.

— Je l'aimerai s'il nous vient en aide, dit l'enfant.

L'abbé sentait à sa ceinture le poids du sac où étaient les cent écus de ses paroissiens.

La mendiante ne quittait point le saint prêtre des yeux, de ses yeux de tzigane que les prunelles emplissaient tout entiers. Il questionna:

— Es-tu sage ?

— Sage ? fit[3] la tzigane avec étonnement, car elle ne comprenait pas.

pièce blanche, silver coin
jongler, to juggle, do tricks
aventure: dire la bonne —, to tell fortunes
métier: faire notre —, to practice our profession
tour: faire des —s, to do tricks
vivre de, to make a living by
état, calling, profession
ne . . . plus que, nothing more but
aide: venir en —, to come to one's assistance
ceinture, belt, girdle
mendiant, beggar
quitter: — des yeux, to take one's eyes off
prêtre, priest
tzigane, gipsy
prunelle, pupil
emplir, to fill
sage, virtuous, good

1. **voilà que,** emphasizes the assertion; omit in translation. 2. **qu'est-ce que nous allons devenir?** *What is going to become of us?* 3. **fit = dit.**

— Dis: « Mon Dieu, je vous aime ! »

L'enfant se taisait, des larmes plein les yeux.[1] L'abbé avait défait les boutons de sa soutane et ramenait le gros sac plein d'argent.

La tzigane attrapa le sac d'un geste de singe et dit:

— Monsieur le curé, je vous aime car vous êtes bon.

Et elle s'enfuit vers les deux vieux qui, sans bouger, pleuraient toujours sur le cheval mort.

L'abbé continua sa marche vers Rosy-les-Roses, songeant à la grande misère où il plaît à Dieu de tenir beaucoup de ses créatures, et le priant d'éclairer cette petite bohémienne qui, visiblement, n'avait pas de religion, et qui, peut-être, n'avait pas même reçu le saint baptême.

Mais, tout à coup, il s'avisa que ce n'était plus la peine d'aller à Pont-l'Archevêque, puisqu'il n'avait plus l'argent de la cloche.

Et il revint sur ses pas.

Il avait peine à comprendre, maintenant, comment il avait pu donner à une mendiante inconnue, à une saltimbanque, une somme si énorme — et qui ne lui appartenait point.

Il pressa le pas, espérant revoir la bohémienne. Mais il n'y avait plus, au bord du chemin, que le cheval mort et la roulotte dételée.

Il médita sur ce qu'il venait de faire. Il avait, sans aucun doute, gravement péché: il avait abusé de la confiance de ses ouailles, détourné un dépôt, commis une espèce de vol.

Et il entrevoyait avec terreur les conséquences de sa faute. Com-

défaire, to loosen
soutane, cassock
ramener, to bring out, take out
attraper, to snatch
singe, monkey
éclairer, to give light to, enlighten
bohémienne, gipsy girl
visiblement, apparently
aviser: s'—, to remember
peine: être la —, to be worth while, be necessary
pas: revenir sur ses —, to retrace one's steps
pas: presser le —, to hasten one's step
roulotte, (gipsies') wagon
pécher, to sin
abuser de, to abuse, betray
dépôt: détourner un —, to embezzle
entrevoir, to foresee

1. **des larmes plein les yeux = les yeux pleins de larmes.**

ment la cacher ?[1] Comment la réparer ? Où trouver cent autres écus ? Et, en attendant, que répondre à ceux qui l'interrogeraient ? Quelle explication donner de sa conduite ?

Le ciel se couvrait. Les arbres étaient d'un vert blessant et cru sur l'horizon livide. De larges gouttes tombèrent. L'abbé Corentin fut frappé de la tristesse de la création.

Il put rentrer au presbytère sans être aperçu.

— C'est déjà vous, monsieur le curé ? demanda sa servante, la vieille Scholastique. Vous n'êtes donc pas allé à Pont-l'Archevêque ?

L'abbé fit un mensonge:

— J'ai manqué la diligence de Rosy-les-Roses.... Je retournerai un autre jour.... Mais, écoute, ne dis à personne que je suis déjà revenu.

Il ne dit point sa messe le lendemain. Il resta enfermé dans sa chambre et n'osa même se promener dans son verger.

Mais, le jour suivant, on vint le chercher pour porter l'extrême-onction à un malade, au hameau de Clos-Moussu.

— M. le curé n'est pas rentré, dit la gouvernante.

— Scholastique se trompe; me voici, dit l'abbé Corentin.

En revenant de Clos-Moussu, il rencontra un de ses plus pieux paroissiens:

— Eh bien, monsieur le curé, avez-vous fait bon voyage ?

L'abbé mentit pour la seconde fois:

— Excellent, mon ami, excellent.

— Et cette cloche ?

L'abbé fit un nouveau mensonge. Hélas ! il n'en était déjà plus à les compter.[2]

réparer, to make amends for
couvrir: se —, to become cloudy
blessant, depressing
cru, harsh
livide, gray
presbytère, parish-house
mensonge: faire un —, to tell a lie
verger, orchard
venir chercher, to come for
porter l'extrême-onction, to administer extreme unction
hameau, hamlet
gouvernante, house-keeper
tromper: se —, to be mistaken
mentir, to tell a lie
en être à, to be in a position to

1. **Comment la cacher?,** *How should he hide it?* Translate: **Comment la réparer?... Où trouver?... Que répondre?... Quelle explication donner?** in the same manner. 2. **il n'en était déjà plus à les compter = il ne pouvait plus les compter, car il y en avait trop.** *He had reached the point where he could no longer keep track of them.*

— Superbe, mon ami, superbe ! On la dirait en argent fin. Et quel joli son ! Rien qu'en lui donnant une chiquenaude, elle tinte si longtemps que cela n'en finit plus.

— Et quand la verrons-nous ?

— Bientôt, mon cher enfant, bientôt. Mais il faut d'abord graver dans son métal son nom de baptême, ceux de ses parrain et marraine et quelques versets des saintes Écritures. . . . Et dame ! cela demande du temps.

— Scholastique ! dit l'abbé en rentrant chez lui, si l'on vendait le fauteuil, la pendule et l'armoire qui sont dans ma chambre, crois-tu qu'on en tirerait cent écus ?

— On n'en tirerait pas trois pistoles,[1] monsieur le curé. Car, sauf votre respect, tout votre mobilier ne vaut pas quatre sous.

— Scholastique ! reprit l'abbé, je ne mangerai plus de viande. La viande me fait mal.

— Monsieur le curé, répondit la vieille servante, tout ça n'est pas naturel, et, pour sûr, vous avez quelque chose.[2] . . . C'est depuis [2] le jour où vous êtes parti pour Pont-l'Archevêque. Que vous est-il donc arrivé ?

Elle le harcela si fort de questions qu'il finit par tout lui raconter.

— Ah ! dit-elle, cela ne m'étonne point. C'est votre bon cœur qui vous perdra. Mais ne vous faites point de mauvais sang, mon-

argent: en — fin, made of fine silver
rien: — que, only, simply
chiquenaude, flick (of the finger), tap
tinter, to ring
finir: cela n'en finit pas, there is no end to it
graver dans, to engrave into
parrain, godfather
marraine, godmother
verset, Bible verse
écriture, writing; **saintes —s,** Holy Writ, the Scriptures
dame! of course !
demander du temps, to require time
pendule, clock
armoire, wardrobe
pistole, pistole (ten francs)
sauf votre respect, with due reverence to you
mobilier, furniture
viande, meat
sûr: pour —, to be sure
harceler, to torment
sang: se faire du mauvais —, to worry

1. **pistole,** *pistole;* an obsolete gold coin that was worth about two dollars. 2. **vous avez quelque chose . . . C'est depuis le jour,** *There is something the matter with you. There has been since the day . . .*

sieur le curé. Je me charge d'expliquer la chose jusqu'à ce que vous ayez pu ramasser cent autres écus.

Et donc, Scholastique inventa des histoires, qu'elle débitait à tout venant: « On avait fêlé la cloche neuve en l'emballant, et il fallait la refondre. La cloche refondue, M. le curé avait eu l'idée de l'envoyer dans la ville de Rome pour qu'elle fût bénie par notre Saint-Père le Pape, et c'était là un long voyage. . . . »

L'abbé la laissait dire, mais il était de plus en plus malheureux. Car, outre qu'il se reprochait ses propres mensonges, il se sentait responsable de ceux de Scholastique, et cela, joint au détournement de l'argent de ses paroissiens, formait, à la longue, une masse effroyable de péchés. Il fléchissait sous le faix, et, peu à peu, une pâleur terreuse remplaçait, sur ses joues amaigries, les roses rouges de son innocente et robuste vieillesse.

Le jour fixé pour les noces [1] d'or du curé et pour le baptême de la cloche était passé depuis longtemps. Les habitants de Lande-Fleurie s'étonnaient d'un tel retardement. Des bruits se répandaient: Farigoul, le maréchal ferrant, racontait qu'on avait vu l'abbé Corentin en mauvaise compagnie dans les environs de Rosy-les-Roses, et il ajoutait:

— C'est moi qui vous le dis: [2] il a gaspillé l'argent de la cloche.

Un parti se formait contre le digne desservant. Quand il mar-

débiter, to relate
venant: à tout —, to all comers
fêler, to crack
emballer, to pack
refondre, to recast
pape, pope
outre: — que, besides, apart from the fact that
détournement, embezzlement
longue: à la —, in the long run
effroyable, frightful, terrible
péché, sin
fléchir, to bend, give way
faix, burden, weight
terreu-x, -se, earthy, ashen
amaigri, thin, emaciated
vieillesse, old age
noce, wedding; **— d'or**, golden jubilee
longtemps: depuis —, long since
maréchal ferrant, blacksmith
gaspiller, to squander
desservant, priest

1. **les noces d'or du curé**, *the priest's golden jubilee.* This is the celebration of the fiftieth anniversary of Father Corentin's ordination. 2. **C'est moi qui vous le dis.** This is the equivalent of the American expression: *Now I'm telling you.*

chait dans la rue, il y avait des chapeaux qui restaient sur les têtes, et il entendait, sur son passage, des murmures hostiles.

Le pauvre saint homme était accablé de remords. Il concevait toute l'étendue de sa faute. Il en éprouvait la plus douloureuse attrition: et pourtant, il avait beau faire, il ne pouvait arriver à la contrition parfaite.

C'est qu'il sentait bien que cette aumône imprudente, cette aumône de l'argent d'autrui, il l'avait faite comme malgré lui et sans avoir même la liberté d'y réfléchir. Il se disait aussi que cette charité déraisonnable avait pu être, pour l'âme ignorante de l'enfant des bohémiens, la meilleure révélation de Dieu et le commencement de l'illumination intérieure. Et toujours il revoyait, si noirs, si doux et tout pleins de larmes, les yeux de la petite saltimbanque. . . .

Cependant, l'angoisse de sa conscience devenait intolérable. Sa faute grossissait, rien qu'en durant. Un jour, après être resté longtemps en prière, il résolut de se décharger de son péché en le confessant publiquement à ses paroissiens.

Le dimanche suivant, il monta en chaire après l'Évangile, et, plus pâle et roidi d'un plus sublime effort que les martyrs dans l'arène, il commença:

— Mes chers frères, mes chers amis, mes chers enfants, j'ai une confession à vous faire. . . .

A ce moment, une sonnerie claire, limpide, argentine, chanta dans le clocher et remplit la vieille église. . . . Toutes les têtes se retournèrent, et un chuchotement émerveillé parcourut les bancs des fidèles:

— La cloche neuve ! la cloche neuve !

passage: sur son —, on his way
accabler, to overwhelm
concevoir, to realize
attrition, regret, remorse
aumône, alms
autrui, other people
déraisonable, unreasonable, foolish
grossir, to increase
durer: rien qu'en durant, by its mere continuance
décharger: se — de, to unburden oneself of
chaire: monter en —, to ascend the pulpit
Évangile, Gospel
roidi, stiff
effort: d'un — sublime, with a supreme effort
limpide, limpid, clear
argentin, silver-toned
clocher, belfry
chuchotement, whispering, murmur
émerveillé, amazed

Était-ce un miracle ? Et Dieu avait-il fait apporter la nouvelle cloche par ses anges, afin de sauver l'honneur de son charitable ministre ?

Ou bien Scholastique était-elle allée confier l'embarras de son vieux maître à ces deux dames américaines — vous savez — Suzie et Bettina Percival,[1] qui habitaient un si beau château à trois lieues de Lande-Fleurie, et ces excellentes dames s'étaient-elles arrangées pour faire à l'abbé Corentin cette jolie surprise ?

A mon avis, la seconde explication souffrirait encore plus de difficultés que la première.

Quoi qu'il en soit [2] les habitants de Lande-Fleurie ne surent jamais ce que l'abbé Corentin avait à leur confesser.

ange, angel **souffrir,** to suffer, admit of

1. **Suzie et Bettina Percival;** wealthy and generous American ladies, characters in Ludovic Halévy's well-known novel *L'Abbé Constantin.*
2. **Quoi qu'il en soit,** *However that may be.* Do not confuse **quoi que,** *whatever* with **quoique,** *although.*

L'AVENTURE DE WALTER SCHNAFFS

PAR

GUY DE MAUPASSANT

Depuis son entrée en France avec l'armée d'invasion,[1] Walter Schnaffs se jugeait le plus malheureux des hommes. Il était gros, marchait avec peine, soufflait beaucoup [2] et souffrait affreusement des pieds qu'il avait fort plats et fort gras. Il était en outre pacifique 5 et bienveillant, nullement magnanime ou sanguinaire, père de quatre enfants qu'il adorait et marié avec une jeune femme blonde, dont il regrettait désespérément les tendresses, les petits soins et les baisers. Il aimait se lever tard et se coucher tôt, manger lentement de bonnes choses et boire de la bière dans les brasseries. Il songeait en outre 10 que tout ce qui est doux dans l'existence disparaît avec la vie; et il gardait au cœur une haine [3] épouvantable, instinctive et raisonnée en même temps, pour les canons, les fusils, les revolvers et les sabres, mais surtout pour les baïonnettes, se sentant incapable de manœuvrer assez vivement cette arme rapide pour défendre son gros 15 ventre.

Et, quand il se couchait sur la terre, la nuit venue, roulé dans son manteau à côté des camarades qui ronflaient, il pensait longuement aux siens laissés là-bas et aux dangers semés sur sa route: « S'il

avoir les pieds plats, to be flat (footed)
pacifique, peace-loving
bienveillant, good-natured
magnanime, eager for glory, high-spirited
sanguinaire, blood-thirsty
soins: petits —, little attentions
baiser, kiss
brasserie, tavern
épouvantable, frightful, awful
raisonné, rational
rapide, quick
ventre, abdomen, stomach
ronfler, to snore
longuement, a long time

1. **l'armée d'invasion,** i.e. the Prussian army that invaded France during the Franco-Prussian war of 1870–1871. 2. **soufflait beaucoup = respirait avec effort.** 3. **il gardait au cœur une haine,** *he had a heartfelt hatred.*

était tué, que deviendraient les petits? Qui donc les nourrirait et les élèverait?» A l'heure même, ils n'étaient pas riches, malgré les dettes qu'il avait contractées en partant pour leur laisser quelque argent. Et Walter Schnaffs pleurait quelquefois.

Au commencement des batailles il se sentait dans les jambes de telles faiblesses qu'il se serait laissé tomber, s'il n'avait songé que toute l'armée lui passerait sur le corps. Le sifflement des balles hérissait le poil [1] sur sa peau.

Depuis des mois il vivait ainsi dans la terreur et dans l'angoisse.

Son corps d'armée s'avançait vers la Normandie; [2] et il fut un jour envoyé en reconnaissance avec un faible détachement qui devait simplcment explorer une partie du pays et se replier ensuite. Tout semblait calme dans la campagne; rien n'indiquait une résistance préparée.

Or, les Prussiens [3] descendaient avec tranquillité dans une petite vallée que coupaient des ravins profonds, quand une fusillade violente les arrêta net, jetant bas une vingtaine des leurs; et une troupe de francs-tireurs, sortant brusquement d'un petit bois grand comme la main, s'élança en avant, la baïonnette au fusil.

Walter Schnaffs demeura d'abord immobile, tellement surpris et éperdu qu'il ne pensait même pas à fuir. Puis un désir fou de détaler le saisit; mais il songea aussitôt qu'il courait comme une

heure: à l'— même, at this very hour, just now
sifflement, whistling, whizzing
balle, bullet
hérisser, to make stand on end
poil, hair
reconnaissance: en —, on a reconnoitering expedition
replier: se —, to fall back, retire
tranquillité: avec —, quietly
net: arrêter —, to stop suddenly
jeter: — bas, to bring down
les leurs, their men
franc-tireur, sniper
élancer: s'—, to leap
brusquement, roughly, suddenly
avant: en —, forward
la baïonnette au fusil, with fixed bayonets
éperdu, bewildered
détaler, to scamper away, run away

1. **le poil = les poils;** the singular of this word is seldom used. 2. **la Normandie,** Normandy; the name of one of the old provinces in northwestern France. 3. **les Prussiens,** *the Prussians.* The German empire did not exist at this time; war was declared against the king of Prussia; it was not until the close of the Franco-Prussian war that the king of Prussia was elected emperor (**Kaiser**) of a united Germany.

tortue en comparaison des maigres Français qui arrivaient en bondissant comme un troupeau de chèvres. Alors, apercevant à six pas devant lui un large fossé plein de broussailles couvertes de feuilles sèches, il y sauta à pieds joints, sans songer même à la pro- 5 fondeur, comme on saute d'un pont dans une rivière.

Il passa, à la façon d'une flèche, à travers une couche épaisse de lianes et de ronces aiguës qui lui déchirèrent la face et les mains, et il tomba lourdement assis sur un lit de pierres.

Levant aussitôt les yeux, il vit le ciel par le trou qu'il avait fait. 10 Ce trou révélateur le pouvait dénoncer,[1] et il se traîna avec précaution, à quatre pattes, au fond de cette ornière, sous le toit de branchages enlacés, allant le plus vite possible, en s'éloignant du lieu du combat. Puis il s'arrêta et s'assit de nouveau, tapi comme un lièvre au milieu des hautes herbes sèches.

15 Il entendit pendant quelque temps encore des détonations, des cris et des plaintes. Puis les clameurs de la lutte s'affaiblirent, cessèrent. Tout redevint muet et calme.

Soudain quelque chose remua contre lui. Il eut un sursaut épouvantable. C'était un petit oiseau qui, s'étant posé sur une branche, 20 agitait des feuilles mortes. Pendant près d'une heure, le cœur de Walter Schnaffs en battit à grands coups pressés.

La nuit venait, emplissant d'ombre le ravin. Et le soldat se mit

tortue, tortoise
bondir, to bound (along)
troupeau, flock, herd
chèvre, goat
fossé, ditch
broussailles, underbrush
sauter, to dive
pied: à —s joints, holding his feet tightly together
façon: à la — de, in the manner of, like
flèche, arrow
couche, bed
liane, bindweed
ronce, bramble
aigu, -ë, prickly, sharp
révélat-eur, -rice, tell-tale
dénoncer, to give away
patte: à quatre —s, on all fours
ornière, ditch
enlacé, interwoven, tangled
tapi, crouched
lièvre, hare
affaiblir: s'—, to die out
muet, -te, silent
sursaut: avoir un —, to give a start, be startled
poser: se — sur, to alight on
coup: à grands —s pressés, with rapid thuds
emplir de, to fill with

1. **le pouvait dénoncer,** old French construction for **pouvait le dénoncer.**

à songer. Qu'allait-il faire ? Qu'allait-il devenir ? Rejoindre son armée ?... Mais comment ? Mais par où ? Et il lui faudrait recommencer l'horrible vie d'angoisses, d'épouvantes, de fatigues et de souffrances qu'il menait depuis le commencement de la guerre ! Non ! Il ne se sentait plus ce courage. Il n'aurait plus l'énergie 5 qu'il fallait pour supporter les marches et affronter les dangers de toutes les minutes.

Mais que faire ? Il ne pouvait rester dans ce ravin et s'y cacher jusqu'à la fin des hostilités. Non, certes. S'il n'avait pas fallu manger, cette perspective ne l'aurait pas trop atterré; mais il fallait 10 manger, manger tous les jours.

Et il se trouvait ainsi tout seul, en armes, en uniforme, sur le territoire ennemi, loin de ceux qui le pouvaient défendre.[1] Des frissons lui couraient sur la peau.[2]

Soudain il pensa: « Si seulement j'étais prisonnier ! » Et son 15 cœur frémit de désir, d'un désir violent, immodéré, d'être prisonnier des Français. Prisonnier ! Il serait sauvé, nourri, logé, à l'abri des balles et des sabres, sans appréhension possible, dans une bonne prison bien gardée. Prisonnier ! Quel rêve !

Et sa résolution fut prise immédiatement: 20

— Je vais me constituer prisonnier.

Il se leva, résolu à exécuter ce projet sans tarder d'une minute. Mais il demeura immobile, assailli soudain par des réflexions fâcheuses et par des terreurs nouvelles.

Où allait-il se constituer prisonnier ? Comment ? De quel côté ? 25 Et des images affreuses, des images de mort, se précipitèrent dans son âme.

où: par —, in what way
épouvante, terror
affronter, to face
atterrer, to dismay
frémir de, to tremble, quake from
immodéré, excessive
loger, to house
résolution: prendre une —, to make up one's mind
constituer: se — prisonnier, to give oneself up as a prisoner
assaillir, to attack
fâcheu-x, -se, annoying

1. **qui le pouvaient défendre = qui pouvaient le défendre.** 2. **Des frissons lui couraient sur la peau,** *shudders began to run down his spine.*

Il allait courir des dangers terribles en s'aventurant seul, avec son casque à pointe, par la campagne.

S'il rencontrait [1] des paysans ? Ces paysans, voyant un Prussien perdu, un Prussien sans défense, le tueraient comme un chien errant ! 5 Ils le massacreraient avec leurs fourches, leurs pioches, leurs faux, leurs pelles ! Ils en feraient une bouillie, une pâtée, avec l'acharnement des vaincus exaspérés.

S'il rencontrait [1] des francs-tireurs ? Ces francs-tireurs, des enragés sans loi ni discipline, le fusilleraient pour s'amuser, pour 10 passer une heure, histoire de rire en voyant sa tête.[2] Et il se croyait déjà appuyé contre un mur en face de douze canons de fusils, dont les petits trous ronds et noirs semblaient le regarder.

S'il rencontrait [1] l'armée française elle-même ? Les hommes d'avant-garde le prendraient pour un éclaireur, pour quelque hardi 15 et malin troupier parti seul en reconnaissance, et ils lui tireraient dessus.[3] Et il entendait déjà les détonations irrégulières des soldats couchés dans les broussailles, tandis que lui, debout au milieu d'un champ, s'affaissait, troué comme une écumoire par les balles qu'il sentait entrer [4] dans sa chair.

20 Il se rassit, désespéré. Sa situation lui paraissait sans issue.

casque, helmet; **— à pointe,** spiked helmet
errant, stray
fourche, pitchfork
pioche, pickaxe
faux, scythe
pelle, shovel
en = de lui, out of him
bouillie, pulp
pâtée, hash
acharnement, fury
vaincu, conquered, defeated people
exaspéré, frantic
enragé, madman
fusiller, to shoot
histoire: — de rire, just for a joke
canon de fusil, gun-barrel
avant-garde, vanguard
éclaireur, scout
malin, clever
tirer: lui — dessus, to shoot at him
affaisser: s'—, to collapse
troué, full of holes
écumoire, skimming ladle, skimmer
chair, flesh
issue: sans —, hopeless

1. **S'il rencontrait des paysans?** *Supposing that he were to meet some farmers?* Si is often translated by "*supposing*" "*suppose*" or "*what if*" when followed by the imperfect indicative. 2. **en voyant sa tête,** *to see the expression on his face.* 3. **ils lui tireraient dessus,** familiar expression for **ils tireraient sur lui.** 4. **qu'il sentait entrer dans sa chair,** *that he felt piercing his flesh;* note the use of the infinitive after verbs of feeling, seeing, perceiving where English generally uses the present participle.

La nuit était tout à fait venue, la nuit muette et noire. Il ne bougeait plus, tressaillant à tous les bruits inconnus et légers qui passent dans les ténèbres. Un lapin, tapant au bord d'un terrier, faillit faire s'enfuir Walter Schnaffs. Les cris des chouettes lui déchiraient l'âme, le traversant de peurs soudaines, douloureuses 5 comme des blessures. Il écarquillait ses gros yeux pour tâcher de voir dans l'ombre; et il s'imaginait à tout moment entendre marcher [1] près de lui.

Après d'interminables heures et des angoisses de damné, il aperçut, à travers son plafond de branchages, le ciel qui devenait clair. 10 Alors, un soulagement immense le pénétra; ses membres se détendirent, reposés soudain; son cœur s'apaisa: ses yeux se fermèrent. Il s'endormit.

Quand il se réveilla, le soleil lui parut arrivé à peu près au milieu du ciel; il devait [2] être midi. Aucun bruit ne troublait la paix 15 morne des champs; et Walter Schnaffs s'aperçut qu'il était atteint d'une faim aiguë.

Il bâillait, la bouche humide à la pensée du saucisson, du bon saucisson des soldats; et son estomac lui faisait mal.

Il se leva, fit quelques pas, sentit que ses jambes étaient faibles, 20 et se rassit pour réfléchir. Pendant deux ou trois heures encore, il

tressaillir, to tremble, be startled
ténèbres, *pl.* darkness
lapin, rabbit
taper, to stamp
terrier, burrow
faillir, (+ *inf.*) to come near; — **faire s'enfuir**, to almost make flee
chouette, owl
douloureu-x, -se, painful
écarquiller, to open wide
ombre, shade, shadow, darkness
damné, a condemned person, a lost soul
plafond, ceiling
soulagement, relief
détendre: se —, to relax
apaiser: s'—, to become calm
morne, gloomy
atteint: — d'une faim aiguë, attacked by (suffering) sharp pangs of hunger
bâiller, to open one's mouth, gape (spasmodically)
humide, watering
saucisson, sausage

1. **il s'imaginait . . . entendre marcher**, *he thought that he heard . . . someone walking;* see preceding note. 2. **il devait être midi**, *it was probably noon;* **devoir** usually means *to be* (*supposed*) *to.*

établit le pour et le contre, changeant à tout moment de résolution, combattu, malheureux, tiraillé par les raisons les plus contraires.

Une idée lui parut enfin logique et pratique, c'était de guetter le passage d'un villageois seul, sans armes, et sans outils de travail 5 dangereux, de courir au devant de lui et de se remettre en ses mains en lui faisant bien comprendre qu'il se rendait.

Alors il ôta son casque, dont la pointe le pouvait trahir,[1] et il sortit sa tête au bord de son trou, avec des précautions infinies.

Aucun être isolé ne [2] se montrait à l'horizon. Là-bas, à droite, un 10 petit village envoyait au ciel la fumée de ses toits, la fumée des cuisines! Là-bas à gauche, il apercevait, au bout des arbres d'une avenue, un grand château flanqué de tourelles.

Il attendit jusqu'au soir, souffrant affreusement, ne voyant rien que des vols de corbeaux, n'entendant rien que les plaintes sourdes 15 de ses entrailles.

Et la nuit encore tomba sur lui.

Il s'allongea au fond de sa retraite et il s'endormit d'un sommeil fiévreux,[3] hanté de cauchemars, d'un sommeil d'homme affamé.

L'aurore se leva de nouveau sur sa tête. Il se remit en observa- 20 tion. Mais la campagne restait vide comme la veille; et une peur

pour: le — et le contre, the pros and cons
combattu, at strife with oneself
tiraillé par, torn between
guetter, to watch for
villageois, villager
outil, tool, implement
courir: — au devant de, to run to meet
remettre: se —, to deliver oneself
rendre: se —, to surrender
sortir, to stick out
être isolé: aucun — — ne, not a single person
ciel: au —, heavenward
flanqué de, flanked by
tourelle, turret
ne . . . rien que, nothing but, nothing except
vol, flight
corbeau, crow
sourd, dull
entrailles, *pl.* stomach
allonger: s'—, to stretch out
fiévreu-x, -se, feverish
'hanter de, to haunt by
cauchemar, nightmare
affamé, starving
aurore, dawn
remettre: se — en observation, to start one's watch again
veille, evening before

1. **le pouvait trahir** = **pouvait le trahir.** 2. **ne** is part of the negative **ne . . . aucun** = *no.* 3. **il s'endormit d'un sommeil fiévreux,** *he fell into a feverish sleep.*

nouvelle entrait dans l'esprit de Walter Schnaffs, la peur de mourir de faim ! Il se voyait étendu au fond de son trou, sur le dos, les deux yeux fermés. Puis des bêtes, des petites bêtes de toute sorte s'approchaient de son cadavre et se mettaient à le manger, l'attaquant partout à la fois, se glissant sous ses vêtements pour mordre 5 sa peau froide. Et un grand corbeau lui piquait les yeux de son bec effilé.

Alors, il devint fou,[1] s'imaginant qu'il allait s'évanouir de faiblesse et ne plus pouvoir marcher.[2] Et déjà, il s'apprêtait à s'élancer vers le village, résolu à tout oser, à tout braver, quand il aperçut trois 10 paysans qui s'en allaient aux champs avec leurs fourches sur l'épaule, et il se replongea dans sa cachette.

Mais, dès que le soir obscurcit la plaine, il sortit lentement du fossé, et se mit en route, courbé, craintif, le cœur battant, vers le château lointain, préférant entrer là-dedans plutôt qu'au village 15 qui lui semblait redoutable comme[3] une tanière pleine de tigres.

Les fenêtres d'en bas brillaient. Une d'elles était même ouverte; et une forte odeur de viande cuite s'en échappait, une odeur qui pénétra brusquement dans le nez et jusqu'au fond du ventre de Walter Schnaffs, qui le crispa, le fit haleter, l'attirant irrésistible- 20 ment, lui jetant au cœur[4] une audace désespérée.

Et brusquement, sans réfléchir, il apparut, casqué, dans le cadre de la fenêtre.

mourir de faim, to starve to death
étendu, stretched out
deux: les —, both
cadavre, corpse
mordre, to bite
piquer, to peck out
bec, beak
effilé, sharp
evanouir: s'—, to faint
apprêter: s'—, to get ready
replonger: se —, to dive back again
cachette, hiding-place
courbé, stooping down, crouching
crainti-f, -ve, fearful
là-dedans, in there
tanière, den
bas: d'en —, of the first floor, downstairs
odeur, aroma
viande, meat
crisper, to jar one's nerves, agitate
haleter, to pant
casqué, helmeted, with his helmet on
cadre, frame, frame-work

1. **il devint fou = il s'affola,** *he became panicky.* 2. **ne plus pouvoir marcher,** supply **qu'il allait** = *that he would no longer be able to walk.* 3. **redoutable comme = aussi dangereux que.** 4. **lui jetant au cœur,** *instilling in his heart.*

Huit domestiques dînaient autour d'une grande table. Mais soudain une bonne demeura béante, laissant tomber son verre, les yeux fixes. Tous les regards suivirent le sien !

On aperçut l'ennemi !

5 Seigneur ! les Prussiens attaquaient le château !...

Ce fut d'abord un cri, un seul cri, fait de huit cris poussés sur huit tons différents, un cri d'épouvante horrible, puis une levée tumultueuse, une bousculade, une mêlée, une fuite éperdue vers la porte du fond. Les chaises tombaient, les hommes renversaient les 10 femmes et passaient dessus. En deux secondes, la pièce fut vide, abandonnée, avec la table couverte de mangeaille en face de Walter Schnaffs stupéfait, toujours debout dans sa fenêtre.

Après quelques instants d'hésitation, il enjamba le mur d'appui et s'avança vers les assiettes. Sa faim exaspérée le faisait trembler 15 comme un fiévreux: mais une terreur le retenait, le paralysait encore. Il écouta. Toute la maison semblait frémir; des portes se fermaient, des pas rapides couraient sur le plancher du dessus. Le Prussien inquiet tendait l'oreille à ces confuses rumeurs; puis il entendit des bruits sourds comme si des corps fussent tombés dans 20 la terre molle, au pied des murs, des corps humains sautant du premier étage.[1]

Puis tout mouvement, toute agitation cessèrent, et le grand château devint silencieux comme un tombeau.

Walter Schnaffs s'assit devant une assiette restée intacte, et il se 25 mit à manger. Il mangeait par grandes bouchées comme s'il eût

bonne, servant, house-maid
béant: demeurer —, to stand gaping
fixe: les yeux —s, with eyes staring
seigneur ! good Lord !
levée, upheaval
bousculade, jostling
mêlée, scuffle
fond: la porte du —, the rear door
passer dessus, to step over (them)
mangeaille (*slang*), food, " eats "
stupéfait, amazed, surprised
enjamber, to climb over
mur d'appui, sill (of a window)
assiette, plate
exaspéré, excessive
fiévreux, person with a fever
frémir, to quiver
plancher: — du dessus, upstairs floor
tendre: — l'oreille à, to listen intently to
rumeur, noise
intact, untouched
bouchée, mouthful

1. **du premier étage,** *from the second story.* The French call the first floor **rez-de-chaussée.**

craint[1] d'être interrompu trop tôt, de n'en pouvoir engloutir assez. Il jetait à deux mains les morceaux dans sa bouche ouverte comme une trappe; et des paquets de nourriture lui descendaient coup sur coup dans l'estomac, gonflant sa gorge en passant. Parfois, il s'interrompait, prêt à crever à la façon d'un tuyau trop plein. Il prenait alors la cruche au cidre et se déblayait l'œsophage comme on lave un conduit bouché. 5

Il vida toutes les assiettes, tous les plats et toutes les bouteilles; puis saoul de liquide et de mangeaille, abruti, rouge, secoué par des hoquets, l'esprit troublé et la bouche grasse,[2] il déboutonna son uniforme pour souffler, incapable d'ailleurs de faire un pas. Ses yeux se fermaient, ses idées s'engourdissaient; il posa son front pesant dans ses bras croisés sur la table, et il perdit doucement la notion des choses et des faits. 10

Le dernier croissant éclairait vaguement l'horizon au-dessus des arbres du parc. C'était l'heure froide qui précède le jour. 15

Des ombres glissaient dans les fourrés, nombreuses et muettes; et parfois, un rayon de lune faisait reluire dans l'ombre une pointe d'acier.

engloutir, to bolt down, swallow
main: à deux —s, with both hands
morceau, morsel (of food)
trappe, trap-door
nourriture: paquet de —, gulp of food
coup: — sur —, in rapid succession
gonfler, to swell
crever, to burst
façon: à la — **de,** like
tuyau, pipe
cruche: — au cidre, cider jug
déblayer, to wash down
œsophage, gullet
conduit, water-pipe
bouché, stopped up
plat, plate, platter
saoul (**soûl**), satiated, full
liquide, drink, liquor
abruti, stupefied
rouge, red in the face
'hoquet, hiccup
déboutonner, to unbutton
idée, idea, sense
engourdir: s'—, to become dull
pesant, heavy
croisé, folded
notion, clear conception
croissant, crescent (of the moon)
vaguement, dimly
fourré, thicket
rayon: — de lune, moon-beam
reluire, to glisten
acier, steel

1. **s'il eût craint,** literary style for **s'il avait craint.** 2. **l'esprit troublé et la bouche grasse,** *with his mind in a stupor and his mouth greasy.*

Le château tranquille dressait sa grande silhouette noire. Deux fenêtres seules brillaient encore au rez-de-chaussée.

Soudain, une voix tonnante hurla:

— En avant ! nom d'un nom ! à l'assaut ! mes enfants !

5 Alors, en un instant, les portes, les contrevents et les vitres s'enfoncèrent sous un flot d'hommes qui s'élança, brisa, creva tout, envahit la maison. En un instant cinquante soldats armés jusqu'aux cheveux, bondirent dans la cuisine où reposait pacifiquement Walter Schnaffs, et, lui posant sur la poitrine cinquante fusils chargés, le 10 culbutèrent, le roulèrent, le saisirent, le lièrent des pieds à la tête.

Il haletait d'ahurissement, trop abruti pour comprendre, battu, crossé et fou de peur.

Et tout d'un coup, un gros militaire chamarré d'or [1] lui planta son pied sur le ventre en vociférant:

15 — Vous êtes mon prisonnier, rendez-vous !

Le Prussien n'entendit [2] que ce seul mot « prisonnier », et il gémit: « ya, ya, ya ». [3]

Il fut relevé, ficelé sur une chaise, et examiné avec une vive curiosité par ses vainqueurs qui soufflaient comme des baleines. 20 Plusieurs s'assirent, n'en pouvant plus d'[4]émotion et de [4] fatigue.

Il souriait, lui,[5] il souriait maintenant, sûr d'être enfin prisonnier !

rez-de-chaussée, ground-floor
tonnant, thundering
hurler, to yell
nom: — d'un —, what the deuce !
assaut: à l'— ! charge !
contrevent, shutter
enfoncer: s'—, to be smashed in
flot, flood, throng
crever, smash, destroy
cheveux: armé jusqu'aux —, armed to the teeth
pacifiquement, peacefully
culbuter, to knock down
rouler, to roll over
ahurissement, bewilderment
crossé, clubbed (with the butt of the guns)
militaire, soldier
gémir, to groan
ficelé, bound
vainqueur, conqueror
souffler, to pant
baleine, whale
pouvoir: n'en — plus de, to be worn out by

1. **chamarré d'or,** *decorated* (literally *bedecked*) *with golden stripes;* this describes the resplendent uniforms worn by the French officers in 1870–71, (i.e. gold epaulets, stripes, etc.) 2. **entendre,** here means *to understand.* 3. **ya (ja),** German for **oui.** 4. **de = à cause de.** 5. **il souriait, lui,** *as for him, he was smiling;* note the use of **il** and the disjunctive pronoun **lui** for emphasis.

Un autre officier entra et prononça:

— Mon [1] colonel, les ennemis se sont enfuis; plusieurs semblent avoir été blessés. Nous restons maîtres de la place.

Le gros militaire qui s'essuyait le front vociféra: « Victoire ! »

Et il écrivit sur un petit agenda de commerce tiré de sa poche: 5

« Après une lutte acharnée, les Prussiens ont dû [2] battre en retraite, emportant leurs morts et leurs blessés, qu'on évalue à cinquante hommes hors de combat. Plusieurs sont restés entre nos mains. »

Le jeune officier reprit: 10

— Quelles dispositions dois-je prendre, mon colonel ?

Le colonel répondit:

— Nous allons nous replier pour éviter un retour offensif avec de l'artillerie et des forces supérieures.[3]

Et il donna l'ordre de repartir. 15

La colonne se reforma dans l'ombre, sous les murs du château, et se mit en mouvement, enveloppant de partout Walter Schnaffs garrotté, tenu par six guerriers le revolver au poing.[4]

Des reconnaissances furent envoyées pour éclairer la route. On avançait avec prudence, faisant halte de temps en temps. 20

Au jour levant, on arrivait à la sous-préfecture de la Roche-Oysel, dont la garde nationale [5] avait accompli ce fait d'armes.

vociférer, to shout
agenda: — de commerce, (commercial) note book
acharné, desperate
battre: — en retraite, to retreat
évaluer, to estimate
combat: hors de —, disabled
disposition: prendre des —s, to make arrangements
replier: se —, to retreat
retour: — offensif, counter attack
colonne, column
reformer: se —, to be formed again
mouvement: se mettre en —, to start out
partout: de —, on all sides
garrotté, tied
reconnaissance, scout
éclairer, to explore
halte: faire —, to halt
jour: au — levant, at daybreak
sous-préfecture, sub-prefecture
garde nationale, National Guard
fait: — d'armes, feat of arms

1. Omit **mon** in translating. 2. **ont dû,** (*have*) *had to.* 3. **des forces supérieures;** all of these answers and actions of the **garde nationale** are ironical. 4. **le revolver au poing,** *with revolvers drawn.* 5. **garde nationale,** name given to the militia made up of the bourgeois in 1870.

La population anxieuse et surexcitée attendait. Quand on aperçut le casque du prisonnier, des clameurs formidables éclatèrent. Les femmes levaient les bras; des vieilles pleuraient; un aïeul lança sa béquille au Prussien et blessa le nez d'un de ses gardiens.

5 Le colonel hurlait.

— Veillez à la sûreté du captif.

On parvint enfin à la maison de ville. La prison fut ouverte, et Walter Schnaffs jeté dedans, libre de liens. Deux cents hommes[1] en armes montèrent la garde autour du bâtiment.

10 Alors, malgré des symptômes d'indigestion qui le tourmentaient depuis quelque temps, le Prussien, fou de joie, se mit à danser, à danser éperdument, en levant les bras et les jambes, à danser en poussant des cris frénétiques, jusqu'au moment où il tomba, épuisé, au pied d'un mur.

15 Il était prisonnier ! Sauvé !

C'est ainsi que le château de Champignet fut repris à l'ennemi après six heures seulement d'occupation.

Le colonel Ratier, marchand de drap, qui enleva cette affaire à la tête des gardes nationaux de la Roche-Oysel, fut décoré.

L'Aventure de Walter Schnaffs fait partie de « Contes de la Bécasse »

surexcité, greatly excited
clameur: des —s formidables, a terrible din
aïeul, old man
béquille, crutch
gardien, guard, captor
veiller: — à, to look out for
sûreté, security
captif, prisoner
maison de ville = hôtel de ville, town-hall
liens: libre de —, free of his bonds
monter la garde, to mount guard
tourmenter, to bother
éperdument, wildly
frénétique, frantic
drap, cloth
enlever, to carry out

1. **deux cents hommes** is a humorous exaggeration.

LA PARURE

PAR

GUY DE MAUPASSANT

C'était une de ces jolies et charmantes filles, nées, comme par une erreur du destin, dans une famille d'employés. Elle n'avait pas de dot,[1] pas d'espérances, aucun moyen d'être connue, comprise, aimée, épousée par un homme riche et distingué; et elle se laissa marier avec un petit commis du ministère de l'instruction publique.[2]

Elle fut simple, ne pouvant être parée,[3] mais malheureuse comme une déclassée; car les femmes n'ont point de caste ni de race, leur beauté, leur grâce et leur charme leur servant de naissance et de famille. Leur finesse native, leur instinct d'élégance, leur souplesse d'esprit, sont leur seule hiérarchie, et font des filles du peuple les égales des plus grandes dames.

Elle souffrait sans cesse, se sentant née pour toutes les délicatesses et tous les luxes. Elle souffrait de la pauvreté de son logement, de la misère des murs, de l'usure des sièges, de la laideur des étoffes. Toutes ces choses, dont une autre femme de sa caste ne se serait

parure, necklace
dot, dowry
commis: petit —, petty clerk
simple, plainly dressed
déclassé, person of no social standing
caste, cast, class-distinction
servir de, to take the place of
finesse, shrewdness
souplesse d'esprit, cunning
hiérarchie, rank
peuple, working-class
délicatesse, delicacy, refinement
logement, apartment, household
usure, shabbiness
laideur, ugliness

1. French girls usually have a dowry; the larger the dowry, the better their marriage prospects. However, since the World War marriage dowries have lost some of their former importance. 2. **Instruction Publique,** now known as **l'Éducation Nationale** = *National Education Department.* Education, from the grades through the Universities, as well as other government units, is administered in France by the Central government in Paris. 3. **ne pouvant être parée,** *being unable to afford any finery.* Note omission of **pas** after the verb **pouvoir.**

même pas aperçue, la torturaient et l'indignaient. La vue de la petite Bretonne qui faisait son humble ménage éveillait en elle des regrets désolés et des rêves éperdus. Elle songeait aux antichambres muettes, capitonnées avec des tentures orientales, éclairées par de hautes torchères de bronze, et aux deux grands valets en culotte courte qui dorment dans les larges fauteuils, assoupis par la chaleur lourde du calorifère. Elle songeait aux grands salons vêtus de soie ancienne, aux meubles fins portant des bibelots inestimables, et aux petits salons coquets, parfumés, faits pour la causerie de cinq heures avec les amis les plus intimes, les hommes connus et recherchés dont toutes les femmes envient et désirent l'attention.

Quand elle s'asseyait, pour dîner, devant la table ronde couverte d'une nappe de trois jours,[1] en face de son mari qui découvrait la soupière en déclarant d'un air enchanté: « Ah ! le bon pot-au-feu ! je ne sais rien de meilleur [2] que cela . . . » elle songeait aux dîners fins, aux argenteries reluisantes, aux tapisseries peuplant les murailles de personnages anciens et d'oiseaux étranges au milieu d'une forêt de féerie; elle songeait aux plats exquis servis en des vaisselles merveilleuses, aux galanteries chuchotées et écoutées avec un sourire

indigner, to anger
Bretonne, Breton girl (maid)
ménage: faire son —, to do one's housework
désolé, disconsolate
éperdu, bewildered, hopeless
antichambre, reception-room
muet, -te, silent
capitonné, upholstered
tenture, tapestry
torchère, lamp, candelabrum
culotte, knee-pants, breeches
assoupi, made drowsy
calorifère, heater, radiator
vêtu de, adorned with
bibelot, ornament
inestimable, priceless
petit salon, small reception-hall
coquet, -te, dainty
causerie de cinq heures, afternoon (five o'clock) informal chats
recherché, sought (after)
nappe, table-cloth
soupière, soup-tureen
pot-au-feu, beef-stew
argenterie, silverware
reluisant, gleaming
tapisserie, tapestry
peupler de, to embellish with
féerie, fairyland
plat, dish (of food)
vaisselle, plates and dishes
galanterie, compliment
chuchoté, whispered

1. **nappe de trois jours,** *soiled table cloth;* i.e. table cloth that had not been changed for three days. 2. **rien de meilleur,** *nothing better;* **de** is required in French after **rien** followed by an adjective, but is omitted in English translation.

de sphinx, tout en mangeant[1] la chair rose d'une truite ou des ailes de gelinotte.

Elle n'avait pas de toilettes, pas de bijoux, rien. Et elle n'aimait que cela; elle se sentait faite pour cela. Elle eût tant désiré[2] plaire, être séduisante et recherchée.

Elle avait une amie riche, une camarade de couvent[3] qu'elle ne voulait plus aller voir, tant elle souffrait en revenant. Et elle pleurait pendant des jours entiers, de chagrin, de regret, de désespoir et de détresse.

Or, un soir, son mari rentra, l'air glorieux, et tenant à la main une large enveloppe.

— Tiens, dit-il, voici quelque chose pour toi.

Elle déchira vivement le papier et en tira une carte imprimée qui portait ces mots:

« Le ministre de l'instruction publique et Mme Georges Ramponneau prient M. et Mme Loisel de leur faire l'honneur de venir passer la soirée à l'hôtel du ministère,[4] le lundi 18 janvier. »

Au lieu d'être ravie, comme l'[5]espérait son mari, elle jeta avec dépit l'invitation sur la table, murmurant:

— Que veux-tu que je fasse[6] de cela ?

— Mais, ma chérie, je pensais que tu serais contente. Tu ne sors jamais, et c'est une occasion, cela, une belle ![7]

chair, meat
truite, trout
gelinotte, hazel-grouse
bijou, jewel, gem
séduisant, captivating
dépit, spite
chérie, dear, darling

1. **tout en mangeant,** *while eating;* the adverb **tout** often precedes the preposition **en** + *a present participle* to emphasize the continuity of the action; it is not to be translated in English. 2. **elle eût désiré,** *she would have liked;* the pluperfect subjunctive is occasionally used in literary style for the past conditional tense. 3. **une camarade de couvent,** *a convent school-friend.* French girls are often educated in convent schools. 4. **l'hôtel du ministère,** *the Education Building;* **hôtel** in French is used to designate any large house, or building. 5. **l' = le;** this is called enclytic **le;** it is required in French for the sake of the style, but is to be omitted in translation. 6. **que je fasse;** translate by an infinitive in English. 7. **une belle,** *a fine one;* note how frequently French uses adjectives pronominally.

J'ai eu [1] une peine infinie à l'obtenir. Tout le monde en veut; [2] c'est très recherché et on n'en donne pas beaucoup aux employés. Tu verras là tout le monde officiel. »

Elle le regardait d'un œil irrité, et elle déclara avec impatience:

— Que veux-tu que je me mette sur le dos pour aller là ?

Il n'y avait pas songé; il balbutia:

— Mais la robe avec laquelle tu vas [3] au théâtre. Elle me semble très bien,[4] à moi...

Il se tut,[5] stupéfait, éperdu, en voyant que sa femme pleurait. Deux grosses larmes descendaient lentement des coins des yeux [6] vers les coins de la bouche; il bégaya:

— Qu'as-tu ? [7] qu'as-tu ?

Mais, par un effort violent, elle avait dompté sa peine et elle répondit d'une voix calme en essuyant ses joues humides:

— Rien. Seulement je n'ai pas de toilette et par conséquent je ne peux aller à cette fête. Donne ta carte à quelque collègue dont la femme sera mieux nippée que moi.

Il était désolé. Il reprit:

— Voyons, Mathilde. Combien cela coûterait-il, une toilette convenable,[8] qui pourrait [9] te servir encore en d'autres occasions, quelque chose de très simple ?

Elle réfléchit quelques secondes, établissant ses comptes et son-

œil: d'un — irrité, angrily
mettre: se — sur le dos, to wear
balbutier, to stammer
bégayer, to stammer out
dompter, to subdue, overcome
peine, grief
humide, damp
conséquent: par —, consequently
collègue, colleague, fellow-worker
nippé, dressed
établir, to reckon; **— ses comptes,** to reckon one's accounts

1. **J'ai eu,** *I had;* note the change from the past definite to the past indefinite in conversational style. 2. **en veut = veut des invitations.** 3. **avec laquelle tu vas = que tu portes.** 4. **bien = bonne.** 5. **il se tut,** past definite of **se taire.** 6. **des yeux = de ses yeux;** note the use of the definite article for English possessive adjective when referring to parts of the body. 7. **Qu'as-tu?** *What is the matter with you?* 8. **Combien cela coûterait-il, une toilette convenable? = Combien coûterait une toilette convenable?** 9. **pourrait** = *might;* the present conditional of **pouvoir** frequently has this meaning.

geant aussi à la somme qu'elle pouvait demander sans s'attirer un refus immédiat et une exclamation effarée du commis économe.

Enfin, elle répondit en hésitant:

— Je ne sais pas au juste, mais il me semble qu'avec quatre cents francs je pourrais arriver.

Il avait un peu pâli, car il réservait juste cette somme pour acheter un fusil et s'offrir des parties de chasse, l'été suivant, dans la plaine de Nanterre,[1] avec quelques amis qui allaient tirer des alouettes, par là, le dimanche.

Il dit cependant:

— Soit.[2] Je te donne[3] quatre cents francs. Mais tâche d'avoir une belle robe.

Le jour de la fête approchait, et Mme Loisel semblait triste, inquiète, anxieuse. Sa toilette était prête cependant. Son mari lui dit un soir:

— Qu'as-tu? Voyons, tu es toute drôle depuis trois jours.[4]

Et elle répondit:

— Cela m'ennuie de n'avoir pas un bijou, pas une pierre, rien à mettre sur moi. J'aurai l'air misère comme tout. J'aimerais presque mieux ne pas aller[5] à cette soirée.

Il reprit:

attirer: s'—, to incur, bring upon oneself
refus, refusal
effaré, dismayed
économe, thrifty
juste: au —, exactly
arriver, to manage, get by
pâlir, to turn pale
offrir: s'—, to treat oneself to
tirer de, to shoot at
alouette, lark
là: par —, in that vicinity
ennuyer, to bother
pas un, not a single
pierre, precious stone, gem
mettre sur moi, to wear
air: avoir l'— misère comme tout, to look poverty stricken

1. **Nanterre,** a small town about seven miles northwest of Paris. 2. **soit** = *so be it; all right;* note the use of the present subjunctive for the imperative. 3. **je te donne = je te donnerai**; the present indicative is often used for a vivid future in colloquial French. 4. **tu es toute drôle depuis trois jours,** *you haven't been quite yourself for three days;* note the idiomatic use of the present indicative with **depuis**; English uses the present perfect in such cases. 5. **ne pas aller,** *not to go;* note that both parts of the negative precede the complementary infinitive.

— Tu mettras des fleurs naturelles. C'est très chic en cette saison-ci. Pour dix francs tu auras deux ou trois roses magnifiques.

Elle n'était point convaincue.

— Non . . . il n'y a rien de [1] plus humiliant que d'avoir l'air pauvre au milieu de femmes riches.

Mais son mari s'écria:

— Que tu es bête! Va trouver ton amie Mme Forestier et demande-lui de te prêter des bijoux. Tu es bien assez liée avec elle pour faire cela.

Elle poussa un cri de joie:

— C'est vrai. Je n'y avais point pensé.

Le lendemain, elle se rendit chez son amie et lui conta sa détresse.

Mme Forestier alla vers son armoire à glace, prit un large coffret, l'apporta, l'ouvrit, et dit à Mme Loisel:

— Choisis, ma chère.

Elle vit d'abord des bracelets, puis un collier de perles, puis une croix vénitienne, or et pierreries, d'un admirable travail. Elle essayait les parures devant la glace, hésitait, ne pouvait se décider à les quitter, à les rendre. Elle demandait toujours: [2]

— Tu n'as plus rien autre? [3]

— Mais si.[4] Cherche. Je ne sais pas ce qui peut te plaire.[5]

Tout à coup elle découvrit, dans une boîte de satin noir, une superbe rivière de diamants; et son cœur se mit à battre d'un désir

chic, stylish
humiliant, humiliating
lié: être bien — avec, to know well enough
rendre: se —, to go
conter, to tell
armoire à glace, mirrored dresser
coffret, jewel case
collier, necklace
perle, pearl
vénitien, Venetian
pierreries, precious stones
travail, workmanship
décider: se — à, to decide to, make up one's mind to
rivière de diamants, string of diamonds
mettre: se — à, to begin

1. **rien de,** omit **de** in translation. 2. **elle demandait toujours,** *she kept asking.* 3. **tu n'as plus rien autre?** = **tu n'a plus rien d'autre?** *haven't you anything else;* **plus** is colloquial here and is omitted in translation into English. 4. **mais si,** *yes, certainly;* **si** is used instead of **oui** in an affirmative reply to a negative question. 5. **ce qui peut te plaire,** *what you may like;* **plaire à** frequently means "to like."

immodéré. Ses mains tremblaient en la prenant. Elle l'attacha autour de sa gorge, sur sa robe montante, et demeura en extase devant elle-même.[1]

Puis, elle demanda, hésitante, pleine d'angoisse:

— Peux-tu me prêter cela, rien que cela?

— Mais, oui, certainement.

Elle sauta au cou de son amie, l'embrassa avec emportement, puis s'enfuit avec son trésor.

Le jour de la fête arriva. Mme Loisel eut un succès. Elle était plus jolie que toutes,[2] élégante, gracieuse, souriante et folle de joie. Tous les hommes la regardaient, demandaient son nom, cherchaient à être présentés. Tous les attachés du cabinet voulaient valser avec elle. Le ministre la remarqua.

Elle dansait avec ivresse, avec emportement, grisée par le plaisir, ne pensant plus à rien, dans le triomphe de sa beauté, dans la gloire de son succès, dans une sorte de nuage de bonheur fait de [3] tous ces hommages, de toutes ces admirations, de cette victoire si complète et si douce au cœur des femmes.

Elle partit vers quatre heures du matin. Son mari, depuis minuit, dormait [4] dans un petit salon désert avec trois autres messieurs dont les femmes s'amusaient beaucoup.

Il lui jeta sur les épaules les vêtements qu'il avait apportés pour la sortie, modestes vêtements de la vie ordinaire, dont la pauvreté jurait avec l'élégance de la toilette de bal. Elle le sentit et voulut

immodéré, uncontrollable
robe: — montante, high-necked dress
extase: en —, enraptured
cou: sauter au — de, to hug, throw one's arms around someone's neck
emportement: avec —, with rapture
enfuir: s'—, to hurry away
gracieu-x, -se, graceful
joie: folle de —, mad with joy
attaché du cabinet, member of the ministerial staff
valser, to waltz
ivresse, rapture, ecstasy
grisé, carried away
vie: de la — ordinaire, of everyday life
jurer, to contrast
toilette de bal, ball gown

1. **devant elle-même,** *before her own reflection.* 2. **toutes** is here used pronominally; **femmes** or **dames** is understood after it; translate: *than all the other women present.* 3. **fait de** = *inspired by.* 4. **depuis minuit, dormait,** *had been sleeping since midnight;* **depuis** + the *imperfect* is to be translated by the English *pluperfect.*

s'enfuir pour ne pas être remarqué par les autres femmes qui s'enveloppaient de riches fourrures.

Loisel la retenait:

— Attends donc.[1] Tu vas attraper froid dehors. Je vais appeler un fiacre.

Mais elle ne l'écoutait point et descendait rapidement l'escalier.

Lorsqu'ils furent dans[2] la rue, ils ne trouvèrent pas de voiture; et ils se mirent à chercher, criant après les cochers qu'ils voyaient passer de loin.

Ils descendaient vers la Seine, désespérés, grelottants. Enfin ils trouvèrent sur le quai un de ces vieux coupés noctambules qu'on ne voit dans Paris[3] que la nuit venue, comme s'ils eussent été honteux[4] de leur misère pendant le jour.

Il les ramena jusqu'à leur porte, rue des Martyrs, et ils remontèrent tristement chez eux. C'était fini, pour elle. Et il songeait, lui, qu'il lui faudrait être au Ministère à dix heures.

Elle ôta les vêtements dont elle s'était enveloppé les épaules, devant la glace, afin de se voir encore une fois dans sa gloire. Mais soudain elle poussa un cri. Elle n'avait plus sa rivière autour du cou !

Son mari, à moitié dévêtu déjà, demanda:

— Qu'est-ce que tu as?

Elle se tourna vers lui, affolée:

envelopper: s'— de, to wrap oneself up in
fourrure, fur
attraper froid, to catch a cold
fiacre, cab
cocher, cabman
loin: de —, at a distance
désespéré, in despair, discouraged
grelottant, shivering
quai, avenue (along the Seine River)
coupé, cab
noctambule, night-going, night-roving
nuit: la — venue, after nightfall
honteu-x, -se, shameful
moitié: à —, half
dévêtu, undressed
affolé, panic-stricken

1. **attends donc!** *wait a bit!;* **donc** serves to emphasize the imperative. 2. **furent dans = arrivèrent,** *reached.* 3. **dans Paris;** note the use of **dans** instead of **à; dans** here has the meaning of "in all," "anywhere in." 4. **comme s'ils eussent été honteux = comme s'ils avaient été honteux;** in literary style, the pluperfect subjunctive frequently replaces the pluperfect indicative in contrary to fact conditions; translate: *as if they were ashamed.*

— J'ai . . . j'ai . . . je n'ai plus la rivière de madame Forestier.

Il se dressa, éperdu:

— Quoi ! . . . comment ! . . . Ce n'est pas possible !

Et ils cherchèrent dans les plis de la robe, dans les plis du manteau, dans les poches, partout. Ils ne la trouvèrent point.

Il demandait:

— Tu es sûre que tu l'avais encore en quittant le bal ?

— Oui, je l'ai touchée dans le vestibule du Ministère.

— Mais, si tu l'avais perdue dans la rue, nous l'aurions entendu tomber. Elle doit être [1] dans le fiacre.

— Oui. C'est probable. As-tu pris le numéro ?

— Non. Et toi, tu ne l'as pas regardé ?

— Non.

Ils se contemplaient atterrés. Enfin Loisel se rhabilla.

— Je vais, dit-il, refaire tout le trajet que nous avons fait à pied, pour voir si je ne la retrouverai pas.

Et il sortit. Elle demeura en toilette de soirée, sans force pour se coucher, abattue sur une chaise, sans feu, sans pensée.

Son mari rentra vers sept heures. Il n'avait rien trouvé.

Il se rendit à la Préfecture de police, aux journaux, pour faire promettre une récompense, aux compagnies de petites voitures, partout enfin où un soupçon d'espoir le poussait.

Elle attendit tout le jour, dans le même état d'effarement devant cet affreux désastre.

Loisel revint le soir, avec la figure creusée, pâlie; il n'avait rien découvert.

dresser: se —, to straighten up
pli, fold
numéro, number
contempler: se —, to gaze at one another
atterré, overwhelmed, dumbfounded
rhabiller: se —, to dress again
refaire, to make again, retrace
trajet, course
toilette: — de soirée, evening gown
abattu, prostrated
préfecture: — de police, police headquarters
promettre: faire —, to offer
récompense, reward
compagnie de petites voitures, cab company
soupçon, bit, ray
effarement, dismay, terror
creusé, furrowed, drawn
pâli, grown pale, white

1. **Elle doit être,** *It must be.*

— Il faut, dit-il, écrire à ton amie que tu as brisé la fermeture de sa rivière et que tu la fais réparer.[1] Cela nous donnera le temps de nous retourner.

Elle écrivit sous sa dictée.

5 Au bout d'une semaine, ils avaient perdu toute espérance.

Et Loisel, vieilli de cinq ans,[2] déclara:

— Il faut aviser à remplacer ce bijou.

Ils prirent, le lendemain, la boîte qui l'avait renfermé, et se rendirent chez le joaillier, dont le nom se trouvait dedans. Il consulta 10 ses livres:

— Ce n'est pas moi, madame, qui ai vendu cette rivière; j'ai dû seulement fournir [3] l'écrin.

Alors ils allèrent de bijoutier en bijoutier, cherchant une parure pareille à l'autre, consultant leurs souvenirs, malades tous deux de 15 chagrin et d'angoisse.

Ils trouvèrent, dans une boutique du Palais-Royal,[4] un chapelet de diamants qui leur parut entièrement semblable à celui qu'ils cherchaient. Il valait quarante mille francs. On le leur laisserait à trente-six mille.

20 Ils prièrent donc le joaillier de ne pas le vendre avant trois jours. Et ils firent condition qu'on le reprendrait, pour trente-quatre mille francs, si le premier était retrouvé avant la fin de février.

Loisel possédait dix-huit mille francs que lui avait laissés son père. Il emprunterait le reste.

25 Il emprunta, demandant mille francs à l'un, cinq cents à l'autre, cinq louis par-ci, trois louis par-là. Il fit des billets, prit des en-

fermeture, clasp
retourner: se —, to look around
dictée: sous sa —, at his dictation
bout: au — de, after
aviser: — à, to take steps to
joaillier, jeweler
écrin, case
bijoutier, jeweler
deux: tous —, both
boutique, shop
chapelet, necklace
condition: faire —, to stipulate
emprunter, to borrow
demander: — à, to request from
louis, louis (old French coin worth about $4.60)
billet: faire des —, to give promissory notes

1. **tu la fais réparer,** *you are having it repaired;* **faire** + *inf.* = *to have a thing done.* 2. **vieilli de cinq ans,** *grown five years older.* 3. **j'ai dû fournir,** *I must have furnished.* 4. **Palais-Royal,** palace built for cardinal Richelieu in 1629; the ground floor of this palace is now occupied by shops.

gagements ruineux, eut affaire aux usuriers, à toutes les races de prêteurs. Il compromit toute la fin de son existence, risqua sa signature sans savoir même s'il pourrait y faire honneur, et, épouvanté par les angoisses de l'avenir, par la noire misère qui allait s'abattre sur lui, par la perspective de toutes les privations physiques et de toutes les tortures morales,[1] il alla chercher la rivière nouvelle, en déposant sur le comptoir du marchand trente-six mille francs.

Quand Mme Loisel reporta la parure à Mme Forestier, celle-ci lui dit, d'un air froissé:

— Tu aurais dû me la rendre plus tôt, car je pouvais en avoir besoin.[2]

Elle n'ouvrit pas l'écrin, ce que redoutait son amie.[3] Si elle s'était aperçue de la substitution, qu'aurait-elle pensé ? qu'aurait-elle dit ? Ne l'aurait-elle pas prise pour une voleuse ?

Mme Loisel connut [4] la vie horrible des nécessiteux. Elle prit son parti, d'ailleurs, tout d'un coup, héroïquement. Il fallait payer cette dette effroyable. Elle payerait. On renvoya la bonne; on changea du logement; on loua sous les toits une mansarde.

Elle connut les gros travaux du ménage, les odieuses besognes de la cuisine. Elle lava la vaisselle, usant ses ongles roses sur les po-

engagement: prendre des —s ruineux, to make ruinous pledges
affaire: avoir —s à, to have dealings with
usurier, usurer
race, kind
prêteur, money-lender
fin: toute la —, the whole last part, i.e. the rest
honneur: faire — à, to honor
épouvanté, terrified
abattre: s'—, to crash down, descend
comptoir, counter
reporter, return
froissé: d'un air —, coolly
les nécessiteux, the poverty stricken
parti: prendre son —, to make up one's mind
coup: tout d'un —, suddenly
logement: changer de —, to move
louer, to rent
mansarde, attic
gros, -se, heavy, rough
user, to wear off, ruin
ongle, fingernail

1. **tortures morales,** *mental suffering;* **moral** means *moral* and also *mental.* 2. **Tu aurais dû . . . rendre . . . je pouvais en avoir besoin,** *You should have . . . returned, . . . I might have needed it.* 3. **ce que redoutait son amie,** *as her friend feared* (*she would do*); note inverted word order. 4. **connut la vie,** *began and got to know the life;* this is the so-called inchoative use of the past definite.

teries grasses et le fond des casseroles. Elle savonna le linge sale, les chemises et les torchons, qu'elle faisait sécher sur une corde; elle descendit à la rue, chaque matin, les ordures, et monta l'eau,[1] s'arrêtant à chaque étage pour souffler. Et, vêtue comme une 5 femme du peuple, elle alla chez le fruitier, chez l'épicier, chez le boucher, le panier au bras, marchandant, injuriée, défendant sou à sou son misérable argent.

Il fallait chaque mois payer des billets, en renouveler d'autres, obtenir du temps.

10 Le mari travaillait le soir à mettre au net les comptes d'un commerçant, et la nuit, souvent, il faisait de la copie à cinq sous la page.[2]

Et cette vie dura dix ans.

Au bout de dix ans, ils avaient tout restitué, tout, avec le taux de 15 l'usure, et l'accumulation des intérêts superposés.[3]

Mme Loisel semblait vieille, maintenant. Elle était devenue la[4] femme forte, et dure, et rude, des ménages pauvres. Mal peignée, avec les jupes de travers et les mains rouges, elle parlait haut, la-

gras, -se, greasy
casserole, stewpan
savonner, to wash
linge, clothes
chemise, shirt
torchon, dishcloth
sécher: faire —, to dry
corde, rope
ordure, garbage
souffler, to recover one's breath
peuple: une femme du —, a woman of the lower classes
fruitier: chez le —, to the fruit-dealer's
épicier: chez l'—, to the grocer's
boucher, butcher
panier, basket
marchander, to bargain
injurié, insulted
défendre, to conserve
renouveler, to renew
net: mettre au —, to keep
commerçant, business-man
copie: faire de la —, to copy manuscript
restituer, to pay back
taux, rate
usure, usury
peigner, to dress (hair); **mal peigné,** unkempt, bedraggled
jupe, skirt
travers: de —, askew, unevenly hanging

1. **monta l'eau,** *carried up the water*. At the time of the publication of this story in 1884, houses in Paris had no running water; it was usually carried up by paid water-carriers. 2. **la page,** *per page*. 3. **l'accumulation des intérêts superposés,** *the interest on interest that had accumulated*. 4. **la = une.**

vait à grande eau les planchers. Mais parfois, lorsque son mari était au bureau, elle s'asseyait auprès de la fenêtre, et elle songeait à cette soirée d'autrefois, à ce bal, où elle avait été si belle et si fêtée.

Que serait-il arrivé[1] si elle n'avait point perdu cette parure? 5 Qui sait? qui sait? Comme la vie est singulière, changeante! Comme il faut peu de chose[2] pour vous perdre ou vous sauver!

Or, un dimanche, comme elle était allée faire un tour aux Champs-Elysées[3] pour se délasser des besognes de la semaine, elle aperçut tout à coup une femme qui promenait un enfant.[4] C'était Mme 10 Forestier, toujours jeune, toujours belle, toujours séduisante.

Mme Loisel se sentit émue. Allait-elle lui parler[5]? Oui, certes. Et maintenant qu'elle avait payé, elle lui dirait tout. Pourquoi pas?

Elle s'approcha. 15

— Bonjour, Jeanne.

L'autre ne la reconnaissait point, s'étonnant d'être appelée ainsi familièrement par cette bourgeoise. Elle balbutia:

— Mais . . . madame! . . . Je ne sais. . . . Vous devez vous tromper.[6]

— Non. Je suis Mathilde Loisel. 20

Son amie poussa un cri.[7]

— Oh! . . . ma pauvre Mathilde, comme tu es changée! . . .

— Oui, j'ai eu des jours bien[8] durs, depuis que je ne t'ai vue;[9] et bien des[8] misères . . . et cela à cause de toi! . . .

laver: — à grande eau, to scrub (with lots of water)
plancher, floor
fêter, to make much of
singulier, strange
tour: faire un —, to take a stroll
besogne, work
séduisant, lovely
délasser: se —, to relax
jour: des —s bien durs, very hard times
misère: bien des —s, many hardships

1. **que serait-il arrivé?** *what might have happened?* 2. **comme il faut peu de chose!** *what a trifle it takes!* 3. **Champs-Elysées,** a fashionable avenue in Paris. 4. **qui promenait un enfant,** *who was taking a child out for a walk.* 5. **allait-elle lui parler?** *should she speak to her?* 6. **Vous devez vous tromper,** *You must be mistaken.* 7. **poussa un cri,** *exclaimed.* 8. Note the various meanings that **bien** may have in French according to the context in which it is used. 9. **depuis que je ne t'ai vue; ne** is pleonastic after **depuis** and is not to be translated.

— De moi . . . Comment ça ?

— Tu te rappelles bien [1] cette rivière de diamants que tu m'as prêtée pour aller à la fête du Ministère.

— Oui. Eh bien ? [1]

5 — Eh bien, je l'ai perdue.

— Comment ! puisque tu me l'as rapportée.

— Je t'en ai rapporté une autre toute pareille. Et voilà dix ans que nous la payons ! [2] Tu comprends que ça n'était pas aisé pour nous, qui n'avions rien . . . Enfin c'est fini, et je suis rudement con-
10 tente.

Mme Forestier s'était arrêtée.

— Tu dis que tu as acheté une rivière de diamants pour remplacer la mienne ?

— Oui. Tu ne t'en étais pas aperçue, hein ? Elles étaient bien [1]
15 pareilles.

Et elle souriait d'une joie orgueilleuse et naïve.

Mme Forestier, fort émue, lui prit les deux mains.[3]

— Oh ! ma pauvre Mathilde ! Mais la mienne était fausse. Elle valait au plus cinq cents francs ! . . .

La Parure fait partie de « Boule de Suif. »

comment: — ça ? how's that ? how so ?
eh bien ? well ?
aisé, easy
rudement, awfully, mighty
hein ? eh ?
orgueilleu-x, -se, proud
naïf, naïve, simple
fau-x, -sse, paste, imitation
plus: au —, at most

1. See note 8, page 51. 2. **voilà dix ans que nous la payons,** *we have been paying for it for (the last) ten years;* note that **voilà** + present tense is translated by the English perfect. 3. **lui prit les deux mains,** *took her by both hands;* note the use of the definite article, instead of the possessive adjective, with names of parts of the body.

ALPHONSE DAUDET

(1840–1897)

Alphonse Daudet, né à Nîmes dans le midi de la France, est l'auteur de quelques grands romans et de plusieurs charmants contes. Parmi ses romans les mieux connus sont: *Fromont jeune et Risler aîné; Jack; le Nabab; les Rois en exil; Tartarin de Tarascon* et *Tartarin sur les Alpes.*

Les principaux contes de Daudet se trouvent dans les deux volumes intitulés *Lettres de mon moulin* (1869) et *Contes du lundi* (1873) d'où sont tirés les trois contes dans ce recueil: *Les Étoiles, La Chèvre de M. Seguin* et *La Mule du Pape.* Chacun de ces contes est basé sur quelque légende de la vieille Provence, pays natal de Daudet. La *Transtévérine* montre les tendances naturalistes de Daudet.

Ce qui charme dans les contes de Daudet c'est l'humour subtil, l'ironie délicate et la beauté de la prose à laquelle il a donné l'éclat de la poésie.

LES ÉTOILES

Récit d'un Berger Provençal

PAR

ALPHONSE DAUDET

Du temps que je gardais les bêtes sur le Luberon,[1] je restais des semaines entières sans voir âme qui vive,[2] seul dans le pâturage avec mon chien Labri et mes ouailles. De temps en temps, l'ermite du Mont-de l'Ure [1] passait par là pour chercher des simples ou bien j'apercevais la face noire de quelque charbonnier du Piémont; [3] mais c'étaient des gens naïfs, silencieux à force de solitude, ayant perdu le goût de parler et ne sachant rien de ce qui se disait [4] en bas dans les villages et les villes. Aussi, tous les quinze jours, lorsque j'entendais, sur le chemin qui monte, les sonnailles du mulet de notre ferme m'apportant les provisions de quinzaine, et que [5] je voyais apparaître peu à peu au-dessus de la côte, la tête éveillée du petit miarro (garçon de ferme), ou la coiffe rousse de la vieille tante Norade, j'étais vraiment bien heureux. Je me faisais racon-

étoile, star
récit, tale, narration
berger, shepherd
temps: du — que, at the time when
ouaille, sheep; **—s,** flock, herd
ermite, hermit
simple, medicinal herb
charbonnier, charcoal-burner
aussi, therefore
jour: tous les quinze —s, every fortnight, every two weeks
sonnaille, bell (for animals)
mulet, mule
quinzaine: de —, fortnightly
côte, hillside
éveillé, alert
coiffe, headdress
rou-x, -sse, reddish

1. **Luberon** (or, **Léberon**) and **le Mont-de l'Ure** are situated in a thickly wooded chain of the Alps in Provence. 2. **âme qui vive** = *a living soul.* 3. **Piémont,** *Piedmont,* a mountainous region and province of northwestern Italy. 4. **de ce qui se disait,** *of what was being said.* 5. **que = lorsque;** the conjunction **que** is frequently used to avoid repetition of a previously used conjunction for which it stands.

ter [1] les nouvelles du pays d'en bas, les baptêmes, les mariages; mais ce qui m'intéressait surtout, c'était de savoir ce que devenait [2] la fille de mes maîtres, notre demoiselle Stéphanette,[3] la plus jolie qu'il y eût à dix lieues à la ronde. Sans avoir l'air d'y prendre trop d'intérêt, je m'informais si elle allait beaucoup aux fêtes, aux veillées, s'il [4] lui venait toujours de nouveaux galants; et à ceux qui me demanderont ce que ces choses-là pouvaient me faire,[5] à moi pauvre berger de la montagne, je répondrai que j'avais vingt ans et que cette Stéphanette était ce que j'avais vu de plus beau dans ma vie.

Or, un dimanche que j'attendais les vivres de quinzaine, il se trouva qu'ils n'arrivèrent que très tard. Le matin je me disais: « C'est la faute de la grand'messe »; puis, vers midi, il vint un gros orage,[6] et je pensai que la mule n'avait pas pu se mettre en route à cause du mauvais état des chemins. Enfin, sur les trois heures, le ciel étant lavé, la montagne luisante d'eau et de soleil, j'entendis parmi l'égouttement des feuilles et le débordement des ruisseaux gonflés les sonnailles de la mule, aussi gaies, aussi alertes qu'un grand carillon de cloches un jour de Pâques. Mais ce n'était pas le petit miarro, ni la vieille Norade qui la conduisait. C'était... devinez qui!... notre demoiselle, mes enfants! notre demoiselle en

bas, low; **pays d'en — = de la vallée**
baptême, baptism
ronde: à la —, roundabout
informer: s'—, to inquire
veillée, evening-gathering
galant, suitor, sweetheart
que = lorsque
vivres, *pl.* provisions
se trouver, to happen
messe: grand'—, high mass
lavé: le ciel étant —, the sky having cleared
luisant de, shining with
égouttement, dripping
débordement, overflowing
ruisseau, stream
gonflé, swollen
alerte, lively
Pâques, Easter
miarro, (*Provençal*) farm-boy

1. **Je me faisais raconter,** *I made them tell me.* 2. **savoir ce que devenait,** *to learn how ... was faring.* 3. **notre demoiselle Stéphanette,** provincial for **Mlle Stéphanette.** 4. **il** = *there;* impersonal use of il introduces real subject (**de nouveaux galants**) that follows. 5. **ce que ces choses-là pouvaient me faire,** *how those things could concern me.* 6. **il vint un gros orage**; il is impersonal. See Note 4 above.

personne, assise droite entre les sacs d'osier, toute[1] rose de l'air des montagnes et du rafraîchissement de l'orage.

Le petit[2] était malade, tante Norade en vacances[3] chez ses enfants. La belle Stéphanette m'apprit tout ça,[4] en descendant de sa
5 mule, et aussi qu'elle arrivait tard parce qu'elle s'était perdue en route;[5] mais à la voir si bien endimanchée, avec son ruban à fleurs, sa jupe brillante et ses dentelles, elle avait plutôt l'air de s'être attardée à quelque danse que d'avoir cherché son chemin dans les buissons. O la mignonne créature! Mes yeux ne pouvaient se
10 lasser de la regarder. Il est vrai que je ne l'avais jamais vue de si près. Quelquefois l'hiver, quand les troupeaux étaient descendus dans la plaine et que[6] je rentrais le soir à la ferme pour souper, elle traversait la salle vivement, sans guère parler aux serviteurs, toujours parée et un peu fière... Et maintenant je l'avais là devant
15 moi, rien que pour moi; n'était-ce pas à en perdre la tête?[7]

Quand elle eut tiré les provisions du panier, Stéphanette se mit à regarder curieusement autour d'elle. Relevant un peu sa belle jupe du dimanche qui aurait pu s'abîmer,[8] elle entra dans le parc, voulut voir le coin où je couchais, la crèche de paille avec la peau de mou-
20 ton, ma grande cape accrochée au mur, ma crosse, mon fusil à pierre. Tout cela l'amusait.

droit, erect
sac: — d'osier, wicker basket
rafraîchissement, coolness
endimanché, dressed up (in Sunday clothes)
ruban: — à fleurs, flowered ribbon
jupe, skirt
dentelle, lace
attarder: s'—, to tarry, to be delayed
buisson, bush
mignon, -ne, dainty
lasser: se —, to get tired
troupeau, herd, flock
rien: — que pour moi, for myself alone
panier, basket
parc, sheep-fold
crèche, manger
mouton, sheep
crosse, shepherd's crook
fusil: — à pierre, flint-lock (gun)

1. **toute** = *quite.* 2. **le petit** = **le petit garçon de ferme.** 3. **en vacances** = **en visite.** 4. **m'apprit tout ça... et aussi qu'elle arrivait,** a rather poor grammatical construction, as the pronoun **ça** and the clause introduced by **que** are the objects of **apprit.** 5. **elle s'était perdue en route** = **elle s'était égarée,** *she had lost her way.* 6. **et que** = **et quand;** see Note 5, page 54. 7. **n'était-ce pas à en perdre la tête,** *wasn't that enough to make me lose my head?* 8. **qui aurait pu s'abîmer,** *which might have been soiled.*

— Alors, c'est ici que tu vis, mon pauvre berger? Comme tu dois t'ennuyer d'être toujours seul! Qu'est-ce que tu fais? A quoi penses-tu?...

J'avais envie de répondre: « A vous, maîtresse », et je n'aurais pas menti; mais mon trouble était si grand que je ne pouvais pas seulement trouver une parole. Je crois bien [1] qu'elle s'en apercevait, et que la méchante prenait plaisir à redoubler mon embarras avec ses malices:

— Et ta bonne amie, berger, est-ce qu'elle monte te voir quelquefois? Ça doit être bien sûr la chèvre d'or,[2] ou cette fée Estérelle qui ne court qu'à la pointe des montagnes...

Et elle-même, en me parlant, avait bien l'air de la fée Estérelle, avec le joli rire de sa tête renversée et sa hâte de s'en aller qui faisait de sa visite une apparition.

— Adieu, berger.

— Salut, maîtresse.

Et la voilà partie, emportant ses corbeilles vides.

Lorsqu'elle disparut dans le sentier en pente, il me semblait que les cailloux, roulant sous les sabots de la mule, me tombaient un à un sur le cœur. Je les entendis longtemps, longtemps; et jusqu'à la fin du jour je restai comme ensommeillé, n'osant bouger, de peur de faire en aller [3] mon rêve. Vers le soir, comme le fond des vallées commençait à devenir bleu et que [4] les bêtes se serraient en bêlant

ennuyer: s'— to be lonesome
trouble, agitation, excitement
seulement, even
méchante, naughty girl
amie: bonne —, sweetheart, "girl friend"
fée, fairy
Estérelle, name of a mountain fairy
pointe, peak
renversé, thrown back
salut, good-bye
corbeille, basket
pente: en —, sloping
caillou, pebble
sabot, hoof
ensommeillé, dreamy
serrer: se —, to huddle
bêler, to bleat

1. **je crois bien,** *I really believe;* note the force of **bien.** 2. **la chèvre d'or,** the *Golden Goat.* According to legend, the **chèvre d'or** is supposed to be a treasure, or talisman, buried by the Saracens in Provence, which can be seen on the mountain tops only at daybreak. 3. **(de peur de) faire en aller = faire s'en aller,** (*afraid*) *of driving away.* 4. **que = comme;** see Note 5, page 54.

l'une contre l'autre [1] pour rentrer au parc, j'entendis qu'on m'appelait dans la descente,[2] et je vis paraître notre demoiselle, non plus rieuse ainsi que tout à l'heure, mais tremblante de froid, de peur, de mouillure. Il paraît qu'au bas de la côte elle avait trouvé la
5 Sorgue [3] grossie par la pluie d'orage, et qu'en voulant passer à toute force elle avait risqué de se noyer. Le terrible, c'est qu'à cette heure de nuit il ne fallait plus songer à retourner à la ferme;[4] car par le chemin de la traverse, notre demoiselle n'aurait jamais su s'y retrouver toute seule, et moi je ne pouvais pas quitter le troupeau.
10 Cette idée de passer la nuit sur la montagne la tourmentait beaucoup, surtout à cause de l'inquiétude des siens. Moi, je la rassurais de mon mieux:

— En juillet, les nuits sont courtes, maîtresse... Ce n'est qu'un mauvais moment.[5]

15 Et j'allumai vite un grand feu pour sécher ses pieds et sa robe toute trempée de l'eau de la Sorgue. Ensuite j'apportai devant elle du lait, des fromageons; mais la pauvre petite ne songeait ni à se chauffer, ni à manger, et de voir les grosses larmes qui montaient dans ses yeux,[6] j'avais envie de pleurer, moi aussi.

descente, declivity
demoiselle: notre —, my master's daughter
non plus, no longer
rieu-r, -se, merry
mouillure, drenching, dampness
grossi, swollen, risen
force: à toute —, at any cost
terrible: le — c'est = le pis c'était, the worst was
traverse: chemin de la —, short-cut
retrouver: se —, to find one's way
les siens, her folks
tourmenter, to worry
mieux: de mon —, as best I could
sécher, to dry
trempé: toute —e, thoroughly soaked
lait, milk
apporter — devant, to place before
fromageon, cream cheese (of ewe's milk)
chauffer: se —, to warm oneself

1. **l'une contre l'autre,** *against each other;* **l'un**(e) **l'autre** are frequently added to a reflexive verb used reciprocally to explain the reflexive pronoun. 2. **on m'appelait dans la descente,** *some one was calling me from the road leading down.* 3. **la Sorgue,** *the river Sorgue.* 4. **il ne fallait plus songer à retourner à la ferme,** *it was now quite out of the question to think of, etc.* 5. **ce n'est qu'un mauvais moment,** literally, 'it is only a bad moment'; translate, *it (the night) will be gone in no time.* 6. **qui montaient dans ses yeux,** *which filled her eyes.*

Cependant la nuit était venue tout à fait. Il ne restait plus sur la crête des montagnes qu'une poussière de soleil, une vapeur de lumière du côté du couchant. Je voulus que notre demoiselle entrât se reposer dans le parc. Ayant étendu sur la paille fraîche une belle peau toute neuve, je lui souhaitai la bonne nuit, et j'allai m'asseoir dehors devant la porte... Dieu m'est témoin que, malgré le feu d'amour qui me brûlait le sang, aucune mauvaise pensée ne me vint; rien qu'une grande fierté de songer que dans un coin du parc, tout près du troupeau curieux qui la regardait dormir, la fille de mes maîtres, — comme une brebis plus précieuse et plus blanche que toutes les autres, — reposait, confiée à ma garde. Jamais le ciel ne m'avait paru si profond, les étoiles si brillantes... Tout à coup, la claire-voie du parc s'ouvrit et la belle Stéphanette parut. Elle ne pouvait pas dormir. Les bêtes faisaient crier la paille en remuant, ou bêlaient dans leurs rêves.[1] Elle aimait mieux venir près du feu. Voyant cela, je lui jetai ma peau de bique sur les épaules, j'activai la flamme, et nous restâmes assis l'un près de l'autre sans parler. Si vous avez jamais passé la nuit à la belle étoile, vous savez qu'à l'heure où nous dormons, un monde mystérieux s'éveille dans la solitude et le silence. Alors les sources chantent bien plus clair,[2] les étangs allument des petites flammes.[3] Tous les esprits de la montagne vont et viennent librement; et il y a dans l'air des frôlements, des bruits imperceptibles, comme si l'on entendait les branches grandir, l'herbe pousser. Le jour, c'est la vie des êtres;

crête, top
poussière, haze
vapeur, mist
côté: du — de, in the direction of
couchant, setting sun, west
étendre, to spread out
feu: — d'amour, love's ardor
brûler, to consume
fierté, pride
brebis, lamb
claire-voie, lattice-gate
crier: faire —, to cause to rustle
bique, goat
activer, to stir up
flamme = feu
étoile: à la belle —, in the open air
étang, pond
librement, freely
frôlement, rustling
pousser, to sprout, grow

1. **dans leurs rêves,** *in their sleep.* 2. **bien plus clair,** *much more clearly;* note use of **clair** as an adverb. 3. **des petites flammes = des feux follets,** *will-o'-the wisps.*

mais la nuit, c'est la vie des choses. Quand on n'en a pas l'habitude, ça fait peur... Aussi notre demoiselle était toute frissonnante et se serrait contre moi au moindre bruit. Une fois, un cri long, mélancolique, parti de l'étang qui luisait plus bas, monta vers nous en ondulant. Au même instant une belle étoile filante glissa par-dessus nos têtes dans la même direction, comme si cette plainte que nous venions d'entendre portait une lumière avec elle.

— Qu'est-ce que c'est? me demanda Stéphanette à voix basse.

— Une âme qui entre en paradis,[1] maîtresse; et je fis le signe dc la croix.

Elle se signa aussi, et resta un moment la tête en l'air, très recueillie. Puis elle me dit:

— C'est donc vrai, berger, que vous êtes sorciers, vous autres?

— Nullement, notre demoiselle. Mais ici nous vivons plus près des étoiles, et nous savons ce qui s'y passe mieux que les gens de la plaine.

Elle regardait toujours en haut, la tête appuyée dans la main, entourée de la peau de mouton comme un petit pâtre céleste:

— Qu'il y en a! Que c'est beau! Jamais je n'en avais tant vu ... Est-ce que tu sais leurs noms, berger?

— Mais oui, maîtresse... Tenez! Juste au-dessus de nous, voilà le *Chemin de saint Jacques*[2] (la voie lactée). Il va de France droit

habitude: avoir l'— de, to be accustomed to
frissonnant, trembling
serrer: se —, to crouch
luire, to shine
parti de, coming from
monter: — en ondulant, to rise in waves
filant: étoile —e, shooting star
glisser, to glide
par-dessus, above
signer: se —, to cross oneself, make the sign of the cross
vous autres, you (people)
tête: la — en l'air, with her head raised
recueilli, meditative
sorcier, sorcerer
haut: en —, up above
entouré de, wrapped in, covered with
pâtre, shepherd
céleste, celestial
voie, way; **— lactée,** Milky Way

1. **qui entre en paradis** is archaic for **dans le paradis.** 2. **le chemin saint Jacques,** *St. James' path* = **la voie lactée,** *the Milky Way;* according to popular legend, the remains of saint James were discovered at Compostella in Galicia, Spain, by bishop Theodomir who is said to have been led to the spot by a star; hence the name of the place '**campus stellæ.**' St. James (*Santiago,* in Spanish) is the patron saint of Spain.

sur l'Espagne. C'est saint Jacques de Galice[1] qui l'a tracé pour montrer sa route au brave Charlemagne[2] lorsqu'il faisait la guerre aux Sarrasins.[3] Plus loin, vous avez le *Char des âmes* (la grande Ourse) avec ses quatre essieux resplendissants. Les trois étoiles qui vont devant sont les *Trois bêtes*,[4] et cette toute petite contre la troisième c'est le *Charretier*. Voyez-vous tout autour cette pluie d'étoiles qui tombent ? Ce sont les âmes dont le bon Dieu ne veut pas chez lui... Un peu plus bas, voici le *Râteau* ou les *Trois rois* (Orion). C'est ce qui nous sert d'horloge, à nous autres. Rien qu'en les regardant, je sais maintenant qu'il est minuit passé... Mais la plus belle de toutes les étoiles, maîtresse, c'est la nôtre, c'est *l'Étoile du berger* (Vénus), qui nous éclaire à l'aube quand nous sortons le troupeau, et aussi le soir quand nous le rentrons. Nous le nommons encore *Maguelonne*, la belle Maguelonne qui court après *Pierre de Provence* (Saturne) et se marie avec lui tous les sept ans.

— Comment ! berger, il y a donc des mariages d'étoiles ?

— Mais oui, maîtresse.

Et comme j'essayais de lui expliquer ce que c'était que ces mariages, je sentis quelque chose de frais et de fin peser légèrement sur mon épaule. C'était sa tête alourdie de sommeil qui s'appuyait

Galice, Galicia (province in N. W. Spain)
Sarrasin, Saracen (ancient name of the Arabs)
char, chariot
ourse, bear; **grande —**, Great Bear
essieu, axle
resplendissant, brilliant
charretier, charioteer
râteau, rake
servir: — de, to take the place of
horloge, watch
rien: — qu'en regardant, just by looking at
minuit: — passé, after midnight
aube, dawn, daybreak
rentrer, to bring back
marier: se — avec, to marry, come into conjunction with
alourdi de, heavy with

1. See Note 2, page 60. 2. **Charlemagne**, the founder and first emperor of the Holy Roman Empire; he was crowned emperor by the pope in 800. 3. **lorsque il faisait la guerre aux Sarrasins**; the reference here is to one of Charlemagne's expeditions against the Saracens in Spain; while returning to France in 778, the rear-guard of Charlemagne's army, under command of his nephew Roland, was attacked and annihilated in the valley of Roncevaux. This incident later became the subject of the greatest French epic poem of the Middle Ages, the *Chanson de Roland*. 4. **les Trois bêtes** = *the team.*

contre moi avec un joli froissement de rubans, de dentelles et de cheveux ondés. Elle resta ainsi sans bouger jusqu'au moment où les astres du ciel pâlirent, effacés par le jour qui montait.[1] Moi, je la regardais dormir, un peu troublé au fond de mon être, mais sainte-
5 ment protégé par cette claire nuit qui ne m'a jamais donné que de belles pensées. Autour de nous, les étoiles continuaient leur marche silencieuse, dociles comme[2] un grand troupeau; et par moments je me figurais qu'une de ces étoiles, la plus fine, la plus brillante, ayant perdu sa route, était venue se poser sur mon épaule pour dormir . . .

froissement, rustling
ondé, wavy, curly
astre, star
troublé, shaken, stirred
fond: au — de mon être, to the depths of my being
saintement, blessedly
marche, procession
moment: par —s, at times
poser: se —, to rest

1. **effacés par le jour qui montait,** *wiped out by the dawning day.*
2. **dociles comme = aussi dociles que.**

ANDRÉ MAUROIS

(1885–   )

Parmi les auteurs contemporains les plus connus à l'étranger et en France se trouve André Maurois, né en Normandie en 1885.

Maurois n'a commencé à écrire que pendant la Grande Guerre où il fut mobilisé comme interprète auprès d'un état-major (headquarters) des armées britanniques. En cette qualité, il s'aperçut bientôt des différences de l'âme anglaise et de l'âme française, et il se mit à écrire ses observations sans songer qu'il pourrait en tirer profit.

Son premier roman né de cette occasion et intitulé *Les Silences du Colonel Bramble* fut reçu chaleureusement des critiques et du public et encouragea le jeune auteur dans sa production littéraire. *Les Discours du Docteur O'Grady*, *Le Général Bramble*, *Ni Ange ni Bête*, tous des romans, suivirent bientôt. Puis M. Maurois tourna son attention à des biographies romancées (fictionized biography). Avec *Ariel, ou la Vie de Shelley* (1923) et *Byron*, M. Maurois créa la vogue de ce genre littéraire, qui est moitié réaliste et moitié une étude psychologique romancée.

M. Maurois fait aussi de nombreuses contributions littéraires aux journaux et aux revues. Le conte *Naissance d'un Maître* fut publié dans *l'Écho de Paris* et décrit une situation actuelle. Il se moque avec une ironie très délicate de la peinture moderne.

Les éditeurs sont bien obligés à M. Maurois et à ses éditeurs, Bernard Grasset, de l'autorisation de faire reproduire pour la première fois aux États-Unis le conte ci-dessous.

NAISSANCE D'UN MAÎTRE

PAR

ANDRÉ MAUROIS

Le peintre Pierre Douche achevait une nature morte, fleurs dans un pot de pharmacie, aubergines dans une assiette, quand le romancier Paul-Emile Glaise entra dans l'atelier. Glaise contempla pendant quelques minutes son ami qui travaillait, puis dit fortement:

« Non. »

L'autre, surpris, leva la tête, et s'arrêta de polir une aubergine.

« Non, » reprit Glaise, crescendo, non, tu n'arriveras jamais. Tu as du métier, tu as du talent, tu es honnête. Mais ta peinture est plate, mon bonhomme. Ça n'éclate pas, ça ne gueule pas. Dans un salon de cinq mille toiles, rien n'arrête devant les tiennes le promeneur endormi[1]... Non, Pierre Douche, tu n'arriveras jamais. Et c'est dommage.

— Pourquoi? soupira l'honnête Douche. Je fais[2] ce que je vois: je n'en demande pas plus.

peintre, painter
nature: — morte, still-life (painting)
pot, pot, jug; **— de pharmacie,** mortar (pharmaceutical vessel)
aubergine, egg-plant
romancier, novelist
atelier, studio
contempler, to gaze at
fortement, loudly
polir, to polish, put the finishing touches to
crescendo, crescendo (= with voice increasing in volume)
arriver, to succeed, get anywhere
métier, skill
peinture, painting, picture
plat, drab
éclater, to be striking
gueuler, to stand out
toile, canvas, painting
tiennes, *pl.* les —, yours (your paintings)
arriver, to arrive, succeed
dommage: c'est —, it's too bad
soupirer, to sigh

1. **le promeneur endormi,** literally "the sleep-walker"; here it means doubtless, *the casual spectator* or *drowsy observer*. 2. **je fais = je peins.**

— Il s'agit bien de cela:[1] tu as une femme, mon bonhomme, une femme et trois enfants. Le lait vaut dix-huit sous le litre, et les œufs coûtent un franc pièce. Il y a plus de tableaux que d'acheteurs, et plus d'imbéciles que de connaisseurs. Or quel est le moyen, Pierre Douche, de sortir de la foule inconnue ? 5

— Le travail ?

— Sois sérieux. Le seul moyen, Pierre Douche, de réveiller les imbéciles, c'est de faire des choses énormes. Annonce que tu vas peindre au Pôle Nord. Promène-toi vêtu en roi égyptien. Fonde une école. Mélange dans un chapeau[2] des mots savants: extério- 10 risation dynamique, et compose des manifestes. Nie le mouvement, ou le repos; le blanc, ou le noir; le cercle, ou le carré. Invente la peinture néo-homérique, qui ne connaîtra que le rouge et le jaune, la peinture cylindrique, la peinture octaédrique, la peinture à quatre dimensions. . . . » 15

A ce moment, un parfum étrange et doux annonça l'entrée de Mme Kosnevska. C'était une belle Polonaise dont Pierre Douche admirait la grâce. Abonnée à des revues coûteuses qui reproduisaient à grands frais des chefs-d'œuvre d'enfants de trois ans, elle n'y trouvait pas le nom de l'honnête Douche et méprisait sa peinture. S'al- 20

pièce, each
acheteur, buyer
connaisseur, connoisseur, expert
sortir de, to stand out from
foule: la — inconnue, the unknown masses
réveiller, to arouse
faire: — des choses énormes, to do things in a big way
égyptian: en roi —, as an Egyptian king
mélanger, to mix
savant, scholarly, learned
extériorisation, externalization
manifeste, manifesto, proclamation
nier, to deny
carré, square
néo-homérique, neo-Homeric
cylindrique, cylindrical
octaédrique, octahedral
dimension: à quatre —s, four-dimensional
moment: à ce —, just then
Polonaise, Polish woman
abonné, a subscriber
revue, magazine
coûteu-x, -se, expensive
chef-d'œuvre, masterpiece
mépriser, to scorn
allonger: s'—, to stretch out

1. **Il s'agit bien de cela,** *that's not the point.* 2. **Mélange dans un chapeau,** literally, *pick out of a hat* (as you do in drawing lots) i.e. *select at random.*

longeant sur un divan, elle regarda la toile commencée, secoua ses cheveux blonds, et sourit avec un peu de dépit:

« J'ai été [1] hier, dit-elle, de son accent roulant et chantant, voir une exposition d'art nègre de la bonne époque.[2] Ah ! la sensibilité, le modelé, la force de ça ! »

Le peintre retourna pour elle un portrait dont il était content.

« Gentil » dit-elle du bout des lèvres, et, roulante, chantante, parfumée, disparut.

Pierre Douche jeta sa palette [3] dans un coin et se laissa tomber sur le divan: « Je vais, dit-il, me faire inspecteur d'assurances, employé de banque, agent de police. La peinture est le dernier des métiers. Le succès, fait par des badauds, ne va qu'à des faiseurs. Au lieu de respecter les maîtres, les critiques encouragent les barbares. J'en ai assez, je renonce. » [4]

Paul-Emile, ayant écouté, alluma une cigarette et réfléchit assez longuement.

« Veux-tu, dit-il enfin, donner aux snobs et aux faux artistes la dure leçon qu'ils méritent ? Te sens-tu capable d'annoncer en grand mystère et sérieux à la Kosnevska,[5] et à quelques autres

dépit, scorn
roulant, drawling
chantant, singsong
sensibilité, feeling
modelé, relief (of art)
retourner, to show
content: être — de, to be satisfied with, like
lèvre, lip; **du bout des —s,** with pursed lips, i.e. in a forced artificial manner
roulant, swaying
chantant, humming
parfumé, perfumed, i.e. leaving a trail of perfume
laisser: se — tomber, to throw one's self
assurance: inspecteur d'—, insurance agent
banque: employé de —, bank-clerk
agent: — de police, policeman
dernier, poorest
badaud, idler
faiseur, bluffer, "four-flusher"
critique, critic
barbare, barbarian, i.e. radical
réfléchir, to think
longuement, for a long time
mystère: en grand — sérieux, very mysteriously and solemnly

1. **J'ai été . . . voir,** conversational for **Je suis allée . . . voir.** 2. **de la bonne époque,** *of the real* **art nègre.** 3. **palette,** a thin wooden board on which artists mix paints. 4. **J'en ai assez, je renonce,** *I've had enough of it, I give up.* 5. **la Kosnevska,** *the Kosnevska woman.*

esthètes, que tu prépares depuis dix ans [1] un renouvellement de ta manière ?

— Moi ? dit l'honnête Douche étonné.

— Écoute . . . Je vais annoncer au monde, en deux articles bien placés, que tu fondes l'Ecole idéo-analytique. Jusqu'à toi, les portraitistes, dans leur ignorance, ont étudié le visage humain. Sottise ! Non, ce qui fait vraiment l'homme, ce sont les idées qu'il évoque en nous. Ainsi le portrait d'un colonel, c'est un fond bleu et or que barrent cinq énormes galons,[2] un cheval dans un coin, des croix dans l'autre. Le portrait d'un industriel, c'est une cheminée d'usine, un poing fermé sur une table. Comprends-tu, Pierre Douche, ce que tu apportes au monde, et peux-tu me peindre en un mois vingt portraits idéo-analytiques ? »

Le peintre sourit tristement.

« En une heure, dit-il, et ce qui est triste, Glaise, c'est que cela pourrait réussir.

— Essayons.

— Je manque de bagoût.

— Alors, mon bonhomme, à toute demande d'explication, tu prendras un temps, tu lanceras une bouffée de pipe au nez du questionneur, et tu diras ces simples mots: « Avez-vous jamais regardé un fleuve ? »

— Et qu'est-ce que cela veut dire ?

esthète, aesthete, (pretender to artistic culture)
renouvellement, change
manière, style (of painting)
bien placé, well-timed
portraitiste, portrait-painter
sottise, folly
évoquer, to arouse
barrer, to set off
galon, stripe
industriel, manufacturer
cheminée, smoke stack
usine, factory
poing, fist; **— fermé,** clenched fist
bagoût, glibness of tongue, gift of gab
prendre: — un temps, to take one's time
lancer, to thrust, blow out
bouffée, puff (of smoke)
questionneur, inquisitive person
fleuve, river

1. **que tu prépares depuis dix ans,** *that you have been preparing for ten years;* notice the idiomatic use of the present with **depuis.** 2. Note inverted word order; **galons, cheval** and **croix** are the subjects of **barrent.**

— Rien, dit Glaise, aussi [1] le trouveront-ils très beau, et quand ils t'auront bien découvert,[2] expliqué, exalté, nous raconterons l'aventure et jouirons de leur confusion. »

Deux mois plus tard, le vernissage de l'Exposition Douche s'ache-
5 vait en triomphe. Chantante, roulante, parfumée, la belle Mme Kosnevska ne quittait plus son nouveau grand homme.

« Ah ! répétait-elle, la sensibilité ! le modelé, la force de ça ? Quelle intelligence ! Quelle révélation ! Et comment, cher,[3] êtes-vous parvenu à ces synthèses étonnantes ? »

10 Le peintre prit un temps, lança une forte bouffée de pipe, et dit: « Avez-vous jamais, chère madame, regardé un fleuve ? »

En pardessus à col de lapin, le jeune et brillant Lévy-Cœur discutait au milieu d'un groupe: « Très fort ! disait-il, très fort ! Pour moi, je répète depuis longtemps qu'il n'est pas de lâcheté pire que
15 de peindre d'après un modèle. Mais, dites-moi, Douche, la révélation ? D'où vient-elle ? De mes articles ? »

Pierre Douche prit un temps considérable, lui souffla au nez une bouffée triomphante, et dit: « Avez-vous jamais, monsieur, regardé un fleuve ?

20 — Admirable ! approuva l'autre, admirable ! »

A ce moment, un célèbre marchand de tableaux, ayant achevé le tour de l'atelier, prit le peintre par la manche et l'entraîna dans un coin.

exalter, to glorify
aventure, hoax
confusion, confusion, consternation
vernissage, preliminary exhibit, private view (of an art exhibition)
triomphe, triumph; **s'achever en —,** to come to a triumphant close
synthèse, composition
pardessus: en —, wearing a top-coat
col, collar
lapin, rabbit
fort, good, "great stuff"
lâcheté, cowardice
admirable, wonderful
approuver, to approve, agree
marchand: — de tableaux, picture-dealer
manche, sleeve

1. **aussi = pour cela,** *therefore;* when **aussi** is the first element in a sentence and means *therefore* it is usually followed by the inverted word order (i.e. subject follows verb), as in this case. 2. **quand ils t'auront bien découvert,** *when they have discovered you fully;* note use of future perfect for English perfect. 3. **cher = mon cher** (ami).

« Douche, mon ami, dit-il, vous êtes un malin. On peut faire un lancement de ceci. Réservez-moi votre production. Ne changez pas de manière avant que je ne vous le dise,[1] et je vous achète[2] cinquante tableaux par an... Ça va?»[3]

Douche, énigmatique, fuma sans répondre. 5

Lentement, l'atelier se vida. Paul-Emile Glaise alla fermer la porte derrière le dernier visiteur. On entendit dans l'escalier un murmure admiratif qui s'éloignait. Puis, resté seul avec le peintre, le romancier mit joyeusement ses mains dans ses poches et partit d'un éclat de rire formidable. Douche le regarda avec surprise. 10

« Eh bien! mon bonhomme, dit Glaise, crois-tu que nous les avons eus? As-tu entendu le petit au col de lapin? Et la belle Polonaise? Et les trois jolies jeunes filles qui répétaient: « Si neuf! si neuf!» Ah! Pierre Douche, je croyais la bêtise humaine insondable, mais ceci dépasse mes espérances.» 15

Il fut repris d'un crise de rire invincible. Le peintre fronça le sourcil, et, comme des hoquets convulsifs agitaient l'autre, dit brusquement:

« Imbécile!

— Imbécile! cria le romancier furieux. Quand je viens de réussir 20 la plus belle charge que depuis Bixiou...»

malin, rascal, shrewd fellow
lancement: faire un — de, to make a hit with
vider: se —, to become empty
admirati-f, -ve, admiring
joyeusement, joyfully, gleefully
éclat: partir d'un — de rire formidable, to burst out into a peal of laughter, burst out laughing
avoir: les —, to take them in, fool them
petit: le —, the little fellow
bêtise, stupidity
insondable, fathomless, unfathomable
crise: — de rire, paroxysm of laughter
invincible, uncontrollable
froncer: — le sourcil, to frown
hoquet, hiccup, gasp
convulsi-f, -ve, convulsive, convulsed
réussir, to make a success of
charge, caricature, grotesque imitation

1. **avant que je ne vous le dise,** *unless I tell you to;* note use of the subjunctive with the conjunction **avant que** and redundant **ne** = **à moins que je ne vous le dise.** 2. **je vous achète** = *I'll buy from you;* conversational emphatic present for future; the indirect object pronouns (**vous** here) are occasionally used with the meaning *from.* 3. **Ça va?** *Is that all right?* i.e. *Is it a deal?*

Le peintre parcourut des yeux avec orgueil les vingt portraits analytiques et dit avec la force que donne la certitude:

« Oui, Glaise, tu es un imbécile. Il y a quelque chose dans cette peinture . . . » [1]

Le romancier contempla son ami avec une stupeur infinie.

« Celle-là [2] est forte ! hurla-t-il. Douche, souviens-toi. Qui t'a suggéré cette manière nouvelle ? »

Alors Pierre Douche prit un temps, et tirant de sa pipe une énorme bouffée:

« As-tu jamais, dit-il, regardé un fleuve ? . . . »

Courtesy, Éditions Bernard Grasset.

certitude, certainty
infini, infinite
hurler, to yell, shout
tirer, to draw, inhale

1. **Il y a quelque chose dans cette peinture,** *I've got something here in this painting.* 2. **celle-là** refers to Douche's remark. Translate: *That's a stiff* (*nervy*) *one, that is!* or *Well, if that isn't a good one!*

LA CHÈVRE DE MONSIEUR SEGUIN

PAR

ALPHONSE DAUDET

A M. Pierre Gringoire,[1] *poète lyrique à Paris*

Tu seras bien toujours le même, mon pauvre Gringoire ![1]

Comment ! on t'offre une place de chroniqueur dans un bon journal de Paris, et tu as l'aplomb de refuser.... Mais regarde-toi, malheureux garçon ! Regarde ce pourpoint troué, ces chausses en déroute, cette face maigre qui crie la faim. Voilà pourtant où t'a conduit la passion des belles rimes ![2] Voilà ce que t'ont valu dix ans de loyaux services dans les pages du sire Apollo.[3] ... Est-ce que tu n'as pas honte, à la fin ?

Fais-toi donc chroniqueur, imbécile ! fais-toi chroniqueur ! Tu gagneras de beaux écus à la rose,[4] tu auras ton couvert[5] chez Brébant, et tu pourras te montrer les jours de première avec une plume neuve à ta barrette....

Non ? Tu ne veux pas ? Tu prétends rester libre à ta guise jusqu'au bout.... Eh bien, écoute un peu[6] l'histoire de la *chèvre de M. Seguin.* Tu verras ce que l'on gagne à vouloir vivre libre.

chèvre, goat
place, position, job
chroniqueur, reporter
aplomb, audacity, nerve
regarder (se), to look at one's self
pourpoint, doublet
troué, full of holes, torn
chausses, *pl.* breeches
déroute: en —, tattered, worn
faim: crier la —, to show hunger
fin: à la —, finally
jour: — de première (représentation) first night (of plays)
plume, feather
barrette, cap
guise: à ta —, according to your own fancy

1. **Gringoire**, name of a French dramatic poet of the sixteenth century. 2. **la passion des belles rimes = la passion de la poésie.** 3. **Apollo**, God of poetry; the modern French form is **Apollon.** 4. **écus à la rose = écus d'or.** 5. **tu auras ton couvert = on mettra un couvert pour toi, i.e. tu mangeras.** 6. **écoute un peu = écoute donc,** *just listen.*

M. Seguin n'avait jamais eu de bonheur avec ses chèvres.

Il les perdait toutes de la même façon: un beau matin, elles cassaient leur corde, s'en allaient dans la montagne, et là-haut le loup les mangeait. Ni les caresses de leur maître, ni la peur du loup, rien ne les retenait. C'était, paraît-il, des chèvres indépendantes, voulant à tout prix le grand air et la liberté.

Le brave M. Seguin, qui ne comprenait rien au caractère de ses bêtes, était consterné. Il disait:

— C'est fini; les chèvres s'ennuient chez moi, je n'en garderai pas une.[1]

Cependant il ne se découragea pas, et, après avoir perdu six chèvres de la même manière, il en [1] acheta une septième; seulement, cette fois, il eut soin de la prendre toute jeune,[2] pour qu'elle s'habituât mieux à [3] demeurer chez lui.

Ah! Gringoire, qu'elle était jolie la petite chèvre de M. Seguin! qu'elle était jolie avec ses yeux doux, sa barbiche de sous-officier, ses sabots noirs et luisants, ses cornes zébrées et ses longs poils blancs qui lui faisaient une houppelande! C'était presque aussi charmant que le cabri d'Esmeralda,[4] tu te rappelles, Gringoire? — et puis,

bonheur, good luck
corde, rope
là-haut, up there
loup, wolf
prix: à tout —, at all costs
air: grand —, open air
comprendre: — à, to understand about
consterner, to astound, dismay
ennuyer: s'—, to be unhappy
habituer: s'—, to become accustomed
que = comme, how!
qu'elle était = comme elle était
barbiche, chin-beard, goatee
sous-officier, non-commissioned officer
sabot, hoof
luisant, shiny, gleaming
corne, horn
zébré, striped
poil, hair
houppelande, cloak, overcoat
cabri, kid

1. **je n'en garderai pas une,** *I shall not (be able to) keep one;* note that the partitive **en** is required when numerals are used pronominally; it is to be omitted in translation. 2. **toute jeune; toute** is here used adverbially, and means *quite, rather.* 3. **pour qu'elle s'habituât à,** *so that she might get used to.* 4. **Esmeralda,** a personage in Victor Hugo's novel *Notre Dame de Paris;* she was always accompanied by her goat.

docile, caressante, se laissant traire sans bouger, sans mettre son pied dans l'écuelle. Un amour de petite chèvre[1]...

M. Seguin avait derrière sa maison un clos entouré d'aubépines. C'est là qu'il mit la nouvelle pensionnaire. Il l'attacha à un pieu, au plus bel endroit du pré, en ayant soin de lui laisser beaucoup de corde, et de temps en temps il venait voir si elle était bien. La chèvre se trouvait très heureuse et broutait l'herbe de si bon cœur que M. Seguin était ravi.

— Enfin, pensait le pauvre homme, en voilà une qui ne s'ennuiera pas chez moi !

M. Seguin se trompait, sa chèvre s'ennuya.

Un jour, elle se dit en regardant la montagne:

— Comme on doit être bien là-haut ![2] Quel plaisir de gambader dans la bruyère, sans cette maudite longe qui vous écorche le cou ![3] ... C'est bon pour l'âne ou pour le bœuf de brouter dans un clos ! ... Les chèvres, il leur faut du large.

A partir de ce moment, l'herbe du clos lui parut fade. L'ennui lui vint. Elle maigrit, son lait se fit rare. C'était pitié de la voir tirer

traire: se laissant —, allowing herself to be milked
écuelle, milking-pail
clos, enclosure
aubépine, hawthorn
pensionnaire, boarder
pieu, stake
pré, meadow
laisser: — beaucoup de corde, to give a lot of rope
bien: être —, to be comfortable
brouter, to graze upon
cœur: de si bon —, so heartily
gambader, to gambol, frisk about
bruyère, heather
maudit, cursed, bothersome
longe, tether
écorcher, to chafe
âne, donkey, ass
bœuf, ox
falloir: il me faut, I need, I must have
large, open space, freedom
partir: à — de ce moment, from this moment on
fade, tasteless
maigrir, to grow thin

1. **un amour de petite chèvre,** *a darling little goat;* note that **petite chèvre** is in apposition to **amour;** very often the preposition **de** separates the nouns and emphasizes the adjectival characteristic expressed by the first noun.
2. **Comme on doit être bien là-haut,** *how well off one must be up there!*
3. **qui vous écorche le cou;** note the use of the definite article instead of the possessive adjective when speaking of parts of the body; the pronoun **vous** makes clear the possessor.

tout le jour sur sa longe, la tête tournée du côté de la montagne, la narine ouverte, en faisant Mê ! . . . tristement.

M. Seguin s'apercevait bien que sa chèvre avait quelque chose, mais il ne savait pas ce que c'était . . . Un matin, comme il achevait de la traire, la chèvre se retourna et lui dit dans son patois:

— Écoutez, monsieur Seguin, je me languis chez vous, laissez-moi aller dans la montagne.

— Ah ! mon Dieu ! . . . Elle aussi ! cria M. Seguin stupéfait, et du coup il laissa tomber son écuelle; puis, s'asseyant dans l'herbe à côté de sa chèvre:

— Comment, Blanquette, tu veux me quitter !

Et Blanquette répondit:

— Oui, monsieur Seguin.

— Est-ce que l'herbe te manque ici ?

— Oh ! non ! monsieur Seguin.

— Tu es peut-être attachée de trop court; veux-tu que j'allonge la corde ?

— Ce n'est pas la peine, monsieur Seguin.

— Alors, qu'est-ce qu'il te faut ? qu'est-ce que tu veux ?

— Je veux aller dans la montagne, monsieur Seguin.

— Mais, malheureuse, tu ne sais pas qu'il y a le loup dans la montagne . . . Que feras-tu quand il viendra ? [1] . . .

— Je lui donnerai des coups de corne, monsieur Seguin.

— Le loup se moque bien [2] de tes cornes. Il m'a mangé des biques autrement encornées que toi . . . Tu sais bien, la pauvre

côté: du — de, towards
narine, nostril
faire: — Mê, to cry out ma-a-a
patois, jargon, language
languir: se —, to pine away
coup: du —, at that
court: de trop —, too short
allonger, to lengthen
peine: ce n'est pas la —, it isn't worth while
coup: donner des —s de corne, to butt
bique, goat
encorné: autrement —, with better horns

1. **quand il viendra,** *when he comes;* note that the future is used after **quand, lorsque, aussitôt que** and **dès que** when future time is implied; English uses the present tense. 2. **le loup se moque bien** = **le loup se moquera bien,** *the wolf will not be at all afraid.* Note use of the present tense for the future in conversational style.

vieille Renaude qui était ici l'an dernier ? une maîtresse chèvre, forte et méchante comme un bouc. Elle s'est battue avec le loup toute la nuit... puis, le matin, le loup l'a mangée.

— Pécaïre ! Pauvre Renaude !... Ça ne fait rien, monsieur Seguin, laissez-moi aller dans la montagne.

— Bonté divine !... dit M. Seguin mais qu'est-ce qu'on leur fait donc à mes chèvres ?[1] Encore une[2] que le loup va me manger... Eh bien, non... je te sauverai malgré toi, coquine ! et de peur que tu ne[3] rompes ta corde, je vais t'enfermer[4] dans l'étable, et tu y resteras toujours.

Là-dessus, M. Seguin emporta la chèvre dans une étable toute noire, dont il ferma la porte à double tour. Malheureusement, il avait oublié la fenêtre, et à peine eut-il[5] le dos tourné, que la petite s'en alla...

Tu ris, Gringoire ? Parbleu ! je crois bien; tu es du parti des chèvres, toi, contre ce bon M. Seguin... Nous allons voir[6] si tu riras tout à l'heure.

Quand la chèvre blanche arriva dans la montagne, ce fut[7] un ravissement général. Jamais les vieux sapins n'avaient rien vu d'aussi joli.[8] On la reçut comme une petite reine. Les châtaigniers

maîtresse: — chèvre, wonderful goat, super goat
bouc, (he) goat, (billy) goat
pécaïre (*Provençal for* **c'est dommage**), alas ! isn't that too bad !
coquin, rascal, rogue
peur: de — que, for fear that
là-dessus, thereupon
fermer, to close; **— à double tour,** to lock securely, to double-lock
parbleu ! by Jove !
croire: je crois bien, I should think so
parti, party; **être du — de,** to sympathize with
heure: tout à l'—, in a little while
ravissement, rejoicing
sapin, pine tree, fir tree
reine, queen
châtaignier, chestnut tree

1. **qu'est-ce qu'on leur fait donc à mes chèvres?** *What is the matter then with my goats?* Note the use of redundant **leur,** which stands for **à mes chèvres,** for emphasis. 2. **encore une** is elliptical for **en voici encore une,** *here is another one.* 3. **ne** is used redundantly, and is omitted in translation. 4. **je vais t'enfermer** is the conversational future for **je t'enfermerai.** 5. **eut-il;** note the inverted word order after **à peine,** *scarcely.* 6. **nous allons voir;** conversational future. 7. **ce fut = il y eut.** 8. **rien ... d'aussi joli,** *nothing so pretty;* note use of redundant **de** after **rien.**

se baissaient jusqu'à terre pour la caresser du bout de leurs branches. Les genêts d'or s'ouvraient sur son passage, et sentaient bon tant qu'ils pouvaient. Toute la montagne lui fit fête.

Tu penses, Gringoire, si [1] notre chèvre était heureuse ! Plus de corde,[2] plus de pieu . . . rien qui l'empêchât de gambader, de brouter à sa guise . . . C'est là qu'il y en [3] avait de l'herbe ! jusque par-dessus les cornes, mon cher ! . . . Et quelle herbe ! Savoureuse, fine, dentelée, faite de mille plantes . . . c'était bien autre chose que [4] le gazon du clos. Et les fleurs donc [5] ! . . . De grandes campanules bleues, des digitales de pourpre à longs calices, toute une forêt de fleurs sauvages débordant de sucs capiteux ! . . .

La chèvre blanche, à moitié soûle, se vautrait là-dedans les jambes en l'air et roulait le long des talus, pêle-mêle avec les feuilles tombées et les châtaignes . . . Puis, tout à coup, elle se redressait d'un bond sur ses pattes. Hop ! la voilà partie, la tête en avant, à travers les maquis et les buissières, tantôt sur un pic, tantôt au fond d'un ravin, là-haut, en bas, partout . . . On aurait dit qu'il y avait dix chèvres de M. Seguin dans la montagne.

C'est qu'elle n'avait peur de rien, la Blanquette.[6]

baisser: se —, to bow down
genêt, broom plant
ouvrir: s' —, to bloom
tant: — que, as long as
fête: faire — à, to fête, honor
guise: à sa —, to her heart's content
savoureu-x, -se, tasty
fin, delicate
dentelé, indented, jagged
gazon, grass, turf
campanule, bellflower
digitale, foxglove
pourpre: de —, crimson
calice, calyx
déborder de, to overflow with
suc, juice
capiteu-x, -se, exhilarating, invigorating
soûl, satiated
vautrer: se —, to sprawl, roll
talus, slope, bank
châtaigne, chestnut
redresser: se —, to get up again, rise again
bond: d'un —, with one leap
patte, leg (of animals)
maquis, thicket
buissière, grove of box-trees
tantôt . . . tantôt, now . . . now
pic, peak
c'est que, the fact is

1. **tu penses . . . si,** *you may well imagine.* 2. **plus de corde,** etc.; this is an elliptical use of **plus** for **il n'y avait plus.** 3. **en** is redundant. 4. **c'était bien autre chose que,** *it was indeed very different from.* 5. **donc,** *my goodness!* **donc** here expresses surprise, perhaps best not translated. 6. **la Blanquette;** redundant repetition of the subject for emphasis.

Elle franchissait d'un saut de grands torrents qui l'éclaboussaient au passage de poussière humide et d'écume. Alors, toute ruisselante, elle allait s'étendre sur quelque roche plate et se faisait sécher par le soleil... Une fois, s'avançant au bord d'un plateau, une fleur de cytise aux dents,[1] elle aperçut en bas, tout en bas dans la plaine, la maison de M. Seguin avec le clos derrière. Cela la fit rire aux larmes.

— Que c'est petit! dit-elle; comment ai-je pu tenir[2] là-dedans?

Pauvrette! de se voir[3] si haut perchée, elle se croyait au moins aussi grande que le monde...

En somme, ce fut une bonne journée pour la chèvre de M. Seguin. Vers le milieu du jour, en courant de droite et de gauche, elle tomba dans une troupe de chamois en train de croquer une lambrusque à belles dents. Notre petite coureuse en robe blanche fit sensation. On lui donna la meilleure place à la lambrusque, et tous ces messieurs furent très galants... Il paraît même, — ceci doit rester entre nous, Gringoire, — qu'un jeune chamois à pelage noir eut la bonne fortune de plaire à Blanquette. Les deux amoureux s'égarèrent parmi le bois une heure ou deux, et si tu veux savoir ce qu'ils se dirent, va le demander aux sources bavardes qui courent invisibles dans la mousse.

éclabousser (quelqu'un) de, to splash (someone) with
passage: au —, in passing
poussière, dust, spray
écume, foam
ruisselant, dripping
roche, rock, stone
sécher: se faire —, to get (oneself) dry
cytise, trefoil (a species of clover)
rire: — aux larmes, to laugh till one cries
pauvrette, poor little thing
somme: en —, in short, all in all
courir: — de droite et de gauche, to run hither and thither
tomber: — dans, to chance upon
train: en — de, in the act of
croquer, to crunch, chew
lambrusque, wild vine
dent: à belles —s, heartily
coureu-r, -se, wanderer, gadabout
sensation: faire —, to make a (big) hit
chamois, chamois, wild goat
pelage, coat (of animals), fur
égarer: s'—, to ramble
bavard, talkative, babbling
mousse, moss

1. **aux dents = dans ses dents.** 2. **tenir = se tenir,** *to stay, be.* 3. **de se voir = en se voyant.**

Tout à coup le vent fraîchit. La montagne devint violette: c'était le soir...

— Déjà ! dit la petite chèvre; et elle s'arrêta fort étonnée.

En bas, les champs étaient noyés de brume. Le clos de M. Seguin disparaissait dans le brouillard, et de la maisonnette on ne voyait plus que le toit avec un peu de fumée. Elle écouta les clochettes d'un troupeau qu'on ramenait, et se sentit l'âme toute triste[1]... Un gerfaut, qui rentrait,[2] la frôla de ses ailes en passant.[3] Elle tressaillit... puis ce fut un hurlement dans la montagne:

— Hou ! hou !

Elle pensa au loup; de tout le jour la folle n'y avait pas pensé... Au même moment une trompe sonna bien loin dans la vallée. C'était ce bon M. Seguin qui tentait un dernier effort.

— Hou ! hou !... faisait[4] le loup.

— Reviens ! reviens !... criait la trompe.

Blanquette eut envie de revenir; mais en se rappelant le pieu, la corde, la haie du clos, elle pensa que maintenant elle ne pouvait plus se faire à cette vie, et qu'il valait mieux rester.

La trompe ne sonnait plus...

La chèvre entendit derrière elle un bruit de feuilles. Elle se retourna et vit dans l'ombre deux oreilles courtes, toutes droites, avec deux yeux qui reluisaient... C'était le loup.

Énorme, immobile, assis sur son train de derrière, il était là regardant la petite chèvre blanche et la dégustant par avance.

fraîchir, to grow cool(er)
noyer, to drown, flood
brume, mist
brouillard, fog
maisonnette, small house, cottage
plus: ne ... — que, no more ... except
clochette, little bell
troupeau, flock
gerfaut, gerfalcon (bird of prey)
frôler: — de, to brush with
tressaillir, to shudder
hurlement, howling
hou (howling of a wolf)
jour: de tout le —, all day long
folle, silly thing
trompe, horn
faire: se — à, to get accustomed to
reluire, to shine
train: — de derrière, hind quarters, haunches
déguster, to enjoy the taste of

1. **se sentit l'âme toute triste,** *felt quite sad of heart.* 2. **qui rentrait,** *which was returning home.* 3. **la frôla en passant,** *brushed against her as it flew by.* 4. **faisait = hurlait,** *howled.*

Comme il savait bien qu'il la mangerait, le loup ne se pressait pas; seulement, quand elle se retourna, il se mit à rire méchamment.

— Ha ! ha ! la petite chèvre de M. Seguin; et il passa[1] sa grosse langue rouge sur ses babines d'amadou.

Blanquette se sentit perdue... Un moment, en se rappelant l'histoire de la vieille Renaude, qui s'était battue toute la nuit pour être mangée le matin, elle se dit qu'il vaudrait peut-être mieux se laisser manger tout de suite; puis, s'étant ravisée, elle tomba en garde, la tête basse et la corne en avant, comme une brave chèvre de M. Seguin qu'elle était... Non pas qu'elle eût l'espoir de tuer le loup,[2] — les chèvres ne tuent pas le loup, — mais seulement pour voir si elle pourrait tenir aussi longtemps que la Renaude...

Alors le monstre s'avança, et les petites cornes entrèrent en danse.

Ah ! la brave chevrette, comme elle y allait de bon cœur ! Plus de[3] dix fois, je ne mens pas, Gringoire, elle força le loup à reculer pour reprendre haleine. Pendant ces trêves d'une minute, la gourmande cueillait en hâte encore un brin de sa chère herbe; puis elle retournait au combat, la bouche pleine... Cela dura toute la nuit. De temps en temps la chèvre de M. Seguin regardait les étoiles danser dans le ciel clair, et elle se disait:

— Oh ! pourvu que je tienne jusqu'à l'aube...

L'une après l'autre, les étoiles s'éteignirent. Blanquette redoubla de coups de cornes, le loup de coups de dents... Une lueur pâle

presser: se —, to be in a hurry
méchamment, maliciously
babine: —s d'amadou, reddish lips
raviser: se —, to change one's mind
garde: tomber en —, to put oneself on the defense
danse: entrer en —, to go into play
chevrette, little goat
mentir, to tell a lie
haleine: reprendre —, to recover one's breath
trêve, truce
gourmand, glutton
brin, blade
danser, to dance, twinkle
pourvu que, if only
tenir, to hold out, last
aube, daybreak
éteindre: s'—, to die out, disappear
coup: — de dents, bite
lueur, light

1. **il passa sa langue ... sur ses babines,** *he licked his chops.* 2. **non pas qu'elle eût l'espoir de tuer le loup,** *not that she had any hope of killing the wolf.* 3. **plus de dix fois,** *more than ten times.* The preposition **de** is used instead of **que,** meaning *than,* in comparisons before numbers.

parut dans l'horizon... Le chant d'un coq enroué monta d'une métairie.

— Enfin ! dit la pauvre bête, qui n'attendait plus que le jour pour mourir; et elle s'allongea par terre dans sa belle fourrure blanche 5 toute tachée de sang...

Alors le loup se jeta sur la petite chèvre et la mangea.

Adieu, Gringoire !

L'histoire que tu as entendue n'est pas un conte de mon invention. Si jamais tu viens en Provence, nos ménagers te parleront 10 souvent de la *cabre de moussu Seguin, que se battègue touto la neui emé lou loup, e piei lou matin lou loup la mangé.*[1]

Tu m'entends bien, Gringoire:

E piei lou matin lou loup la mangé.[1]

enroué, hoarse
métairie, small farm
allonger: s'—, to stretch out
terre: par —, on the ground
fourrure, fur, hair
tacher, to spot, stain
conte, tale, story
ménager, farmer

1. This is Provençal for **La chèvre de monsieur Seguin, qui se battit toute la nuit avec le loup, et puis, le matin, le loup la mangea.**

ANATOLE FRANCE

(1844–1924)

Anatole France, nom de plume de Jacques-Anatole Thibault, est un des plus grands écrivains français modernes. Il est peut-être l'auteur français le plus universel depuis Voltaire. Son esprit fin, son ironie délicate, son savoir, son style clair et simple, et sa langue pure rappellent Montaigne et Voltaire.

Parmi ses œuvres les plus connues sont: *le Crime de Sylvestre Bonnard; le Livre de mon ami; la Rôtisserie de la reine Pédauque*, et *Thaïs*.

Le Jongleur de Notre-Dame est tiré d'une de ses œuvres intitulée *l'Étui de nacre*.

LE JONGLEUR DE NOTRE-DAME[1]

PAR

ANATOLE FRANCE

Au temps du roi Louis,[2] il y avait en France un pauvre jongleur, natif de Compiègne,[3] nommé Barnabé, qui allait par les villes, faisant des tours de force et d'adresse.

Les jours de foire, il étendait sur la place publique un vieux tapis
5 tout usé, et après avoir attiré les enfants et les badauds par des propos plaisants qu'il tenait d'un très vieux jongleur et auxquels il ne changeait jamais rien, il prenait des attitudes qui n'étaient pas naturelles, et il mettait une assiette d'étain en équilibre sur son nez. La foule le regardait d'abord avec indifférence.

10 Mais quand, se tenant sur les mains la tête en bas, il jetait en l'air et rattrapait avec ses pieds six boules de cuivre qui brillaient au soleil, ou quand, se renversant jusqu'à ce que sa nuque touchât ses talons, il donnait à son corps la forme d'une roue parfaite et jonglait, dans cette posture, avec douze couteaux, un murmure
15 d'admiration s'élevait dans l'assistance et les pièces de monnaie pleuvaient sur le tapis.

jongleur, juggler, tumbler
Notre-Dame: —, Our Lady
tour: faire des —, to perform tricks
foire: jour de —, (on) market-day
étendre, to spread out
plaisant, funny
tenir, to get
attitude, position, posture
étain, pewter
équilibre: mettre en —, to balance
bas: en —, downward
rattraper, to catch again
boule, sphere
renverser: se —, to bend back
nuque, nape of the neck
talon, heel
roue, wheel
jongler, to juggle
assistance, audience, crowd
monnaie: pièce de —, coin

1. This story is based on a legend of the Middle Ages. 2. **le roi Louis, Louis IX** (†1270); **au temps du roi Louis** is used metaphorically for the Middle Ages. 3. **Compiègne,** an old French town north-west of Paris. It is of historical interest from the fact that Joan of Arc was captured here by the Burgundians.

Pourtant, comme la plupart de ceux qui vivent de leurs talents, Barnabé de Compiègne avait grand'peine à vivre.

Gagnant son pain à la sueur de son front,[1] il portait plus que sa part des misères attachées à la faute d'Adam, notre père.

Encore, ne pouvait-il[2] pas travailler autant qu'il aurait voulu. 5 Pour montrer son beau savoir, comme aux arbres pour donner des fleurs et des fruits, il lui fallait la chaleur du soleil et la lumière du jour. Dans l'hiver, il n'était plus qu'un arbre dépouillé de ses feuilles et quasi mort. La terre gelée était dure au jongleur. Et, comme la cigale dont parle Marie de France,[3] il souffrait du froid et 10 de la faim dans la mauvaise saison. Mais comme il avait le cœur simple, il prenait ses maux en patience.

Il n'avait jamais réfléchi à l'origine des richesses, ni à l'inégalité des conditions humaines. Il comptait fermement que, si ce monde est mauvais, l'autre ne pourrait manquer d'être bon, et cette es- 15 pérance le soutenait. Il n'imitait pas les baladins larrons et mécréants, qui ont vendu leur âme au diable. Il ne blasphémait jamais le nom de Dieu; il vivait honnêtement, et, bien qu'il n'eût pas de femme, il ne convoitait pas celle du voisin, parce que la femme

vivre: — de, to make a living by
talents, wits
grand'peine, great difficulty
attaché à, attributed to
savoir, skill
donner, to produce
dépouillé, stripped
quasi, almost
gelé, frozen
cigale, cicada, grasshopper
cœur: avoir le — simple, to be simple in heart
prendre, to accept
patience: en —, patiently
inégalité, inequality
compter = croire
fermement, firmly, sincerely
soutenir, to encourage
baladin, mountebank, strolling performer
larron, thievish
mécréant, godless
convoiter, to covet

1. **à la sueur de son front,** *by the sweat of his brow.* This is a biblical reference; *cf. King James version* of Genesis III. 19: "In the sweat of thy face shalt thou eat bread." 2. **ne pouvait-il pas,** notice use of inverted word order when **encore** meaning *yet, even then,* is the first element of the sentence or clause. 3. **Marie de France,** a XIII century writer of poems and fables.

est l'ennemie des hommes forts, comme il apparaît par l'histoire de Samson,[1] qui est rapportée dans l'Écriture.

A la vérité, il n'avait pas l'esprit tourné aux désirs charnels, et il lui en coûtait plus de renoncer aux brocs qu'aux dames. Car, sans manquer à la sobriété, il aimait à boire quand il faisait chaud. C'était un homme de bien, craignant Dieu et très dévot à la sainte Vierge.

Il ne manquait jamais, quand il entrait dans une église, de s'agenouiller devant l'image de la Mère de Dieu, et de lui adresser cette prière:

« Madame,[2] prenez soin de ma vie jusqu'à ce qu'il plaise à Dieu que je meure, et quand je serai mort, faites-moi avoir les joies du paradis. »

Or, un certain soir, après une journée de pluie, tandis qu'il s'en allait, triste et courbé, portant sous son bras ses boules et ses couteaux cachés dans son vieux tapis, et cherchant quelque grange pour s'y coucher sans souper, il vit sur la route un moine qui suivait le même chemin, et le salua honnêtement. Comme ils marchaient du même pas, ils se mirent à échanger des propos.

« Compagnon, dit le moine, d'où vient que vous êtes habillé tout

rapporter, to record
Écriture, Scriptures
vérité: à la —, in truth
charnel, carnal, of the flesh
coûter: en — à (quelqu'un) de, to be hard for (someone) to
broc, jug
sobriété: manquer à la —, to be lacking in sobriety
bien: un homme de —, a good man
dévot, devoted
vierge: la Sainte —, the Holy Virgin
agenouiller: s'—, to kneel
prendre: — soin, to take care, look after
courbé, bowed down
grange, barn
souper, to eat supper
moine, monk
suivre: — le même chemin, to go along the same way
honnêtement, respectfully
pas: du même —, at the same gait
compagnon, companion, friend
venir: d'où vient que? how does it happen that?

1. **Samson**, the strong man of the Hebrews, whose source of strength lay in his hair. He was betrayed by Delilah, who cut off his hair and delivered him to the Philistines. 2. **Madame**, *Holy Virgin*.

de vert ? Ne serait-ce point pour faire le personnage d'un fol dans quelque mystère ? »[1]

« Non point, mon Père,[2] répondit Barnabé. Tel que vous me voyez, je me nomme Barnabé, et je suis jongleur de mon état. Ce serait le plus bel état du monde si on y mangeait[3] tous les jours.

« Ami Barnabé, reprit le moine, prenez garde à ce que vous dites. Il n'y a pas de plus bel état que l'état monastique. On y célèbre les louanges de Dieu, de la Vierge et des saints, et la vie du religieux est un perpétuel cantique au Seigneur. »

Barnabé répondit :

« Mon Père, je confesse que j'ai parlé comme un ignorant. Votre état ne se[4] peut comparer au mien et, quoiqu'il y ait du mérite à danser en tenant au bout du nez un denier en équilibre sur un bâton, ce mérite n'approche pas du vôtre. Je voudrais bien comme vous, mon Père, chanter tous les jours l'office, et spécialement l'office de la très sainte Vierge, à qui j'ai voué une dévotion particulière. Je renoncerais bien volontiers à l'art dans lequel je suis connu, de Soissons à Beauvais,[5] dans plus de six cents villes et villages, pour embrasser la vie monastique.

Le moine fut touché de la simplicité du jongleur, et, comme il ne manquait pas de discernement, il reconnut en Barnabé un de ces

vert: tout de —, all in green
personnage: faire le — de, to act the part of
fol = fou, fool, jester
mystère, mystery play, religious drama
état: de mon —, by profession
garde: prendre — à, to be careful of
monastique, monastic
célébrer, to sing
louange, praise
religieux, monk, friar
cantique, religious song
Seigneur, Lord
ignorant, ignorant person
denier, farthing, coin
équilibré: tenir en —, to balance
office: chanter l'—, to chant church prayers
sainte: très —, most holy
vouer, pledge
embrasser, to embrace, take up

1. **Mystères** were religious dramas of the Middle Ages. They were often interspersed with farcical scenes in which the **fou**, or **fol**, played an important rôle. 2. **mon Père**, *Father*. 3. **si on y mangeait**, *if one had a meal from it.* 4. **ne se peut comparer = ne peut se comparer.** 5. **de Soissons à Beauvais**, names of two cities to the north of Paris, about 100 miles from each other.

hommes de bonne volonté de qui Notre-Seigneur a dit: « Que la paix soit avec eux sur la terre ! » C'est pourquoi il lui répondit:

« Ami Barnabé, venez avec moi, et je vous ferai entrer dans le couvent dont je suis prieur. Celui qui conduisit Marie l'Égyptienne [1]
5 dans le désert m'a mis sur votre chemin pour vous mener dans la voie du salut. »

C'est ainsi que Barnabé devint moine. Dans le couvent où il fut reçu, les religieux célébraient à l'envi le culte de la sainte Vierge, et chacun employait à la servir tout le savoir et toute l'habileté
10 que Dieu lui avait donnés.

Le prieur, pour sa part, composait des livres qui traitaient, selon les règles de la scolastique,[2] des vertus de la Mère de Dieu.

Le frère Alexandre y peignait de fines miniatures. On y voyait la Reine du ciel, assise sur le trône de Salomon, au pied duquel
15 veillent quatre lions; autour de sa tête nimbée voltigeaient sept colombes, qui sont les sept dons du Saint-Esprit: dons de crainte, de piété, de science, de force, de conseil, d'intelligence et de sagesse. Elle avait pour compagnes six vierges aux cheveux d'or: l'Humilité, la Prudence, la Retraite, le Respect, la Virginité et
20 l'Obéissance.

A ses pieds, deux petites figures nues et toutes blanches se tenaient dans une attitude suppliante. C'étaient des âmes qui im-

couvent, monastery
salut, salvation
envi: célébrer à l'—, to vie with one another in celebrating
culte, worship
habileté, skill, ability
traiter: — de, to deal with
scolastique, scholasticism
nimbé, surrounded by a halo
voltiger, to hover
colombe, dove
Saint-Esprit, Holy Ghost
sagesse, wisdom
compagne, (woman) companion
Retraite, Retreat
Obéissance, Obedience
suppliant, supplicating, prostrate

1. **Marie l'Egyptienne** = *Saint Mary the Egyptian;* born in Egypt, she repented of her sins, was converted in Jerusalem and spent her remaining years as a hermit in a desert near Jerusalem. 2. **selon les règles de la scolastique,** i.e. according to the methods taught in the divinity and philosophic schools of the Middle Ages. Scholastic philosophy was characterized by being based for the most part on the authority of the Church fathers and Aristotle. It presented its arguments in a stiff and formal manner.

ploraient, pour leur salut et non,[1] certes, en vain, sa toute-puissante intercession.

Le frère Alexandre représentait sur une autre page Ève en regard de Marie, afin qu'on vît en même temps la faute et la rédemption, la femme humiliée et la vierge exaltée. On admirait encore dans ce livre le Puits des eaux vives, la Fontaine, le Lis, la Lune, le Soleil et le Jardin clos dont il est parlé dans le cantique, la Porte du Ciel et la Cité de Dieu, et c'étaient là des images de la Vierge.[2]

Le frère Marbode était semblablement un des plus tendres enfants de Marie.

Il taillait sans cesse des images de pierre, en sorte qu'il avait la barbe, les sourcils et les cheveux blancs de poussière, et que ses yeux étaient perpétuellement gonflés et larmoyants; mais il était plein de force et de joie dans un âge avancé et, visiblement, la Reine du paradis protégeait la vieillesse de son enfant. Marbode la représentait assise dans une chaire, le front ceint d'un nimbe à orbe perlé. Et il avait soin que les plis de la robe couvrissent les pieds de celle dont le prophète a dit: « Ma bien-aimée est comme un jardin clos. » [3]

tout-puissant, all-powerful
regard: en — de, opposite
faute (la), the Sin
encore = en outre, also
puits, well
eau: — vive, running water
lis, lily
clos, enclosed
cantique, Song (of Solomon)
semblablement, likewise
tendre, devoted
tailler, to carve
sorte: en — que, so that
barbe: il a la — blanche, his beard is white
sourcil, brow, eyebrow
perpétuellement, continually
gonflé, swollen
larmoyant, full of tears
âge: dans un — avancé, at an advanced old age
visiblement, evidently
vieillesse, old age
chaire, pulpit
ceint, girded
nimbe, halo
perlé, adorned with pearls
pli, fold
bien-aimé, well-beloved

1. **non** read with **en vain.** 2. **c'étaient là des images de la Vierge,** *there were pictures of the Virgin Mary there.* 3. " **Ma bien-aimée est comme un jardin clos** " is a biblical quotation found in the *Song of Solomon:* " A garden is my sister, my spouse, etc." (*King James' version* IV. 12).

Parfois aussi il la figurait sous les traits d'un enfant plein de grâce, et elle semblait dire: « Seigneur, vous êtes mon Seigneur ! * * * *Deus meus es tu.* »[1]

Il y avait aussi, dans le couvent, des poètes, qui composaient, 5 en latin, des proses et des hymnes en l'honneur de la bienheureuse vierge Marie, et même il s'y trouvait un Picard qui mettait les miracles de Notre-Dame en langue vulgaire[2] et en vers rimés.

Voyant un tel concours de louanges et une si belle moisson d'œuvres, Barnabé se lamentait de son ignorance et de sa simplicité.

10 « Hélas, soupirait-il en se promenant seul dans le petit jardin sans ombre du couvent, je suis bien malheureux de ne pouvoir, comme mes frères, louer dignement la sainte Mère de Dieu à laquelle j'ai voué la tendresse de mon cœur. Hélas ! hélas ! je suis un homme rude et sans art, et je n'ai pour votre service, madame la Vierge, ni 15 sermons édifiants, ni traités bien divisés selon les règles, ni fines peintures, ni statues exactement taillées, ni vers comptés par pieds et marchant en mesure. Je n'ai rien, hélas ! »

Il gémissait de la sorte et s'abandonnait à la tristesse. Un soir que les moines se récréaient en conversant, il entendit l'un d'eux 20 conter l'histoire d'un religieux qui ne savait réciter autre chose qu'*Ave Maria.*[3] Ce religieux était méprisé pour son ignorance; mais, étant mort, il[4] lui sortit de la bouche cinq roses en l'honneur des cinq lettres du nom de Marie, et sa sainteté fut ainsi manifestée.

En écoutant ce récit, Barnabé admira une fois de plus la bonté de

figurer, to represent
bienheureu-x, -se, blessed
Picard, Picard, native of Picardy
rimé, rhymed
concours, rivalry
moisson, harvest, production
lamenter: se — de, to deplore
louer, to praise
traité, treatise
mesure: marcher en —, to move with measured step
gémir, to moan
sorte: de la —, in this manner
récréer: se —, to divert oneself
mépriser, to scorn, look down on
sainteté, holiness

1. **Deus meus es tu,** *Thou art my God;* this is the Latin from which the French quotation is taken (Psalm 21, 11). 2. **en langue vulgaire = en français.** Latin was the language taught in all the schools in the Middle Ages; the vernacular, French, was referred to as **la langue vulgaire.** 3. **Ave Maria** (*Latin*) = **Salut Marie,** *Hail Mary.* 4. **il lui sortit** *etc.*, impersonal **il** introduces the real subject (**cinq roses**) that follows.

la Vierge; mais il ne fut pas consolé par l'exemple de cette mort bienheureuse, car son cœur était plein de zèle et il voulait servir la gloire de sa dame qui est aux cieux.

Il en cherchait le moyen sans pouvoir le trouver et il s'affligeait chaque jour davantage, quand un matin, s'étant réveillé tout joyeux, il courut à la chapelle et y demeura seul pendant plus d'une heure. Il y retourna l'après-dîner.

Et, à compter de ce moment, il allait chaque jour dans cette chapelle, à l'heure où elle était déserte, et il y passait une grande partie du temps que les autres moines consacraient aux arts libéraux et aux arts mécaniques. Il n'était plus triste et il ne gémissait plus.

Une conduite si singulière éveilla la curiosité des moines.

On se demandait, dans la communauté, pourquoi le frère Barnabé faisait des retraites si fréquentes.

Le prieur, dont le devoir est de ne rien ignorer de la conduite de ses religieux, résolut d'observer Barnabé pendant ses solitudes. Un jour donc que celui-ci était renfermé, comme à son ordinaire, dans la chapelle, dom [1] prieur vint, accompagné de deux anciens du couvent, observer, à travers les fentes de la porte, ce qui se passait à l'intérieur.

Ils virent Barnabé qui, devant l'autel de la sainte Vierge, la tête en bas, les pieds en l'air, jonglait avec six boules de cuivre et douze couteaux. Il faisait, en l'honneur de la sainte Mère de Dieu, les tours qui lui avaient valu le plus de louanges. Ne comprenant pas que cet homme simple mettait ainsi son talent et son savoir au service de la sainte Vierge, les deux anciens criaient au sacrilège.

bienheureu-x, -se, blissful
affliger: s'—, to grieve
après-dîner: l'—, in the afternoon
compter: à — de ce moment, from that moment
communauté, religious community
retraite: faire des —s si fréquentes, to go so often into seclusion
ordinaire, custom; **comme à son —,** as was his custom
ancien, senior member, elder
fente, crack
autel, altar
valoir: — un louange, to bring praise
sacrilège: crier au —, to cry out against the sacrilege

1. **dom** [dɔ̃], is the vulgar Latin abbreviation of the Latin **dominus,** *lord, master* or *dom,* a title given in certain monastic orders. Do not translate.

Le prieur savait que Barnabé avait l'âme innocente; mais il le croyait tombé en démence. Ils s'apprêtaient tous trois à le tirer vivement de la chapelle, quand ils virent la sainte Vierge descendre les degrés de l'autel pour venir essuyer d'un pan de son manteau
5 bleu la sueur qui dégouttait du front de son jongleur.

Alors le prieur, se prosternant le visage contre la dalle, récita ces paroles:

« Heureux les simples, car ils verront Dieu ! »

« Amen ! » répondirent les anciens en baisant la terre.

tombé: — en démence, gone insane
apprêter: s'— à, to get ready to
tirer, to drag
vivement, forcefully
pan, skirt, flap
dégoutter, to drip
prosterner: se —, to prostrate oneself
dalle, flagstone, stone floor
réciter, to utter
paroles: ces —, the following words
simple, simple-minded person, pure of heart
baiser, to kiss

PROSPER MÉRIMÉE

(1803–1870)

Prosper Mérimée est né à Paris en 1803 et il est mort à Cannes en 1870. Il étudia le droit, mais l'abandonna pour la littérature. Quoique Mérimée ait passé beaucoup de sa vie au service du gouvernement français du deuxième Empire, il trouva néanmoins le temps d'écrire plusieurs contes et nouvelles, qui par leur qualité artistique n'ont pas été surpassés dans la littérature française.

Mérimée possède un style clair, coloré et bref qui prête à ses contes la précision d'une gravure à l'eau-forte. *L'Enlèvement de la redoute* est le meilleur exemple de cette qualité. *Carmen* et *Colomba* sont ses deux principales nouvelles.

L'ENLÈVEMENT DE LA REDOUTE[1]

PAR

MÉRIMÉE

Un militaire de mes amis, qui est mort de la fièvre en Grèce[2] il y a quelques années, me conta un jour la première affaire[3] à laquelle il avait assisté. Son récit[1] me frappa tellement, que je l'écrivis de mémoire aussitôt que j'en[4] eus le loisir. Le voici:

— Je rejoignis le régiment le 4 septembre au soir. Je trouvai le colonel au bivac. Il me reçut d'abord assez brusquement; mais, après avoir lu la lettre de recommandation du général B* * *, il changea de manières, et m'adressa quelques paroles obligeantes.

Je fus présenté par lui à mon capitaine, qui revenait à l'instant même d'une reconnaissance. Ce capitaine, que je n'eus guère le temps de connaître, était un grand homme brun, d'une physionomie dure et repoussante. Il avait été simple soldat, et avait gagné ses épaulettes et sa croix[5] sur les champs de bataille. Sa voix, qui était

enlèvement, taking
redoute, redoubt
ami: un militaire de mes —s, a military friend (of mine)
frapper, to impress
tellement = tant
mémoire: de —, from memory
loisir, leisure, time
bivac (= bivouac), camp
obligeant, courteous, civil
dur, stern
physionomie, appearance
repoussant, repellent
soldat: simple —, private
épaulette: gagner ses —s, to win one's commission

1. This is a **récit,** — a narrative in the first person, of an actual historical event. It is an eyewitness' account of a battle in Napoleon's campaign against Russia. 2. **qui est mort de la fièvre en Grèce;** this probably refers to one of the French volunteers in Colonel Favier's army which went to assist the Greeks in their war of independence against the Turks in 1822–1823. However, the real person that Mérimée refers to here is Henri Beyle (Stendhal) (1783–1843), French novelist and soldier under Napoleon. 3. **affaire,** supply **militaire,** *battle.* 4. **en** = *for it.* 5. **sa croix = la croix de la Légion d'Honneur,** an order established by Napoleon in 1802.

enrouée et faible, contrastait singulièrement avec sa stature presque gigantesque. On me dit qu'il devait cette voix étrange à une balle qui l'avait percé de part en part à la bataille d'Iéna.[1]

En apprenant que je sortais de l'école de Fontainebleau,[2] il fit la grimace et dit:

« Mon lieutenant est mort hier . . . »

Je compris qu'il voulait dire: « C'est vous qui devez le remplacer, et vous n'en êtes pas capable. » Un mot piquant me vint sur les lèvres, mais je me contins.

La lune se leva derrière la redoute de Cheverino,[3] située à deux portées de canon de notre bivac. Elle était large et rouge comme cela est ordinaire à son lever. Mais, ce soir-là elle me parut d'une grandeur extraordinaire. Pendant un instant, la redoute se détacha en noir sur le disque éclatant de la lune. Elle ressemblait au cône d'un volcan au moment de l'éruption.

Un vieux soldat, auprès duquel je me trouvais, remarqua la couleur de la lune.

« Elle est bien rouge, dit-il; c'est signe qu'il en coûtera bon pour l'avoir, cette fameuse redoute ! [4] J'ai toujours été superstitieux,

enroué, hoarse
singulièrement, strangely
part: de — en —, through and through
école: sortir de l'— de, to have just graduated from, to be fresh from
grimace: faire la —, to make a wry face
piquant, sharp
mot = réponse, retort
contenir: se —, to restrain oneself
portée: — de canon, gunshot (distance)
lever: à son —, when it rises
détacher: se —, to stand out
éclatant, brilliant, shining
disque, disk
cône: — d'un volcan, crater of a volcano
auprès de, beside
trouver: se —, to happen to be
coûter: en — bon, to cost dear

1. **Iéna = Jena,** a city in Germany, scene of the battle of Jena referred to here, in which Napoleon conquered the Prussians in 1806. 2. **l'école de Fontainebleau,** a military training school for infantry and cavalry officers, founded in 1802 by Napoleon and merged with Saint Cyr in 1808. The present military school for artillery and engineers at Fontainebleau was established in 1871. 3. **Cheverino** is a corrupted French pronunciation of the Russian village **Shevardinó,** near which the redoubt was located. 4. **pour l'avoir, cette fameuse redoute,** *to take that famous redoubt;* note redundant repetition of subject and pronoun for emphasis.

et cet augure, dans ce moment surtout, m'affecta. Je me couchai, mais je ne pus dormir. Je me levai, et je marchai quelque temps, regardant l'immense ligne de feux [1] qui couvrait les hauteurs au delà du village de Cheverino.

Lorsque je crus que l'air frais et piquant de la nuit avait assez rafraîchi mon sang, je revins auprès du feu; je m'enveloppai soigneusement dans mon manteau, et je fermai les yeux, espérant ne pas les ouvrir avant le jour. Mais le sommeil me tint rigueur.[2] Insensiblement mes pensées prenaient une teinte lugubre. Je me disais que je n'avais pas un ami parmi les cent mille hommes qui couvraient cette plaine. Si j'étais blessé, je serais dans un hôpital, traité sans égards par des chirurgiens ignorants. Ce que j'avais entendu dire des opérations chirurgicales me revint à la mémoire. Mon cœur battait avec violence, et machinalement je disposais,[3] comme une espèce de cuirasse, le mouchoir et le portefeuille que j'avais sur la poitrine. La fatigue m'accablait,[4] je m'assoupissais à chaque instant, et à chaque instant quelque pensée sinistre se reproduisait avec plus de force [5] et me réveillait en sursaut.

Cependant la fatigue l'avait emporté, et, quand on battit la diane,

augure, omen
marcher, to pace about
delà: au —, above
frais, cool
rafraîchir, to cool off
soigneusement, carefully
rigueur: tenir — à, to be denied to
insensiblement, imperceptibly
teinte, color, hue
lugubre, dismal
égard: sans —s, without any consideration
chirurgien, surgeon
chirurgical, surgical
mémoire: revenir à la —, to recur to one's mind
disposer, to place
cuirasse, cuirass, breastplate
assoupir: s'—, to fall half asleep, doze
reproduire: se —, to recur
sursaut: réveiller en —, to awaken with a start
emporter: l'—, to win out, triumph
diane: battre la —, to sound the reveille

1. **l'immense ligne de feux,** *the immense long line of camp-fires.* 2. **le sommeil me tint rigueur = je ne pouvais m'endormir,** *sleep refused to come.* 3. **je disposais le portefeuille que j'avais sur la poitrine,** *I arranged the wallet which I had in my breast pocket.* 4. **la fatigue m'accablait,** *I was worn out with fatigue.* 5. **avec plus de force,** *with renewed force.*

j'étais tout à fait endormi. Nous nous mîmes en bataille, on fit l'appel, puis on remit les armes en faisceaux, et tout annonçait que nous allions passer une journée tranquille.

Vers trois heures, un aide de camp arriva, apportant un ordre. On nous fit reprendre les armes;[1] nos tirailleurs se répandirent dans la plaine; nous les suivîmes lentement, et, au bout de vingt minutes, nous vîmes tous les avant-postes des Russes se replier et rentrer dans la redoute.

Une batterie d'artillerie vint s'établir à notre droite, une autre à notre gauche, mais toutes les deux bien en avant de nous. Elles commencèrent un feu très vif[2] sur l'ennemi, qui riposta énergiquement, et bientôt la redoute de Cheverino disparut sous des nuages épais de fumée.

Notre régiment était presque à couvert du feu des Russes par un pli de terrain. Leurs boulets, rares d'ailleurs pour nous[3] (car ils tiraient de préférence sur nos canonniers), passaient au-dessus de nos têtes, ou tout au plus nous envoyaient de la terre et de petites pierres.

Aussitôt que l'ordre de marcher en avant nous eut été donné, mon capitaine me regarda avec une attention qui m'obligea à passer deux ou trois fois la main sur ma jeune moustache[4] d'un air aussi dégagé

mettre: se — en bataille, to take position for battle
appel: faire l'—, to call the roll
faisceau: remettre en —x, to stack again, pile
tirailleur, skirmisher
répandre: se — (dans), to spread, deploy (over)
avant-poste, outpost, advanced post
replier: se —, to fall back
établir: s'—, to take position
riposter, to reply
énergiquement, vigorously
couvert: à —, protected
pli: — de terrain, ridge, rise in the ground
boulet, cannon-ball
préférence: tirer de —, to prefer to fire
canonnier, gunner
tout: — au plus, at the very most
envoyer, to hurl, spatter
terre, dirt
attention, scrutiny
moustache: passer la main sur la —, to stroke one's mustache
air: d'un —, with a look
dégagé, carefree

1. **on nous fit reprendre les armes,** *we were ordered under arms again.* 2. **un feu très vif,** *a very hot fire.* 3. **rares d'ailleurs pour nous,** *rarely aimed at us.* 4. **qui m'obligea à passer deux ou trois fois la main sur ma jeune moustache,** *which compelled me to run my hand over my budding moustache twice or thrice.*

qu'il me fut possible. Au reste, je n'avais pas peur, et la seule crainte que j'éprouvasse, c'était que l'on ne s'imaginât que j'avais peur. Ces boulets inoffensifs contribuèrent encore à me maintenir dans mon calme héroïque. Mon amour-propre me disait que je courais un danger réel, puisque enfin j'étais sous le feu d'une batterie. J'étais enchanté d'être si à mon aise, et je songeai au plaisir de raconter la prise de la redoute de Cheverino, dans le salon de madame de B [1] * * *, rue de Provence.

Le colonel passa devant notre compagnie; il m'adressa la parole: « Eh bien, vous allez en voir de grises pour votre début. »

Je souris d'un air tout à fait martial en brossant la manche de mon habit, sur laquelle un boulet, tombé à trente pas de moi, avait envoyé un peu de poussière.

Il parut que les Russes s'aperçurent du mauvais succès de leurs boulets; car ils les remplacèrent par des obus qui pouvaient plus facilement nous atteindre dans le creux où nous étions postés. Un assez gros éclat m'enleva mon schako et tua un homme auprès de moi.

« Je vous fais mon compliment, me dit le capitaine, comme je venais de ramasser mon schako, vous en voilà quitte pour la journée. » Je connaissais cette superstition militaire qui croit que l'axiome, *Non bis in idem*,[2] trouve son application aussi bien sur un champ

reste: au —, besides
inoffensi-f, -ve, harmless
amour-propre, self-esteem
aise: être si à l'—, to be so at ease
parole: adresser la — à, to speak to
gris: en voir de —es, to have a hot time
brosser, to dust off
manche, sleeve
habit, coat
succès: mauvais —, ill success, failure
obus, shell
creux, hollow
éclat, piece of shrapnel, splinter of a shell
schako, shako (soldier's high hat)
compliment: faire son —, to congratulate
quitte: vous en voilà —, you are safe
axiome, maxim

1. **madame de B . . . ;** this reference is probably to the Comtesse de Boigne in whose salon Mérimée read several of his manuscripts. However, her residence was in the **rue d'Anjou.** 2. **non** (or, **ne**) **bis in idem;** this is a Latin legal rule; it means "not twice into the same (danger)." According to this legal maxim, a man could not be tried twice for the same offense.

de bataille que dans une cour de justice. Je remis fièrement mon schako.

« C'est faire saluer les gens sans cérémonie, » dis-je aussi gaiement que je pus. Cette mauvaise plaisanterie, vu la circonstance, parut excellente. 5

« Je vous félicite, reprit le capitaine, vous n'aurez rien de plus [1] et vous commanderez une compagnie ce soir; car je sens bien que le four chauffe pour moi. Toutes les fois que j'ai été blessé, l'officier auprès de moi a reçu [2] quelque balle morte, et, ajouta-t-il d'un ton plus bas et presque honteux, leurs noms commençaient toujours par 10 un P. »

Je fis l'esprit fort; bien des gens auraient fait comme moi; bien des gens auraient été aussi bien que moi frappés de ces paroles prophétiques. Conscrit comme je l'étais, je sentais que je ne pouvais confier mes sentiments à personne, et que je devais toujours 15 paraître froidement intrépide.

Au bout d'une demi-heure, le feu des Russes diminua sensiblement; alors nous sortîmes de notre couvert pour marcher sur la redoute.

Notre régiment était composé de trois bataillons. Le deuxième 20 fut chargé de tourner la redoute du côté de la gorge; les deux autres devaient donner l'assaut. J'étais dans le troisième bataillon.

En sortant de derrière l'espèce d'épaulement qui nous avait pro-

saluer: faire —, to make one salute
cérémonie: sans —, unceremoniously
plaisanterie, joke
circonstance: vu la —, (in view of) under the circumstances
féliciter, to congratulate
four: le — chauffe pour moi, things are getting hot for me
fois: toutes les —, every time
balle: — morte, spent bullet
ton: d'un — bas, in a low voice
honteu-x, -se, shameful
esprit: faire l'— fort, to pretend to be skeptical
frapper, to impress
conscrit, conscript, recruit
froidement, coolly
sensiblement, perceptibly
couvert, protection, cover
charger, to order
côté: du — de, towards, on the side of
gorge, rear entrance, neck (of a redoubt)
assaut: donner l'—, to make the (frontal) attack
derrière: de —, from behind
épaulement, breastwork, ridge

1. **vous n'aurez rien de plus,** *you will get nothing worse.* 2. **a reçu,** *was hit by.*

tégés, nous fûmes reçus par plusieurs décharges de mousqueterie qui ne firent que peu de mal dans nos rangs. Le sifflement des balles me surprit: souvent je tournais la tête, et je m'attirai ainsi quelques plaisanteries de la part de mes camarades plus familiarisés avec ce bruit.

« A tout prendre, me dis-je, une bataille n'est pas une chose si terrible. »

Nous avancions au pas de course, précédés de tirailleurs: tout à coup les Russes poussèrent trois hourras, trois hourras distincts, puis demeurèrent silencieux et sans tirer.

« Je n'aime pas ce silence, dit mon capitaine; cela ne nous présage rien de bon. »

Je trouvai que nos gens étaient un peu trop bruyants, et je ne pus m'empêcher de faire intérieurement la comparaison de leurs clameurs tumultueuses avec le silence imposant de l'ennemi.

Nous parvînmes rapidement au pied de la redoute, les palissades avaient été brisées et la terre bouleversée par nos boulets. Les soldats s'élancèrent sur ces ruines nouvelles avec des cris de *Vive l'Empereur !* [1] plus fort qu'on ne l'aurait attendu [2] de gens qui avaient déjà tant crié.

Je levai les yeux, et jamais je n'oublierai le spectacle que je vis. La plus grande partie de la fumée s'était élevée et restait suspendue comme un dais à vingt pieds au-dessus de la redoute. Au travers

mousqueterie, musketry
mal: le —, harm, damage
sifflement, whistling, hissing
s'attirer, to bring upon oneself
familiarisé, familiarized, accustomed; **— avec,** accustomed to
part: de la — de, from
prendre: à tout —, everything considered, all in all
pas: au — de course, on the double quick
'hourra, hurrah, cheer
bruyant, noisy
empêcher: s'— de, to forbear, keep from
intérieurement, inwardly, mentally
parvenir à, to reach
briser, shatter
bouleverser, to tear up
élancer: s'—, to spring forward, rush
suspendu: rester —, to hang
dais, canopy
travers: au — de, through, over

1. **Vive l'Empereur !** *Long live the Emperor!* This was the usual battle-cry of Napoleon's armies. 2. **plus fort qu'on ne l'aurait attendu,** *louder than would have been expected.* Note the redundant **ne** used after unequal comparisons.

d'une vapeur bleuâtre, on apercevait derrière leur parapet à demi détruit les grenadiers russes, l'arme haute, immobiles comme des statues. Je crois voir encore [1] chaque soldat, l'œil gauche attaché sur nous, le droit caché par son fusil élevé.[2] Dans une embrasure, à quelques pieds de nous, un homme tenant une lance à feu était auprès d'un canon. 5

Je frissonnai, et je crus que ma dernière heure était venue.

« Voilà la danse qui va commencer, s'écria mon capitaine. Bonsoir ! »

Ce furent les dernières paroles que je l'entendis prononcer. 10

Un roulement de tambours retentit dans la redoute. Je vis se baisser tous les fusils. Je fermai les yeux, et j'entendis un fracas épouvantable, suivi de cris et de gémissements. J'ouvris les yeux, surpris de me trouver encore au monde. La redoute était de nouveau enveloppée de fumée. J'étais entouré de blessés et de morts. 15 Mon capitaine était étendu à mes pieds: sa tête avait été broyée par un boulet . . . De toute ma compagnie, il [3] ne restait debout que six hommes et moi.

A ce carnage succéda un moment de stupeur.[4] Le colonel, mettant son chapeau au bout de son épée, gravit le premier [5] le parapet 20

vapeur, haze
bleuâtre, bluish
haut: l'arme —e, with guns raised
attaché sur, fastened upon
embrasure, (window) opening
lance à feu, slow-match, fusee
frissonner, to shudder
roulement, rolling
retentir, to resound
baisser: se —, to drop
fracas, crash
épouvantable, appalling
cri, shriek
gémissement, groan
monde, world; **au —,** alive
enveloppé de, covered with
blessé, *n.*, wounded
mort, *n.*, dead
étendre, to stretch out
broyer, to crush, shatter
stupeur, stupor, stunned inaction
bout, point
épée, sword
gravir, to climb

1. **Je crois voir encore,** *I believe (that) I can still see.* Note the use of an infinitive phrase in French to express an English noun clause when the subject of the infinitive is the same as that of the principal clause. 2. **son fusil élevé,** *his levelled musket.* 3. **il** = *there* (impersonal **il**). 4. **un moment de stupeur** is the subject of **succéda;** note inverted order. 5. **gravit le premier,** *was the first to climb.*

en criant: *Vive l'empereur!* il fut suivi aussitôt de tous les survivants. Je n'ai presque plus de souvenir net [1] de ce qui suivit. Nous entrâmes dans la redoute, je ne sais comment. On se battit corps à corps au milieu d'une fumée si épaisse, que l'on ne pouvait se voir. Je crois que je frappai, car mon sabre se trouva tout sanglant. Enfin j'entendis crier: « Victoire ! » et la fumée diminuant, j'aperçus du sang et des morts sous lesquels disparaissait la terre [2] de la redoute. Les canons surtout étaient enterrés sous des tas de cadavres. Environ deux cents hommes debout, en uniforme français, étaient groupés sans ordre, les uns chargeant leurs fusils, les autres essuyant leurs baïonnettes. Onze prisonniers russes étaient avec eux.

Le colonel était renversé tout sanglant sur un caisson brisé, près de la gorge. Quelques soldats s'empressaient autour de lui: je m'approchai.

« Où est le plus ancien capitaine ? [3] demandait-il à un sergent.

Le sergent haussa les épaules d'une manière très expressive.

« Et le plus ancien lieutenant ? »

« Voici monsieur qui est arrivé d'hier, » dit le sergent d'un ton tout à fait calme.

Le colonel sourit amèrement.

« Allons, monsieur, me dit-il, vous commandez en chef; faites

aussitôt, instantly
survivant, survivor
net, -te, clean, clear
corps: — à —, hand to hand
sanglant, bloody
enterrer, to bury
tas, pile
cadavre, corpse
renversé: être — sur, to be lying (outstretched) on
caisson, caisson, ammunition wagon
brisé, shattered
gorge, ravine, entrance
empresser: s'— autour de, to press (crowd) around
hier: d'—, yesterday
amèrement, bitterly
chef: commander en —, to be the commanding officer

1. **Je n'ai presque plus de souvenir net,** *I have scarcely no other clear-cut recollection;* i.e. *I have only a faint recollection.* 2. **sous lesquels disparaissait la terre,** *under which the ground floor* (*of the fort*) *disappeared.* That is, the surface (of the redoubt) was covered by so many dead and wounded that it could not be seen. 3. **le plus ancien capitaine,** *the senior captain.*

promptement fortifier la gorge de la redoute avec ces chariots, car l'ennemi est en force; mais le général C[1] * * * va vous faire soutenir. »

« Colonel, lui dis-je, vous êtes grièvement blessé ? »

« F[2] . . . , mon cher, mais la redoute est prise ! »

chariot, wagon
force: être en —, to be (still) strong
soutenir: faire —, to send reinforcements
grièvement, severely, seriously

1. **le général C.** refers to Count Jean Dominique de Compans († 1845), one of Napoleon's generals who commanded an infantry division during the attack on the redoubt of Schwardino. 2. **F.** stands for **foutu,** a vulgar word hence always abbreviated to **f.** Translate **F . . . , mon cher,** *Finished, my boy.*

PAUL ARÈNE

(1843-1896)

Paul Arène est né en 1843 à Sisteron en Provence. À l'âge de 22 ans on fit jouer à l'Odeón à Paris sa première pièce en vers. Avec la publication de *Jean des Figues* il fut reconnu comme un des meilleurs conteurs de son temps. Quoiqu'il aime à décrire, comme Daudet, son pays natal, Arène passa la plupart de sa vie à Paris au quartier Latin.

Anatole France a comparé Arène à Maupassant. Celui-ci aime à décrire la Normandie, tandis que celui-là aime à décrire la Provence. Anatole France suggère la pomme comme emblème pour Maupassant et l'olivier pour Arène.

Pour cela le conte intitulé *les Haricots de Pitalugue* est très caractéristique du pays charmant de cet auteur.

Arène écrivit plusieurs volumes de poésies, de contes, et de nouvelles dont les mieux connus sont: *Contes de Noël* (1879), *Contes de Paris et de Provence* (1887) et *La Chèvre d'Or* (1889).

LES HARICOTS DE PITALUGUE

PAR

PAUL ARÈNE

Pertuis semait ses haricots. Il n'y avait par tout le terroir que gens sans blouse ni veste, qui travaillaient et suaient; et dans la ville, les bourgeois, assis au frais sous les platanes, disaient en regardant ces points rouges et blancs remuer:

« Si les pluies arrivent à temps, et que [1] la semence se trouve bonne, la France, cette année, ne manquera pas de haricots. » Car Pertuis a cette prétention, quasi justifiée d'ailleurs, de fournir de haricots la France entière.

De tous ces semeurs semant comme des enragés, le plus enragé était le brave Pitalugue, qui s'escrimait de la pioche, tête baissée.

— Semons du vent, murmurait-il; c'est, quoi qu'en dise [2] Monsieur le curé, le seul moyen qui me reste aujourd'hui de ne pas récolter la tempête.

Et Pitalugue, en effet, ne semait rien que du vent. Toutes les trois secondes, il mettait la main dans sa gibecière; mais ce n'est rien du tout qu'il y saisissait, ce n'est rien du tout que son pouce et son index rapprochés déposaient avec soin dans le sillon; et la paume

'haricot, bean
terroir, country
veste, jacket
suer, to perspire
frais: au —, in the shade
platane, plane-tree
semence, seed
prétention, claim
semeur, sower, planter
enragé, furious, mad; *n.*, madman
escrimer: s'—, to work hard
pioche, pickaxe
récolter: — la tempête, to reap the storm, be scolded
seconde: toutes les trois —s, every three seconds, i.e. every other second
gibecière, bag
pouce, thumb
index, forefinger, index-finger
sillon, furrow
paume, palm

1. **que = si.** 2. **quoi qu'en dise Monsieur le curé,** *whatever the parish priest may say.*

de sa main gauche, rabattant à chaque fois la terre, ne recouvrait que des haricots imaginaires.

Cependant, à cent mètres au-dessus du champ dans un petit bosquet, un homme que Pitalugue ne voyait point suivait de l'œil, avec intérêt, les mouvements compliqués de Pitalugue.

« Eh ! eh ! se disait-il, Pitalugue travaille. »

Perché ainsi dans la verdure avec son nez crochu, ses lunettes d'or et son habit gris, un chasseur l'aurait pris de loin pour un hibou de la grosse espèce.

Mais ce n'était pas un hibou, c'était mieux: c'était M. Cougourdan, le redouté M. Cougourdan, arpenteur juré, que la rumeur publique accusait de se divertir parfois à l'usure. Il vaquait ce jour-là, et comme il aimait la nature, il avait imaginé d'apporter ses registres à la campagne.

Le spectacle doucement rustique de Pitalugue travaillant mit M. Cougourdan en verve:

« Une idée ! si je calculais [1] les comptes de ce Pitalugue ! »

Et M. Cougourdan constata que comme il avait, l'année d'auparavant, prêté cent francs à Pitalugue, Pitalugue lui devait à l'heure présente juste cent écus.

« Bah ! les haricots me payeront cela, je les ferai saisir à la récolte. »

Là-dessus, M. Cougourdan sortit du bois, et se mit à descendre vers le champ de Pitalugue, ne pouvant résister au désir de voir les haricots de plus près.

rabattre, to beat down
bosquet, thicket
suivre: — de l'œil, to strain one's eyes, to follow
verdure, foliage
crochu, hooked
lunettes, *pl.* spectacles
chasseur, hunter
'hibou, owl
redouté, dreaded
arpenteur, surveyor
juré, licensed
rumeur, gossip
divertir: se — à, to amuse oneself by
usure, usury
vaquer, to be at leisure
registre, account-book
rustique, rustic, plain
verve: mettre en —, to put in good spirits
auparavant: d'—, previous
heure: à l'— présente, just then
écu, crown (about three francs)
récolte: à la —, at harvest time
là-dessus, thereupon
près: de plus —, more closely

1. **si je calculais,** *supposing I calculated.*

Au même moment, Pitalugue leva la tête et vit venir Zoun, sa femme, qui lui apportait à goûter.* Il alla se laver les mains à la fontaine, puis s'assit devant sa cabane, à l'ombre d'une courge, prêt à manger, le couteau ouvert, le panier entre les jambes.

« Bonjour, Zoun, bonjour, Pitalugue ! nasilla gracieusement l'usurier; et tout en jetant sur le champ un regard discret et circulaire, il ajouta:

« Voilà des haricots bien semés. Pourvu qu'ils ne gèlent pas ! »

« Ne craignez rien, la semence est bonne, répondit philosophiquement Pitalugue. »

Et il acheva tranquillement son pain, ferma son couteau, but le coup de grâce et se remit au travail, tandis que Zoun et M. Cougourdan s'éloignaient.

« Hardi, les haricots ! murmurait-il en continuant sa besogne illusoire; encore un ! un encore ! des cents ! des mille ! Aujourd'hui les voisins ne diront pas que Pitalugue ne fait rien et qu'il a passé le temps à fainéanter sous sa courge. »

Il travailla ainsi jusqu'au coucher du soleil.

« Hé ! Pitalugue, lui criaient du chemin les paysans qui, bissac au dos, pioche sur le cou, rentraient par groupes à la ville. »

« Tu sèmeras le restant demain. »

« La mère des jours n'est pas morte ! » [1]

Enfin Pitalugue se décida à quitter son champ. Avant de partir il regarda:

goûter: apporter à —, to bring his lunch
cabane, hut
courge, gourd-vine
panier, basket (of lunch)
nasiller, to say with a nasal twang
gracieusement, pleasantly
regard: jeter un — sur, to glance at, look at
discret, cautious
circulaire, sweeping
geler, to freeze
coup: — de grâce, last drop
éloigner: s'—, to go away
illusoire, imaginary
encore: un —, one more
fainéanter, to loaf, do nothing
coucher: le — du soleil, sunset
bissac, bag, sack
groupe: par —s, in groups
restant, remainder

1. **La mère des jours n'est pas morte = il y aura un autre jour,** *there is always another day.* * **apporter à goûter = "Lou gousta"** in Provençal is a real meal in the middle of the afternoon. Often it means *lunch.*

« Beau travail ! murmurait-il d'un air à la fois narquois et satisfait, beau travail ! mais, comme dit Jean de la Lune [1] qui riait en tondant ses œufs, cette fois le rire vaut plus que la laine ! »

Peut-être voudriez-vous savoir ce qu'était Pitalugue, et pourquoi 5 il avait adopté cette étrange manière de culture.

Pitalugue était philosophe, un vrai philosophe de campagne, prenant le temps [2] comme il vient et le soleil comme il se lève, arrangeant tant bien que mal, à force d'esprit, une existence chaque jour désorganisée par ses vices, et dépensant à vivre d'expédients au 10 village plus d'efforts et d'habileté que beaucoup d'autres à faire fortune dans la grande ville.

Pitalugue laisse fenaison et vendange pour aller à la pêche ou à la chasse; Pitalugue a un chien qu'il appelle Brutus, un furet gîte [3] en son grenier, et dans l'écurie, au-dessus de la crèche parfois vide, 15 l'œil stupéfait du petit âne peut contempler les évolutions et les saluts d'un gros hibou en cage.

Le pire de tout, c'est que Pitalugue est joueur; joueur à jouer enfant et femme, joueur, disent les gens, à jouer sous six pieds d'eau, en plein hiver.

20 C'est pour cela que Pitalugue, jadis à son aise, se trouve maintenant pauvre. La récolte est mangée d'avance. Les terres sont

narquois, sly, mocking
tondre, to shear
culture, cultivation
philosophe: — de campagne, rustic philosopher
bien: tant — que mal, as well as possible
désorganisé, upset
expédient: vivre d'—s, to live by one's wits
habileté, ingenuity
fenaison, haying
vendange, vintage
pêche, fishing
furet, ferret
gîter, to lodge
grenier, attic
écurie, stable
crèche, manger
âne, donkey
évolution, movement
cage: en —, caged
joueur, gambler
jouer, to gamble away
aise: à son —, well-off
avance: d'—, in advance, beforehand
terres, *pl.* property

1. **Jean de la Lune,** name of a comical character. **Pitalugue** means that he had as good a time pretending to sow beans, as **Jean de la Lune** had in pretending to shear his eggs for wool. 2. **le temps = chaque jour.** 3. **un furet gîte,** *a ferret lives (hides in his garret).*

entamées par l'usure, et quelles scènes quand il rentre un peu gris et la poche vide dans sa maisonnette ! Quels remords aussi ; car, au fond, Pitalugue a bon cœur. Mais ni scènes ni remords ne peuvent rien contre les cartes. Pitalugue jure chaque soir qu'il ne jouera plus, et chaque matin il rejoue.

Ainsi, aujourd'hui, il s'était levé, ce brave Pitalugue, avec les meilleures intentions du monde. Au petit jour, et les coqs chantant encore, il était devant sa porte en train de charger sur l'âne un sac de haricots. Et quels haricots ! de vrais haricots de semence, lourds comme des balles, ronds et blancs comme des œufs de pigeon.

« Emploie-les bien et ménage-les, disait Zoun en donnant un coup de main, tu sais que ce sont nos derniers. »

« Cette fois, Zoun, que le diable me brûle [1] si tu n'es pas contente ! A ce soir ! »

Et Pitalugue était parti, vertueux, derrière son âne.

Par malheur, aux portes de la ville,[2] il rencontre le perruquier Fra qui s'en revenait les yeux rouges, ayant passé sa nuit à jouer aux cartes dans une ferme.

« Tu rentres bien tard, Fra ? »

« Tu sors bien matin, Pitalugue. »

« Oui, pas un chat n'a encore passé. »

« Ce serait peut-être le temps [3] d'en tailler une. »

entamé, encroached upon, half-spent
gris, tipsy
maisonnette, cottage
fond: au —, fundamentally
cœur: avoir bon —, to be kind-hearted
pouvoir: ne — rien, to be of no avail (use)
rejouer, to gamble again
jour: au petit —, at daybreak
chanter, to crow
train: en — de, in the act of, busy in
'haricot: —s de semence, seed-beans
ménager, to be thrifty with, not to waste
coup: un — de main, a helping hand
soir: à ce —, so long until to-night
vertueu-x, -se, with good intentions
malheur: par —, unfortunately
perruquier, barber
revenir: s'en —, to come back from there
ferme, farm-house
matin: bien —, very early
tailler: en — une, to deal a hand (at cards)

1. **que le diable me brûle,** *may the devil take me!* 2. **aux portes de la ville,** *at the city gates.* 3. **ce serait peut-être le temps,** *there might be time . . . ?*

« Pas pour un million, Fra ! »

« Voyons, rien qu'une petite, Pitalugue. »

« Et mes haricots ? »

« Tes haricots attendront. »

L'infortuné Pitalugue résista d'abord, puis se laissa tenter. Fra sortit les cartes. On en tailla une, on en tailla deux, et les haricots attendirent.

Bref ! les premiers rayons coloraient en rose la petite muraille sur laquelle les deux joueurs jouaient, assis à califourchon, lorsque Pitalugue, retournant ses poches, s'aperçut qu'il avait tout perdu.

« Cinq francs sur parole, dit Fra. »

« Cinq francs, ça va ! répondit Pitalugue. »

On tourna les cartes et Pitalugue perdit.

« Quitte ou double ? »

« Quitte ou double ! »

Pitalugue perdit encore.

« Maintenant, le tout contre ta semence. »

Pitalugue accepta, il était fou, ses mains tremblaient.

« Non ! grommelait-il en donnant, je ne perdrai pas cette fois, les cartes ne seraient pas justes. »

Il perdit pourtant ; et l'heureux Fra, chargeant le sac d'un tour de main, lui dit :

« La prochaine fois, Pitalugue, nous jouerons l'âne. »

Que faire ? Rentrer, tout avouer à Zoun ? Pitalugue n'osa pas. Acheter d'autre semence ? Le moyen sans un rouge liard !

En emprunter à un ami ? Mais c'eût été[1] rendre l'aventure

petit, -e: rien qu'une —e, just one (little) hand
bref, *adv.* in short
colorer, to color, tinge
califourchon: à —, astride
retourner, to turn inside out
parole: sur —, on credit
ça va, all right, O. K.
tourner: — les cartes, to deal a hand (at cards)
quitte: — ou double, quits if you win, double (the stakes) if you lose
contre, for
grommeler, to mutter
donner, to deal (at cards)
main: d'un tour de —, with a twist of his hand, quickly
liard, cent (old French coin)
emprunter: — à, to borrow from
rendre: — l'aventure publique, to make known the incident

1. **c'eût été = c'aurait été.**

publique. Assuré du moins de la discrétion du perruquier (les joueurs ne se vendent pas entre eux), notre homme, après cinq minutes de profond désespoir, prit son parti:

« Je ne peux pas semer des haricots puisque je n'en ai plus, se dit-il, mais je peux faire semblant d'en semer. Zoun ne s'en apercevra pas et d'ici à la récolte bien des choses se seront passées. »

Bien des choses en effet se passèrent qui mirent Pertuis en émoi.

D'abord, Pitalugue changea. Poursuivi par le remords et craignant toujours d'être découvert, il renonça au jeu, déserta l'auberge. Lui, que ses meilleurs amis accusaient de trouver la terre trop basse, on le vit, dans son petit champ, piocher, gratter à mort.

Jamais haricots mieux soignés que ces haricots qui n'existaient pas !

Tous les soirs, au coucher du soleil, il les arrosait, mesurant sa part à chaque rigole et vidant à fond le réservoir qui, tous les matins, se retrouvait rempli d'eau claire. Souvent aussi, la main armée d'un gant de cuir, il allait à travers les raies, arrachant les mauvaises herbes.

Ses voisins l'admiraient, sa femme n'y comprenait rien,[1] et M. Cougourdan rêvait toutes les nuits de haricots saisis et parlait de s'acheter des lunettes neuves.

Or, au bout d'une quinzaine, tous les haricots de Pertuis se mirent à lever le nez; une pousse blanche d'abord, deux feuilles avec la

vendre: se —, to betray one another
profond, deep
semblant: faire — de, to pretend to
émoi: mettre en —, to excite, put in a flutter
auberge, tavern
bas: trouver —, to consider lowly
piocher, to dig
gratter: — à mort, to scratch to death, scratch furiously
soigné, cared-for
arroser, to water
rigole, furrow
fond: à —, thoroughly, to the last drop
réservoir, tank, cistern
clair, fresh
armé de, protected by
gant, glove
cuir, leather
raie, row
arracher, to pull out
herbe: mauvaises —s, weeds
quinzaine, fortnight, two weeks
nez: lever le —, to lift one's head
pousse, sprout

1. **n'y comprenait rien,** *couldn't understand what it was all about; i.e. couldn't believe her own eyes.*

graine et portant encore un fragment de terre soulevée; puis la graine sèche tomba, les deux feuilles se déplièrent, et bientôt toute la plaine verdoya.

Seul, le champ de Pitalugue ne bougeait point.

5 « Pitalugue, que font tes haricots ? »

Et Pitalugue répondait:

« Ils travaillent sous terre. »

Cependant, les haricots de Pertuis s'étant mis à filer, il fallut des soutiens pour leurs tiges fragiles. De tous côtés, les paysans cou-10 paient des roseaux. Pitalugue coupa des roseaux comme tout le monde. Il les disposa quatre par quatre, le sommet noué d'un brin de jonc, de façon à ménager aux haricots, qui bientôt grimperaient dessus, ce qu'il faut [1] d'air et de lumière.

Au bout de la seconde quinzaine, les haricots de Pertuis avaient 15 grimpé, et toute la plaine se trouva couverte de petits pavillons verts.

Seuls, les haricots de Pitalugue ne grimpèrent point, mais le champ demeura rouge et sec.

Zoun dit:

20 « Il me semble, Pitalugue, que nos haricots sont en retard ? »

« C'est l'espèce ! » répondit Pitalugue.

Mais, lorsque sur tous les haricots de la plaine parurent des milliers de fleurettes blanches; lorsque ces fleurs se furent changées en autant de cosses, et qu'on vit que seuls les haricots de Pitalugue 25 ne fleurissaient pas, alors les gens s'en émurent dans la ville.

graine, seed
fragment, piece, part
déplier, to unfold
plaine, plain, flat country
verdoyer, to become green
terre: sous —, under the ground
filer, to twine
soutien, stake
tige, stalk, stem
côté: de tous —s, everywhere
roseau, reed
disposer, to arrange
sommet, top
nouer de, to tie with
brin, blade, sprig
jonc, rush (weed)
façon: de — à, in such a way as to, so as to
ménager à, to procure for
grimper, to climb
dessus, upon (them)
pavillon, tent
fleurette, blossom
cosse, pod
fleurir, to blossom
émouvoir: s'—, to be stirred up

1. **ce qu'il faut d'air et de lumière**, *the air and light that they needed.*

Les malins, sans bien savoir pourquoi,[1] mais soupçonnant quelque bon tour, commencèrent à rire. Les badauds allèrent contempler le champ maudit. M. Cougourdan s'inquiéta. Et Zoun ne quitta plus la place, accablant la terre et le soleil de protestations indignées.

Un soir, tante Dide, mère de Zoun, belle-mère de Pitalugue par conséquent, se rendit sur les lieux malgré son grand âge, observa, réfléchit et déclara au retour qu'il y avait de la magie noire là-dessous, et que les haricots étaient ensorcelés. Pitalugue abonda dans son sens; et toute la famille jusqu'au quinzième degré de parenté ayant été convoquée à la maisonnette, il fut décidé que le lendemain on *ferait bouillir*.

Tante Dide s'en alla donc rôder chez le potier dans le dessein de voler une marmite, car, pour faire bouillir dans les règles, il faut avant tout une marmite neuve, volée par une veuve. Le potier connaissait l'usage; et, sûr d'être dédommagé à la première occasion, il détourna les yeux pour ne point voir tante Dide lorsqu'elle glissa la marmite sous son manteau.

La marmite ainsi obtenue fut solennellement mise sur le feu en présence de tous les Pitalugue mâles et femelles.

Puis tante Dide, l'ayant emplie d'eau, versa dans cette eau, non

malin, wag
badaud, idler
inquiéter: s'—, to worry, become worried
accabler de, to overwhelm with
indigné, angry
tante, aunt
belle-mère, mother-in-law
âge: grand —, advanced old age
retour: au —, on returning
magie: — noire, black art
là-dessous, under all that, under it
ensorcelé, bewitched, under a spell
abonder, to abound; **— dans le sens** to agree
bouillir: faire —, to boil
rôder, to prowl
potier: chez le —, at the potter's shop
dessein: dans le — de, intending to
marmite, kettle
règle: dans les —s, according to the rules
veuve, widow
dédommager, to compensate
détourner, to turn away
glisser, to slip
solennellement, solemnly, with due ceremony
emplir de, to fill with

1. **sans bien savoir pourquoi,** *without exactly knowing why.*

sans marmotter quelques paroles magiques, tous les vieux clous, toutes les vieilles lames rouillées, toutes les aiguilles sans trou et toutes les épingles sans tête du quartier. Et, quand la soupe de ferraille commença à bouillir, quand les lames, les clous, les aiguilles 5 et les épingles entrèrent en danse, on fut persuadé qu'à chaque tour, chaque pointe, malgré la distance, s'enfonçait dans la chair du jeteur de sorts.

« Ça marche, murmurait tante Dide, encore une brassée de bois, et tout à l'heure le gueusard va venir nous demander grâce. »

10 « Il sera bien reçu, répondait la bande. »

Cependant Pitalugue, que tout ceci amusait fort, n'avait pu s'empêcher [1] d'aller en souffler un mot à ses amis, et ce fut, dans tout Pertuis, une grande joie quand le bruit se répandit que la tribu des Pitalugue faisait bouillir, pour désensorceler les haricots.

15 Or, les Pitalugue faisant bouillir, la tradition voulait qu'on envoyât quelqu'un [2] pour être assommé par les Pitalugue.

Ce quelqu'un fut M. Cougourdan ! Niez après cela la Providence.

Conduit par son destin, M. Cougourdan eut l'idée malheureuse de s'arrêter devant la boutique du perruquier Fra. Il venait précisé-20 ment de rencontrer Pitalugue plus gai qu'à l'ordinaire et tout joyeux de l'aventure.

marmotter, to mumble
clou, nail
lame, blade
rouillé, rusty
aiguille, needle
trou, eye (of a needle)
épingle, pin
quartier, neighborhood
ferraille, old iron
entrer: — en danse, to begin to boil
persuadé, convinced
tour, turn, revolution
enfoncer: s'— dans, to stick into, penetrate
chair, flesh
jeteur: — de sorts, sorcerer
marcher: ça marche, it's working
brassée, armful
gueusard, rascal
grâce: demander —, to beg for mercy
souffler, to whisper
tribu, tribe, clan
désensorceler, to free from a spell
assommé, clubbed, beaten unmercifully
ordinaire: à l'—, usually

1. **n'avait pu s'empêcher de,** *had not been able to resist.* 2. **la tradition voulait qu'on envoyât quelqu'un,** *tradition demanded (required) that some one be sent.*

« As-tu vu ce Pitalugue, quel air content il a ? »

« Mettez-vous à sa place, M. Cougourdan, avec ce qui lui arrive ! »

« Il a donc gagné ? »

« Mieux que ça, M. Cougourdan. »

« Hérité peut-être ? »

« Mieux encore ! Il a, en recarrelant sa cave, trouvé mille écus dans un bas. »

« Mille écus ! et mon billet, qui tombe justement ce matin. »

« Pitalugue descend chez lui, M. Cougourdan. Rattrapez-le avant qu'il ait tout joué ou tout bu ; et, si vous voulez suivre un bon conseil, courez vite.

Chez les Pitalugue, la marmite bouillait toujours [1] et l'impatience était à son comble, lorsque Cadet, qu'on avait posté en sentinelle, vint tout courant annoncer qu'un vieux monsieur à lunettes d'or, porteur d'un papier qui paraissait être un papier timbré,[2] tournait le coin de la rue.

« M. Cougourdan ! s'écria Zoun, il se trouvait là précisément quand nous semâmes les haricots. »

« C'est lui le sorcier, je m'en doutais, reprit tante Dide. Allons, mes enfants, tous en place, et pas un coup de bâton de perdu ! »

Silencieusement, les quinze Pitalugue mâles se rangèrent le long des murs, armés chacun d'une forte trique.

Quelle émotion dans la chambre ! On n'entendait que les glou-

recarreler, to pave anew
cave, cellar
billet, (legal) note
tomber, to fall due
rattraper, to overtake
comble: à son —, at its height
poster, to station
sentinelle: en —, on sentry-duty
porteur, bearer
timbré, stamped
coin: tourner le —, to round the corner
sorcier, sorcerer
place: en —, in position
coup: — de bâton, whack
perdu: de —, wasted
silencieusement, silently
long: le — de, along
trique, cudgel
glouglou, bubbling

1. **bouillait toujours,** *kept on boiling.* 2. **papier timbré,** *official document.* In France all legal papers have to be stamped.

glous de l'eau, le cliquetis de la ferraille, et bientôt le bruit des souliers de M. Cougourdan, sonnant sur l'escalier de bois.

Ce fut une mémorable tempête; les farceurs de Pertuis eurent pour longtemps de quoi rire.

M. Cougourdan, homme discret, ne se plaignit pas.

Quant à Pitalugue, ayant retrouvé le soir, dans un coin de la chambre, son billet de cent écus perdu par M. Cougourdan dans la bagarre, il en fit une allumette pour sa pipe et dit à Zoun:

« Vois-tu, Zoun, les anciens n'avaient pas tort ! Bonne semence n'est jamais perdue, et la terre rend toujours au centuple ce que l'on lui confie. »

cliquetis, clinking, jingle
sonnant, squeaking
farceur, wag, joker
rire: avoir de quoi —, to have something to laugh at
bagarre: dans la —, during the scuffle
allumette, match
les anciens, the old timers
centuple: au —, a hundredfold

FRANÇOIS COPPÉE

(1842–1908)

François Coppée naquit à Paris en 1842. À l'âge de douze ans à la mort de son père, le jeune Coppée dut quitter l'école pour pourvoir à l'entretien de sa mère et de sa sœur. Mais il continua son instruction en étudiant par lui-même.

Le Passant, sa première pièce de théâtre, publiée en 1869 et jouée par Mme Bernhardt, la grande actrice française, gagna un succès immédiat pour le jeune auteur. Deux autres de ses pièces de théâtre, *Le Luthier de Crémone* (1876) et *Pour la Couronne* (1895), sont bien connues.

Coppée publia cinq volumes de contes dans lesquels on trouve un tableau assez exact de la vie parisienne et provinciale de son temps. *Le Louis d'or* a comme milieu une salle de jeu à Paris, tandis que l'action du conte intitulé *les Vices du capitaine* se passe en province.

LE LOUIS D'OR

PAR

FRANÇOIS COPPÉE

(*Conte de Noël*)

Lorsque Lucien de Hem eut vu son dernier billet de cent francs agrippé par le râteau du banquier, et qu'il se fut levé de la table de roulette[1] où il venait de perdre les débris de sa petite fortune, réunis par lui pour cette suprême bataille, il éprouva comme un vertige et crut qu'il allait tomber.

La tête troublée, les jambes molles,[2] il alla se jeter sur la large banquette de cuir qui faisait le tour de la salle de jeu. Pendant quelques minutes, il regarda vaguement le tripot clandestin dans lequel il avait gâché les plus belles années de sa jeunesse, reconnut les têtes ravagées des joueurs, crûment éclairées par les trois grands abat-jour, écouta le léger frottement de l'or sur le tapis, songea qu'il était ruiné, perdu, se rappela qu'il avait chez lui, dans un tiroir de commode, les pistolets d'ordonnance dont[3] son père, le

agrippé, snatched up
râteau, rake
banquier, croupier
débris, remains
bataille: — suprême, final effort
vertige: éprouver comme un —, to feel a kind of dizzy spell
banquette, bench, seat
tour: faire le — de, to go around, encircle
salle: — de jeu, gambling room
tripot, gambling den
clandestin, secret, forbidden
gâcher, to waste
année: les plus belles —s, the best years
tête: — ravagée, stricken (ravaged) face
crûment, harshly
abat-jour (*sing. and pl.*) lamp-shade
frottement, contact, friction
tapis, cover (of a table)
tiroir, drawer
commode, dresser
pistolet: — d'ordinance, army pistol

1. **roulette,** a gambling game in which a marble is spun on a revolving disk. 2. **la tête troublée, les jambes molles,** *his mind agitated, his knees weak.* 3. **dont,** *which;* the possessive case of the relative pronoun is used here because **se servir** governs its object by the preposition **de.**

général de Hem, alors simple capitaine, s'était si bien servi à l'attaque de Zaatcha; puis, brisé de fatigue, il s'endormit d'un sommeil profond.

Quand il se réveilla, la bouche pâteuse, il constata, par un regard jeté à la pendule, qu'il avait dormi une demi-heure à peine, et il 5 éprouva un impérieux besoin de respirer l'air de la nuit. Les aiguilles marquaient sur le cadran minuit moins le quart. Tout en[1] se levant et en s'étirant les bras, Lucien se souvint alors qu'on était à la veille de Noël, et, par un jeu ironique de la mémoire, il se revit soudain tout petit enfant et mettant, avant de se coucher, ses sou- 10 liers dans la cheminée.

En ce moment, le vieux Dronski — un pilier du tripot, le Polonais classique, portant le caban râpé, tout orné de soutaches et d'olives — s'approcha de Lucien et marmotta quelques mots dans sa sale barbiche grise: 15

« Prêtez-moi donc[2] une pièce de cinq francs, monsieur. Voilà deux jours que je n'ai pas bougé du cercle, et depuis deux jours le « dix-sept » n'est pas sorti... Moquez-vous de moi, si vous voulez; mais je donnerais mon poing à couper[3] que tout à l'heure, au coup de minuit, le numéro sortira. » 20

simple, a mere, just a
brisé de, overwhelmed with
pâteu-x, -se: la bouche —se, with a dark brown taste in his mouth
impérieux, imperative, strong
pendule, clock
aiguille, hand (of a clock)
cadran, face (of a clock)
étirer: s'—, to stretch
veille: — de Noël, Christmas eve
ironique: jeu —, ironical quirk
vieux: le —, old (man)
pilier, habitué
Polonais, Pole
classique, typical
caban, overcoat
râpé, shabby
soutache, braid
olive, olive (ornament)
marmotter, to mumble
sale, dirty
barbiche, chin beard
pièce, coin
voilà ... que, for
cercle, club
le "dix-sept," number "seventeen"
sortir, to show up
minuit: au coup de —, at the stroke of twelve
numéro, (winning) number

1. **tout en,** followed by the present participle, *while.* 2. **donc,** *do, please;* **donc,** with the imperative, serves to stress the command or request. 3. **donner mon poing à couper,** *to bet my right hand;* **poing** = *fist,* here used figuratively for the entire hand.

Lucien de Hem haussa les épaules; il n'avait même plus dans sa poche de quoi[1] acquitter cet impôt que les habitués de l'endroit appelaient « les cent sous du Polonais. » Il passa dans l'antichambre, mit son chapeau et sa pelisse,[2] et descendit l'escalier avec l'agilité
5 des gens qui ont la fièvre.[3]

Depuis quatre heures que Lucien était enfermé dans le tripot, la neige était tombée abondamment, et la rue — une rue du centre de Paris, assez étroite et bâtie de hautes maisons — était toute blanche. Dans le ciel purgé,[4] d'un bleu noir, de froides étoiles scintillaient.
10 Le joueur décavé frissonna sous ses fourrures et se mit à marcher, roulant toujours dans son esprit des pensées de désespoir et songeant plus que jamais à la boîte de pistolets qui l'attendait dans le tiroir de sa commode; mais, après avoir fait quelques pas, il s'arrêta brusquement devant un navrant spectacle.
15 Sur un banc de pierre placé, selon l'usage d'autrefois, près de la porte monumentale[5] d'un hôtel, une petite fille de six ou sept ans, à peine vêtue[6] d'une robe noire en loques, était assise dans la neige. Elle s'était endormie là, malgré le froid cruel, dans une attitude effrayante de fatigue et d'accablement, et sa pauvre petite tête et son
20 épaule mignonne étaient comme écroulées dans un angle de la

acquitter, to pay
impôt, tax, toll
habitué, frequenter, inmate
mettre, to put on
pelisse, fur coat
abondamment, abundantly
bâti: — de, built up with
scintiller, to twinkle
décavé, ruined
frissonner, to shiver
fourrure: sous ses —s, in his furs
rouler, to revolve
désespoir: de —, desperate
navrant, heart-rending
loque: en —s, tattered
cruel, bitter
attitude, posture
accablement, despondency
mignon, -ne, dainty, frail
comme, as if
écroulé, huddled up
angle, corner

1. **de quoi,** *the wherewithal, with which.* 2. **pelisse,** (formerly) *a long fur-lined coat;* nowadays it is a satin-lined man's cape worn over evening clothes. 3. **avec l'agilité des gens qui ont la fièvre,** literally, *with the nimbleness of people who have fever,* i.e. *with feverish agility.* 4. **purgé, d'un bleu noir,** literally, *cleansed, of a dark blue color,* i.e. *the cloudless deep blue sky.* 5. **la porte monumentale,** literally 'the monumental door,' i.e. *the imposing main entrance.* 6. **à peine vêtue,** literally 'scarcely dressed,' i.e. *scantily dressed.*

muraille et reposaient sur la pierre glacée. Une des savates dont l'enfant était chaussée s'était détachée de son pied qui pendait, et gisait lugubrement devant elle.

D'un geste machinal, Lucien de Hem porta la main à son gousset; mais il se souvint qu'un instant auparavant il n'y avait même pas trouvé une pièce de vingt sous oubliée, et qu'il n'avait pas pu donner de pourboire au garçon du cercle. Cependant, poussé par un instinctif sentiment de pitié, il s'approcha de la petite fille, et il allait peut-être l'emporter dans ses bras et lui donner asile pour la nuit, lorsque, dans la savate tombée sur la neige, il vit quelque chose de brillant.

Il se pencha. C'était un louis d'or.

Une personne charitable, une femme sans doute, avait passé par là, avait vu, dans cette nuit de Noël, cette chaussure devant cette enfant endormie, et, se rappelant la touchante légende, elle avait laissé tomber,[1] d'une main discrète, une magnifique aumône, pour que la petite abandonnée crût [2] encore aux cadeaux faits par l'Enfant-Jésus [3] et conservât,[2] malgré son malheur, quelque confiance et quelque espoir dans la bonté de la Providence.

Un louis ! c'étaient plusieurs jours de repos et de richesse pour

reposer, to rest, lie
glacé, cold
savate, old worn-out shoe, *or* slipper
chaussé: être — de, to wear
détacher: se — de, to fall off
gésir: gisait, lay
lugubrement, dismally, sadly
machinal, mechanical
porter, to put
gousset, vest pocket
poussé, urged
asile, shelter
pencher: se —, to bend over
chaussure, shoe
endormi, asleep, sleeping
touchant, touching, pathetic
laisser: — tomber, to drop, slip
main: d'une — discrète, discreetly
aumône, alms, charity-offering
abandonnée, deserted girl
cadeau, gift

1. Note the position of the complementary infinitive, directly after **laissé**; the object of **tomber** is **une magnifique aumône.** 2. **crût . . . conservât** are both in the imperfect subjunctive governed by the conjunction **pour que.** 3. **l'Enfant-Jésus,** *the Infant Jesus;* i.e. *Santa-Claus;* the French children believe that Christmas presents are left by **le petit Jésus, l'Enfant-Jésus** or **père Noël.**

la mendiante; et Lucien était sur le point de l'éveiller pour lui dire cela, quand il entendit près de son oreille, comme dans une hallucination, une voix . . . la voix du Polonais avec son accent traînant et gras . . . qui murmurait tout bas ces mots:

« Voilà deux jours que je n'ai pas bougé du cercle, et depuis deux jours le « dix-sept » n'est pas sorti . . . Je donnerais mon poing à couper que tout à l'heure, au coup de minuit, le numéro sortira. »

Alors ce jeune homme de vingt-trois ans, qui descendait d'une race d'honnêtes gens, qui portait un superbe nom militaire, et qui n'avait jamais failli à l'honneur, conçut une épouvantable pensée; il fut pris d'un désir fou, hystérique, monstrueux. D'un regard il s'assura qu'il était bien seul [1] dans la rue déserte, et, pliant le genou, avançant avec précaution sa main frémissante, il vola le louis d'or dans [2] la savate tombée ! Puis, courant de toutes ses forces, il revint à la maison de jeu, grimpa l'escalier en quelques enjambées, poussa d'un coup de poing la porte rembourrée de la salle maudite, y pénétra au moment précis où la pendule sonnait le premier coup de minuit, posa la pièce d'or sur le tapis vert et cria:

« En plein sur « dix-sept » ! »

Le « dix-sept » gagna.

D'un revers de main, Lucien poussa les trente-six louis sur la rouge.

La rouge [3] gagna.

mendiant, -e, beggar
point: être sur le — de, to be about to
traînant, drawling
gras, -se, guttural
bas: tout —, in a very low voice
superbe, fine
faillir: — à l'honneur, to act dishonorably
monstreu-x, -se, dreadful
plier, to bend
frémissant, shaking
force: de toutes ses —s, as fast as possible
enjambée, stride
pousser, to shove open
coup: d'un — de poing, with a push (of the hand)
rembourré, padded
pénétrer, to enter
plein: en — sur, all on
revers de main, back-handed stroke, shove

1. **bien seul,** *all alone.* 2. **dans,** *out of;* in French the preposition **dans** is used to indicate place in which an object is. 3. **la rouge** = **la couleur rouge.**

Il laissa les soixante-douze louis sur la même couleur. La rouge sortit de nouveau.

Il fit encore le paroli deux fois, trois fois, toujours avec le même bonheur. Il avait maintenant devant lui un tas d'or et de billets, et il se mit à poudrer le tapis, frénétiquement. La « douzaine, » la « colonne, » le « numéro, » toutes les combinaisons lui réussissaient.[1] C'était une chance inouïe, surnaturelle. On eût dit[2] que la petite bille d'ivoire, sautillant dans les cases de la roulette, était magnétisée, fascinée par le regard de ce joueur, et lui obéissait. Il avait rattrapé, en une dizaine de coups, les quelques misérables billets de mille francs, sa dernière ressource, qu'il avait perdus au commencement de la soirée. A présent, pontant de deux ou trois cents louis à la fois, et servi par sa veine fantastique, il allait bientôt regagner, et au delà, le capital héréditaire qu'il avait gaspillé en si peu d'années, reconstituer[3] sa fortune. Dans son empressement à se mettre au jeu, il n'avait pas quitté sa lourde pelisse; déjà il en avait gonflé les grandes poches de liasses de bank-notes et de rouleaux de pièces d'or; et, ne sachant plus où entasser son gain, il bourrait maintenant

paroli: faire le —, to double the stake (wager)
tas, pile
poudrer, to shower money on
frénétiquement, madly, like a mad man
douzaine, number twelve
colonne, row of numbers
combinaison, combination
inouï, unheard-of
surnaturel, -le, supernatural, extraordinary
bille, (small marble-sized) ball
sautiller, to hop
case, compartment, row
rattraper, to regain, win again
dizaine, about ten
coup, spin (of a roulette wheel)
ressource, supply
ponter, to bet
fois: à la —, each time, at a time
servir, to serve, aid
veine, (good) luck (in gambling)
fantastique, weird
au delà, beyond, more
héréditaire, inherited
gaspiller, to squander
reconstituer, to recoup
empressement, haste, eagerness
mettre: se — au jeu, to get into the game
quitter, to take off
gonfler (de), to stuff (with)
liasse, roll
rouleau, stack
entasser, to pile up
gain, winnings
bourrer de, to cram with, stuff with

1. **lui réussissaient** literally *succeeded for him;* more freely translated *won for him.* 2. **on eût dit,** literary style for **on aurait dit.** 3. **reconstituer** complementary infinitive of **allait.**

de monnaie et de papier les poches intérieures et extérieures de sa redingote, les goussets de son gilet et de son pantalon, son porte-cigares, son mouchoir, tout ce qui pouvait servir de récipient. Et il jouait toujours, et il gagnait toujours, comme un furieux ! comme un homme ivre ! et il jetait ses poignées de louis sur le tableau, au hasard, à la vanvole, avec un geste de certitude et de dédain !

Seulement, il avait comme un fer rouge dans le cœur,[1] et il ne pensait qu'à la petite mendiante endormie dans la neige, à l'enfant qu'il avait volée.

« Elle est encore à la même place. Certainement, elle doit y être encore ! . . . Tout à l'heure . . . oui, quand une heure sonnera je me le jure ! . . . je sortirai d'ici, j'irai la prendre, tout endormie, dans mes bras, je l'emporterai chez moi, je la coucherai sur mon lit . . . Et je l'élèverai, je la doterai, je l'aimerai comme ma fille, et j'aurai soin d'elle toujours, toujours ! »

Mais la pendule sonna une heure, et le quart, et la demie, et les trois quarts . . . et Lucien était toujours assis à la table infernale.

Enfin, une minute avant deux heures, le chef de partie se leva brusquement et dit à voix haute :

« La banque a sauté, messieurs . . . Assez[2] pour aujourd'hui ! »

D'un bond, Lucien fut debout. Écartant avec brutalité les joueurs qui l'entouraient et le regardaient avec une envieuse admiration, il partit vivement, dégringola les étages et courut jusqu'au banc de pierre. De loin, à la lueur d'un bec de gaz, il aperçut la petite fille.

porte-cigares, cigar case
récipient, receptacle
ivre, intoxicated; **homme —,** drunkard, drunken man
poignée, handful
'hasard: au —, at random
vanvole = venvole: à la —, heedlessly, lightly
dédain, disdain
endormi: tout —, fast asleep
doter, to give a dowry to
soin: avoir — de, to take care of, look after
infernal, accursed
chef: — de partie, banker
sauter, to be 'broke'
bond: d'un —, with one leap
debout: être —, to jump to one's feet
dégringoler, to scramble down
étage, flight of stairs
lueur: à la —, by the gleam
bec: — de gaz, gas-lamp, street-lamp

1. **il avait comme un fer rouge dans le cœur,** *he felt, as it were, a red hot iron (poker) in his heart.* 2. **assez = c'est tout.**

« Dieu soit loué ! [1] s'écria-t-il. Elle est encore là ! »

Il s'approcha d'elle, lui saisit la main:

« Oh ! qu'elle a froid ! Pauvre petite ! »

Il la prit sous les bras, la souleva pour l'emporter. La tête de l'enfant retomba en arrière, sans qu'elle s'éveillât: [2]

« Comme on dort, à cet âge-là ! »

Il la serra contre sa poitrine pour la réchauffer, et, pris d'une vague inquiétude, il voulut,[3] afin de la tirer de ce lourd sommeil, la baiser sur les yeux . . .

Mais alors il s'aperçut avec terreur que les paupières de l'enfant étaient entr'ouvertes et laissaient voir à demi des prunelles vitreuses,[4] éteintes, immobiles. Le cerveau traversé d'un horrible soupçon, Lucien mit sa bouche tout près de la bouche de la petite fille; aucun souffle n'en sortit.

Pendant qu'avec le louis d'or qu'il avait volé à cette mendiante Lucien gagnait au jeu une fortune, l'enfant sans asile était morte, morte de froid !

Étreint à la gorge [5] par la plus effroyable des angoisses, Lucien voulut pousser un cri . . . et, dans l'effort qu'il fit, il se réveilla de son cauchemar sur la banquette du cercle, où il s'était endormi un peu avant minuit et où le garçon du tripot, s'en allant le dernier [6] vers cinq heures du matin, l'avait laissé tranquille, par bonté d'âme pour le décavé.

arrière: retomber en —, to fall backwards
réchauffer, to warm up
tirer = éveiller, to waken
paupière, eyelid
entr'ouvert, half-open
laisser: — voir, to allow to be seen
prunelle, eyeball
éteint, lifeless
cerveau, brain
traversé de, crossed by, agitated by
mourir: — de froid, to freeze to death
effroyable, frightful, terrible
cauchemar, nightmare
décavé, ruined gambler

1. **Dieu soit loué,** *God be praised.* 2. **sans qu'elle s'éveillât,** *without her waking up;* the conjunction **sans que** requires the subjunctive. 3. **il voulut . . . la baiser,** *he tried to kiss her;* this is the meaning of the past definite form **voulut** in this context. 4. **et laissaient voir à demi des prunelles vitreuses etc.,** *and through her half-open eyes could be seen the glassy eyeballs* etc. 5. **étreint à la gorge par,** *his throat choked with.* 6. **s'en allant le dernier,** *being the last one to leave.*

Une brumeuse aurore de décembre faisait pâlir les vitres des croisées. Lucien sortit, mit sa montre en gage, prit un bain, déjeuna, et alla au bureau de recrutement signer un engagement volontaire au Ier régiment de chasseurs d'Afrique.[1]

Aujourd'hui, Lucien de Hem est lieutenant; il n'a que sa solde pour vivre, mais il s'en tire, étant un officier très rangé et ne touchant jamais une carte. Il paraît même qu'il trouve encore moyen de faire des économies; car l'autre jour, à Alger, un de ses camaradcs, qui lc suivait à quelques pas de distance dans une rue montueuse de la Kasba,[2] le vit faire l'aumône à une petite Espagnole endormie sous une porte, et eut l'indiscrétion de regarder ce que Lucien avait donné à la pauvresse. Le curieux fut très surpris de la générosité du pauvre lieutenant.

Lucien de Hem avait mis un louis d'or dans la main de la petite fille.

brumeu-x, -se, misty, foggy
aurore, dawn
croisée, casement window
gage: mettre en —, to pawn
bain, bath
recrutement, recruiting
engagement: — volontaire, volunteer service
chasseur, light cavalryman
Afrique: d'—, African
solde, (soldier's) pay
rangé, steady, orderly
moyen: trouver —, to find a way
économie: faire des —s, to save up money
montueu-x, -se, steep
Alger, Algiers
aumône: faire l'— à, to give alms to
indiscrétion, imprudence
curieux: le —, the inquisitive person
Espagnole, Spanish girl
pauvresse, poor girl

1. **chasseurs d'Afrique,** name given to the French cavalry regiments serving in the French colony of northern Africa. 2. **Kasba,** Casbah, the native quarter and slum district of Algiers, capital city of a French colony in northern Africa.

MARCEL PRÉVOST

(1862–   )

Eugène-Marcel Prévost est né à Paris en 1862. Il fit ses études à l'École polytechnique d'où il sortit élève-ingénieur des tabacs. En cette qualité d'ingénieur il fut envoyé en province par le gouvernement, car la fabrication des tabacs est un monopole d'état en France. Le succès de ses deux romans, *le Scorpion* et *Mademoiselle Jauffre*, et un article de Jules Lemaître le décidèrent à abandonner les Manufactures de l'État pour se consacrer entièrement à la littérature.

Prévost a obtenu tous les grands honneurs que la France peut offrir à un homme de lettres. Il est membre des quarante immortels (l'Académie française), président honoraire de la Société des Gens de Lettres, directeur littéraire de la *Renaissance du Livre*, officier de la Légion d'honneur, conférencier recherché et l'un des plus grands romanciers de la France contemporaine.

Le plus grand mérite de Prévost, c'est qu'il a merveilleusement réussi à peindre des types de jeunes filles françaises qui reflètent très fidèlement les mœurs et la mentalité de leur temps.

Le Pas Relevé est extrait du livre qui porte ce titre dans la collection *Modern-Bibliothèque*, publié par la librairie Arthème Fayard. M. Prévost l'a désigné comme son conte préféré.

LE PAS RELEVÉ

PAR

MARCEL PRÉVOST

Le vieux petit château de Vornay, au temps où Marguerite et Pierre se parlèrent l'un à l'autre pour la première fois, n'avait déjà plus pour habitants que Marguerite elle-même et son père, qu'on appelait dans le pays: le vicomte, ou bien le baronnet. Vicomte de
5 Vornay, c'était son titre: la branche cadette de cette ancienne famille berrichonne [1] possédait [2] le château « depuis un temps immémorial, » disaient les actes notariés. Mais pourquoi baronnet ? Les personnes renseignées y découvraient une allusion à un certain vicomte de Vornay, aïeul de l'actuel, émigré à Londres durant la
10 Révolution,[3] et qui était rentré au pays richement marié à une Anglaise.[4] Depuis, la fortune des Vornay avait lentement décliné, comme la plupart des fortunes terriennes qu'une activité intelligente ne vivifie point. Ajoutez que de père en fils, les Vornay étaient joueurs: quand l'un d'eux allait à Bourges,[1] il s'allégeait de cin-
15 quante louis; s'il poussait [5] jusqu'à Paris, il y laissait dix mille

pas: le — relevé, the high-stepper, prancer
plus: ne — que, no longer except, now only
vicomte, viscount
baronnet, baronet (an English title)
cadet, -te, younger, junior
acte: —s notariés, recorded deeds
renseigné, informed
aïeul, grandfather, ancestor
actuel, present one
depuis, from that time, since then
terrien, -ne, landed
alléger: s'— de, to be relieved of

1. **berrichon,** *from Berry,* name of an old French province in central France; its capital is **Bourges,** with a population of about 50,000. 2. **possédait . . . depuis,** *had owned . . . since;* note translation of **depuis** with the imperfect tense. 3. **émigré à Londres durant la Révolution,** *a refugee to London during the French Revolution;* French noblemen who fled from France during the French Revolution (1789) were called **émigrés.** 4. **richement marié à une Anglaise,** *married to his great financial advantage to a (wealthy) English lady.* 5. **s'il poussait = s'il allait.**

livres. Voilà comment, vers 1840, époque où Marguerite et Pierre échangèrent quelques paroles pour la première fois, le vicomte de Vornay, père de la jeune fille, gardait pour tout patrimoine le vieux petit château, une cinquantaine d'hectares autour, en bois et prairies, et le titre bizarre de baronnet. 5

Les gens du baronnet étaient un ménage, Antoine et Catherine, elle cuisinière, lui valet de chambre et cocher, qui, depuis quelques années déjà, avaient perdu l'habitude de recevoir des gages.

Ils entretenaient soigneusement le château, dont le mobilier, renouvelé quand le baronnet s'était marié, excitait leur orgueil. On 10 avait alors relégué au grenier les petites chaises à médaillons, les fauteuils en bois sculpté, les canapés harmonieux et vermoulus, les trumeaux fanés qui racontaient l'histoire des cent dernières années. On les avait remplacés par des meubles neufs du plus pur style Louis-Philippe:[1] belles glaces au cadre de plâtre doré, solides divans 15 d'acajou à velours rouge, sièges massifs tendus d'inusable reps.

Antoine demeurait spécialement chargé de la meute et de l'écurie.

livre, franc
hectare, hectare (about 2½ acres)
gens, servants
ménage, married couple
cuisini–er, –ère, cook
valet de chambre, butler
gages, *pl.* wages, pay
entretenir, to keep up
mobilier, furniture
renouvelé, renewed, renovated
reléguer, to remove
grenier, attic
médaillon: chaise à —, medallioned (inlaid) chair
sculpté: en bois —, made of carved wood
canapé, sofa, couch
harmonieu–x, –se, symmetrical
vermoulu, worm-eaten
trumeau, narrow mirror
fané, discolored
cadre, frame
plâtre, plaster
doré, gilded
divan, couch
acajou: d'—, mahogany
velours, velvet
massif, massive, bulky
tendu (de), upholstered, covered (with)
inusable, durable, that cannot be worn out
reps, ribbed cloth, rep (silk or woolen fabric)
demeurer, to be
chargé (de), entrusted (with)
meute, pack (of hounds)
écurie, stable

1. **style Louis-Philippe,** style of furniture in vogue during Louis-Philippe's time (1830–1848); furniture of this period was later considered to be of poor taste.

La meute, conservée à tout prix par M. de Vornay, chasseur émérite, n'avait jamais décru au-dessous de dix têtes. Quant à l'écurie, bien montée du vivant de Mme de Vornay, elle avait périclité après sa mort, faute d'argent. Il n'y resta bientôt plus qu'un étalon assez 5 brillant, nommé Pouf, dont le baronnet usait à la chasse, et une toute petite jument poussive, nommée par dérision Gargamelle,[1] qui servait à Marguerite pour aller à la messe le dimanche. La jeune fille s'asseyait sur sa large échine et se laissait mener, d'un trot paisible, jusqu'à l'église. Personne ne l'accompagnait: le vicomte, 10 un peu libertin, n'aimait pas les prêtres. D'ailleurs, le pays était sûr. Pendant l'office, Gargamelle, qu'on n'attachait point, broutait l'herbe maigre devant le porche, en compagnie de quelques autres quadrupèdes modestes, venus, comme elle-même, pour la messe.

Or, un dimanche du mois de janvier 1840, Gargamelle revint de 15 l'office avec une mauvaise toux. Antoine la soigna de son mieux; M. de Vornay et Marguerite l'y aidèrent. Même un vétérinaire fut mandé. Rien n'y fit. Dans la nuit du mercredi, la pauvre jument expira. Cette perte coûta des larmes aux jolis yeux gris de Marguerite. Elle en [2] pleurait encore de longues années après: car, vi-20 vant dans une étroite solitude, le passé lui semblait toujours récent.

« Pourtant, songeait-elle en s'essuyant les paupières, si Gargamelle n'était pas morte, je n'aurais peut-être jamais parlé à Pierre ! »

conservé, maintained
prix: à tout —, at all cost
chasseur, hunter
émérite, experienced
décroître, to fall
monté, equipped
vivant: du — de, during the lifetime of
péricliter, to decline
faute: — d'argent, through lack of money
brillant, splendid
étalon, stallion
user: — de, to use
jument, mare
poussi-f, -ve, broken-winded, short-winded
échine, back
paisible: d'un trot —, at an easy gait
libertin: un peu —, somewhat of a free-thinker
sûr, safe
office, divine service, mass
brouter, to graze on
porche, (church) portico
compagnie: en — de, together with
toux, cough
mander, to summon, send for
faire: rien n'y fit, nothing did any good
paupière, eyelid, eye

1. **Gargamelle**, a woman of monstrous size and tremendous appetite in Rabelais' *Gargantua et Pantagruel.* 2. **en = de cette perte**, *over this loss.*

Pierre, lui aussi, ne devait pas oublier[1] certain samedi soir où Antoine vint le chercher en lui disant que M. le vicomte le demandait.

Pierre avait alors seize ans accomplis. C'était un garçon maigre, délicat, taché de rousseurs sur sa figure pâle, avec des cheveux d'un jaune quasi blanc.[2] Il n'avait pas, mais pas du tout l'air d'être ce qu'il était: l'enfant d'un jardinier, le fils de ce Nicouleau qui possédait dans Vornay même, tout proche le château, une enclave d'une soixantaine d'ares, cultivée maraîchèrement. D'ailleurs, Pierre n'était point destiné à travailler la terre. Ses parents, qu'on disait riches,[3] le faisaient étudier, avec le curé, pour être prêtre. 10

Quand Pierre fut introduit dans la salle à manger, où se tenaient à l'ordinaire le baronnet et sa fille, il oublia de regarder, comme il se l'était promis, ce mobilier dont on parlait tant: le buffet en chêne acheté à Paris, les sièges en peau de porc, les rideaux de peluche. Il ne vit que le maigre vieillard costumé de velours à côtes, assis au 15 coin de l'âtre, — sa chienne à ses pieds, le museau sur l'un des gros souliers de chasse, — et, plus en arrière, un peu dans l'ombre, une jeune fille d'une vingtaine d'années, vêtue de noir, penchant sur une bande de toile cirée verte recouverte de batiste à festons son visage encadré de boucles châtain,[4] tirebouchonnées à l'anglaise. 20

accompli, past
taché, spotted
rousseur, freckle
jardinier, gardener
enclave, tract, piece of land
soixantaine: une —, about sixty
are, are (area of 100 square meters)
maraîchèrement, as a market garden
travailler, to till
tenir: se —, to sit, be
ordinaire: à l'—, ordinarily
chêne: en —, oak(en)
porc: en peau de —, of pig skin
peluche, plush
costumé de, dressed in
velours: — à côtes, corduroy
âtre, fire-place
chienne, dog
museau, nose
soulier: — de chasse, hunting boot
arrière: plus en —, farther back
toile: — cirée, oil-cloth
recouvert (de), trimmed (with)
batiste: — à festons, flowered cambric
encadré, framed, encircled
boucle, curl, ringlet
tirebouchonné, in ringlets
anglaise: à l'—, in the English style

1. **ne devait pas oublier,** *was not to forget.* 2. **d'un jaune quasi blanc,** *of a yellow that was almost white.* 3. **qu'on disait riches,** *who were reputed to be wealthy.* 4. **son visage encadré de boucles châtain,** *her face surrounded with chestnut(-blond) curls.* Note that **châtain** is invariable in the expression **Des boucles, des cheveux châtain = d'un châtain (clair).**

« Monsieur, c'est le petit, » avait dit Antoine en introduisant Pierre.

M. de Vornay ôta sa pipe de ses dents, cracha dans le feu, repoussa la tête de la chienne, qui grogna, et leva sur Pierre son 5 visage ratatiné, couperosé, aux yeux de faucon, aux traits courts et durs.

« Ah ! c'est toi, mon garçon ? »

Et, après une pause:

« Tu vas à la messe, le dimanche, n'est-ce pas ?

10 — Oui, monsieur le comte.

— C'est tout naturel, puisque tu veux être curé. Tu ferais mieux de travailler comme ton père et ta mère . . . Mais enfin, puisqu'ils le veulent, c'est leur affaire . . . Ecoute-moi. Tu vas à la messe sur un bidet, m'a dit Antoine ?

15 — Oui, monsieur, sur le poney qui porte maman au marché.

— Eh bien, voilà [1] . . . »

Ici, la voix du baronnet s'enroua; il cracha de nouveau entre les chenets, puis reprit, regardant Pierre en face d'un air presque menaçant:

20 « Voilà . . . Tu sais que la jument de Mlle Marguerite est crevée . . . Je vais lui en acheter une autre, bien entendu . . . à la prochaine foire dès que je trouverai . . . Mais, demain dimanche, mademoiselle n'a personne pour la mener à l'église. Veux-tu la prendre avec toi, en croupe, comme on dit ? Vous n'êtes gros ni l'un ni l'autre . . . et 25 puis ce n'est qu'une fois en passant [2] . . . Eh bien ? tu ne réponds rien ? . . . oui ou non ? »

Pierre, rouge jusqu'à la racine de ses cheveux de chanvre, balbutia:

cracher, to spit
grogner, to growl
ratatiné, wizened; weather-beaten
couperosé, florid, flushed
faucon, falcon; **de —,** falcon-like
enfin: mais —! well!
bidet, pony, small nag
enrouer: s'—, to become hoarse
chenet, andiron
crever, to die (of animals)
foire, fair
dimanche: demain —, next Sunday
croupe: en —, behind (the rider)
racine, root
chanvre: cheveux de —, flaxen hair
balbutier, to stammer

1. **Eh bien, voilà,** *Very well, this is what I have to say.* 2. **ce n'est qu'une fois en passant,** *it's only for this one time.*

« Mais, bien volontiers, monsieur le comte. »

Le baronnet se tourna vers sa fille.

« Alors, c'est convenu, Marguerite. Ce petit te mènera demain, et tu ne perdras pas ta messe . . . Il est sage, au moins, ton poney ? [1] questionna-t-il, s'adressant de nouveau à Pierre. 5

— Oh ! monsieur, répliqua l'enfant qui reprenait courage. C'est une bien bonne bête. On la mènerait avec un fil de laine. »

Non sans fierté, il ajouta:

« Elle va le pas relevé. »

Ce renseignement ne parut faire aucune impression sur le baron- 10 net. En revanche, Mlle Marguerite tourna vers Pierre sa fraîche frimousse, et sa voix dit, entre les anglaises:

« Merci, monsieur Pierre. »

Il faut croire que cette année-là les marchés du Berry furent dépourvus de bidets, ou que le vicomte fut trop occupé par la chasse. 15 Car les dimanches succédèrent aux dimanches [2] sans qu'on remplaçât Gargamelle.

Marguerite s'abstint de réclamer. Elle savait que, sauf pour sa meute, le vicomte n'aimait guère la dépense.[3] D'ailleurs, elle sortait si peu ! . . . Pourvu qu'elle ne manquât point la messe, elle n'avait 20 que faire des promenades. Or, le dimanche, à neuf heures un quart du matin, arrivait devant le perron Pierre Nicouleau monté sur Bijou. Bijou, c'était le poney. Pierre mettait pied à terre, salué parfois d'un: « Je descends, Pierre ! » qu'une voix juvénile lançait par la fenêtre . . . Mlle Marguerite apparaissait sur les marches. 25

questionner, to ask
fierté, pride
pas: aller le — relevé, to be a high-stepper, to be a prancer
revanche: en —, on the other hand, on the contrary
frais, fraîche, fresh, young
frimousse (*slang*), (little) face
anglaise, ringlet
dépourvu, destitute
abstenir: s'—, to refrain
réclamer, to ask again
faire: n'avoir que — de, to have no occasion for
perron, flight of steps
pied: mettre — à terre, to dismount
juvénile, youthful, girlish
lancer, to utter

1. **Il est sage, au moins, ton poney?** *Your pony is gentle, isn't he?*
2. **Les dimanches succedèrent,** *Sunday followed Sunday.* 3. **n'aimait guère la dépense,** *didn't like expenses at all.*

« Bonjour, mademoiselle !

— Bonjour, Pierre. Nous partons ?

— Quand il vous plaira, mademoiselle.

— Eh bien ! montez, Pierre . . .

5 — Que mademoiselle m'excuse . . . [1] »

Pierre sautait à califourchon sur Bijou, puis tendait la main à Marguerite, qui, s'aidant de l'étrier, s'asseyait derrière lui. Elle entourait sans façon de son bras la taille du jeune homme.

« Allez, Bijou ! »

10 Et l'on partait.

Le chemin qui menait à l'église s'enfonçait tout de suite dans les bois de chênes qui environnaient le château. La lisière franchie, c'était une vaste découverte, fleurie de bruyères violettes, qu'on coupait en diagonale, par une traverse bien mauvaise au temps des 15 orages. On contournait un groupe de maisons appelé le Prieuré. On passait sur un pont rustique un ruisseau nommé l'Airelle. Et, tout de suite après on joignait la grande route qui menait en cinq minutes au bourg et à l'église.

Sur la route, le monde se pressait vers la messe, piétons, carrioles 20 et cavaliers. Souvent, le même bidet ou le même ânon portait un

califourchon: à —, astride
main: tendre la —, to hold out one's hand
étrier, stirrup
entourer, to put around
façon: sans —, unceremoniously, informally
taille, waist
allez, " giddup "
enfoncer: s'—, to go
environner, to surround
lisière, edge (of a wood)
découverte, vista
fleuri, in bloom, covered
bruyère, heather
diagonale: en —, diagonally
traverse, short-cut
orage: au temps des —s, in stormy weather
contourer, to go around
prieuré, priory
ruisseau, brook
route: la grande —, the main highway
bourg, small market-town
presser: se —, to hurry
piéton, pedestrian
carriole, light cart
cavalier, rider (on horseback)
ânon, young donkey

1. **Que mademoiselle m'excuse,** *Pardon me please, Miss;* Pierre excuses himself for mounting first.

homme avec sa femme ou sa voisine en croupe. Nul ne s'étonna que Mlle de Vornay se fît conduire par le petit Nicouleau, déjà regardé comme une sorte d'abbé. Dans ce pays traditionnel, les mœurs demeuraient, et demeurent encore bienveillantes et simples.

Ainsi, les dimanches succédèrent aux dimanches, ramenant pour 5 Pierre Nicouleau et pour Marguerite de Vornay la promenade accoutumée, diverse seulement par l'aspect dont les saisons changeantes revêtaient le paysage. Il y eut des dimanches d'automne trempés de bruine, les chênaies rougies, le ciel gris comme une vitre dépolie. Le parapluie de Marguerite s'égouttait lentement dans le cou de Pierre, 10 qui ne se plaignait point. Il y eut des dimanches de gel, après la neige, la campagne tout en velours blanc et en verre filé. Souvent, par les dimanches d'été, le soleil pesait ferme, au retour, sur les épaules des deux cavaliers: Marguerite ôtait son châle et le donnait à porter à Pierre ... Mais certains dimanches d'avril et de mai, 15 l'odorante jeunesse de la terre les enivrait à ce point qu'ils n'osaient se regarder l'un l'autre, lorsque en se quittant devant le perron du vieux petit château ils se disaient:

« Au revoir, Pierre.

— Jusqu'à dimanche, mademoiselle. » 20

Les dimanches succédèrent aux dimanches ...

Cela fit des mois, des mois, des années ...

Parmi le flux continu des choses, une obscure destinée sembla vou-

regardé, considered
traditionnel, -le, full of traditions
demeurer, to remain
bienveillant, kind, benevolent
tremper, to drench
bruine, cold drizzling rain
chênaie, oak-grove
dépoli, opaque, frosted
parapluie, umbrella
égoutter: s'—, to drip
gel: de —, frosty
filé, spun
dimanche: par les —s d'été, on Sundays in summer
peser: — ferme, to shine brightly
retour: au —, on returning, on the homeward journey
châle, shawl
odorant, fragrant
enivrer, to intoxicate
un: l'— l'autre, each other
quitter: se —, to take leave of each other
jusqu'à: — dimanche, so long until next Sunday
flux, course
continu, unchanging
vouloir, to will

loir que, seule, cette promenade dominicale restât identique à elle-même, inévitable, inchangée.

M. De Vornay mourut. Le père et la mère Nicouleau moururent. Le curé fut plusieurs fois remplacé. Une crue emporta le ponceau de 5 l'Airelle, qui fut rebâti en pierre. On refit la façade de l'église. D'humbles semis d'arbres devinrent des taillis; des bois furent abattus et découvrirent sur le chemin des coins nouveaux de l'horizon. Une maison brûla au Prieuré. Mais, chaque dimanche, Pierre, Marguerite et Bijou se rejoignirent devant le perron du petit châ- 10 teau. Marguerite, restée orpheline, ne se maria point. Pierre ne fut [1] point prêtre: on le jugea trop délicat de santé pour entrer au séminaire. Laïque, il vécut comme un abbé, dans le bien que lui avaient laissé ses parents... Dimanches d'été, dimanches d'hiver, le temps coula... La fine fleur de jeunesse se fana sur le visage de 15 Mlle de Vornay. Pierre se voûta légèrement; mille rides précoces sillonnèrent son front et le coin de ses yeux. Ni l'un ni l'autre n'en avaient souci, et ils se retrouvaient toujours avec le même contentement, assis ensemble sur l'échine de Bijou vieillissant, qui toujours allait le pas relevé, encore qu'un peu moins alerte d'année en année.

20 Là-bas, du côté de Paris, des événements eurent lieu, dont le contre-coup parvint très affaibli au fond de cette province forestière,

dominical, Sunday
identique, identical
inévitable, unavoidable, bound to happen
inchangé, unchanged
crue, flood
ponceau, small bridge
rebâtir, to rebuild
refaire, to renew
semis: — d'arbres, saplings
taillis, copse, wood
rejoindre: se —, to meet again
orphelin, orphan
juger, to consider
laïque, layman
abbé, priest
bien, property
faner: se — sur, to fade from
voûter: se —, to begin to stoop
légèrement, slightly
ride, wrinkle
précoce, premature
sillonner, to furrow
souci: avoir — de, to worry about
retrouver: se —, to meet again
vieillir, to grow old
encore: — que, even though
alerte, alert, spry
année: d'— en —, from year to year
côté: du — de, in the direction of, towards
contre-coup, repercussion
affaibli, faintly
forestière, backwoods

1. **ne fut point = ne devint pas.**

un peu sauvage. Comme on lit l'histoire d'un autre temps, Pierre et Marguerite surent[1] que la République succédait au roi, puis l'empereur à la République, puis, de nouveau, la République à l'empereur.[2]

Et Pierre fut[3] tout à fait un petit vieux hâtif, d'âge mal définissable, mais vieux. Et Mlle de Vornay eut des anglaises grisonnantes, et un peu de couperose aux pommettes. 5

Un dimanche d'avril, comme Pierre, leste encore, aidait la vieille fille à descendre devant le perron, celle-ci lui dit:

« Pierre, voulez-vous attacher Bijou et entrer quelques instants avec moi ? J'ai à vous parler. »[4] 10

Pierre, étonné, obéit. C'était la première fois, depuis vingt ans, que Mlle de Vornay lui proposait cela. Le cœur troublé[5] comme aux jours de sa jeunesse, il la suivit dans la salle à manger. Mlle de Vornay s'assit dans le fauteuil, au coin de l'âtre vide. Pierre resta debout. 15

« Pierre, dit-elle, le nouveau curé m'a dit, hier, une chose singulière. Il paraît qu'on s'étonne, dans le bourg, de nous voir arriver ensemble, à l'église, sur le dos de Bijou. Les mœurs ont changé autour de nous, mon pauvre Pierre, sans que nous nous en soyons aperçus. Il n'y a plus que nous deux et quelques vieux couples de paysans qui chevauchent ainsi. 20

— Alors ? . . . balbutia Pierre effrayé, croyant qu'il allait perdre la seule joie de sa vie . . .

— Alors . . . moi, cela m'est égal . . . Je me moque des méchants 25

sauvage, isolated, primitive
hâti-f, -ve, premature(ly)
définissable: mal —, scarcely definable
grisonnant, turning gray
couperose (*slang*): **un peu de —**, a little flushed
pommette, cheek-bone
leste, nimble
fille: vieille —, old maid
chevaucher, to ride
égal: être — à, to make no difference to
moquer: se — de, not to mind

1. **surent** = **apprirent**, *found out*, *learned*. 2. **la République succédait au roi**, etc.; these are references to the great events in French history in the 19th century: **la Restauration de la monarchie** (1815–1848); **la Deuxième République** 1848–1852; **le Second Empire** (Napoléon III) 1852–1870; **la Troisième République** 1870–. 3. **fut** = **devint.** 4. **J'ai à vous parler,** *I have something to tell you.* 5. **le cœur troublé,** *his heart beating fast.*

propos. J'ai tenu seulement à vous raconter ce que m'a dit le curé: que d'aller en croupe avec un autre que son mari,[1] cela prête à rire et à jaser . . . Voilà [2] . . . »

Elle se tut, les yeux baissés. Elle était nerveuse. Pierre ne com-
5 prit-il point ? Ne voulut-il pas comprendre ? Ou peut-être, vraiment, n'y avait-il rien à comprendre ? Il répliqua après un silence:

« Je ferai ce que vous voudrez, mademoiselle . . . Mais moi aussi, cela m'est égal, les propos des gens. »

Mlle de Vornay le regarda un instant dans les yeux. Elle haussa
10 imperceptiblement les épaules, se leva, tapota du pied contre un chenet.

« C'est bon, dit-elle . . . Vous avez raison. Nous sommes assez vieux l'un et l'autre pour n'en faire qu'à notre tête . . . »

Elle le regarda encore; elle n'était plus nerveuse; mais ses
15 yeux s'humectèrent un peu et sa voix tremblait quand elle dit, comme d'habitude:

« Au revoir, Pierre ! »

Pierre malgré l'émotion qui lui serrait la gorge, répondit avec assez de fermeté:

25 « Jusqu'à dimanche, mademoiselle ! . . . »

Courtesy, André Fage, *Anthologie des conteurs d'aujourd'hui*, pp. 377–385; Librairie Delagrave, Paris.

propos: mechants —, nasty gossip
tenir à, to be anxious to
prêter: — à, to give rise to
jaser, to gossip
tapoter: — du pied, to tap one's foot
tête: faire à notre —, to do as we please
humecter: s'—, to become moist
gorge: serrer la —, to cause a lump in one's throat
fermeté, firmness

1. **avec un autre que son mari**, *with anybody else except one's husband.*
2. **Voilà**, *That's how it is.*

PIERRE MILLE

(1864–   )

Pierre Mille est né à Choisy-le-roi, ville près de Paris. A la fin de ses cours à l'école des Hautes-Études Politiques à Paris, Pierre Mille s'est livré au journalisme, et a passé trois ans à Londres comme correspondant du *Temps*, un des plus importants journaux républicains de Paris.

A son retour en France, Mille est devenu rédacteur du *Journal des Débats* à Paris. Plus tard, ce journal l'a envoyé comme correspondant de guerre en Asie-Mineure, en Indo-Chine, aux Indes, etc.

En dehors de sa collaboration à ces journaux, Pierre Mille a publié une série de romans et de contes qui l'ont rendu célèbre. Parmi les meilleurs de ces romans, on peut citer: *Barnavaux et quelques femmes*, *Caillou et Tille*, *le Monarque et Myrrhine*.

Les expériences acquises de ses voyages mondiaux se reflètent dans presque toutes ses œuvres, et c'est à cause de cela qu'on l'a surnommé le Kipling français, ressemblance à laquelle il ne tient pas. *Le Condamné Cardevaque* a paru dans l'*Ange du Bizarre*, dont Ferenczi est l'éditeur. Ce conte est vraiment représentatif des œuvres de Pierre Mille, puisqu'il raconte une de ses expériences les plus intéressantes du centre pénitentiaire français de Cayenne, qui est si bien connu chez nous sous le nom de "Devil's Island." C'est le conte préféré de M. Mille.

LE CONDAMNÉ CARDEVAQUE

PAR

PIERRE MILLE

Les exploits de Landru [1] ont produit, dans le centre pénitentiaire [2] de Cayenne,[3] la plus forte impression. Si vous voulez bien y réfléchir un court instant,[4] vous concevrez qu'il n'en peut être autrement: Quand, après avoir ôté la vie à son prochain, on n'a soi-
5 même échappé à la mort que de l'épaisseur d'un cheveu; quand, après avoir pris toutes les précautions que peut inspirer la prudence pour éviter les conséquences d'un crime, on s'est vu pourtant appréhendé par la police, astucieusement interrogé par un juge d'instruction, condamné par des jurés cette fois sans indulgence, tout nouveau
10 procédé imaginé pour éviter la peine suprême, pour laisser planer,[5] si l'on est pris, le doute qui doit sauver votre tête en supprimant la preuve fatale, — là-bas, en Guyane,[3] trois mille forçats pensifs, savent apprécier votre travail à sa juste valeur; à leur manière, ce

condamné, convict
concevoir, to understand
être: en — autrement, to be otherwise
vie: ôter la — à, to take the life of, kill
prochain, fellow man
épaisseur: de l'— d'un cheveu, by a hair's breadth
astucieusement, craftily
instruction: juge d'—, examining magistrate
juré, juror
indulgence, leniency
peine: — suprême, death penalty
planer, to hover
forçat, convict
pensi-f, -ve, brooding
travail, accomplishment

1. Name of a famous French "Blue-Beard" of the early part of the 20th century. 2. **centre pénitentiaire,** *penitentiary center;* located on **l'Ile du Diable,** Devil's Island, to which the worst French criminals are deported. 3. **Cayenne** [kajɛn], Cayenne, capital of Guyane, French Guiana, on the northeast coast of South America. 4. **Si vous voulez bien y réfléchir un court instant,** *if you will only think about it just for a moment;* notice use and translation of *y.* 5. **pour laisser planer . . . le doute,** *to let some doubt circulate,* i.e. *to create some doubt.*

sont des artistes; ils connaissent, d'expérience, combien l'innovation est rare, combien tout perfectionnement des vieilles méthodes, même, est difficile.

« Et dire, pourtant, objecta Sicougnot, homme du meilleur monde, et qui avait des lettres, condamné à perpétuité pour avoir empoisonné sa femme, dire que s'il s'était arrêté, s'il avait su s'arrêter [1] à sa onzième fiancée, il n'aurait même pas été découvert ! Mais voilà: le génie ignore ses limites,[2] et l'histoire de Landru est celle de Napoléon !

« Cela n'empêche point, répondit Maltrat, un autre « perpétuité », qu'il a des chances de n'être pas fauché, et de venir ici. C'est quelque chose ! Et nous lui ferons une belle réception. Il la mérite: un homme comme lui, ça honore la corporation. »

Mais Pietr'Athanasi, un Corse,[3] jugé et condamné après douze meurtres, et qui se vantait de ne jamais penser comme tout le monde, prononça tout à coup:

« Il y a ici quelqu'un qui est encore plus fort que Landru ! Et vous n'avez jamais fait attention à lui: vous méconnaissez son mérite ! »

« Nous méprisons la justice ! répliqua le distingué Sicougnot, et

expérience: d'—, from experience
innovation, new methods (of crime)
tout, any
perfectionnement, improvement
dire: et —, and just to think
objecter, to interpose (as an objection)
monde, society
lettre: avoir des —s, to be an educated person
perpétuité: à —, for life
empoisonner, to poison
voilà: mais —, well, that's it
"perpétuité," " lifer "
chance: avoir des —s, to be lucky
faucher, to put to death
faire: — une belle réception, to give a hearty welcome
corporation, brotherhood (of scoundrels, murderers)
meurtre, murder
prononcer, to say
vanter: se —, to boast
fort, clever
attention: faire — à, to take notice of
méconnaître, not to appreciate
mépriser, to scorn
justice, law (and order)

1. **s'il avait su s'arrêter,** *if he could have stopped.* 2. **le génie ignore ses limites,** *genius knows no bounds.* 3. **Corse,** *Corsican, native of Corsica;* an island in the Mediterranean off the coast of Italy; it is inhabited mostly by Italians, but belongs to France; it is the birthplace of Napoleon Bonaparte.

croyons en avoir le droit;[1] mais nous honorons l'équité. Nous sommes toujours prêts à rendre hommage au talent: toutefois, cherchant honnêtement de qui tu veux parler, je ne distingue personne digne d'un tel éloge. »

5 « C'est Cardevaque ! » jeta[2] Athanasi d'une voix ferme.

Il y eut, dans l'assemblée, un petit rire de mépris. Tout le monde connaissait Cardevaque: c'était, de mine, un assez pauvre homme, à la fois chafouin et rondouillard, qui servait la messe à l'aumônier;[3] et celui-ci par manière de récompense, l'avait fait placer comme in-10 firmier au dispensaire. Au bagne, on n'aime pas ceux qui savent obtenir des faveurs.

« Cardevaque est un condamné à mort commué,[4] répondit Pietr'Athanasi; et si vous lui aviez demandé le truc qu'il a eu pour se faire commuer, vous lui feriez le salut quand il passe. Ou plutôt 15 vous seriez jaloux: vous n'auriez pas eu, à vous tous,[5] assez d'instruction pour l'inventer. »

Un jugement si dédaigneux ne pouvait manquer de froisser Sicougnot. Il ricana, dédaigneusement. Mais les autres, qui n'avaient que peu de sympathie pour cet homme du monde, furent 20 d'avis qu'il fallait voir. On décida d'interroger Cardevaque.

équité, fairness
hommage: rendre — à, to pay homage to
honnêtement, honestly, fairly
éloge, praise, eulogy
voix: d'une — ferme, in a loud voice
assemblée, gathering
mine: de —, in appearance
chafouin, weasel-faced, sly-looking
rondouillard, chubby
aumônier, chaplain
manière: par — de récompense, by way of repayment
infirmier, hospital attendant
dispensaire, infirmary
bagne, convict prison
commué, commuted
truc, trick, scheme
salut: faire le — à, to give the military salute to
instruction, ingenuity
dédaigneu-x, -se, scornful
froisser, to offend, hurt
ricaner, to sneer
avis: être d'—, to be of the opinion

1. **et nous croyons en avoir le droit,** *and we believe we have the right to.* 2. **jeta** = **cria fort,** *shouted.* 3. **qui servait la messe à l'aumônier,** *who assisted the chaplain at mass.* 4. **un condamné à mort commué,** *a convict condemned to death with his sentence commuted* (*to life imprisonment*). 5. **à vous tous,** *all of you.*

Athanasi s'en fut le chercher. Il arriva, l'air bien modeste, comme il convenait devant un si puissant aréopage;[1] mais, sommé de conter son histoire, ne se fit point prier.

« Comme Landru, dit-il, je fus enfant de chœur dans mon enfance. » 5

« Ah ! ah ! murmura Sicougnot. D'une part il faisait profession de détester les curés, d'autre part il les considérait comme capables d'enseigner à leurs élèves des vues profondes et victorieuses. »

« Oh ! ce n'est pas ce que vous croyez, avoua Cardevaque, bien doucement. Le coup que j'ai fait n'a rien de particulièrement sa- 10 vant. Bien au contraire: J'avais tué une femme avec un chenet; je n'avais pris aucun soin pour dissimuler ni ma responsibilité, ni ma culpabilité, ni ma préméditation. Les journalistes me taxèrent de grossier et de brutal criminel; je fus condamné à l'unanimité du jury, et mon pourvoi en grâce rejeté. » 15

« Mais puisque tu as été commué ![2] . . . » protesta Sicougnot.

« N'interromps pas, fit[3] Athanasi: tu vas voir, c'est le beau de la combinaison. »

« J'avais été condamné en mars, poursuivit Cardevaque, et cette année-là, Pâques tombait en avril. En lisant le *Magasin pittoresque*[4] 20

être: s'en — chercher = s'en aller chercher, to go out to get
sommé, summoned
conter, to tell
prier: se faire —, to require much urging
chœur: enfant de —, choir boy
profession: faire — de, to make a business of
curé, parish priest; **—s,** clergy
victorieu-x, -se, triumphant
coup: faire un —, to perform a master-stroke
savant, learned, clever
contraire: bien au —, quite the opposite
dissimuler, to conceal
culpabilité, guilt
journaliste, newspaper-man, reporter
taxer: — de, to label as
grossier, ruthless
unanimité: à l'— du jury, unanimously by the jury
pourvoi: — en grâce, petition for mercy
beau: le —, beauty, fine part
combinaison, scheme, circumstance
poursuivre, to pursue, continue
Pâques, Easter

1. **aréopage = Areopagus,** name given to the ancient Supreme Court of Athens; by extension it means here "law court," "court of justice." 2. **tu as été commué,** *your sentence has been commuted.* 3. **fit = dit.** 4. *Magasin pittoresque,* name of a magazine; *Vingt mille lieues sous les mers,* title of a novel by **Jules Verne** (1828–1905).

et *Vingt mille lieues sous les mers,*[1] en jouant à la manille avec mes gardiens, je songeais tout le temps:

« Pourvu qu'ils ne pensent pas à me gerber avant la semaine sainte, bon Dieu ! Pourvu qu'ils pensent pas.[2] Et qu'ils ne re-
5 tardent pas après ! »

« Qu'est-ce que ça te faisait? Avant, c'était embêtant, mais après, c'était du rabiot ! »[3] dit Sicougnot.

Athanasi rigola:

« C'est comme ça qu'aurait raisonné un daim ! »

10 Sicougnot le regarda de travers. Mais, les apaisant d'un geste de la main, Cardevaque continua:

« Et j'eus une veine, une veine ! Le mardi, le mercredi d'avant Pâques arrivent: rien ! on me laisse bien tranquillement dormir. Le jeudi saint, dès potronminet, comme c'est l'usage, la porte de ma
15 cellule s'ouvre, je vois entrer le procureur général, le chef de la Sûreté, M. de Paris,[5] ses aides, mon avocat, M. l'aumônier.[4] Je le dévisage, M. l'aumônier: et il faisait une tête, une tête ! Il tremblait de tous ses membres:

lieue, league (about 2½ miles)
manille, manille (card game)
gardien, guardian, keeper, warden
gerber, to do away with
semaine: — sainte, Holy Week (week preceding Easter)
retarder, to delay
embêtant, nerve-racking
rabiot, overtime
rigoler, to laugh
daim, deer; simpleton, fool
regarder: — de travers, to look askance at, scowl at
apaiser, to quiet
geste: d'un — de la main, with a wave of the hand
veine: avoir une —, to have a stroke of good luck
jeudi: — saint, Maundy Thursday (day before Good Friday)
potronminet (= patronminet), daybreak
cellule, cell
procureur: — général, Attorney General, district attorney
Sûreté, Criminal Investigation Department
aide, assistant
avocat, lawyer
dévisager, to stare at
tête: faire une —, to look glum
trembler: — de tous ses membres, to shake all over

1. See Note 4, page 141. 2. **Pourvu qu'ils pensent pas,** conversational for, **Pourvu qu'ils n'y pensent pas,** *If only they forget about it.* 3. **c'était du rabiot,** *it would be putting in extra time* (for punishment). 4. **M. l'aumônier,** *His Reverence the chaplain.* 5. **M. de Paris,** name given by convicts to the head executioner, who is in charge of the guillotine.

« Bon ! que je me dis, tu trembleras bien plus encore tout à l'heure. »

« Mais pourquoi ? . . . » interrogea Sicougnot.

« Tu vas voir. Ça commence comme à l'ordinaire, le procureur général me dit: « Du courage ! Votre recours en grâce est rejeté ! » 5 Je lui répondis: « J'en aurai ! » Je fume une cigarette et puis je m'adresse bien poliment au curé: « Monsieur l'aumônier, je voudrais me confesser ! . . . » Il consent, bien entendu, c'était son métier, mais il avait toujours l'air dans ses petits souliers, et j'ajoute tout de suite: « . . . Et aussi, entendre la messe ! » 10

« Alors il pâlit, il bredouille, il se tourne vers les légumes qui étaient là, il leur crie: « Je vous l'avais bien dit ![1] Mon Dieu ! Mon Dieu ! » Et les légumes criaient à leur tour: « Mais c'est absurde, monsieur l'aumônier, c'est absurde ! Il doit y avoir un moyen ? »[2] Mais lui[3] faisait « non » de la tête, et moi, qui rigolais 15 intérieurement de tout mon cœur, je me tenais les mains jointes, et l'air bien contrit.

« Je vous avais prévenu, fait l'aumônier. Si cet homme — j'allais dire par malheur, mais je n'en ai pas le droit — demande que je célèbre pour lui le Saint-Sacrifice, ce sera impossible, impossible ! On ne 20 dit pas la messe le jeudi saint ! Les règles de l'Eglise n'autorisent ce jour-là qu'une consécration, qui se fait dans chaque paroisse à

que (colloquial; omit in translation)
ordinaire: à l'—, as usual
courage: du — ! courage ! cheer up ! buck up !
recours: — en grâce, appeal for mercy
fumer, to smoke
adresser: s'— à, to speak to
poliment, politely
confesser: se —, to confess (one's sins)
soulier: avoir l'air dans ses petits —s, to be ill at ease, be on pins and needles
bredouiller, to mumble, jabber
légume, 'big shot'
faire: — non de la tête, to shake one's head
intérieurement, inwardly
joint, clasped
contrit, contrite, penitent
fait = dit
malheur: par —, unfortunately
Saint-Sacrifice, Blessed Sacrament
consécration, celebration (of Holy Mass)

1. **Je vous l'avais bien dit,** *I had certainly told you so.* 2. **Il doit y avoir un moyen,** *There must be a way out of this.* 3. **lui** is the disjunctive emphatic pronoun for **il.**

une messe seule et unique ! [1] . . . Je ne puis pas célèbrer la messe ! Je-ne-le-puis-pas ! . . .

« Eh bien, déclare le procureur général, de fort mauvaise humeur, si vous ne le pouvez pas, le condamné s'en passera !

5 « Je n'ai pas le droit de célébrer la messe, dit l'aumônier, mais vous, vous n'avez pas le droit d'envoyer ce malheureux dans l'autre monde sans qu'il l'ait entendue, s'il le désire. C'est un principe sacré, qui a toujours été respecté. Vous pouvez prendre le corps, vous ne pouvez damner l'âme. Je m'y oppose solennellement !

10 « Alors, dit le procureur général, à demain vendredi. C'est contre toutes les habitudes, d'exécuter un condamné vingt-quatre heures après qu'il a été averti. Mais enfin !

« Je ne puis encore moins célébrer la messe le vendredi saint que le jeudi saint, répliqua l'aumônier, les larmes aux yeux. Et le 15 samedi saint, c'est comme le jeudi et le vendredi.

« Dimanche, alors ? suggère le chef de la Sûreté, timidement, car il trouvait que c'était déjà bien tard.

« Monsieur le chef de la Sûreté, fait M. de Paris, le dimanche est un jour férié: on ne peut pas exécuter les jours fériés !

20 « Mais, sacré nom d'un chien ! gémit le procureur général, le lundi de Pâques aussi est jour férié, légalement ! Tonnerre de Dieu de Tonnerre de Dieu !

« Il jurait à en épouvanter l'aumônier,[2] qui n'avait pas besoin de ça:

« Ecoutez, Cardevaque, fait le procureur général, se tournant vers 25 moi, avez-vous vraiment besoin d'entendre la messe ? C'est une idée naturelle, touchante même de votre part, mais voyons, estimez-vous que ce soit tout à fait indispensable ?

principe, principle, privilege
opposer: s'— à, to oppose
demain: à —, until tomorrow
mais: — enfin ! well, what of it !
férié: jour —, holiday
nom: sacré — d'un chien ! curses ! by all that is holy !
gémir, to groan, wail
légalement, legally
tonnerre: — de Dieu ! by thunder ! thunder and lightning !
épouvanter: à en —, to the point of terrifying
part: de votre —, on your part

1. **à une messe seule et unique,** *at one and only one mass.* 2. **Il jurait à en épouvanter l'aumônier,** *he swore enough to frighten the priest.*

« Monsieur le procureur général, répliquai-je, c'est mon idée !

« Elle est propre, votre idée ! [1] blasphéma ce magistrat exaspéré. Un homme sans aveu, un assassin, qui n'a même pas le courage de mourir comme il a vécu ! Un anticlérical avéré, — car je connais votre dossier, vous ne direz pas le contraire ! — qui renie les convic- 5 tions de toute sa vie, à l'heure de la mort ! On ne sait plus à qui se fier, il n'y a plus d'énergie sur terre — et il n'y a plus de justice possible ! Allons, Cardevaque, un bon mouvement. Ça sera dans les journaux, que vous êtes mort comme un anticlérical conscient, en refusant les secours de la religion ! 10

« Monsieur le procureur général, lui dis-je, je voudrais vous faire ce plaisir, mais ça ferait trop de peine à ma mère !

« Alors, à mardi, puisqu'il n'y a pas moyen de faire autrement conclut le procureur général dégoûté.

« Vous remettez à mardi, fait mon avocat qui était resté muet 15 jusque-là. Mais moi je vais présenter au président de la République un second recours en grâce. Pas un être au monde, eût-il [2] un cœur de tigre, encore moins notre vénéré et bienveillant chef d'État, ne saurait [3] trouver en lui assez de férocité pour signer l'arrêt de mort d'un homme qui aurait, cinq jours durant, connu dans sa cellule les 20 affres de la plus affreuse agonie. Je vous salue, monsieur le procureur général. Et je ne vous reverrai pas ici mardi prochain, j'en ai la ferme assurance.

idée: c'est mon —, that's my opinion
homme: — sans aveu, criminal
avéré, avowed
dossier, record
renier, to repudiate
fier: se — à, to trust
énergie, energy, efficacy, stamina
mouvement, impulse
conscient, self-conscious
dégoûté, disgusted
muet, silent
vénéré, revered
état: chef d'—, chief executive, president
férocité, cruelty
arrêt: — de mort, death sentence
affre(s), horror
agonie, death agony
saluer, to bid good-bye
assurance, conviction

1. **Elle est propre, votre idée !** *That's a fine idea!* (ironical) 2. **eût-il** = literary style for **même s'il avait.** 3. **ne saurait = ne peut.**

« Et il avait raison: je fus gracié, comme il l'avait prévu.

« C'est un coup épatant ! » déclara Maltrat.

Et Sicougnot, bien que plein de jalousie, ne put y contredire.

Courtesy, Librairie Delagrave, "Anthologie des conteurs d'aujourd'hui" and J. Ferenczi et Fils, éditeurs.

gracié, pardoned, reprieved
coup, master stroke
épatant, splendid, fine

LA MULE DU PAPE

PAR

ALPHONSE DAUDET

Qui n'a pas vu Avignon[1] du temps des Papes, n'a rien vu. Pour la gaieté, la vie, l'animation, le train des fêtes, jamais une ville pareille. C'étaient, du matin au soir, des processions, des pèlerinages, les rues jonchées de fleurs, tapissées de hautes lices, des arrivages de cardinaux par le Rhône,[2] bannières au vent, galères pavoisées, les soldats du Pape qui chantaient du latin sur les places, les crécelles des frères quêteurs; puis, du haut en bas des maisons qui se pressaient en bourdonnant[3] autour du grand palais papal comme des abeilles autour de leur ruche, c'était encore le tic tac des métiers à dentelles, le va-et-vient des navettes tissant l'or des chasubles, les petits marteaux des ciseleurs de burettes, les tables d'harmonie qu'on

pape, pope
temps: du — de, in the time of
train, continuity, succession
matin: du — au soir, from morning until evening
pèlerinage, pilgrimage
joncher (de), to strew (with)
lice: tapissé de hautes —s, carpeted with pieces of tapestry
arrivage, arrival
cardinaux (*pl.*), cardinals
bannière: —s au vent, banners flying
galère, galley
pavoisé, decked with flags
crécelle, wooden rattle
frère: — quêteur, mendicant friar
haut: du — en bas, from the top to the bottom
presser: se —, to crowd, press close
bourdonner, to buzz, hum
abeille, bee
ruche, hive
tic tac, tick-tack
métier: — à dentelle, lace-loom
va-et-vient, motion to and fro, perpetual movement
navette, shuttle
tisser, to weave
chasuble, chasuble (priest's garment worn at the altar while saying mass)
marteau, hammer
ciseleur, sculptor
burette, altar-cruet
harmonie: table d'—, sounding board

1. **Avignon,** a city in Provence; residence of the popes from 1309 to 1377. 2. **Rhône,** *Rhone River,* a river on which Avignon is situated; it flows into the Mediterranean sea. 3. **se pressaient en bourdonnant . . . comme des abeilles,** *pressed close . . . like bees buzzing.*

ajustait chez les luthiers, les cantiques des ourdisseuses; par là-dessus le bruit des cloches, et toujours quelques tambourins qu'on entendait ronfler, là-bas, du côté du pont. Car chez nous,[1] quand le peuple est content, il faut qu'il danse, il faut qu'il danse; et comme en ce temps-là les rues de la ville étaient trop étroites pour la farandole, fifres et tambourins se postaient sur le pont d'Avignon, au vent frais du Rhône, et jour et nuit l'on y dansait, l'on y dansait[2] ... Ah ! l'heureux temps ! l'heureuse ville ! Des hallebardes qui ne coupaient pas; des prisons d'État où l'on mettait le vin à rafraîchir. Jamais de disette; jamais de guerre ... Voilà comment les Papes du Comtat[3] savaient gouverner leur peuple; voilà pourquoi leur peuple les a tant regrettés ! ...

Il y en a un surtout, un bon vieux, qu'on appelait Boniface[4] ... Oh ! celui-là, que de larmes on a versées en Avignon[5] quand il est mort ! C'était un prince si aimable, si avenant ! Il vous riait[6] si bien du haut de sa mule ! Et quand vous passiez près de lui, — fussiez-vous[7] un pauvre petit tireur de garance ou le grand viguier de la ville, — il vous donnait sa bénédiction si poliment ! Un vrai

ajuster, to tune
luthier, lute-maker
cantique, song
ourdisseu–r, –se, warper, (woman) weaver
là-dessus: par —, over and above all that
tambourin, (long) drum
ronfler, to roll
côté, side; **du — de,** in the direction of
farandole, farandole (Provençal dance)
fifre, fife, fife-player
poster: se —, to take up a position
vent: au — frais, in the cool breeze
'hallebarde, halberd
rafraîchir, to cool
disette, famine
regretter, to miss
larme: que de —s ! how many tears ! what tears !
avenant, pleasing
garance: tireur de —, madder-root gatherer
viguier, provost, magistrate

1. **chez nous** = *in our province.* 2. **l'on y dansait, l'on y dansait,** *people kept dancing and dancing;* the repetition of **dansait** is a repetition of the French children's song: **Sur le pont d'Avignon.** 3. **Comtat** = **Comtat-Venaissin,** a former county, of which Avignon was the principal city; it once belonged to the popes. 4. **Boniface,** an invented name; none of the popes of Avignon was named Boniface. 5. **en Avignon** = **à Avignon; en** refers to the whole district around Avignon. 6. **il vous riait** = **il vous souriait,** *he smiled at you.* 7. **fussiez-vous** = literary style for **même si vous étiez,** *whether you were.*

pape d'Yvetot,[1] mais d'un Yvetot de Provence, avec quelque chose de fin dans le rire, un brin de marjolaine à sa barrette, et pas la moindre Jeanneton[2]... La seule Jeanneton qu'on lui ait jamais connue, à ce bon père,[3] c'était sa vigne, — une petite vigne qu'il avait plantée lui-même, à trois lieues d'Avignon, dans les myrtes de Château-Neuf.

Tous les dimanches, en sortant de vêpres, le digne homme allait lui faire sa cour, et quand il était là-haut, assis au bon soleil, sa mule près de lui, ses cardinaux tout autour étendus aux pieds des souches, alors il faisait déboucher un flacon de vin du cru, — ce beau vin, couleur de rubis, qui s'est appelé depuis le Château-Neuf des Papes, — et il le dégustait par petits coups, en regardant sa vigne d'un air attendri.

Puis le flacon vidé, le jour tombant, il rentrait joyeusement à la ville, suivi de tout son chapitre; et, lorsqu'il passait sur le pont d'Avignon, au milieu des tambours et des farandoles, sa mule, mise en train[4] par la musique, prenait un petit amble sautillant, tandis

Yvetot, a town in Normandy; **un pape d'—,** a good-natured pope
Provence, Provence, a former province in southern France
marjolaine: un brin de —, a sprig of marjoram (a mint-like plant)
barrette, cap
Jeanneton, sweetheart (a familiar diminutive of Jeanne)
myrte, myrtle
vêpres, *pl.* vespers, evening mass
cour: faire la — à, to court, make love to, to pay one's respects to
souche, vine-root
déboucher, to uncork
flacon, flask, bottle
cru: vin du —, native wine
rubis: couleur de —, ruby colored
déguster: — par petits coups, to sip
attendri, fond
flacon: le — vidé, when the bottle was empty
jour: le — tombant, as daylight faded away
chapitre, chapter, council
train: mettre en —, to set going, start
amble, gait; **— sautillant,** skipping gait

1. **Un vrai pape d'Yvetot;** this is a playful allusion to the fact that the lords of this small Norman town called themselves kings from the 14th. to the 16th. century. Cf. Béranger's poem "**Le Roi d'Yvetot**". 2. **et pas la moindre Jeanneton,** *and not even one little Jane* (*to love*). 3. **la seule Jeanneton qu'on lui ait jamais connue, à ce bon père,** *the only sweetheart, that this good father was ever known to have;* notice use of subjunctive in a relative clause after **seul;** also redundant repetition of **lui** and **à ce bon père** for emphasis. 4. **mise en train = excitée.**

que lui-même il marquait le pas de la danse avec sa barrette, ce qui scandalisait fort ses cardinaux, mais faisait dire à tout le peuple:[1] « Ah ! le bon prince ! Ah ! le brave pape ! »

Après sa vigne de Château-Neuf, ce que le pape aimait le plus au monde, c'était sa mule. Le bonhomme en raffolait de cette bête-là.[2] Tous les soirs avant de se coucher, il allait voir si son écurie était bien fermée, si rien ne manquait dans sa mangeoire, et jamais il ne se serait levé de table sans faire préparer sous ses yeux un grand bol de vin à la française, avec beaucoup de sucre et d'aromates, qu'il allait lui porter lui-même, malgré les observations de ses cardinaux . . . Il faut dire aussi que la bête en valait la peine. C'était une belle mule noire mouchetée de rouge, le pied sûr, le poil luisant, la croupe large et pleine, portant fièrement sa petite tête sèche toute harnachée de pompons, de nœuds, de grelots d'argent, de bouffettes; avec cela douce comme un ange, l'œil naïf, et deux longues oreilles, toujours en branle, qui lui donnaient l'air bon enfant. Tout Avignon la respectait, et, quand elle allait dans les rues, il n'y avait pas de bonnes manières qu'on ne lui fît;[3] car chacun savait que c'était le meilleur moyen d'être bien en cour, et qu'avec son air innocent, la mule du Pape en avait mené plus d'un à la fortune, à preuve Tistet Védène et sa prodigieuse aventure.

pas: marquer le — de, to keep (beat) time with
scandaliser, to scandalize, shock
rien ne, anything
lever: se — de table to leave one's dinner (table)
mangeoire, manger
bol, bowl
aromate, spice
observation, objection
moucheté (de), flecked (with)
pied: le — sûr, sure-footed
poil, hair (of an animal)
luisant, shiny
harnaché de, bedecked with
pompon, tassel
nœud, bow
grelot, bell
bouffette, bow of ribbon, rosette
branle: en —, in motion, wagging
enfant: bon —, good-natured
manière: bonnes —s, attentions
bien: être — en cour, to be in favor at (the Pope's) court
preuve: à —, for instance, for example

1. **faisait dire à tout le peuple,** *made all the people say.* 2. **le bonhomme en raffolait de cette bête-là,** *the good-natured fellow was very fond of that animal;* notice the redundant use of the pronoun **en** as well as **de cette bête-là,** for emphasis. 3. **qu'on ne lui fît,** *which weren't shown to her.*

Ce Tistet Védène était, dans le principe, un effronté galopin, que son père, Guy Védène, le sculpteur d'or, avait été obligé de chasser de chez lui, parce qu'il ne voulait rien faire et débauchait les apprentis. Pendant six mois, on le vit traîner sa jaquette dans tous les ruisseaux d'Avignon, mais principalement du côté de la maison papale; car le drôle avait depuis longtemps [1] son idée sur la mule du Pape, et vous allez voir que c'était quelque chose de malin... Un jour que Sa Sainteté se promenait toute seule sous les remparts avec sa bête, voilà mon Tistet qui l'aborde, et lui dit en joignant les mains d'un air d'admiration:

— Ah! mon Dieu! grand Saint-Père, quelle brave mule vous avez là!... Laissez un peu que je la regarde [2]... Ah! mon Pape, la belle mule!... L'empereur d'Allemagne n'en a pas une pareille.

Et il la caressait, et il lui parlait doucement comme à une demoiselle:

— Venez çà, mon bijou, mon trésor, ma perle fine...

Et le bon Pape, tout ému, se disait dans lui-même:

— Quel bon petit garçonnet!... Comme il est gentil [3] avec ma mule!

Et puis le lendemain savez-vous ce qui arriva? Tistet Védène troqua sa vieille jaquette jaune contre une belle aube en dentelles, un camail de soie violette, des souliers à boucles, et il entra dans la

principe: dans le —, to begin with, at the outset
effronté, shameless, impudent
galopin, rascal, scamp
chasser: — de chez lui, to turn out of doors, drive from home
apprenti, apprentice
jaquette: traîner sa —, to loaf, wander about
ruisseau, gutter
malin, sly, clever
Sainteté, Holiness
joindre: — les mains, to clasp one's hands
Allemagne, Germany
pareil, -le: un (une) —, such a one
bijou, sweetheart
trésor, darling
perle: — fine, real pearl
lui-même: dans —, to himself
garçonnet, little boy
troquer: — contre, to exchange for
aube, alb (priest's garment)
dentelle: en —, (made of) lace
camail, cape (worn by clergy)
violet, -te, purple
boucle: à —s, with buckles

1. **le drôle avait depuis longtemps,** *the rascal had had for a long time.*
2. **Laissez un peu que je la regarde = Laissez-moi la regarder un peu.**
3. **comme il est gentil;** note the word order as compared to English.

maîtrise du Pape, où jamais avant lui on n'avait reçu que des fils de nobles et des neveux de cardinaux... Voilà ce que c'est que l'intrigue ! [1]... Mais Tistet ne s'en tint pas là.

Une fois au service du Pape, le drôle continua le jeu qui lui avait si bien réussi. Insolent avec tout le monde, il n'avait d'attentions ni de prévenances que pour la mule, et toujours on le rencontrait par les cours du palais avec une poignée d'avoine ou une bottelée de sainfoin, dont il secouait gentiment les grappes roses en regardant le balcon du Saint-Père, d'un air de dire: « Hein !... pour qui ça ?... » Tant et tant qu'[2]à la fin le bon Pape, qui se sentait devenir vieux, en arriva à lui laisser le soin de veiller sur l'écurie et de porter à la mule son bol de vin à la française; ce qui ne faisait pas rire les cardinaux.

Ni la mule non plus, cela ne la faisait pas rire... Maintenant, à l'heure de son vin, elle voyait toujours arriver chez elle [3] cinq ou six petits clercs de maîtrise qui se fourraient vite dans la paille avec leur camail et leurs dentelles; puis, au bout d'un moment, une bonne odeur chaude de caramel et d'aromates emplissait l'écurie, et Tistet Védène apparaissait portant avec précaution le bol de vin à la française. Alors le martyre de la pauvre bête commençait.

Ce vin parfumé qu'elle aimait tant, qui lui tenait chaud, qui lui mettait des ailes, on avait la cruauté de le lui apporter, là, dans sa mangeoire, de le lui faire respirer; puis, quand elle en avait les

maîtrise, choir school
tenir: s'en — là, to stop at that
prévenance, kindness, consideration
poignée, handful
avoine, oats
bottelée, small bundle
sainfoin, timothy grass
gentiment, nicely, in a friendly manner
grappe, cluster
arriver: en — à, to decide to, be led to
veiller: — sur, to watch over
ce qui, (a situation) which
clerc: — de maîtrise, choir-boy
fourrer: se —, to hide
caramel, caramel, burnt sugar
emplir, to fill
martyre, martyrdom, torment
chaud: tenir —, to keep warm
cruauté, cruelty

1. **Voilà ce que c'est que l'intrigue**, *That's what intrigue is.* 2. **tant et tant que**, is elliptical for **il fit tant et tant que**, *he played his role so much and so well that.* 3. **chez elle = dans son écurie.**

narines pleines, passe, je t'ai vu,[1] la belle liqueur de flamme rose s'en allait toute dans le gosier de ces garnements... Et encore, s'ils n'avaient fait que lui voler son vin;[2] mais c'étaient comme des diables, tous ces petits clercs, quand ils avaient bu!... L'un lui tirait les oreilles, l'autre la queue; Quiquet[3] lui montait sur le dos, Béluguet[3] lui essayait sa barrette, et pas un de ces galopins ne songeait que d'un coup de reins ou d'une ruade la brave bête aurait pu les envoyer tous dans l'étoile polaire, et même plus loin... Mais non! On n'est pas pour rien la mule du Pape,[4] la mule des bénédictions et des indulgences... Les enfants avaient beau faire,[5] elle ne se fâchait pas; et ce n'était qu'à Tistet Védène qu'elle en voulait... Celui-là, par exemple,[6] quand elle le sentait derrière elle, son sabot lui démangeait, et vraiment il y avait bien de quoi.[7] Ce vaurien de Tistet[8] lui jouait de si vilains tours! Il avait de si cruelles inventions après boire![9]...

Est-ce qu'un jour il ne s'avisa pas de la faire monter avec lui au clocheton de la maîtrise, là-haut, tout là-haut, à la pointe du palais!... Et ce que je vous dis là n'est pas un conte, deux cent mille Provençaux l'ont vu. Vous figurez-vous la terreur de cette mal-

narine, nostril
gosier, throat
garnement, scamp, good-for-nothing
coup: d'un — de reins, with a lunge (heave)
ruade, kick
fâcher: se —, to become angry, be offended
démanger, to itch
vaurien, good-for-nothing, scamp
vilain, nasty
invention, trick
aviser: s'— de, to take it into one's head to
clocheton, steeple
là-haut: tout —, away up there
pointe, top
conte, story, tale
Provençaux, *pl.* inhabitants of Provence

1. **passe, je t'ai vu,** *presto, change!* These are the words that are pronounced by jugglers at the climax of their performances. 2. **s'ils n'avaient fait que lui voler son vin,** *if they had merely stolen her wine!* 3. **Quiquet ... Béluguet,** names of two other choir boys. 4. **on n'est pas pour rien la mule du Pape,** *she wasn't the pope's mule for nothing;* i.e. the pope's mule *is* expected to be dignified and ignore the tormentings of inferiors. 5. **Les enfants avaient beau faire,** *It didn't matter what the brats did.* 6. **par exemple** = *I confess* or *I must say.* 7. **il y avait bien de quoi,** *there was a good reason for it.* 8. **de Tistet;** omit **de** in translation. 9. **après boire** = **après avoir bu.**

heureuse mule, lorsque, après avoir tourné pendant une heure à l'aveuglette dans un escalier en colimaçon et grimpé je ne sais combien de marches, elle se trouva tout à coup sur une plate-forme éblouissante de lumière, et qu'à mille pieds au-dessous d'elle elle aperçut tout un Avignon fantastique, les baraques du marché pas plus grosses que des noisettes, les soldats du Pape devant leur caserne comme des fourmis rouges, et là-bas, sur un fil d'argent,[1] un petit pont microscopique où l'on dansait . . . Ah ! pauvre bête ! quelle panique ! Du cri qu'elle en [2] poussa, toutes les vitres du palais tremblèrent.

— Qu'est-ce qu'il y a ? qu'est-ce qu'on lui fait ? s'écria le bon Pape en se précipitant sur son balcon.

Tistet Védène était déjà dans la cour, faisant mine de pleurer et de s'arracher les cheveux:

— Ah ! grand Saint-Père, ce qu'il y a ! Il y a que votre mule . . . Mon Dieu ! qu'allons-nous devenir ? Il y a que votre mule est montée dans le clocheton . . .

— Toute seule ? ? ?

— Oui, grand Saint-Père, toute seule . . . Tenez ! regardez-la, là-haut . . . Voyez-vous le bout de ses oreilles qui passe ? [3] . . . On dirait deux hirondelles.[4]

— Miséricorde ! fit le pauvre Pape en levant les yeux . . . Mais elle

tourner: — à l'aveuglette, to grope in the dark, or blindly
escalier: — en colimaçon, winding staircase
grimper, to climb
éblouissant, dazzling
baraque, booth
noisette, hazelnut
caserne, barracks
fourmi, ant
panique, fright
avoir: y —, to be the matter (trouble)
précipiter: se —, to rush headlong, dash
mine: faire — de, to pretend to
arracher: s'—, to pull, to tear
devenir: qu'allons-nous —? what will become of us?
tenez ! look !
hirondelle, swallow
miséricorde, mercy ! goodness gracious !

1. **un fil d'argent,** *a silver thread;* i.e. the Rhone river. 2. **en** = **de cela;** i.e. on recognizing her plight. 3. **qui passe,** *protruding;* a relative clause is frequently translated by a present participle in English. 4. **on dirait deux hirondelles;** elliptical for **on dirait que les deux bouts d'oreille ressemblent à deux hirondelles.**

est donc devenue folle ! Mais elle va se tuer... Veux-tu bien descendre,[1] malheureuse !

Pécaïre ! elle n'aurait pas mieux demandé, elle, que de[2] descendre ... mais par où ? L'escalier, il n'y fallait pas songer:[3] ça se monte encore,[4] ces choses-là; mais, à la descente, il y aurait de quoi[5] se rompre cent fois les jambes... Et la pauvre mule se désolait, et, tout en rôdant sur la plate-forme avec ses gros yeux pleins de vertige, elle pensait à Tistet Védène:

— Ah ! bandit, si j'en réchappe... quel coup de sabot demain matin !

Cette idée de coup de sabot lui redonnait un peu de cœur au ventre[6]; sans cela elle n'aurait pas pu se tenir... Enfin on parvint à la tirer de là-haut; mais ce fut toute une affaire. Il fallut la descendre avec un cric, des cordes, une civière. Et vous pensez quelle humiliation pour la mule d'un pape de se voir pendue à cette hauteur, nageant des pattes dans le vide comme un hanneton au bout d'un fil. Et tout Avignon qui la regardait !

La malheureuse bête n'en dormit pas de la nuit. Il lui semblait toujours qu'elle tournait sur cette maudite plate-forme, avec les rires de la ville au-dessous, puis elle pensait à cet infâme Tistet

malheureuse, unfortunate creature, wretch
pécäire (Provençal) = **pauvre chère !** poor dear !
demander: — mieux, to ask for anything better
où: par —, which way ? how ?
désoler: se —, to be distressed
rôder, to roam
vertige, dizziness, dizzy spell
bandit, rascal, blackguard, villain
réchapper: si j'en réchappe, if I get out of this
tenir: se —, to hold out
affaire: toute une —, quite an undertaking, a big job
cric, jack
civière, stretcher
nager: — des pattes, to kick the feet (as in swimming)
vide: dans le —, (suspended) in empty space
hanneton, beetle
nuit: de la —, during the night
rire, laughter
infâme, scoundrelly, vile

1. **Veux-tu bien descendre !** *Will you come down from there?* 2. **que de,** *than to.* 3. **il n'y fallait pas songer = il ne fallait pas y songer,** *that was out of the question.* 4. **ça se monte encore, ces choses-là,** *one can climb those things.* 5. **il y aurait de quoi,** *one would run the risk of.* 6. **lui redonnait un peu de cœur au ventre,** *gave her a little courage again.*

Védène et au joli coup de sabot qu'elle allait lui détacher le lendemain matin. Ah ! mes amis, quel coup de sabot ! De Pampérigouste [1] on en verrait la fumée... Or, pendant qu'on lui préparait cette belle réception à l'écurie, savez-vous ce que faisait Tistet Védène ? Il descendait le Rhône en chantant sur une galère papale et s'en allait à la cour de Naples avec la troupe de jeunes nobles que la ville envoyait tous les ans près de [2] la reine Jeanne [3] pour s'exercer à la diplomatie et aux belles manières. Tistet n'était pas noble; mais le Pape tenait à le récompenser des soins qu'il avait donnés à sa bête, et principalement de l'activité qu'il venait de déployer pendant la journée du sauvetage.

C'est la mule qui fut désappointée le lendemain.

— Ah ! le bandit ! il s'est douté de quelque chose !... pensait-elle en secouant ses grelots avec fureur... Mais c'est égal, va, mauvais ! tu le retrouveras au retour, ton coup de sabot... Je te le garde ! [4]

Et elle le lui garda.

Après le départ de Tistet, la mule du Pape retrouva son train de vie tranquille et ses allures d'autrefois. Plus de [5] Quiquet, plus de Béluguet à l'écurie. Les beaux jours du vin à la française étaient revenus, et avec eux la bonne humeur, les longues siestes, et le petit pas de gavotte quand elle passait sur le pont d'Avignon. Pourtant,

détacher: — un coup, to let drive (go) a kick
reine, queen
exercer: s'— à, to be trained in
manière: belles —s, courtly manners
récompenser: — de, to reward for
déployer, to display
sauvetage, rescue
douter: se — de, to suspect
égal: c'est —, no matter, it's all the same
va ! look out ! believe me !
mauvais, villain
retour: au —, upon returning
retrouver, to get back
train: — de vie, way of living
allure: —s d'autrefois, former ways
humeur: bonne —, cheerfulness
sieste, afternoon nap, siesta
gavotte: pas de —, dance step

1. **Pampérigouste,** an imaginary distant place. 2. **près de = dans la cour de.** 3. **la reine Jeanne,** *Joan I, of Naples* (1343–1382); she sold Avignon, which was at that time a dependency of Naples, to the Popes. This was in 1348; it became French in 1791. 4. **je te le garde,** *I'll save it for you;* note use of present for vivid future. 5. **plus de = il n'y avait plus de.**

depuis son aventure, on lui marquait toujours un peu de froideur dans la ville. Il y avait des chuchotements sur sa route; les vieilles gens hochaient la tête, les enfants riaient en se montrant le clocheton. Le bon Pape lui-même n'avait plus autant de confiance en son amie, et, lorsqu'il se laissait aller à faire un petit somme [1] sur son dos, le dimanche, en revenant de la vigne, il gardait toujours cette arrière-pensée: « Si j'allais me réveiller là-haut, sur la plate-forme ! » La mule voyait cela et elle en souffrait, sans rien dire; seulement, quand on prononçait le nom de Tistet Védène devant elle, ses longues oreilles frémissaient, et elle aiguisait avec un petit rire le fer de ses sabots sur le pavé.

Sept ans se passèrent ainsi; puis, au bout de ces sept années, Tistet Védène revint de la cour de Naples. Son temps n'était pas encore fini là-bas; mais il avait appris que le premier moutardier du Pape [2] venait de mourir subitement en Avignon, et, comme la place lui semblait bonne, il était arrivé en grande hâte pour se mettre sur les rangs.

Quand cet intrigant de Védène [3] entra dans la salle du palais, le Saint-Père eut peine à le reconnaître, tant il avait grandi et pris du

aventure, experience
marquer, to show
froideur, coldness
chuchotement, whispering
route: sur sa —, as she passed by
hocher, to shake, wag
somme, nap; **faire un —,** to take a nap
arrière-pensée, mental reservation
seulement, however
frémir, to tremble, quiver
aiguiser, to sharpen
fer: le — de ses sabots, her iron-shod hoofs
pavé, paving stone
passer: se —, to elapse
moutardier, mustard-maker
subitement, suddenly
rang: se mettre sur les —s, to submit one's candidacy
intrigant, intriguer, schemer
peine: avoir — à, to have difficulty in

1. **il se laissait aller à faire un petit somme,** *he allowed himself the pleasure of a short nap.* 2. **le premier moutardier du Pape;** this is an ironic reference to anyone seeking an easy position. However, the allusion is historically correct; Pope John XXII, who lived in Avignon from 1316 to 1334, used mustard with every dish and created the office of **premier moutardier du pape** which he gave to one of his nephews. 3. **intrigant de Védène;** omit **de** in translation.

corps. Il faut dire aussi que le bon Pape s'était fait vieux de son côté, et qu'il n'y voyait pas bien [1] sans besicles.

Tistet ne s'intimida pas.

— Comment ! grand Saint-Père, vous ne me reconnaissez plus ? . . . C'est moi, Tistet Védène ! . . .

— Védène ? . . .

— Mais oui, vous savez bien . . . celui qui portait le vin français à votre mule.

— Ah ! oui . . . oui . . . je me rappelle . . . Un bon petit garçonnet, ce Tistet Védène ! . . . Et maintenant, qu'est-ce qu'il veut [2] de nous ?

— Oh ! peu de chose, grand Saint-Père . . . Je venais vous demander. . . . A propos, est-ce que vous l'avez toujours, votre mule ? Et elle va bien ? . . . Ah ! tant mieux ! . . . Je venais vous demander la place du premier moutardier qui vient de mourir.

— Premier moutardier, toi ! . . . Mais tu es trop jeune. Quel âge as-tu donc ?

— Vingt ans deux mois, illustre pontife, juste cinq ans de plus que votre mule . . . Ah ! palme de Dieu, la brave bête ! . . . Si vous saviez comme je l'aimais cette mule-là ! . . . comme je me suis langui d'elle en Italie ! . . . Est-ce que vous ne me la laisserez pas voir ?

— Si, mon enfant, tu la verras, fit le bon Pape tout ému . . . Et puisque tu l'aimes tant, cette brave bête, je ne veux plus que tu vives loin d'elle. Dès ce jour, je t'attache à ma personne en qualité de premier moutardier . . . Mes cardinaux crieront,[3] mais tant pis ! j'y suis habitué . . . Viens nous trouver demain, à la sortie de vêpres, nous te remettrons les insignes de ton grade en présence de

corps: prendre du —, to take on weight
vieux: se faire —, to age
côté: de son —, for his part
besicles, *pl.* spectacles
intimider: s'—, to become abashed
chose: peu de —, very little
palme: — de Dieu, heavens !
si, yes
personne: ma —, myself
qualité: en — de, as
habitué: être — à, to be used to
sortie: à la — des vêpres, after vespers
insigne, insignia
grade, rank

1. **il n'y voyait pas bien,** *he couldn't see well.* 2. **qu'est-ce qu'il veut de nous ? = que voulez-vous de moi ?** 3. **crieront = protesteront.**

notre chapitre, et puis ... je te mènerai voir la mule, et tu viendras à la vigne avec nous deux ... hé ! hé ! Allons ! va ...

Si Tistet Védène était content en sortant de la grande salle, avec quelle impatience il attendit la cérémonie du lendemain, je n'ai pas besoin de vous le dire. Pourtant il y avait dans le palais quelqu'un de[1] plus heureux encore et de[1] plus impatient que lui: c'était la mule. Depuis le retour de Védène jusqu'aux vêpres du jour suivant, la terrible bête ne cessa de se bourrer d'avoine et de tirer au mur avec ses sabots de derrière. Elle aussi se préparait pour la cérémonie ...

Et donc, le lendemain lorsque vêpres furent dites, Tistet Védène fit son entrée dans la cour du palais papal. Tout le haut clergé était là, les cardinaux en robes rouges, l'avocat du diable[2] en velours noir, les abbés du couvent avec leurs petites mitres, les marguilliers de Saint-Agrico,[3] les camails violets de la maîtrise, le bas clergé aussi, les soldats du Pape en grand uniforme, les trois confréries de pénitents,[4] les ermites du mont Ventoux[5] avec leurs mines farouches et le petit clerc qui va derrière en portant la clochette, les frères flagellants[6] nus jusqu'à la ceinture, les sacristains fleuris en robes de juges,[7] tous, tous, jusqu'aux donneurs[8]

allons ! va ..., come now ! you may go ...
bourrer: se —, to stuff oneself
tirer: — au mur, to practice kicking at the wall
sabot: —s de derrière, hind feet, hind hoofs
clergé: haut —, higher clergy
marguillier, church-warden
clergé: le bas —, the lower clergy
uniforme: en grand —, in full dress
farouche, wild, forbidding
clerc: petit —, altar-boy
clochette, little bell
nu, bare
ceinture, waist (belt)

1. **quelqu'un de plus heureux,** omit **de** in translation. 2. **l'avocat du diable,** *the devil's advocate;* he was appointed to oppose the canonization recommended by the **avocat de Dieu.** 3. **Saint-Agrico;** an old church at Avignon. 4. **les trois confréries de pénitents,** *the three brotherhoods of penitents;* a name given to certain religious orders in Catholic countries. 5. **Mont Ventoux,** a mountain in the French Alps, near Avignon. 6. **les frères flagellants,** the Flagellant Brothers; an order of monks that practiced scourging; founded in Italy in 1260. 7. **les sacristains fleuris en robes de juges,** *the sextons gorgeously arrayed in judges' robes;* in France judges' gowns are red. 8. **donneurs d'eau bénite,** *dispensers of holy water;* Daudet probably here refers to members of the clergy who dispense holy water on certain festivals.

d'eau bénite, et celui qui allume, et celui qui éteint[1] ... il n'y en avait pas un qui manquât ... Ah ! c'était une belle ordination ! Des cloches, des pétards,[2] du soleil, de la musique, et toujours ces enragés de tambourins qui menaient la danse, là-bas, sur le pont d'Avignon ...

Quand Védène parut au milieu de l'assemblée, sa prestance et sa belle mine y firent courir un murmure d'admiration. C'était un magnifique Provençal, mais des blonds, avec de grands cheveux frisés au bout et une petite barbe follette qui semblait prise aux copeaux de fin métal tombé du burin de son père, le sculpteur d'or. Le bruit courait que dans cette barbe blonde les doigts de la reine Jeanne avaient quelquefois joué; et le sire de Védène avait bien, en effet, l'air glorieux[3] et le regard distrait des hommes que les reines ont aimés. Ce jour-là, pour faire honneur à sa nation, il avait remplacé ses vêtements napolitains par une jaquette bordée de rose à la Provençale,[4] et sur son chaperon tremblait une grande plume d'ibis de Camargue.[5]

Sitôt entré, le premier moutardier salua d'un air galant, et se dirigea vers le haut perron, où le Pape l'attendait pour lui remettre les insignes de son grade: la cuiller de buis jaune et l'habit de

bénit: eau —e, holy water
soleil, bright lights
enragé: —s de tambourins, frenzied drummers
prestance, noble bearing
mine: belle —, good looks
courir: faire —, to call forth, cause
frisé, curled
follet, -te, downy, silky
copeau, chip
burin, engraving tool
sculpteur: — d'or, goldsmith
courir: le bruit courait, it was rumored
sire, sire, master
distrait, blasé, sophisticated
honneur: faire — à, to honor
napolitain, Neapolitan, of Naples
jaquette, coat
bordé: — de rose, bordered with pink, edged with pink
chaperon, cap
ibis, ibis (bird)
sitôt, as soon as
perron, (flight of) stairs
cuiller, spoon
buis, boxwood

1. **celui qui allume et celui qui éteint;** supply **les cierges,** *tapers* (of the church). 2. **pétards,** *firecrackers;* this is an anachronism as firecrackers were not commonly used in Europe until after the 14th century. 3. **l'air glorieux,** *the vainglorious look, the swagger.* 4. **à la Provençale = à la mode provençale.** 5. **Camargue,** the name of a delta island formed where the Rhone empties into the Mediterranean.

safran. La mule était au bas de l'escalier, toute harnachée et prête à partir pour la vigne... Quand il passa près d'elle, Tistet Védène eut un bon sourire et s'arrêta pour lui donner deux ou trois petites tapes amicales sur le dos, en regardant du coin de l'œil si le Pape le voyait. La position était bonne... La mule prit son élan:

— Tiens! attrape,[1] bandit! Voilà sept ans que je te le garde![2]

Et elle vous[3] lui détacha un coup de sabot si terrible, si terrible, que de Pampérigouste même on en vit la fumée, un tourbillon de fumée blonde où voltigeait une plume d'ibis; tout ce qui restait de l'infortuné Tistet Védène!

Les coups de pied de mule ne sont pas aussi foudroyants d'ordinaire; mais celle-ci était une mule papale; et puis, pensez donc! elle le lui gardait depuis sept ans... Il n'y a pas de plus bel exemple de rancune ecclésiastique.

safran: de —, saffron-colored
tape, slap
élan: prendre son —, to let loose
tourbillon, whirlwind
voltiger, to flutter
foudroyant, thundering, crushing
ordinaire: d'—, ordinarily, usually
rancune, grudge, spite

1. **attrape;** supply **cela;** *now, take that!* 2. **voilà sept ans que je te le garde,** *I have been keeping it for you for seven years.* 3. **elle vous lui détacha un coup de sabot,** *I can tell you, she let go at him a kick.*

LA FICELLE

PAR

GUY DE MAUPASSANT

Sur toutes les routes autour de Goderville,[1] les paysans et leurs femmes s'en venaient vers le bourg, car c'était jour de marché. Les mâles allaient, à pas tranquilles, tout le corps en avant[2] à chaque mouvement de leurs longues jambes torses, déformées par les rudes travaux, par la pesée sur la charrue qui fait en même temps monter l'épaule gauche et dévier la taille, par le fauchage des blés qui fait écarter les genoux pour prendre un aplomb solide, par toutes les besognes lentes et pénibles de la campagne. Leur blouse[3] bleue, empesée, brillante, comme vernie, ornée au col et aux poignets d'un petit dessin de fil blanc, gonflée autour de leur torse osseux, semblait un ballon prêt à s'envoler, d'où sortaient une tête, deux bras et deux pieds.

Les uns[4] tiraient au bout d'une corde une vache, un veau. Et

ficelle, string, piece of string
venir: s'en —, to wend one's way
mâles, *pl.* men-folks
pas: à — tranquilles, at an easy gait
tors, twisted, crooked
pesée, pressure
charrue, plow
monter: faire —, to cause to rise, make higher
dévier: faire —, to cause to become misshapen, crooked
fauchage, harvesting
écarter: faire — les genoux, to make one to spread the knees apart
aplomb, footing
empesé, starched
verni, varnished
col, collar
poignet, cuff
dessin, design, embroidery
gonfler, to puff out
torse, trunk, chest
osseux, bony
ballon, balloon
envoler: s'—, to fly away, take off
sortir, to protrude
vache, cow
veau, calf

1. **Goderville,** a village in Normandy, near Havre. 2. **tout le corps en avant,** *with all their bodies leaning forward.* 3. **blouse,** *smock* (a loose protecting over-garment worn by French peasants). 4. **les uns = quelques-uns,** *some.*

leurs femmes, derrière l'animal, lui fouettaient les reins d'une branche encore garnie de feuilles,[1] pour hâter sa marche. Elles portaient au bras de larges paniers d'où sortaient des têtes de poulets par-ci, des têtes de canards par-là.

Et elles marchaient d'un pas plus court et plus vif que leurs hommes, la taille sèche,[2] droite et drapée dans un petit châle étriqué, épinglé sur leur poitrine plate, la tête enveloppée d'un linge blanc collé sur les cheveux et surmontée d'un bonnet.

Puis, un char à bancs passait, au trot saccadé d'un bidet, secouant étrangement deux hommes assis côte à côte et une femme dans le fond du véhicule, dont elle tenait le bord[3] pour atténuer les durs cahots.

Sur la place de Goderville, c'était[4] une foule, une cohue d'humains et de bêtes mélangés. Les cornes des bœufs, les hauts chapeaux à longs poils des paysans riches et les coiffes des paysannes émergeaient à la surface de l'assemblée. Et les voix criardes, aiguës, glapissantes,

fouetter, to switch
reins (*pl.*) back
poulet, chicken
par-ci . . . par-là, here . . . there
canard, duck
pas: d'un —, at a gait
draper dans, to wrap in
étriqué, tight
épingler, to pin
plat, flat
enveloppée: la tête — de, with their heads covered with
linge: un — blanc, a white (linen) cloth
collé sur, drawn tightly over
surmonté de, topped with
char: — à bancs, char-a-banc (a light carriage with seats running lengthwise)
saccadé: au trot —, with a jerky trot
bidet, pony
secouer étrangement, to shake up terribly
côte: — à —, side by side
atténuer, to lessen
cahot, jolt
cohue = foule, throng
humains, human beings
mélangé, mingled (together)
corne, horn
poil: à longs —s, long napped, with long nap
coiffe, head-dress
émerger à, to come to, rise out of
criard, shouting
aigu, -ë, shrill
glapissant, strident, sharp

1. **encore garnie de feuilles,** literally *still garnished with leaves,* i.e. *with the leaves still on.* 2. **la taille sèche,** *with their gaunt figures;* notice again the use of the definite article and the singular for an English possessive adjective and plural. 3. **dont elle tenait le bord,** *whose side she was holding* (*clutching*). 4. **c'était = il y avait.**

formaient une clameur continue et sauvage que dominait parfois un grand éclat poussé par la robuste poitrine d'un campagnard en gaité, ou le long meuglement d'une vache attachée au mur d'une maison.

Tout cela sentait l'étable, le lait et le fumier, le foin et la sueur, dégageait cette saveur aigre, affreuse, humaine et bestiale, particulière aux gens des champs.

Maître[1] Hauchecorne, de Bréauté, venait d'arriver à Goderville, et il se dirigeait vers la place, quand il aperçut par terre un petit bout de ficelle. Maître Hauchecorne, économe en vrai Normand, pensa que tout était bon à ramasser qui peut servir, et il se baissa péniblement, car il souffrait de rhumatismes. Il prit, par terre,[2] le morceau de corde mince, et il se disposait à le rouler avec soin, quand il remarqua, sur le seuil de sa porte, maître Malandain, le bourrelier, qui le regardait. Ils avaient eu des affaires ensemble au sujet d'un licol, autrefois, et ils étaient rancuniers tous deux. Maître Hauchecorne fut pris d'une sorte de honte d'être vu ainsi, par son ennemi, cherchant dans la crotte un bout de ficelle. Il cacha brusquement sa trouvaille sous sa blouse, puis dans la poche de sa culotte, puis il fit semblant de chercher encore par terre quelque chose qu'il ne trou-

éclat, outburst
campagnard, peasant
gaieté: en —, in high spirits, merry (after drinking)
meuglement, bellowing
étable, (cow)-stable
lait, milk
fumier, dung-heap
foin, hay
sueur, sweat
dégager, to give off
saveur, smell, stench
aigre, acrid
économe, stingy
vrai: en — Normand, like a true Norman
servir: qui peut —, which may be of use
péniblement, painfully
bourrelier, harness-maker
affaires, *pl.*: **avoir —,** to have dealings, quarrel
licol (= **licou**) halter
rancunier, bitter, vindictive
deux: tous —, both
pris de, overcome by
honte: une sorte de —, a feeling of shame
crotte, mud
trouvaille, find
culotte, trousers
semblant: faire — de, to pretend to

1. **Maître,** *Mister*, *Master* (a title given to elderly respected men of the lower classes. It implies more familiarity than the more formal **Monsieur**). 2. **par terre,** usually means *on the ground;* the meaning here is *from the ground.*

vait point, et il s'en alla vers le marché, la tête en avant, courbé en deux par ses douleurs.

Il se perdit[1] aussitôt dans la foule criarde et lente, agitée par les interminables marchandanges.[2] Les paysans tâtaient les vaches, s'en allaient, revenaient, perplexes, toujours dans la crainte d'être mis dedans, n'osant jamais se décider, épiant l'œil[3] du vendeur, cherchant sans fin à découvrir la ruse de l'homme et le défaut de la bête.

Les femmes, ayant posé à leurs pieds leurs grands paniers, en avaient tiré leurs volailles qui gisaient par terre, liée par les pattes, l'œil effaré, la crête écarlate.

Elles écoutaient les propositions, maintenaient leurs prix, l'air sec, le visage impassible, ou bien tout à coup, se décidant au rabais proposé,

— C'est dit, maît' Anthime. J' vous l' donne.[4]

Puis, peu à peu, la place se dépeupla,[5] et l'angélus[6] sonnant midi, ceux qui demeuraient trop loin se répandirent dans les auberges.

tête: la — en avant, looking forward
courbé: — en deux, bent double
lent, slow-moving
tâter, to feel
mettre dedans, to cheat
épier, to spy, watch
chercher: — à, to try to
fin: sans —, constantly
ruse, wile, cunning, trick
volaille, fowl
gisaient, were lying (*inf.* **gésir**)
patte: lié par la —, feet tied together
effaré, frightened
crête, comb
écarlate, crimson
proposition, offer
maintenir, to stick to
air: l'— sec, with a dry, determined look
visage: le — impassible, with an unconcerned expression
ou bien, or else
rabais: se décidant au — proposé, deciding to accept the proposed offer
c'est dit, it's a bargain
maît' = Maître
auberge, inn

1. **il se perdit,** *he was lost.* The reflexive verb is frequently used in French instead of the passive voice. 2. **agitée par les interminables marchandages,** *constantly stirred up by the endless bargaining.* 3. **l'œil = les yeux;** French frequently uses the singular for the plural when referring to parts of the body; cf. **l'œil affaré, la crête écarlate,** etc. 4. **J' vous l' donne,** conversational for **Je vous le donne,** *I'll let you have it.* Similarly **maît'** indicates the conversational pronunciation for **maître.** 5. **se dépeupla,** *was depopulated;* i.e. *became empty.* 6. **l'angélus** [ɑ̃ʒelys], *the Angelus;* the bell rung in Catholic churches for morning, noon and vesper services.

Chez Jourdain,[1] la grande salle était pleine de mangeurs, comme la vaste cour était pleine de véhicules de toute race, charrettes, cabriolets, chars à bancs, tilburys, carrioles innommables, jaunes de crotte, déformées, rapiécées, levant au ciel, comme deux bras, leurs brancards, ou bien le nez par terre et le derrière en l'air.

Tout contre les dîneurs attablés, l'immense cheminée, pleine de flamme claire,[2] jetait une chaleur vive dans le dos de la rangée de droite. Trois broches tournaient, chargées de poulets, de pigeons et de gigots; et une délectable odcur dc viande rôtie et de jus ruisselant sur la peau rissolée, s'envolait de l'âtre, allumait les gaietés, mouillait les bouches.

Toute l'aristocratie de la charrue mangeait là, chez maît' Jourdain, aubergiste et maquignon, un malin qui avait des écus.

Les plats passaient, se vidaient comme les brocs de cidre jaune. Chacun racontait ses affaires, ses achats et ses ventes. On prenait des nouvelles des récoltes. Le temps était bon pour les verts, mais un peu mucre pour les blés.

salle = **salle à manger**
mangeur, diner
race: de toute —, of every description, of all sorts
charrette, cart
cabriolet, cab, gig
carriole, light cart
innommable, nondescript
rapiécé, patched
brancards, *m.pl.* shafts
nez: le — par terre, with their shafts on the ground
derrière, back-part, rear
air: en l'—, upward
contre: tout —, quite close by
attablé, seated at table
chaleur: — vive, warm glow
rangée: — de droite, row at the right
broche, spit
gigot, leg of mutton
rôti, roasted
ruisselant, dripping
rissolé, crisp brown
envoler: s'—, to float away, emanate
allumer: — les gaietés, to heighten the gaiety, make one merry
mouiller: — la bouche, to make one's mouth water
charrue, plow
aubergiste, inn-keeper
maquignon, horse-trader
malin, shrewd fellow
écus, *pl.* money
vider: se —, to be emptied
broc, pitcher
achat, purchase
nouvelles: prendre des —s de, to inquire about
récolte, crop
verts, green vegetation, green vegetables
mucre, damp, moist

1. **chez Jourdain,** *at Jourdain's;* **chez** means not only "with," but also "at the home (shop, etc.) of." 2. **pleine de flamme claire,** *blazing brightly.*

Tout à coup, le tambour roula, dans la cour, devant la maison. Tout le monde aussitôt fut debout, sauf quelques indifférents, et on courut à la porte, aux fenêtres, la bouche encore pleine[1] et la serviette à la main.

Après qu'il eut terminé son roulement, le crieur public lança d'une voix saccadée, scandant ses phrases à contretemps:

— Il est fait assavoir aux habitants de Goderville, et en général à toutes — les personnes présentes au marché, qu'il a été perdu ce matin, sur la route de Beuzeville, entre — neuf heures et dix heures, un portefeuille en cuir noir, contenant cinq cents francs et des papiers d'affaires. On est prié de le rapporter — à la mairie, incontinent, ou chez maître Fortuné Houlbrèque, de Manneville. Il y aura vingt francs de récompense.

Puis l'homme s'en alla. On entendit encore une fois au loin des battements sourds de l'instrument et la voix affaiblie du crieur.

Alors on se mit à parler de cet événement, en énumérant les chances qu'avait maître Houlbrèque[2] de retrouver ou de ne pas retrouver[3] son portefeuille.

Et le repas s'acheva.

On finissait le café, quand le brigadier de gendarmerie parut sur le seuil:

tambour, drum
être debout, to stand up; be on one's feet
indifférents: quelques —, some disinterested persons
serviette, napkin
roulement, beating (of his drum)
lancer, to call forth, announce
saccadé: d'une voix —e, in a jerky voice
scander: — ses phrases à contretemps, to pause at the wrong place in speaking
assavoir: il est fait —, be it known
portefeuille, pocketbook
cuir: en —, (made) of leather
mairie, town-hall
incontinent, at once
loin: au —, in the distance, far off
battement, beating
sourd, muffled
affaibli, faint
retrouver, recover
achever: s'—, to come to an end
brigadier de gendarmerie, police sergeant

1. **la bouche encore pleine,** *with their mouths still full.* Note the use of the definite article for the possessive adjective of English. 2. **qu'avait maître Houlbrèque;** note the inverted word order. 3. **de ne pas retrouver;** note that both parts of the negative, **ne pas,** precede the complementary infinitive form of the verb.

Il demanda:

— Maître Hauchecorne, de Bréauté, est-il ici ?

Maître Hauchecorne, assis à l'autre bout de la table, répondit:

— Me v'là.[1]

Et le brigadier reprit:

— Maître Hauchecorne, voulez-vous avoir la complaisance de m'accompagner à la mairie. M. le maire[2] voudrait vous parler.

Le paysan, surpris, inquiet, avala d'un coup son petit verre, se leva et, plus courbé encore que[3] le matin, car les premiers pas après chaque repos étaient particulièrement difficiles, il se mit en route en répétant:

— Me v'là, me v'là.

Et il suivit le brigadier.

Le maire l'attendait, assis dans un fauteuil. C'était le notaire de l'endroit, homme gros, grave, à phrases pompeuses.

— Maître Hauchecorne, dit-il, on vous a vu ce matin ramasser, sur la route de Beuzeville, le portefeuille perdu par maître Houlbrèque, de Manneville.

Le campagnard, interdit, regardait le maire, apeuré déjà par ce soupçon qui pesait sur lui, sans qu'il comprît[4] pourquoi.

— Mé, mé, j'ai ramassé çu portafeuille ? [5]

— Oui, vous-même.

— Parole d'honneur, je n'en ai seulement point eu connaissance.

complaisance: avoir la — de, be so kind as to
avaler, to swallow
coup: d'un —, with one gulp
verre: petit —, small glass of brandy
matin: le —, in the morning
endroit, place, town
interdit, speechless (with astonishment)
apeuré, frightened
soupçon, suspicion
peser: — sur, to hang over
parole: — d'honneur, on my word of honor
seulement, (with negative) even
connaissance: avoir — de, to be aware of

1. **me v'là = me voilà;** translate: *Here I am.* 2. **M. le maire,** *His honor the mayor.* The title **Monsieur, (Madame, Mademoiselle)** generally precedes a noun of profession; it is to be omitted in translating into English. 3. **plus courbé encore que,** *still more bent down* (*bowed*) *than.* 4. **sans qu'il comprît,** *without his having understood.* 5. **mé, mé, j'ai ramassé çu portafeuille?** this is Norman patois for **moi, moi, j'ai ramassé ce portefeuille?** Note that **portefeuille** is spelled **portafeuille.**

— On vous a vu.

— On m'a vu, mé? Qui ça qui m'a vu?[1]

— M. Malandain, le bourrelier.

Alors le vieux se rappela, comprit et, rougissant de colère:

— Ah! i[2] m'a vu, çu manant! I m'a vu ramasser ct'e[3] ficelle-là, tenez, m'sieu le maire.

Et, fouillant au fond de sa poche, il en retira le petit bout de corde.

Mais le maire, incrédule, remuait la tête.

— Vous ne me ferez pas accroire, maître Hauchecorne, que M. Malandain, qui est un homme digne de foi, a pris ce fil pour un portefeuille.

Le paysan, furieux, leva la main, cracha de côté pour attester son honneur, répétant:

— C'est pourtant la vérité du bon Dieu, la sainte vérité, m'sieu le maire. Là, sur mon âme et mon salut, je l'[4]répète.

Le maire reprit:

— Après avoir ramassé l'objet, vous avez même encore cherché longtemps dans la boue, si quelque pièce de monnaie ne s'en était pas échappée.

Le bonhomme suffoquait d'indignation et de peur.

— Si on peut dire![5]... si on peut dire... des menteries comme ça pour dénaturer un honnête homme! Si on peut dire!...

Il eut beau protester,[6] on ne le crut pas.

Il fut confronté avec M. Malandain, qui répéta et soutint son

rougir: — de colère, to grow red with anger
manant, boor, ill-bred fellow
tenez, look! look here!
fouiller, to search
remuer la tête, to shake one's head
faire accroire, to make one believe
prendre: — pour, to mistake for
cracher, to spit
côté: de —, to one side, sideways
attester, to show
salut, salvation
menterie, fib, lie
dénaturer, to misrepresent
confronter avec, to bring face to face with

1. **Qui ça qui m'a vu?** Translate, ***Who saw me?*** **ça** emphasizes **qui.** 2. **i = il;** the l is frequently omitted in popular speech. 3. **ct'e** is colloquial for **cette.** 4. **l' = le.** 5. **si on peut dire! = comment peut-on dire!** 6. **il eut beau protester = il protesta en vain; avoir beau** + inf. = *to do something in vain.*

affirmation. Ils s'injurièrent une heure durant.[1] On fouilla, sur sa demande, maître Hauchecorne. On ne trouva rien sur lui.

Enfin, le maire, fort perplexe, le renvoya, en le prévenant qu'il allait aviser le parquet et demander des ordres.

La nouvelle s'était répandue. A la sortie de la mairie, le vieux fut entouré, interrogé avec une curiosité sérieuse ou goguenarde, mais où [2] n'entrait aucune indignation.[3] Et il se mit à raconter l'histoire de la ficelle. On ne le crut pas. On riait.

Il allait, arrêté par tous, arrêtant ses connaissances, recommençant sans fin son récit et ses protestations, montrant ses poches retournées, pour prouver qu'il n'avait rien.

On lui disait:

— Vieux malin, va ![4]

Et il se fâchait, s'exaspérant, enfiévré, désolé de n'être pas cru, ne sachant [5] que faire, et contant toujours son histoire.

La nuit vint. Il fallait partir. Il se mit en route avec trois voisins à qui il montra la place où il avait ramassé le bout de corde; et tout le long du chemin il parla de son aventure.

Le soir,[6] il fit une tournée dans le village de Bréauté, afin de la [7] dire à tout le monde. Il ne rencontra que des incrédules.

Il en fut malade toute la nuit.

Le lendemain, vers une heure de l'après-midi, Marius Paumelle,

affirmation, statement
injurier: s'—, to insult one another
sur: — lui, on his person
aviser, to consult
parquet, office of the public prosecutor
goguenard, mocking, bantering
retourner: — les poches, to turn one's pockets inside out
exaspérer: s'—, to lose all patience
enfiévré, feverish
désolé de, grieved at
conter, to tell, relate
tout le long de, all along
tournée, round (of visits); **faire une —,** to take a walk
incrédule, incredulous person, skeptic

1. **une heure durant** = **durant une heure.** 2. **où** = **dans laquelle.** 3. **indignation** is the subject of **entrait**; inverted order after **où.** 4. **vieux malin, va !** = *shrewd old rascal, go along with you!* 5. **ne sachant** = **ne sachant pas**; note the omission of **pas**; other verbs that may omit **pas** are **oser, cesser** and **pouvoir.** 6. **le soir** = **ce soir-là,** *that evening.* 7. **la** = **son aventure.**

valet de ferme de maître Breton, cultivateur à Ymauville, rendait le portefeuille et son contenu à maître Houlbrèque, de Manneville.

Cet homme prétendait avoir, en effet, trouvé l'objet sur la route; mais, ne sachant pas lire, il l'avait rapporté à la maison et donné à son patron.

La nouvelle se répandit aux environs. Maître Hauchecorne en fut informé. Il se mit aussitôt en tournée et commença à narrer son histoire complétée du dénouement. Il triomphait.

— C' qui m' faisait deuil,[1] disait-il, c'est point[2] tant la chose, comprenez-vous: mais c'est la menterie. Y a rien[3] qui vous nuit comme d'être en réprobation pour une menterie.

Tout le jour il parlait de son aventure, il la contait sur les routes aux gens qui passaient, au cabaret aux gens qui buvaient, à la sortie de l'église le dimanche suivant. Il arrêtait des inconnus pour la leur dire. Maintenant, il était tranquille, et pourtant quelque chose le gênait sans qu'il sût[4] au juste ce que c'était. On avait l'air de plaisanter en l'écoutant. On ne paraissait pas convaincu. Il lui semblait sentir des propos derrière son dos.

Le mardi de l'autre semaine,[5] il se rendit au marché de Goderville, uniquement poussé par le besoin de conter son cas.

Malandain, debout sur sa porte, se mit à rire en le voyant passer. Pourquoi?

Il aborda un fermier de Criquetot, qui ne le laissa pas achever et,

valet de ferme, farm-hand
cultivateur, farmer
contenu, contents
prétendre, to claim
patron, employer
tournée: se mettre en —, to start off on a round of visits
narrer, to narrate
dénouement: complétée de son —, now that it had an end
deuil, mourning
nuire, to harm, to hurt
réprobation: être en —, to be reproved, to be censured (publicly)
cabaret, tavern, inn
sortie, leaving, exit; **à la — de l'église,** when church was out
juste: au —, exactly
plaisanter, to joke, banter
fermier, farmer

1. **ce qui m' faisait deuil = ce qui me faisait du mal,** *what grieved me.* 2. **c'est point,** conversational for **ce n'est point.** 3. **y a rien,** conversational for **il n'y a rien.** 4. **sans qu'il sût,** *without his knowing.* 5. **de l'autre semaine = de la semaine suivante.**

lui jetant une tape dans le creux de son ventre,[1] lui cria par la figure, « Gros malin, va ! » Puis lui tourna les talons.[2]

Maître Hauchecorne demeura interdit et de plus en plus inquiet. Pourquoi l'avait-on appelé « gros malin » ?

Quand il fut assis à table, dans l'auberge de Jourdain, il se remit à expliquer l'affaire.

Un maquignon de Montivilliers lui cria:

— Allons, allons, vieille pratique,[3] je la connais, ta ficelle ![4] Hauchecorne balbutia:

— Puisqu'on l'[5]a retrouvé çu portafeuille ?[6]

Mais l'autre reprit:

— Tais-té, mon pé, y en a un qui trouve, et y en a un qui r'porte.[7] Ni vu ni connu, je t'embrouille.[8]

Le paysan resta suffoqué. Il comprenait enfin. On l'accusait d'avoir fait reporter le portefeuille par un compère, par un complice.

Il voulut protester.[9] Toute la table se mit à rire.

Il ne put achever son dîner et s'en alla, au milieu des moqueries.

Il rentra chez lui, honteux et indigné, étranglé par la colère, par la confusion, d'autant plus atterré qu'il était capable, avec sa finauderie de Normand, de faire ce dont on l'accusait, et même de s'en vanter comme d'un bon tour. Son innocence lui apparaissait con-

figure: par la —, in his face
gros malin, you old rascal
talon, heel
balbutier, to stammer
embrouiller, to confuse
compère, confederate
complice, accomplice
indigné, indignant
étranglé, choked
autant: d'— plus que, so much the more . . . as
atterré, crushed
finauderie, cunning
vanter: se — de, to boast about

1. **lui jetant une tape dans le creux de son ventre,** *poking him in the pit of his stomach.* 2. **puis lui tourna les talons = puis il lui tourna les talons,** *then he turned around and walked away.* 3. **allons ! allons ! vieille pratique,** *come now! old fox!* 4. **je la connais, ta ficelle,** *I know your story about the string.* 5. **l' = le** (omit in translation). 6. **çu portafeuille = ce portefeuille.** 7. **Tais-té, mon pé, y en a un qui trouve, et y en a un qui r'porte = Tais-toi, mon père, il y en a un qui trouve, et il y en a un qui reporte.** 8. **ni vu ni connu, je t'embrouille,** *no one is the wiser for it.* 9. **il voulut protester,** *he tried to protest.*

fusément comme impossible à prouver, sa malice étant connue. Et il se sentait frappé au cœur par l'injustice du soupçon.

Alors il recommença à conter l'aventure, en allongeant chaque jour son récit, ajoutant chaque fois des raisons nouvelles, des protestations plus énergiques, des serments plus solennels qu'il imaginait, qu'il préparait dans ses heures de solitude, l'esprit uniquement occupé de l'histoire de la ficelle. On le croyait d'autant moins que sa défense était plus compliquée et son argumentation plus subtile.

— Ça, c'est des raisons d'menteux,[1] disait-on derrière son dos.

Il le sentait, se rongeait les sangs,[2] s'épuisait en efforts inutiles. Il dépérissait à vue d'œil.

Les plaisants maintenant lui faisaient conter « la Ficelle » pour s'amuser, comme on fait conter sa bataille au soldat qui a fait campagne.[3] Son esprit, atteint à fond, s'affaiblissait.

Vers la fin de décembre, il s'alita.

Il mourut dans les premiers jours de janvier, et, dans le délire de l'agonie, il attesta son innocence, répétant:

— Une 'tite ficelle . . . une 'tite ficelle . . . t'nez, la voilà m'sieu le maire.[4]

La Ficelle fait partie de « Miss Harriett. »

malice, roguishness
frappé: — au cœur, stricken to the core (heart)
allonger, to lengthen
énergique, energetic
serment, oath
imaginer, to figure out, think
uniquement, solely
moins: d'autant — que, so much the less as
épuiser: s'—, to wear oneself out
dépérir, to waste away
vue: à — d'œil, visibly
plaisant, wag
campagne: faire —, to see service
fond: à —, thoroughly
atteint, affected
affaiblir: s'—, to grow weaker
aliter: s'—, to take to one's bed
agonie, pangs of death
attester: — son innocence, to protest one's innocence

1. **c'est des raisons de menteux = ce sont des explications de menteur.** 2. **se ronger les sangs = se ronger le cœur,** *to fret.* 3. **comme on fait conter sa bataille au soldat qui,** etc. *as one gets a soldier, who saw service, to tell about his battle.* 4. Conversational for: **Une petite ficelle . . . tenez, la voilà, monsieur le maire.**

HENRY BORDEAUX

(1870–)

Henry Bordeaux est né dans la Haute-Savoie en 1870. Cette belle région pittoresque de montagnes et de lacs est la scène de plusieurs de ses œuvres.

Ce qui caractérise et distingue l'œuvre de M. Bordeaux, c'est qu'on y trouve un point de vue vigoureux et sain de la vie, de la maison, et de la patrie. En somme, M. Bordeaux est le champion de la famille. La vertu triomphe toujours dans les œuvres simples mais intéressantes de M. Bordeaux.

Personne n'est plus grand admirateur du patriotisme héroïque que M. Bordeaux. Pendant la Grande Guerre, il publia la *Vie Héroïque de Guynemer*, l'aviateur célèbre qui est mort pour la patrie. Le petit conte *Le Soupçon du Colonel*, est pour cela très caractéristique de l'auteur. Il a été publié dans l'*Écho de Paris*, en février 1920. C'est aussi le conte préféré de M. Bordeaux qui le caractérise avec ces mots: « Voici un conte qui a le mérite d'être court et vif. Puisse-t-il plaire à vos lecteurs. »

M. Bordeaux est membre de l'Académie Française.

LE SOUPÇON DU COLONEL

PAR

HENRY BORDEAUX

« C'est un officier de cavalerie, » déclara le lieutenant-colonel Bertrand à son petit état-major.

Et cette constatation contenait un blâme indulgent que chacun savoura. Jusqu'au téléphoniste qui dodelina de la tête pour bien marquer son approbation. 5

Le lieutenant de Mainguy qui, sur sa demande, débarquait au . . . régiment de ligne, portait encore la tenue des dragons. Mais quelle tenue ! Une tunique bien prise à la taille, une culotte bouffante, des cuirs anglais tout luisants, des bottes fauves montant jusqu'au genou et polies comme un miroir, le tout d'une élégance, d'une coupe, d'un 10 chic à évoquer les plus fameux dandys ou plutôt les plus brillants officiers de steeplechase ou de rallyepaper. Or, on était en 1915, l'année de la boue, de la vase, du sang tristement versé dans les trous, pour un trou, mais aussi l'année mystique où l'esprit domina la matière, la contraignit à s'organiser, à devenir vêtement, muni- 15

petit état-major, regimental staff
constatation, statement
blâme, reproach
indulgent, faint, slight
savourer, to enjoy
téléphoniste, telephone operator
dodeliner: — de, to nod
marquer, to show
demande: sur sa —, at his request
débarquer, to arrive
ligne, front (line)
tenue, uniform
dragon, cavalryman
tunique, (military) coat
pris: —e à la taille, taken in at the waist, close-fitting, snug-fitting
culotte, trousers, breeches
bouffant, puffed out
cuir: —s anglais, Sam Browne belt
luisant, shiny
botte, boot
fauve, fawn-colored, light tan
monter, to come
poli, polished, shined
coupe, cut
chic, smartness
évoquer, to conjure up, call to mind
rallyepaper, paper chase (on horseback), hare and hounds
boue, mud
vase, slush
versé, shed, spilled
trou, trench
contraindre, to force

tions, artillerie lourde. Année de transition où les hommes portaient au petit bonheur les frusques diverses qui leur parvenaient de l'arrière: tricots, passe-montagne, cache-nez, peaux de moutons, pantalons de velours. Le harnachement se compliquait de courroies 5 ou de ficelles nouées à la va-vite. On eût dit une assemblée de pâtres[1] dans quelque pays septentrional. Et ces bergers gardaient le pays. Parmi tous ces mendiants cossus et pittoresques, la tenue correcte du dragon faisait scandale.

Le régiment tenait les lignes à l'ouest de Pont-à-Mousson,[2] sur la 10 rive gauche de la Moselle,[3] dans ce Bois-le-Prêtre[4] qui fut si âprement disputé et qui était pour nous la base d'une marche ultérieure sur Thiaucourt pour réduire le saillant de Saint-Mihiel.[5] Et précisément la division préparait l'attaque du quart en réserve,[6] partie surélevée du bois qui permettait de dominer les lignes allemandes et 15 d'avoir des vues, d'un côté sur Norroy[7] et Vandières, de l'autre sur

bonheur: au petit —, in a happy-go-lucky manner, haphazardly
frusques, (*slang*) *pl.*, old clothes, togs
arrière, behind the lines, army base
tricot, knitted vest
passe-montagne, warm woolen cap
cache-nez, scarf, muffler
mouton, sheep
pantalons: — de velours, corduroy trousers
harnachement, harnessing, heavy clothing
courroie, belt
noué: — à la va-vite, tied in haste
septentrional, northern
cossu, well-off, rich
pittoresque, picturesque
correct, correct, proper
scandale: faire —, to scandalize
rive, bank
âprement, bitterly
disputé, contested
ultérieur, subsequent
saillant, salient
quart: — en réserve, reserved (fourth) part, wooded sector
surélevé, raised, highest

1. **On eût dit une assemblée de pâtres,** *one would have thought it to be a meeting of shepherds.* 2. **Pont-à-Mousson,** a town near Verdun. 3. **Moselle,** a river. 4. **Bois-le-Prêtre,** a wood near Pont-à-Mousson, the scene of desperate fighting during the war. 5. **le saillant de Saint-Mihiel,** *the Saint-Mihiel salient;* on this front the American soldiers played an important part in the drive that ended the World War (1914–1918). 6. **quart en réserve** is the fourth part of the forest land of a "commune," or parish which must be reserved for full-grown trees. 7. **Norroy . . . Vandières . . Viéville-en-Haye . . . Thiaucourt,** names of French villages on the Moselle river in northeastern France.

Viéville-en-Haye et Thiaucourt. Il convenait auparavant de reconnaître avec exactitude la position et les dispositions ennemies et pour cela de pousser une reconnaissance jusqu'à un boyau pris et repris plusieurs fois et qui, en fin de compte, n'appartenait plus à personne. Une patrouille de cinq ou six hommes, commandée par un officier, exécuterait cette reconnaissance au jour naissant. Le commandement en fut confié au lieutenant de Mainguy.

Il avait plu les jours précédents. Une brume pendait encore aux arbres déchiquetés du bois, comme des toiles d'araignée à demi déchirées. Les tranchées étaient transformées en un cloaque visqueux, sauf celles où l'on avait pu poser un caillebotis et creuser des rigoles pour l'écoulement des eaux, ce qui était alors un luxe. Dans quel état devait être ce boyau abandonné que nulle troupe n'entretenait plus? Le colonel Bertrand, plaignant ses hommes de corvée, ne put néanmoins réprimer un sourire quand il vit partir le beau lieutenant de Mainguy, impeccable dans son uniforme sanglé. Voilà bien ces cavaliers:[1] habitués à poser sur un piédestal, ils ignorent le contact du sol. Celui-ci l'apprendrait à ses dépens. On le verrait revenir plus piteux qu'un chien braque au sortir d'un marais, tout dégouttant et dégoulinant. Et tout le petit état-major,

convenir: il convenait de, they had to
reconnaître, to ascertain
exactitude: avec —, accurately
disposition, preparation
pousser, to send out
reconnaissance, reconnoitering party
boyau, communication trench
compte: en fin de —, all things considered, all in all
naissant: au jour —, at daybreak
brume, fog, mist
déchiqueté, blown (to pieces)
toile: — d'araignée, spider-web
déchirer, to tear
tranchée, trench
cloaque, (filthy) hole
visqueu-x, -se, slimy
caillebotis, duck boards (in trenches)
rigole, ditch
écoulement, drainage
entretenir, to keep up
corvée: hommes de —, fatigue party
réprimer, to repress, hold back
sanglé, tight-fitting
dépens: à ses —, to his sorrow
piteu-x, -se, pitiful
chien: — braque, hunting dog, pointer
sortir: au — de, on leaving
marais, marsh, mire
dégouttant, soaked
dégoulinant, dripping

1. **Voilà bien ces cavaliers,** *that certainly is typical of cavalrymen.*

qui avait compris le sourire du colonel, imaginait à l'avance le nouvel effet des belles bottes jaunes, et des cuirs fauves, et de la culotte bouffante, et de la tunique flambante. Le fantassin aurait sa revanche. Chacun se réjouissait sans malice de l'humiliation du dragon. Celui-ci devina-t-il, au départ, ces pronostics peu bienveillants ? Il avait pris la tête de la petite troupe qui se perdit bientôt dans le brouillard. Lui [1] aussi, il souriait.

Quelques heures plus tard, le colonel attendait, devant son abri, qui était dissimulé dans le bois, le retour de la patrouille. Ses officiers adjoints, le porte-drapeau, l'aumônier même l'avaient rejoint. Les téléphonistes, sauf l'homme de service, les cuistots, les ordonnances s'étaient rassemblés. Sans s'être donné le mot, tout ce monde venait au spectacle. On tenait à voir débarquer le dragon sous un badigeon de boue. Les choses avaient dû se bien passer: [2] sauf la fusillade ordinaire qui s'échangeait des tranchées, rien d'anormal n'avait été constaté. Donc la patrouille n'avait pas été repérée.

Elle fut signalée des premières lignes, et bientôt le premier des hommes fit son apparition. On eût dit un monticule [3] de terre glaise en marche. Il avait de la vase sur tout le corps et jusque sur le visage, et jusque sur le casque. Une vase adhérente, coagulée,

avance: à l'—, in advance
flambant, bright, brand new
fantassin, infantryman, foot-soldier
pronostic, prediction
bienveillant: peu —, unkindly
tête: prendre la — de, to take the lead of
brouillard, fog
dissimulé, camouflaged
adjoint: ses officiers —s, the officers under him
porte-drapeau, ensign-bearer
service: homme de —, man on duty
cuistot, cook, bottle-washer (*slang*)
ordonnance, orderly
mot: donner le —, to pass on the word
monde: tout ce —, all these people
badigeon, coat
anormal: rien d'—, nothing out of the ordinary
repéré, spotted
signalé, sighted
apparition, appearance
monticule, knoll, small hill
terre: — glaise, clay
marche: en —, walking, marching
adhérent, sticky

1. **lui . . . il**, note use of disjunctive pronoun with subject pronoun for emphasis. 2. **Les choses avaient dû se bien passer**, *Things must have gotten along all right;* the more usual position of **se** is immediately before **passer.** 3. **on eût dit un monticule = on aurait pensé que c'était un monticule.**

qui remplaçait la couleur de drap, qui faisait elle-même vêtement, et là-dedans[1] un bon gros rire: on était rentré sain et sauf, on était content. Le second était tout pareil, et tout pareils ceux qui suivirent jusqu'au dernier.

« Mes pauvres gars ! » fit le colonel, moitié plaisant, moitié pitoyable.

Le dernier, c'était le lieutenant. On l'espérait,[2] on le cherchait, on le guettait. Les yeux prenaient à l'avance son empreinte;[3] les lèvres, déjà, s'entr'ouvraient pour une grimace de plaisir qu'on tâcherait de dissimuler par politesse. Le désappointement fut immense. M. De Mainguy revenait intact, comme il était parti. Pas tout à fait, cependant: le bas des bottes était crotté, oh ! imperceptiblement. Ou plutôt, la crotte avait déjà été essuyée aux herbes du bois. Il n'en restait plus que des traces.

Le colonel fixa[4] le jeune officier d'un regard direct qui l'enveloppait tout entier,[4] du casque à la pointe des pieds. On eût dit qu'il passait une revue d'astiquage. Cette revue se pouvait supporter[5] hardiment: cependant, l'intéressé n'en fut point complimenté. Et déjà les divers groupes rassemblés à son approche se dispersaient. Les

là-dedans, inside (the trench)
rire: un bon gros —, a hearty laughter
sain et sauf, safe and sound
gars = garçon, lad
plaisant, joking
pitoyable, pitying
espérer, expect
guetter, to watch for, be on the lookout for
empreinte, outline
entr'ouvrir: s'—, to be half opened
grimace, grin
dissimuler, to hide
politesse: par —, out of politeness
intact, spotless
bas: le —, bottom
crotté, soiled
imperceptiblement, faintly
crotte, mud
herbe: aux —s, by the grass
pointe: la — des pieds, tip of the toes
astiquage: passer une revue d'—, to pass inspection (for neatness)
hardiment, boldly
intéressé, person concerned
disperser: se —, to be scattered

1. **et là-dedans** = *inside* (*this walking mass*). 2. **on l'espérait = on l'attendait.** 3. **Les yeux prenaient à l'avance son empreinte,** *their eyes first caught sight of his outline.* 4. **fixa le jeune officier d'un regard direct,** etc. *scrutinized the young officer with a careful look which took in his entire appearance.* 5. **se pouvait supporter = pouvait se supporter.**

cuistots rentraient dans leur cave, les téléphonistes dans leur bureau souterrain, le porte-drapeau courait surveiller le menu de la popote, et l'aumônier sortait son bréviaire. Le désappointement était général et complet.

Cependant, le lieutenant rendait compte au colonel de sa mission. Le boyau entre les lignes n'était pas occupé. Et même il n'y avait que peu de monde dans la première tranchée, et le personnel en était fort négligent: il rassemblait son barda; sans doute une relève était-elle prochaine.

« Vous êtes allé jusque-là ? demanda le colonel d'un ton indifférent.

— Sans doute.[1]

— Dans quel état le boyau ?

— Affreux. De la boue jusqu'au ventre. Si nous voulons l'occuper, il faut emporter des poutres pour improviser un plancher.

— C'est bien. Vous pouvez vous retirer. Ou plutôt envoyez-moi vos hommes un à un, j'ai l'habitude d'interroger tous mes patrouilleurs successivement.

— Ils sont tous là, mon colonel.

— Eh bien ! qu'ils viennent[2] à tour de rôle. »

M. de Mainguy parti, le colonel Bertrand regarda son adjoint, le capitaine Clément, dans le blanc des yeux. Cependant il ne se permit aucune réflexion[3] devant son subordonné. Un soupçon affreux

cave, cellar, dugout
popote, kitchen, mess
compte: rendre — à, to give an account to
négligent, negligible
rassembler, to gather
barda, kit
relève, relief, reenforcement (of troops)
prochain, near, approaching
ventre, waist-line
poutre, beam, girder
improviser, to construct
plancher, floor
bien: c'est —, very well ! fine !
un à un, one by one
patrouilleur, member of a patrol
successivement, one after the other
là = ici
tour: à — de rôle, in turn
adjoint, adjutant
blanc: dans le — des yeux, straight in the eyes
subordonné, subordinate (officer)

1. **sans doute = certainement,** *of course.* 2. **qu'ils viennent,** *let them come;* i.e. *send them in;* **viennent** is the third person plural of the present subjunctive used in the imperative. 3. **il ne se permit aucune réflexion devant,** *he expressed no thought in the presence of.*

l'avait traversé, s'enfuyait, reparaissait, s'installait en lui, s'imposait à lui et ce soupçon, il en était sûr, le capitaine Clément le partageait, n'osait pas davantage le formuler. M. de Mainguy n'était pas allé jusqu'au boyau. Il avait dirigé de loin sa patrouille, il ne l'avait pas accompagnée. S'il l'eût accompagnée, il en porterait sur lui la preuve, il serait revenu aussi boueux et maculé que ses hommes. Quel talisman l'eût préservé ? [1] Par quel miracle eût-il pris un bain de vase sans qu'il en fût rien resté sur son brillant uniforme ? Par crainte de souiller son costume, il n'avait pas craint de souiller l'honneur de tout le corps des officiers. Voilà ce qu'on lui envoyait de la cavalerie: un dandy paré pour le bal et qui se mettait à l'abri des risques.... Mais non: ce n'était point possible. Cet officier avait demandé lui-même à passer dans l'infanterie, il avait donné un bel exemple, et depuis son arrivée au régiment, son capitaine n'avait trouvé que des éloges à lui adresser sur la bonne tenue de son peloton. On n'avait pas le droit de préjuger si vite la lâcheté. Et déjà le colonel se reprochait la témérité de son premier jugement.

Tout de même, comment expliquer l'état de l'uniforme, sans une tâche, sans une éclaboussure ? Il y avait là quelque chose de mystérieux, et de bien compromettant. Décidément, le colonel Bertrand ne pouvait écarter le soupçon. Pas plus qu'il ne se commande, un soupçon ne se dissipe.[2] Comment en avoir le cœur net ? [3]

traverser, to cross, pass through (one's mind)
formuler, to express
boueu-x, -se, muddy
maculé, soiled
brillant, clean, spotless
abri: se mettre à l'— de, to shelter oneself from
possible: ce n'est pas —, it is out of the question
passer: — dans, to go over into
éloge, praise
peloton, platoon, squad
préjuger, to judge off-hand
lâcheté, cowardice
témérité, rashness
éclaboussure, (mud) splash
décidément, decidedly, surely
écarter, to dismiss

1. **l'eût préservé ?** *could have preserved him?* Note the pluperfect subjunctive for the past conditional in literary style. 2. **Pas plus qu'il ne se commande, un soupçon ne se dissipe,** *It is as difficult to arouse a suspicion by order as it is to dispel one* (that has become current). 3. **Comment en avoir le cœur net,** *How should the matter be cleared up?*

Interroger les patrouilleurs ? C'était leur livrer leur chef. Consulter des inférieurs sur le supérieur, c'est leur enlever toute confiance en celui-ci. Il ne pouvait songer à donner une telle entorse à la discipline, à la hiérarchie. Mais alors, comment saurait-il ? Il n'avait pris encore aucune décision, lorsqu'on introduisit dans le sous-sol qui leur servait de bureau le premier soldat, et la vue de toute cette boue qui séchait et se durcissait acheva d'aggraver le soupçon.

L'homme répéta le rapport du lieutenant, avec moins de précisions.

« Et dans quel état le boyau ? redemanda le colonel.

— Oh ! mon colonel, regardez-moi. »

En effet, celui-ci y était allé: on ne pouvait s'y méprendre. Pourquoi ne pas poser cette question: « Mais regardez votre officier ? » Cependant le colonel Bertrand n'osa pas. Il lui parut que c'était trahir son camarade. Et il renvoya le soldat.

Un autre fut introduit, puis un autre, puis un autre encore. Et chaque fois la même cérémonie recommença: le chef brûlant de poser la question et ne la posant pas, les hommes portant sur eux-mêmes témoignage de l'horreur vaseuse du boyau. Le dernier allait sortir, quand le colonel le rappela:

« Attendez ! »

Allait-il perdre sa dernière chance de savoir ? Il lui fit recommencer la narration, insista sur les détails dont il espérait tirer quelque chose, réclama l'ordre de marche.[1] Mais de toutes ces répétitions il n'y avait rien à tirer. Et, de plus en plus, le soupçon le tenaillait, le torturait, lui serrait le cœur jusqu'à lui couper la respiration. Il prit néanmoins son air le plus naturel pour demander encore à tout hasard:

livrer, to betray, give up
entorse, shock, twist
sous-sol, dugout
durcir: se —, to become hardened
achever: — de, finally
aggraver, to increase
méprendre: s'y —, to be mistaken about it
témoignage, evidence
vaseu-x, -se, muddy
réclamer, to demand
tirer: — quelque chose, to get definite information
tenailler, to torment
serrer: — le cœur, to make sick at heart
respiration: couper la —, to choke
'hasard: à tout —, at all hasards

1. **l'ordre de marche**, *the order in which they marched.*

« Alors, vous n'avez pas reçu un coup de fusil ?

— Oh ! dans le boyau, mon colonel, on était à l'abri.

— Mais, pour y aller ?

— Pour y aller, dame,[1] on y est allé.

— Et lequel, mon petit gars, s'est le mieux comporté de vous tous ?

— Oh ! le lieutenant, mon colonel. »

Il n'y avait pas eu l'ombre d'une hésitation. Le colonel respira mieux et insista:

« Comment ça ? Il n'en a pas fait plus que les autres.

— C'est ce qui vous trompe, mon colonel, il en a fait plus que les autres. Quand il a vu le boyau comme ça, il l'a enjambé et il a passé par le bois, de l'autre côté, à découvert, juste devant la tranchée ennemie.

— Mais c'est de la folie, voyons !

— Pas précisément, mon colonel. Il avait quitté sa tunique et son fourniment, et il tenait son casque à la main. Il a défilé comme ça nu-tête et en bras de chemise, une toile de tente autour de la culotte. Les chemises et les têtes, dans la brume et le petit-matin, ça n'a pas de nationalité. Et les Boches n'ont pas tiré.

— C'est bien, je vous remercie. »

Le soir, le colonel Bertrand invita le lieutenant de Mainguy à dîner. Et quand on fut au café, il lui dit paternellement:

« Dites donc, Mainguy, vous valez plus cher que votre uniforme: une autre fois, vous prendrez par les boyaux.[2] »

Courtesy, Plon-Nourrit et Cie., et Librairie Delagrave.

coup: — de fusil, gun-shot
comporter: se —, to behave, act
enjamber, to jump across
découvert: à —, unprotected
juste, right
voyons ! I tell you !
quitter, to take off
fourniment, shoulder-belt, straps
défiler, to advance, go
nu-tête, bareheaded
chemise: en bras de —, in one's shirt sleeves
toile: — de tente, tent-cloth
petit-matin, dawn
Boche, Boche (term used to designate a German soldier in the World War)
dites donc, look here ! I say !
valoir: — plus cher, to be worth more

1. **Pour y aller, dame !** *As for going there, well !* 2. **une autre fois, vous prendrez par les boyaux,** *next time, you'd better go by way of the trenches;* note the use of the future for a strong imperative.

ANDRÉ THEURIET

(1833–1907)

André Theuriet est né à Marly-le-Roi, mais il a passé son enfance à Bar-le-Duc.

Avant de venir s'établir définitivement à Paris au Ministère des Finances, Theuriet occupa en province plusieurs postes de receveur de l'enregistrement. De ce séjour il lui resta un goût très vif de la nature et de la vie rustique qu'il sut si bien rendre dans plusieurs de ses romans: *Le Fils Maugars*, 1879; *La Maison des deux Barbeaux*, 1879; *L'Oncle Scipion*, 1890; *Mon Oncle Flo*, 1906; etc. Il publia aussi des poèmes et huit volumes de contes.

Le conte de *la Saint-Nicolas* est peut-être le meilleur de l'auteur, car on y trouve une description bien exacte de la vie bureaucratique, une appréciation des mœurs et des personnages provinciaux aussi bien qu'une langue saine et franche. On pourrait dire que Theuriet y résume sa vie personnelle.

LA SAINT-NICOLAS[1]

PAR

ANDRÉ THEURIET

— Monsieur le sous-directeur peut-il[2] recevoir Madame Blouet? demanda le garçon de bureau, entr'ouvrant discrètement l'un des battants de la porte du cabinet.

Tournant le dos à la cheminée, le sous-directeur, Hubert Boinville, travaille penché sur le large bureau d'acajou encombré de dossiers. 5 Il relève sa figure grave et mélancolique, encadrée d'une barbe brune où brillent çà et là quelques fils gris, et ses yeux noirs aux paupières fatiguées laissent tomber un regard sur la carte que lui tend le digne et solennel huissier. Sur ce petit carré de bristol, il y a écrit à la main, d'une écriture vieillotte et tremblée: « Veuve Blouet. » Le nom 10 ne lui apprend rien, et, tout en rejetant la carte au milieu des dossiers, il a un geste d'impatience.

— C'est une vieille dame, ajoute l'huissier; faut-il la renvoyer?

— Faites-la entrer, répond le sous-directeur d'un ton résigné.

Le garçon de bureau se redresse dans son habit à boutons de 15

sous-directeur, assistant-director
bureau: garçon de —, office-boy, attendant
entr'ouvrir, to open slightly, half open
discrètement, cautiously, quietly
battant, leaf (of a double, or folding door)
acajou, mahogany
encombré de, littered with
dossier, file (of papers)
encadré de, framed in, surrounded by
paupière, eyelid
tomber: laisser —, to let fall...
huissier, door-keeper
carré, square
bristol, card-board
main: à la —, in longhand
vieillot, -te, oldish
tremblé, trembling
veuve, widow
geste: avoir un —, to make a gesture
redresser: se —, to stand up, straighten up
bouton, button

1. **la Saint-Nicolas = la fête de Saint-Nicolas,** *Saint Nicholas' Day* (December 6th). 2. **peut-il? =** *can you?* The third person is used instead of the second person plural in French for the sake of politeness when addressing superiors or customers.

métal, disparaît, puis, au bout d'un instant, introduit la solliciteuse, qui, dès le seuil, ébauche une antique révérence.

Hubert Boinville se soulève à demi et d'un signe froidement poli indique à la visiteuse un fauteuil où elle s'assied après avoir renou-
5 velé sa révérence.

C'est une petite vieille aux pauvres vêtements noirs. La robe de mérinos a plus d'une reprise; elle est fripée et d'un ton verdâtre. Un voile de crêpe défraîchi, qui a déjà dû servir pour plus d'un deuil, pend misérablement de chaque côté du chapeau démodé et
10 laisse voir, sous un tour de faux cheveux châtains, une figure rondelette, toute ridée, avec de petits yeux vifs et une petite bouche dont les lèvres rentrées trahissent l'absence des dents.

— Monsieur, commence-t-elle d'une voix un peu essoufflée, je suis fille, veuve et sœur d'employés qui ont fourni de bons et loyaux
15 services, et j'ai adressé une demande de secours à la Direction générale... Je désirerais savoir si je puis espérer quelque chose.

Le sous-directeur a écouté ce début sans sourciller. Il a entendu tant de suppliques analogues!

— Avez-vous déjà été secourue, madame? demande-t-il flegma-
20 tiquement.

— Non, Monsieur, jusqu'à présent j'avais pu vivre sans tendre la main... J'ai une petite pension et...

— Ah! interrompt-il sèchement, dans ce cas je crains bien que

sollicit-eur, -euse, petitioner
ébaucher: — une révérence, to make a curtsey
antique, old-fashioned
visiteuse, lady visitor
renouveler, to repeat, make again
mérinos, merino (cloth)
reprise, mending, patching
fripé, rumpled
ton, cast, shade
verdâtre, greenish
voile, veil
crêpe, crape
défraîchi, faded
deuil, mourning
démodé, old-fashioned
tour, fringe, roll
châtain, chestnut brown, brown
rondelet, -te, plumpish, plump
ridé, wrinkled
rentré, receding
essoufflé, out of breath
employé, government employee
secours, relief
Direction générale, Administrative staff, General (Relief) Office
sourciller, to frown
supplique, request
analogue, similar
secouru, aided
flegmatiquement, coldly
tendre: — la main, to beg assistance

nous ne puissions[1] rien pour vous... Nous avons à soulager beaucoup de personnes malheureuses qui n'ont pas même cette ressource d'une pension.

— Attendez, monsieur ! s'écrie-t-elle désespérément, je n'ai pas tout dit... J'avais trois garçons, ils sont morts; le dernier donnait des leçons de mathématiques... L'autre hiver,[2] en allant du Panthéon[3] au collège Chaptal,[4] par une pluie battante, il a attrapé un mauvais rhume qui a tourné en fluxion de poitrine et qui l'a emmené en quinze jours... Ses leçons nous faisaient vivre,[5] moi et son enfant, car il m'a laissé une petite-fille. Les frais de maladie et les frais mortuaires m'ont mise à sec. J'ai engagé mon titre de pension pour payer des dettes criardes... Me voilà seule au monde avec la petiote, sans un pauvre sou, et j'ai quatre-vingt-deux ans... C'est un grand âge, n'est-ce pas donc ?

Sous leurs paupières ridées, les yeux de la vieille solliciteuse sont devenus humides. Le sous-directeur l'a écoutée plus attentivement. Les intonations un peu chantantes et certaines locutions provinciales de la vieille dame résonnent à son oreille comme une musique déjà entendue et jadis familière. Ces façons de parler ont un goût de

soulager, to relieve
ressource, income
désespérément, despairingly
battant: par une pluie —e, in a pelting rain
attraper, to catch
rhume, cold
fluxion: — de poitrine, pneumonia
jour: quinze —s, two weeks
petite-fille, grand-daughter
mortuaire, burial
sec: mettre à —, to leave penniless
engager, to pawn
titre: mon — de pension, my pension claim
criard, urgent
petiot, -e, little one, little pet
humide, moist
intonation, inflection (*of one's voice*)
chantant, sing-song
locution, expression, phrase
résonner, to resound

1. **nous ne puissions rien,** *we can do nothing.* 2. **l'autre hiver;** colloquial for **l'hiver dernier.** 3. **le Panthéon,** the Pantheon; formerly a church built in honor of the patron saint of Paris, Sainte-Geneviève; now used as a burial place for the great men of France; on its entrance is the inscription "Aux Grands Hommes la Patrie Reconnaissante." 4. **collège Chaptal,** a vocational school in Paris for boys and young men; founded in 1842 and named for the celebrated French chemist Chaptal (1756–1832). 5. **Ses leçons nous faisaient vivre,** *His lessons enabled us to live.*

terroir qu'il croit reconnaître et qui lui cause une sensation singulière. Il sonne, demande le dossier de « la veuve Blouet », et quand le solennel garçon de bureau pose, d'un air important, la mince chemise jaune sur la table, Hubert Boinville compulse les pièces avec un
5 intérêt visible.

— Vous êtes Lorraine,[1] madame, reprend-il en montrant à la veuve une figure moins fermée, où court un faible sourire. Je m'en étais douté à votre accent.

— Oui, monsieur, je suis de l'Argonne[2]... Comment, vous avez
10 reconnu mon accent? Je croyais bien l'avoir perdu après avoir si longtemps valté aux quatre coins de la France, comme un camp-volant.[3]

Le sous-directeur regarde avec une compassion croissante cette pauvre veuve d'employé qu'un coup de vent a arrachée à sa forêt
15 natale, et jetée dans Paris comme une feuille sèche, après l'avoir longuement roulée par les chemins arides de la vie bureaucratique. Il sent peu à peu s'amollir son cœur de fonctionnaire et répond en souriant de nouveau:

— Moi aussi je suis de l'Argonne, et j'ai vécu longtemps près de
20 votre village, à Clermont[4]... Allons, madame, ayez bon courage... J'espère que nous obtiendrons le secours que vous désirez... Vous avez donné votre adresse?

— Oui, monsieur, rue de la Santé, 12, près du couvent des Ca-

terroir: avoir un goût de —, to have a native tang (accent)
chemise, envelope-file, folder
compulser, to examine, run through
pièce, material, document
fermé: une figure moins —e, a more responsive countenance
douter: se — de, to suspect
accent: à votre —, by your accent
valté (patois for **voyagé**), travelled
compassion, pity
croissant, growing, increasing
coup: — de vent, gust of wind
natal, native
longuement, at length, for a long time
amollir: s'—, to soften
fonctionnaire, public official
courage: avoir bon —, to cheer up
couvent, monastery

1. **Lorraine,** *from Lorraine;* a province in eastern France. 2. **Argonne;** a region covered with forests between Rheims and Metz in northeastern France. 3. **un camp-volant,** *one always on the go; a body of scouts.* 4. **Clermont = Clermont-en-Argonne,** a small town on the edge of the Argonne forest.

pucins[1]... Bien des mercis; je m'en vais contente de vos bonnes paroles; et contente aussi d'avoir retrouvé un pays[2]...

Et la vieille dame se retire après s'être confondue en révérences.[3]

Dès que Mme Blouet a disparu, le sous-directeur se lève et va appuyer son front à la vitre de l'une des fenêtres qui donnent sur les jardins de l'hôtel. Mais ce ne sont pas les cimes des marronniers à demi effeuillés qu'il contemple; son regard, devenu rêveur, s'en va plus loin... très loin, là-bas, vers l'Est, au delà des plaines et des collines crayeuses de la Champagne,[4] jusqu'à une vallée adossée à une grande forêt, avec une modeste rivière qui coule son eau jaune entre des files de peupliers, au pied d'une vieille petite ville aux toits de tuiles brunes...

C'est là qu'il a vécu enfant, c'est là qu'il revenait chaque année aux vacances. Son père, greffier de la justice de paix, y menait la vie étroite et serrée des petits bourgeois sans fortune. Élevé à la dure, accoutumé de bonne heure au devoir strict et au travail acharné, Hubert a quitté le pays à vingt ans et n'y est plus guère retourné que[5] pour suivre le convoi de son père. Doué d'une intelligence supérieure et d'une volonté de fer, enragé travailleur, il a

confondre: se — en révérences, to make no end of bows
donner: — sur, to overlook
hôtel, building
cime, top
marronnier, chestnut-tree
effeuillé, stripped of leaves
contempler, to gaze at
rêveu-r, -se, dreamy
colline, hill
crayeu-x, -se, chalky
adossé à, sloping down from
modeste, small
file, row
peuplier, poplar tree
tuile, tile
vacances: aux —, during the holidays
greffier, clerk
serré, pinched
bourgeois: petits —, lower middle class persons, plain townsfolk
dur: élevé à la —e, raised harshly
acharné, hard
convoi, funeral procession
doué, endowed
enragé, determined, hard

1. **Capucins** = *Capuchin monks;* an order of Franciscan monks whose name is derived from the Italian "cappuccino" meaning "a small hood." 2. **un pays = un habitant de mon pays,** *fellow-countryman.* 3. **après s'être confondue en révérences,** *after making a profusion of curtseys.* 4. **Champagne,** name of a former province in the northeastern part of France; famous for its wine, which bears its name. 5. **il n'y est plus guère retourné que pour,** *he had returned only to.*

monté[1] rapidement les degrés de l'échelle administrative. Être sous-directeur à trente-huit ans, cela passe dans le monde des bureaux pour un avancement exceptionnel. Austère, ponctuel, réservé et poli, à cheval sur les règlements, il arrive[2] au ministère à dix
5 heures, n'en sort[2] qu'à six et emporte du travail chez lui. D'une nature peu expansive bien que sensible au fond, il passe pour être très boutonné. Il va peu dans le monde, et sa vie a été tellement prise par le travail qu'il n'a jamais eu le temps de songer au mariage. Son cœur a pourtant parlé une fois, dans l'Argonne, alors qu'il
10 avait vingt ans, mais, comme il n'était qu'un simple surnuméraire[3] sans fortune, la fille qu'il aimait l'a dédaigné et s'est mariée richement avec un gros marchand de bois. Cette première déception a laissé à Boinville une arrière-amertume que ses succès administratifs n'ont jamais corrigée. Son esprit est resté teinté de mélancolie, et ce
15 soir, après avoir entendu cette vieille femme lui parler de sa détresse avec cet accent du terroir qu'on n'oublie jamais, il s'est senti envahi d'une tristesse rétrospective.

Le front posé contre la vitre, il remue comme un amas de feuilles mortes les lointains souvenirs de jeunesse, ensevelis profondément
20 dans sa mémoire, et le parfum des saisons passées au pays natal lui remonte doucement au cerveau.

échelle, ladder
bureau: dans le monde des —x, among the office-holders
passer: — pour, to be considered
cheval: à — sur, strict in the observance of
règlement, rule
expansi-f, -ve: peu —, silent, stolid
sensible, sensitive
boutonné, reserved, 'tight-laced'
alors que, at a time when
dédaigner, to ignore
richement, to one's financial advantage
marchand: un gros — de bois, a big lumber dealer
déception, disappointment
arrière-amertume, bitter aftertaste
administrati-f, -ve, as an administrator
corriger, to correct, overcome
teinté, tinted, tinged
remuer, to rake up
amas, heap, pile
enseveli, shrouded, buried
remonter, to come back
doucement, gently
cerveau, mind

1. **il a monté rapidement les degrés,** *he rapidly reached the top.* 2. **il arrive . . . sort,** *he was in the habit of coming . . . leaving;* note the use of the vivid present tense where English uses the past. 3. **un surnuméraire,** *a supernumerary;* i.e. an employee awaiting a regular government appointment.

Il revient à son fauteuil, et, prenant le dossier Blouet, il l'annote au crayon de cette mention marginale: « Situation digne d'intérêt — accorder » [1] — puis il sonne le garçon et renvoie le dossier au sous-chef chargé des secours.

II

Le jour où le secours fut accordé officiellement, Hubert Boinville quitta son bureau un peu plus tôt que d'habitude. L'idée lui était venue d'aller annoncer lui-même la bonne nouvelle à sa vieille payse. Trois cents francs, c'était une goutte d'eau à peine, tombant du réservoir de l'énorme budget ministériel, mais dans le budget de la veuve cette goutte devait se changer en une rosée bienfaisante. Encore qu'on fût au commencement de décembre, le temps était doux, et Boinville fit à pied le long trajet qui le séparait de la rue de la Santé. Quand il arriva à destination, la nuit commençait à enténébrer ce quartier désert. A la lueur d'un bec de gaz placé près du couvent des Capucins, il aperçut le n° 12, au-dessus d'une porte bâtarde percée dans un long mur de moellons. Il n'eut qu'à pousser cette porte entre-bâillée et se trouva dans un vaste jardin, où l'on distinguait, dans l'ombre, des carrés de légumes, des touffes de rosiers, et ça et là des silhouettes d'arbres fruitiers. Au fond, deux

annoter de, to annotate with
crayon: au —, with a pencil
mention, note
sous-chef, assistant director
chargé de, in charge of
tôt: plus —, earlier
habitude: d'—, usually
payse, fellow-countrywoman
changer: se — en, to be changed into
rosée, dew
bienfaisant, bountiful
encore que, even though, although
trajet: faire le long — à pied, to walk the long distance
destination: arriver à —, to reach one's destination
enténébrer, to envelop in darkness
lueur: à la —, by the glow
bec: — de gaz, gas-light, street lamp
n° = numéro, number
porte: — batârde, garden gate
percé: — dans, cut in, opening through
moellon, quarry-stone
entre-bâillé, half-open, ajar
carré: — de légumes, bed of vegetables
touffe, cluster
rosier, rose-bush
fruiti–er, –ère, fruit-bearing

1. **accorder,** *grant;* the infinitive is occasionally used in modern French for the imperative.

ou trois points lumineux éclairaient la façade d'un corps de logis en équerre. Le sous-directeur se dirigea en tâtonnant vers le rez-de-chaussée et eut la chance de tomber sur le jardinier en personne, qui le guida vers l'escalier menant au logement de la veuve.

5 Après avoir trébuché deux fois sur des marches boueuses, Boinville heurta à une porte par-dessous laquelle filtrait une mince raie de lumière et fut tout étonné quand, cette porte s'étant ouverte, il vit devant lui une jeune fille d'une vingtaine d'années qui se tenait sur le seuil, levant sa lampe d'une main et regardant le visiteur avec des 10 yeux surpris.

C'était une jeune personne vêtue de noir, à la physionomie vive et avenante. La lumière tombant de haut éclairait à point ses cheveux châtains frisottants, ses joues rondes à fossettes, sa bouche souriante et ses yeux bleus limpides.

15 — Ne me suis-je pas trompé? murmura Boinville, est-ce bien ici que demeure Mme Blouet?

— Oui, monsieur. Donnez-vous la peine d'entrer... Grand'mère, c'est un monsieur qui te demande.

— Je viens! répondit une voix grêle qui sortait d'une pièce 20 contiguë; — et, une minute après, la vieille dame arrivait en trottinant, avec son tour de travers sous son bonnet noir, et achevant de dénouer les cordons d'un tablier de toile bleue.

— Sainte Mère de Dieu! s'écria-t-elle ébaubie en reconnaissant

lumineu-x, -se, illuminated
point, spot
corps: — de logis, main building
équerre: en —, forming a right angle
tâtonner, to feel one's way
rez-de-chaussée, ground-floor
tomber: — sur, to run across, meet
logement, apartment
trébucher, to stumble
boueu-x, -se, muddy
par-dessous, under, beneath
filtrer, to filter, glimmer
raie, beam
physionomie: à la —, with an expression
avenant, pleasing
haut: de —, from above
point: à —, to perfection
frisottant, curly
fossette: à —s, dimpled
peine: donnez-vous la —, pray, please
grêle, shrill
contigu, -ë, adjoining
trottiner, to toddle
tour, fringe (of false hair)
travers: de —, askew, awry
dénouer, to untie
cordon, string
tablier, apron
Sainte Mère de Dieu, Holy Virgin
ébaubi, astounded, dumbfounded

le sous-directeur, comment, c'est vous, monsieur ? . . . Faites bien excuse, je ne m'attendais guère à l'honneur de vous voir . . . Claudette, offre donc le fauteuil à monsieur le sous-directeur . . . C'est ma petite-fille, monsieur, tout ce qui me reste au monde.

Hubert Boinville s'était assis dans un antique fauteuil de velours 5 et d'un rapide coup d'œil il avait examiné la pièce qui paraissait servir à la fois de salon et de salle à manger. . . . Il expliqua brièvement l'objet de sa visite.

— Ah ! mon brave monsieur, bien des mercis ! s'exclama la veuve . . . On a raison de dire: un bonheur n'arrive jamais seul[1] . . . 10 Figurez-vous que la petiote a passé ses examens pour entrer dans les Télégraphes,[2] et, en attendant d'être placée, elle fait par-ci par-là des enluminures . . . Aujourd'hui, elle a été payée d'une grosse commande d'images, et alors nous avons décidé que nous fêterions ce soir la Saint-Nicolas,[3] comme au bon vieux temps . . . Vous vous sou- 15 venez ?

— Mais, grand'mère, interrompit la jeune fille en riant, monsieur ne sait pas ce que c'est que la Saint-Nicolas . . . A Paris, on ne fête pas ce saint-là !

— Si fait, Monsieur sait parfaitement ce que je veux dire. Il est 20 du pays,[4] Claudette, il est de Clermont.

— La Saint-Nicolas ! reprit le sous-directeur dont la figure triste

excuse: faites bien —, do excuse me (provincial expression)
attendre: en attendant de, while waiting to
placer, to assign, set to work
par-ci par-là, now and then
enluminure, coloring, illuminating (of a manuscript)
payer: — de, to pay for
commande, order
fêter, to celebrate
fait: si —, yes indeed

1. **"un bonheur n'arrive jamais seul"**; a proverb, "good-fortune never comes alone." 2. **pour entrer dans les Télégraphes,** *to enter the Government Telegraph service;* the telegraph service of France is a government monopoly; to be appointed, one must pass the civil service examination. 3. **La fête de la Saint-Nicolas** is celebrated on December 6th, especially in the provinces of the North-East; Saint-Nicolas, instead of **Père Noël,** (Santa Claus), according to legend, visits the houses on the evening of Dec. 5th and brings gifts to the good children. On the 6th there are family reunions to celebrate the saint's day. 4. **du pays = de notre pays,** *from our part of the country.*

s'épanouit, je crois bien!... C'est aujourd'hui, en effet, le six décembre...

Cette date avait allumé toute une flambée de souvenirs d'enfance qui éclairaient joyeusement son cerveau. A cette clarté, il revit la
5 vaste cheminée paternelle, égayée par les apprêts de la fête patronale; il entendit la musique sautillante des violons, allant par les rues chercher les filles pour le bal annuel; et il se rappela ses émotions du lendemain, quand il courait pieds nus pour tâter dans l'âtre ses sabots pleins de joujoux que saint Nicolas, sur son âne,
10 avait apportés nuitamment par la cheminée.

— Donc ce soir, continua avec volubilité la grand'mère, nous avons résolu de ne manger rien que des plats du pays. Le jardinier d'en bas nous a donné, en choux, navets et pommes de terre, de quoi faire une bonne *potée;* j'ai acheté un saucisson de Lorraine, et
15 quand vous êtes entré j'étais en train de préparer un tôt-fait.

— Oh! un *tôt-fait!* s'écria Boinville devenu plus expansif, voilà[1] bien vingt ans que je n'ai entendu prononcer le nom de ce gâteau d'œufs, de lait et de farine, et plus longtemps encore que je n'y ai goûté...

20 Ses traits s'étaient animés et la jeune fille, qui l'observait à la dérobée, crut voir passer une lueur gourmande dans ses yeux bruns.

épanouir: s'—, to beam, light up
croire: je crois bien! I should say so!
flambée, blaze, train
clarté: à cette —, by this light
égayé, enlivened, made gay
apprêt de, preparation for
fête patronale, patron saint's day
sautillant, hippety-hop
lendemain, former times
pied: —s nus, barefooted
tâter, to feel
âtre, fire-place
sabot, wooden-shoe
joujou, plaything, toy
âne, donkey
nuitamment, by night
bas: d'en —, who lives downstairs
chou, cabbage
navet, turnip
pomme de terre, potato
faire: de quoi —, something with which to make
potée, stew
saucisson, (large) sausage
train: en — de, in the act of, busy
tôt-fait, hasty-pudding, cake
farine, flour
animer: s'—, to become animated
dérobé: à la —, stealthily
gourmand, greedy

1. **voilà bien vingt ans que je n'ai entendu prononcer,** *it's been a long twenty years since I heard mentioned;* notice use of redundant **ne** after **voilà ... que.**

Tandis qu'il souriait, pensif,[1] au souvenir de ce mets du pays, la grand'mère et Claudette s'étaient retirées un peu à l'écart et paraissaient discuter avec vivacité une grave question.

— Non, grand'mère, chuchotait la jeune fille, ce serait indiscret.

— Pourquoi donc ? murmura la veuve. Je suis sûre que cela lui 5 ferait plaisir.

Et comme il les regardait, intrigué, la grand'mère revint vers lui:

— Monsieur, commença-t-elle, vous avez déjà été bien bon pour nous, et si ce n'était pas abuser j'aurais encore une faveur à vous demander... Il est tard et vous avez un bon bout de chemin à 10 faire pour aller retrouver votre dîner... Vous nous rendriez bien heureuses si vous vouliez goûter de notre *tôt-fait*... N'est-ce pas, Claudette !

— Oui, grand'mère; seulement monsieur dînera mal, et d'ailleurs il est sans doute attendu chez lui. 15

— Non, personne ne m'attend, répondit Boinville en songeant au restaurant où d'habitude il dînait solitairement et maussadement, je suis libre, mais...

Il hésitait encore, tout en regardant les yeux rieurs et printaniers de Claudette; puis, tout à coup, il s'écria avec une rondeur dont il 20 n'était pas coutumier:

— Eh bien ! j'accepte sans façon et avec plaisir !

— A la bonne heure ! fit la vieille dame ragaillardie... Claudette, qu'est-ce que je te disais ?... Mets vivement le couvert, puis tu iras chercher du vin, tandis que je retournerai à mon *tôt-fait*... 25

mets, dish, food
écart: à l'—, aside
vivacité: avec —, in an animated fashion
chuchoter, to whisper
plaisir: faire — à, to please, like
intrigué, puzzled, curious
abuser, ask too much
bout: un — de chemin, quite a way
solitairement, alone
maussadement, sullenly, gloomily
rieu-r, -se, merry
printanie-r, -ère, youthful
rondeur, frankness, outspokenness
coutumie-r, -ère: être — de, to be accustomed to
façon: sans —, unceremoniously, without further ado
ragaillardir, to cheer up
vivement, quickly
couvert: mettre le —, to set the table

1. **pensif = pensivement.**

Claudette, vive comme un lézard, avait ouvert la grande armoire. Elle en tira une nappe à liteaux rouges, puis des serviettes. En un clin d'œil la table fut dressée. La jeune fille alluma un bougeoir et descendit, tandis que la veuve, assise avec des châtaignes dans son 5 giron, les fendait lentement et les étalait sur le marbre du poêle.[1]

— N'est-ce pas que la petite est preste et gaie ? disait-elle au sous-directeur ... C'est ma consolation ... Elle réjouit ma vieillesse[2] comme une fauvette sur un vieux toit ... — Et elle reprenait en secouant ses châtaignes: — Ce sera un maigre souper, mais un 10 souper offert de bon cœur, et puis ça vous rappellera le pays, *nomme ?*[3]

Claudette était remontée, rouge et un peu essoufflée; la bonne dame apporta la *potée* fumante et embaumée, et on se mit à table.

Entre cette brave octogénaire tout heureuse et cette jeune fille 15 si sérieuse et si naturelle, devant cette nappe qui fleurait l'iris, dans ce milieu quasi campagnard qui lui reparlait des choses du passé, Hubert Boinville fit honneur à la potée. Il se dégelait peu à peu et causait familièrement, s'amusant aux saillies de Claudette et riant d'un bon rire enfantin aux mots patois dont la grand'mère 20 émaillait ses phrases. De temps en temps, la veuve se levait et allait à la cuisine surveiller son entremets. Enfin elle reparut,

lézard, lizard; flash
armoire, cupboard
nappe, table-cloth
liteau, stripe
clin: en un — d'œil, in the twinkling of an eye, in a jiffy
bougeoir, candlestick
châtaigne, chestnut
giron, lap
fendre, to split
étaler, to spread out
marbre, (marble) top
preste, nimble, quick
consolation, comfort
fauvette, warbler
rouge, rosy
fumant, steaming
embaumé, savory
mettre: se — à table, to sit down at the table
octogénaire, octogenarian
fleurer, to smell of
campagnard, countrified
honneur: faire — à, to do credit to
se dégeler, to thaw out
saillie, witticism, joke
enfantin, childish, wholesome
patois: mots —, dialectical words
émailler de, to embellish with
entremets, entremets, pastry

1. **le poêle** pronounced [pwaːl] = *stove;* **la poêle** [pwaːl] = *frying-pan.* 2. **elle réjouit ma vieillesse,** *she is a joy to me in my old age.* 3. **nomme ?** dialectical for **n'est-ce pas ?**

triomphante, tenant la cocotte de fonte, d'où s'élevait le *tôt-fait* avec des boursouflures brunes et dorées et une appétissante odeur de fleur d'oranger. Après, vinrent les châtaignes grillées au four et encore toutes craquantes dans leur écorce fendillée et rissolée. La vieille dame tira du fond de l'armoire une bouteille de *fignolette*, 5 cette liqueur du pays fabriquée avec de l'eau-de-vie et du vin doux; puis, tandis que Claudette desservait, elle prit machinalement son tricot et s'assit près du poêle, tout en jasant; mais, sous l'influence d'une chaleur douce, jointe à l'action de la fignolette, elle ne tarda pas à s'assoupir. Claudette avait posé la lampe au milieu de la 10 table; Hubert et la jeune fille se trouvaient ainsi presque en tête-à-tête, et Claudette, naturellement gaie et enjouée, défrayait quasiment à elle seule la conversation.

Elle aussi avait passé son enfance en Argonne, près d'une vieille tante, et elle rappelait à Boinville de menus détails locaux dont la 15 précision le remettait insensiblement dans le milieu provincial d'autrefois. Comme il faisait très chaud dans la chambre, Claudette avait entr'ouvert la croisée, et il arrivait des bouffées d'air frais, imprégnées de l'odeur maraîchère du jardin d'en bas, où l'on en-

cocotte, stew-pan, saucepan
fonte, cast-iron
boursouflure, puffiness
doré, golden-colored
appétissant, tempting, appetizing
oranger: fleur d'—, orange blossom
grillé, roasted
four: au —, in the oven
craquant, crackling
écorce, shell
fendillé, cracked, split
rissolé, browned
fignolette, (*dialectical*) a local cordial
liqueur: cette — du pays, that cordial made in one's own province
eau-de-vie, brandy
desservir, to clear the table
tricot, knitting
jaser, to chatter
joint à, added to
assoupir: s'—, to become drowsy, sink into a slumber
tête-à-tête: en —, by themselves
enjoué, merry, lively
défrayer, to carry on, keep up
quasiment, almost, as it were
seul: à elle —e, all by herself
près de, at the home of, with
menu, small, petty
remettre, to carry back
insensiblement, imperceptibly, gradually
croisée, casement window
bouffée, gust
imprégné de, filled with
maraîch-er, -ère, vegetable

tendait le glouglou d'une fontaine s'égouttant dans une auge de pierre, tandis qu'au loin une cloche de couvent sonnait lentement l'Angélus.

Hubert Boinville eut tout à coup une hallucination. La *fignolette* 5 lorraine et les yeux clairs de cette jolie fille qui évoquait pour lui les paysages forestiers de sa petite ville y étaient pour beaucoup. Il lui sembla qu'il avait reculé de vingt ans en arrière et qu'il était transporté dans quelque rustique logis de sa province natale. Ce vent dans les arbres, ce frais murmure d'eau vive, c'était la voix 10 caressante de l'Aire[1] et le frisson des futaies de l'Argonne; cette cloche qui chantait là-bas, c'était celle de l'église paroissiale du bourg fêtant la veillée de Saint-Nicolas... Sa jeunesse ensevelie pendant vingt ans sous les paperasses administratives, sa jeunesse revivait dans toute sa verdeur, et devant lui les yeux bleus de 15 Claudette riaient si ingénument, avec un éclat d'avril en fleur, que son cœur engourdi se réveillait et battait un plaisant tic tac dans sa poitrine...

La vieille dame s'était réveillée en sursaut et balbutiait des paroles d'excuse. Hubert Boinville se leva; il était temps de prendre 20 congé. Après avoir chaudement remercié Mme Blouet et avoir promis de revenir, il tendit la main à Claudette. Leurs regards se

glouglou, gurgling
égoutter: s'—, to drip
auge, trough
lorrain, (from) Lorraine
évoquer, to conjure up
foresti–er, –ère, forest, covered with forests
être: y — pour beaucoup, to have a great deal to do with it
arrière: reculer de vingt ans en —, to go back twenty years
logis, house
eau: — vive, running water
frisson, quiver, rustling
futaie, forest tree
chanter, to peal
paroissial, parish
veillée, eve
fêter, to celebrate, observe
paperasse: —s administratives, dusty documents
verdeur, vigor, freshness
ingénument, frankly
fleur: en —, in bloom
engourdi, drowsy, sleeping
tic tac, ticktack, pit-a-pat
sursaut: en —, with a start
congé: prendre —, to take leave
tendre: — la main à, to shake hands with

1. **l'Aire,** a small river whose source is in the Argonne hills and which flows along the Argonne forest into the river Aisne.

rencontrèrent un moment, et ceux du sous-directeur étaient si brillants que les paupières de la jeune fille s'abaissèrent vivement sur ses rieuses prunelles azurées. Ce fut elle qui le reconduisit jusqu'au bas, et quand ils furent sur le seuil il lui serra encore une fois la main sans trouver rien à lui dire... 5

Et cependant il avait le cœur plein, le sous-directeur, et quand il se retrouva seul dans le désert ténébreux [1] de la rue de la Santé il lui sembla qu'il entendait chanter dans le ciel tous les violons de la Saint-Nicolas.

III

Hubert Boinville donnait de nouveau, comme on dit en style de 10 bureaucratie, « une impulsion active et éclairée au service. » Pourtant le souvenir de la soirée de Saint-Nicolas lui revenait souvent au milieu de son travail. A plusieurs reprises, il avait été distrait de la lecture d'un dossier par l'image rayonnante des beaux yeux de Claudette. Cette apparition voltigeait sur les paperasses comme un léger 15 papillon bleu; quand le sous-directeur rentrait dans son morne appartement de garçon, elle l'accompagnait et semblait le regarder railleusement, tandis qu'il tisonnait son feu qui brûlait mal. Alors il songeait à ce bon dîner dans la petite chambre campagnarde où le poêle ronflait si joyeusement, à ce gai babil de jeune fille qui avait 20 un moment ressuscité les sensations de sa vingtième année. Par-

abaisser: s'—, to be lowered
prunelles, *pl.* eyes
azuré, blue
reconduire: — jusqu'au bas, to accompany downstairs
plein: avoir le cœur —, to be sad, be full of grief
désert: le —, loneliness
ténébreu-x, -se, dark, shadowy
bureaucratie: en style de —, in the language of office-holders
impulsion, impetus
éclairé, enlightened, constructive
reprise: à plusieurs —s, several times
distrait, distracted
rayonnant, radiant
voltiger sur, to flit across
papillon: un léger — bleu, an airy blue butterfly
morne, gloomy
appartement: — de garçon, bachelor quarters
railleusement, mockingly
tisonner, to stir, poke (*the fire*)
ronfler, to roar, crackle
joyeusement, cheerfully
babil, chatter

1. **le désert ténébreux,** *the deserted darkness,* or *dark solitude.*

fois, il regardait mélancoliquement dans la glace sa barbe déjà grisonnante; il pensait à sa jeunesse sans amour, à sa maturité commençante, et il se disait: « Ai-je passé le temps d'aimer ? » Alors, il était pris d'une nostalgie de tendresse qui lui mettait 5 l'esprit en désarroi, et il regrettait de ne s'être point marié.

Un jour, par une sombre après-midi de la fin de décembre, le solennel garçon de bureau entr'ouvrit discrètement la porte du cabinet et annonça:

— Madame veuve Blouet.

10 Boinville se leva avec empressement pour recevoir la visiteuse. Après qu'il l'eut fait asseoir,[1] il lui demanda en rougissant des nouvelles de sa petite-fille.

— Merci, monsieur, répondit-elle, la petite va bien, votre visite lui a porté chance... Elle sollicitait depuis longtemps une place 15 dans les Télégraphes... Elle a reçu hier sa nomination et je n'ai pas voulu quitter Paris sans prendre congé de vous et vous témoigner toute ma reconnaissance.

La poitrine de Boinville se serra.[2]

— Vous quittez Paris ? demanda-t-il. Ce poste est donc en 20 province ?

Oui, dans les Vosges[3]... Et naturellement j'accompagne Claudette... J'ai quatre-vingt-deux ans, mon cher monsieur; je n'ai plus grand temps à passer dans ce monde et nous ne voulons pas nous séparer.

25 — Vous partez bientôt ?

— Dans la première semaine de janvier... Adieu, monsieur. Vous avez été très bon pour nous, et Claudette m'a bien recommandé de vous remercier en son nom.

grisonnant, turning gray
maturité, middle age
nostalgie: — de tendresse, longing for tender affection
désarroi: mettre en —, to upset
chance: porter — à, to bring luck to
nomination, appointment
congé: prendre —, to say good-bye
témoigner, to express
province: en —, outside of Paris, in a province
temps: grand —, much time
séparer: se —, to be separated
recommander, to enjoin, request

1. **après qu'il l'eut fait asseoir,** *after he had asked her to be seated.* 2. **La poitrine de Boinville se serra,** *Boinville felt a tightening at the heart.* 3. **les Vosges** [voːʒ], a mountain range in Alsace and Lorraine.

Le sous-directeur, interdit et absorbé, ne répondait guère que par des monosyllabes. Quand la vieille dame fut sortie, il resta longtemps accoudé sur son bureau, la tête dans ses mains. Cette nuit-là, il dormit mal, et, le lendemain, il fut de très maussade humeur avec ses employés. Il ne tenait pas en place. Dès trois heures, il brossa son chapeau, quitta le ministère et sauta dans une voiture qui passait.

Une demi-heure après, il traversait tout frissonnant le jardin maraîcher du n° 12 de la rue de la Santé et il sonnait à la porte de Mme Blouet.

Ce fut Claudette qui vint lui ouvrir. A l'aspect du sous-directeur, elle tressaillit, puis devint toute rouge, tandis qu'un sourire passait dans ses yeux bleus.

— Grand'mère est sortie, dit-elle, mais elle ne tardera pas à rentrer, et elle sera si heureuse de vous voir !...

— Ce n'est pas Mme Blouet que je désirais surtout rencontrer, mais vous, mademoiselle.

— Moi ? murmura-t-elle troublée.

— Oui, vous, répéta-t-il brusquement. — Sa gorge se serrait,[1] il cherchait ses mots et les trouvait avec peine: — Vous partez toujours[2] au mois de janvier ?

Elle répondit par un signe de tête affirmatif.

— Ne regrettez-vous pas de quitter Paris ?

— Oh ! si... Cela me fait gros cœur... Mais quoi ?[3] Cette place est pour nous une bonne fortune et grand'mère pourra du moins vivre en paix pendant ses dernières années.

ne ... guère que, hardly except
accoudé, with elbows resting
maussade, surly, peevish
humeur, disposition
tenir: ne — pas en place, to be restless
dès, as early as
brosser, to brush
frissonnant, shuddering, trembling
tressaillir, to be startled
murmurer, to whisper
signe: — de tête, nod
cœur: faire gros — à, to make sad, make heavy-hearted

1. **Sa gorge se serrait,** *He felt a tightening of the throat.* 2. **Vous partez toujours?** *Do you still intend to leave?* 3. **Mais quoi? = Mais que faire?** *But what can be done about it?*

— Et si je vous donnais un moyen de rester à Paris, tout en assurant le repos et le bien-être de Mme Blouet?

— Oh! Monsieur! s'exclama la jeune fille dont le visage s'épanouit.

5 — C'est un moyen héroïque, reprit-il en hésitant; vous le trouverez peut-être au-dessus de vos forces...

— Je suis courageuse... Dites seulement,[1] monsieur.

— Eh bien! mademoiselle[2]... — Il s'arrêta pour reprendre sa respiration; puis, très vite, presque rudement, il ajouta; — Voulez-10 vous m'épouser?

— Mon Dieu!... balbutia-t-elle, et l'émotion la laissa sans voix.

Tout en exprimant[3] une violente surprise, sa figure n'avait rien d'effarouché.[4] Sa poitrine était agitée, ses lèvres restaient entr'ouvertes, mais ses grands yeux bleus humides brillaient d'un éclat très 15 doux.

Quant à Boinville, il n'osait la regarder, de peur de lire sur ses traits un refus humiliant. Pourtant, inquiet de son silence prolongé, sans relever la tête, il lui demanda:

— Me trouvez-vous trop âgé? Vous semblez tout effrayée!...

20 — Effrayée, répondit-elle ingénument, non, mais troublée et... contente!... C'est trop beau... Je n'ose pas y croire!

— Chère enfant! s'écria-t-il en lui prenant les mains, croyez-y et croyez surtout que le véritable heureux, c'est moi, parce que je vous aime!

25 Elle restait muette, mais dans le rayonnement de ses yeux il y

bien-être, welfare, comfort
épanouir: s'—, to brighten up, fairly beam
au-dessus de, beyond
respiration: reprendre sa —, to get one's breath
rudement, abruptly, harshly
voix: sans —, speechless
violent: une —e surprise, a great astonishment
effaroucher, to startle, frighten
yeux: — humides, tearful eyes
heureux: l'—, happy one, happy person
muet, -te, speechless
rayonnement, radiance

1. **Dites seulement,** *Do tell me.* 2. **eh bien! mademoiselle,** *very well, Miss Claudette;* English has no good equivalent translation for the French **mademoiselle** used alone, as in the above instance. 3. **tout en exprimant,** *even though expressing.* 4. **Sa figure n'avait rien d'effarouché,** *her face showed no sign of alarm.*

avait une telle effusion de reconnaissance et de tendresse, qu'Hubert Boinville ne pouvait plus s'y méprendre. Il y lut sans doute qu'elle aussi se sentait heureuse, et pour les mêmes raisons, car il l'attira plus près de lui. Elle se laissait faire, et Hubert, plus hardi, ayant levé les mains de la jeune fille à la hauteur de ses lèvres, les baisait 5 avec une vivacité toute juvénile.

— Sainte mère de Dieu ! s'écria la vieille dame, qui arriva sur ces entrefaites.

Ils se retournèrent, lui, un peu confus; elle, tout empourprée et radieuse. 10

— Madame Blouet, dit enfin gaiement Hubert Boinville, ne vous scandalisez pas ! . . . Le soir où j'ai dîné chez vous, saint Nicolas est descendu dans ma cheminée comme au temps où j'étais enfant, et il m'a fait cadeau d'une femme . . . La voici, c'est votre petite-fille . . . Nous nous marierons le plus tôt possible, si vous le per- 15 mettez.

méprendre: se — à, to be mistaken about
laisser: se — faire, to make no resistance
'hauteur: à la — de, to the level of
baiser, to kiss
entrefaites, *pl.:* **sur ces —,** in the meantime
empourpré, flushed, crimson
radieu-x, -se, beaming (with joy)
scandaliser: se —, to be shocked
cadeau, gift

MARCEL NADAUD

(1889–   )

Marcel Nadaud est né à Limoges en 1889. Après des études au lycée Gay-Lussac de Limoges, il entra à l'École de physique et de chimie de Paris. Il abandonna bientôt ses études scientifiques pour écrire deux romans: *Coup de griffes . . . Pattes de velours*, à dix-huit ans, et *Tendresses . . . Tristesses*, à dix-neuf ans.

Cinq ans se passèrent pendant lesquels Nadaud connut de brillants succès comme revuiste et librettiste, puis la Grande Guerre arriva. Nadaud servit d'abord dans l'infanterie, puis dans l'aviation, où il fut blessé deux fois.

De ses expériences d'aviation il écrivit deux livres. *En Plein Vol*, que l'Académie française couronna, et *Chignole*, qui le rendit brusquement célèbre avant qu'il n'eût trente ans. Ces deux romans ont été traduits et publiés à New-York en 1919 sous les titres, de *The Flying Poilu* et *Birds of a Feather;* leur popularité lui valut d'être surnommé par Charles le Goffic, président de la Société des Gens de Lettres: « le petit-fils de Dumas ».

M. Nadaud a écrit aussi plusieurs autres romans populaires. A présent il fait partie de l'Agence Havas, du service de publicité à Paris.

Le conte *Un Baptême* est assez caractéristique de l'auteur, car il y décrit une expérience d'aviation. C'est aussi le conte préféré de M. Nadaud.

UN BAPTÊME

PAR

MARCEL NADAUD

« Demain, réveil à quatre heures... Départ au petit jour... Nous prendrons notre hauteur sur Epernay.[1] Puis, nous passerons les lignes ici... en évitant la forêt que vous voyez... » L'index du capitaine court sur la carte, et sur notre carnet nous notons les objectifs à bombarder.

« Cent vingt litres d'essence. Donnez des ordres à vos mécanos. Bonsoir. »

Puis, sur le point de sortir et nous désignant un soldat qui l'avait accompagné: « J'oubliais... Je vous présente le caporal pilote M... arrivé ce soir de la Réserve Générale sur un appareil neuf... Il fait désormais partie de notre escadrille... A demain... »

Nous serrons la main au nouveau venu, un jeune homme frêle, à l'air très doux, un peu trop « fillette » à notre gré.

Nous l'invitons à partager notre whisky sans glace ni soda, hélas! et à prendre une place à notre poker. Il s'y refuse courtoisement, avec des mots aimables, mais très fermement.

« Encore un type à chichis! »[2] ronchonne V..., atrabilaire depuis qu'il a raté son dernier aviatik.

baptême, christening
réveil, awakening, reveille
jour: au petit —, at daybreak
hauteur: prendre —, to go up
carnet, note-book, memorandum
essence, gasoline
mécano (= mécanicien), mechanic
caporal, corporal
appareil, machine, (aero)plane
escadrille, squadron, air-fleet
frêle, frail, weak-looking
fillette: un peu trop —, a little too sissified
gré, liking
refuser: se — à, to decline
courtoisement, politely
ronchonner, to grumble, growl
atrabilaire, irritable, ill-humored
rater, to miss
aviatik, (German) aeroplane

1. **Épernay,** a city near Reims. 2. **Encore un type à chichis!** *Another prissy!*

« Un fils « à maman » qui va le faire à la pose, » murmure J . . ., dont le froid a réveillé les rhumatismes, et qui a l'arthritisme particulièrement amer.

Pour couper court, nous nous mettons à jouer; l'on n'entend plus que le froissement des cartes, le tintement des sous, — nous ne sommes pas millionnaires, — le pétillement d'un feu de pins qui sent bon et la chanson de la bouilloire pour confectionner le grog aux grippés. Notre nouveau camarade s'est assis, a tiré de sa poche un livre qu'il parcourt sans plus se soucier de nous.

Cettc attitude nous irrite [1] un peu. Nous sommes habitués aux camarades expansifs qui, arrivant de l'arrière, sont heureux de déballer d'un seul coup tout ce qu'ils savent, tout ce qu'ils ont appris, de nous jeter en pâture les derniers potins de la Chambre [2] et des coulisses,[3] dont nous sommes si friands, et que nous dégustons en véritables gourmets.

« Pas rigolo ! [4] le nouveau ! . . . Sais-tu ce qu'il lit ?

fils: un — à maman, a mama's pet
pose: le faire à la —, to be a poser, to be high-hat
rhumatisme: réveiller les —s, to bring back one's rheumatism
arthritisme, arthritis, gout
amer, severe
court: pour couper —, to cut things short
froissement, rustling
tintement, tinkling
pétillement, crackling
pin = pomme de —, pine-cone
bouilloire, kettle
confectionner, to prepare, mix
grog, grog (a strong drink)
grippé, influenza victim, person ill with the grippe
soucier: se — de, to concern oneself about
expansi-f, -ve, exuberant, talkative
arrière, rear
déballer, to unpack, relate
coup: d'un seul —, in one breath, without stopping
pâture, pasture; **jeter en —,** to recount, feed
potin, gossip, scandal
coulisse, stage, theater
friand: être — de, to be fond of
déguster, to enjoy, relish
gourmet: en véritables —s, like real epicures

1. Note the use of the French present for an English past tense. 2. **Chambre,** Chamber of Deputies. The government of France consists of the Senate and the Chamber of Deputies. The 300 senators are elected for a term of nine years, the 617 deputies for four years; the President is elected by both houses in joint sessions. 3. **de nous jeter en pâture les derniers potins de la Chambre et des coulisses,** *to feed us the last bit of political and theatrical gossip.* 4. **rigolo** (*slang*), *a pleasant fellow.*

— Demande-le-lui ... ça sera une façon comme une autre de prendre langue. »[1]

V ... profite d'une halte de poker pour s'adresser à lui.

« Vous lisez sans doute la dernière cochonnerie à la mode ?[2]

— Non ... non ... un vieux livre ... : *La Chambre blanche* de Bataille,[3] des vers ...

— Des vers ! ... vous pouvez lire des vers à la guerre ! s'esclaffe V ... avec un mépris non dissimulé.

— Pourquoi pas ? ... D'ailleurs, c'est la première fois que je viens au front ... J'ai passé mon brevet militaire il y a trois semaines ...

— Eh bien ! mon cher ... vous n'avez pas choisi le filon de venir en escadrille de bombardement ... Ça n'est plus l'école ... Fini Étampes[4] ... Pau[4] ... Avord[4] ou Juvisy[4] ... Ici, il y a les Boches, et ils nous sonnent[5] ... c'est un plaisir ! ...

— Je ferai mon possible, » réplique le nouveau, fermement.

Son assurance choque un peu. Faut-il l'avouer,[5] les vieux pilotes, dont plusieurs ont fait la campagne depuis le début, apprécient le jeune pilote qui, dès l'arrivée, quête des renseignements, des tuyaux, les obligeant ainsi à raconter leurs aventures aériennes, quelquefois leurs exploits.

On a beau être un modeste, on aime bien montrer qu'on n'a pas eu

adresser: s'— à, to address, speak to
cochonnerie, filth, trashy stuff
esclaffer: s'—, to burst out laughing, roar
mépris, sneer
dissimulé: non —, open
brevet: passer le — militaire, to get one's military commission
filon (*slang*), favorable job; **choisir le —,** to choose a soft snap
sonner (*slang*), to "bang", hit hard
choquer, to shock, offend
campagne: faire la —, to campaign, be at war
quêter, to seek
tuyau (*slang*), inside information, tip
aérien, -ne, aerial
modeste, unpretentious fellow

1. **ça sera une façon comme une autre de prendre langue,** *that will be as good a way as any to start a conversation.* 2. **la dernière cochonnerie à la mode,** *the latest popular smutty story.* 3. **La Chambre blanche,** a play in verse by Henri Bataille (1872–1922), a French dramatist. 4. **Étampes ... Pau ... Avord ou Juvisy,** names of towns where aviation schools were located during the World War. 5. **ils nous sonnent,** *they make it hot for us.* 5. **Faut-il l'avouer = Il faut avouer que.**

peur du danger: on se plaît à décrire les péripéties d'un combat qui vous a valu votre palme.[1]

Il est énervant ce jeune camarade avec son mutisme, son je m'en fichisme ![2] ... S'il était encore un vieux de la vieille, une croix de guerre, mais un gosse — une classe 16 au moins[3] — qui sort de l'école, qui ne connaît pas les mystères du poker et méprise le whisky !

Sa presse est mauvaise,[4] il n'y a pas à le lui dissimuler,[5] et c'est mollement que nous lui serrons la main en allant nous coucher.

... Cinq heures ... Le terrain de départ ... Vent du nord ... gelée blanche ... Nous battons la semelle ... Les phares à acétylène braqués sur les appareils éclairent les mécanos occupés aux derniers préparatifs ... Le ciel pâlit, blanchit vers l'est ... vers les Boches ...

Le capitaine descend de son auto:

« Notre escadrille partira la première; chacun par grade et ancienneté comme d'habitude ...

péripétie, vicissitude, sudden turn of fortune
palme: valoir la —, to win one's decoration
énervant: être —, to get on one's nerves
mutisme, silence
vieux: un — de la vieille (garde), one of the old guard, a member of Napoleon's famous Old Guard
croix: — de guerre, war cross (a French military decoration awarded for bravery)
gosse, youngster, 'kid'
école: sortir de l'—, to have just graduated
mollement, feebly, half-heartedly
terrain: — de départ, flying field for taking off
gelée, frost
semelle: battre la —, to stamp one's feet (in order to warm oneself)
phare: — à acétylène, acetylene lamp
braqué sur, pointed (leveled) at
préparatif, preparation
grade: par —, according to rank
ancienneté, length of service, seniority

1. **palme,** *palm branch,* is a gold braid decoration attached to the ribbon from which the military medal hangs; it is awarded for bravery in battle. 2. **son je m'en fichisme,** *his I don't care a rap attitude;* i.e. *his disinterestedness* (a slang expression); the noun **fichisme** is coined from the common colloquial expression **se ficher de,** *not to care a rap for.* 3. **une classe 16 au moins,** *a soldier belonging to the 1916 class at most;* i.e. one who was called to military service in 1916. 4. **sa presse est mauvaise,** *his press notice is bad;* i.e. *he is not popular;* a figure of speech used for writers who have had poor press notices. 5. **il n'y a pas à le lui dissimuler,** *it must be admitted.*

— Et moi, mon capitaine ? »

C'est notre jeune et peu communicatif camarade qui a parlé.

« Vous ? ... Mais vous allez faire quelques vols d'essai, puis quelques bombardements de lignes ... Alors vous pourrez prendre part aux grands raids.

— Mon capitaine, je vous serais reconnaissant de m'accorder la faveur de partir aujourd'hui avec l'escadrille ... Ça sera pour moi le meilleur des apprentissages. »

Un temps d'arrêt; le capitaine le dévisage, puis:

« A votre aise ... Je ne puis vous refuser d'aller vous battre. Votre appareil est prêt ?

— Oui, mon capitaine ... Il est en ligne avec les autres ... »

... Le jour se lève ... Devant nous, nos oiseaux sont alignés comme pour une parade; celui de notre camarade le dernier.

Tout à coup, nous nous regardons tous et nous pouffons; sur le devant de sa carlingue s'étale en lettres dorées un nom de femme: « Berthe ».

Il faut dire que nos chefs nous laissent la latitude de baptiser nos coucous.[1] Nous avons à l'escadrille le clan des fantaisistes avec: « Madeleine-Bastille », « Mais j'vais piquer », « Pan ... dans l'œil »;[2]

communicati-f, -ve: peu —, uncommunicative, silent
vol: —s d'essai, trial flights
reconnaissant, grateful
apprentissage, apprenticeship
arrêt: un temps d'—, a pause
dévisager, to stare at
aise: à votre —, as you wish, just as you like
ligne: en —, lined up
lever: se —, to break
oiseau, bird, plane
pouffer, to burst out laughing
devant: le —, the front part
carlingue, cockpit
étaler: s'—, to be displayed
Berthe, Bertha
latitude, latitude, freedom
coucou, cuckoo, bombing plane (*slang*)
clan, clan, clique
fantaisiste, fantastic (person), freakish (person)
pan ! bang !

1. **coucou,** *cuckoo plane, bomber;* so called by the British and French in the World War because of the fact that the European cuckoo drops its eggs in other birds' nests. 2. **Madeleine-Bastille,** etc. are names given to bombers by their pilots. **Madeleine-Bastille** is the name of a busline which runs between the **Place de la Madeleine** and the **Place de la Bastille; Mais je vais piquer,** *Now I am going to sting you;* **Pan ... dans l'œil,** *Bang ... (I'll shoot you) right in the eye!*

celui des sérieux avec: « Quand même ! »,[1] « Alsace »,[2] « La Revanche »; [3] mais bien que souvent nous ayons été tentés de mettre nos appareils sous la protection d'un nom chéri, nous n'avions jamais osé.

Le capitaine fronce les sourcils, et bourru: « Berthe ! Berthe !... Si chaque pilote colle le nom de sa poule sur sa carlingue, ça n'est [4] plus une escadrille que j'aurai l'air de commander !... Vous m'avez compris ?... »

Puis, narquois:

« Eh bien !... Allez donc la faire baptiser votre « Berthe ». Messieurs les Boches ne manqueront pas de vous envoyer les dragées d'usage !... » [5]

Nous exultons, satisfaits que le nouveau ait reçu une bonne leçon:

« C'est un petit crâneur !... Il ne doute de rien... Ça n'a jamais survolé les lignes et ça se permet d'inscrire le nom de sa poule sur son oiseau !... Que feront les vieilles tiges, alors !... Il n'y a plus d'enfants... »

... Le jour s'est levé, blafard, livide, comme s'il avait passé une

sérieux, serious ones
bourru, roughly, rudely
coller, to stick, glue
poule, hen; sweetheart (*slang*)
narquois, slyly, banteringly
nouveau, newcomer, " the freshman "
crâneur, braggart, swaggerer
ça, (*expresses contempt*) that fellow, he
douter: — de, to have doubts about
survoler, to fly over
tige: vieilles —s, old timers, veterans
blafard, pale

1. **Quand même,** *All the same; Come what will;* also the name of a patriotic league during the World War whose leader was Paul Déroulède. 2. **Alsace,** a province of France that was taken by the Germans in the Franco-Prussian war of 1870. 3. **La Revanche,** *Revenge;* a term frequently uttered by French patriots after the loss of Alsace in 1870 until its return to France in 1918. 4. **n'est plus,** colloquial for **ne sera plus;** the captain implies here that he would seem to be the commander of a chicken coop. 5. **les dragées d'usage** is used here metaphorically, to mean that the German planes will baptize his plane with bullet shots, as the **dragées,** (Jordan almonds in net bags) are distributed or thrown among the children at French christening parties.

bien mauvaise nuit; là-bas, il se farde légèrement de rose... Il a raison de se refaire une beauté!...

Départ... Un peu avant, le capitaine m'a appelé et m'a confié...

« Pendant le raid, veillez sur le nouveau... Je lui ai donné un vieux bombardier... mais ça ne fait rien... Ayez-le à l'œil... Il est idiot, ce gamin, avec sa « Berthe »; mais ça n'est pas une raison pour le laisser dans l'embarras... »

Quelques minutes plus tard, en compagnie de V..., mon fidèle bombardier, nous volions dans le sillage du nouveau.

Vent de côté gênant..., quelques remous au-dessus des bois...

« Pas maladroit « Berthe »!

— Oui... virages corrects... »

La traditionnelle montée... 2,400 mètres... Fusée... Nous passons les lignes... Canonnade... Flocons blancs... Flocons noirs ... Recanonnade... Ils[1] nous serrent de près aujourd'hui, leurs artilleurs,[1] mais nous ne pensons guère au danger... Nous regardons « Berthe » qui tient le coup superbement.

« Il n'a pas les « foies »!

— Ah! le bougre!... Il sait en « tâter »![2]

Arrivée sur l'objectif... Repérage... lâchage des bombes... en route pour la France!...

farder: se —, to rouge, paint, make (freshen) up
rose, rose color, pink
beauté: se refaire une —, to primp a bit
bombardier, bomber
œil: avoir à l'—, to keep an eye on
embarras, trouble, difficulty
sillage, track, wake
vent: — de côté, side-wind
gênant, hindering
remous, counter air-current
maladroit, awkward, clumsy
virage, banking, cornering
traditionnel, -le, usual
montée, rise, ascent, gaining altitude
fusée, fusee, rocket (for signaling)
flocon, flake
près: serrer de —, to press hard
artilleur, gunner
coup: tenir le —, to meet the emergency, hold on
foie: avoir les —s, to be afraid, be yellow
bougre, old rascal
repérage, locating (of an objective)
lâchage, releasing, discharge

1. **ils... leurs artilleurs**; note that both subject and pronoun are used in conversational style; omit **ils** in translation. 2. **Il sait en "tâter,"** *He can get along all right; He can 'take it'.*

Le nouveau nous épate littéralement; un sang-froid remarquable qui se traduit par une tenue parfaite de la ligne de vol.

Nous sommes confondus et un peu dépités, si confondus que nous ne voyons un aviatik qui nous a pris en chasse qu'après avoir entendu et reçu la première salve de sa mitrailleuse. Conversation rapide et animée « chez nous ».

« Nous sommes propres ? [1]

— Tu ne l'as donc pas vu ?

— Je regardais le nouveau . . . Droit dessus . . .

— Attention . . . Je piquerai brusquement pour passer dessous . . .

— Ce coup-ci, je ne le rate pas . . .

— Amen ! »

Manœuvre sous les balles . . . Je pique . . . L'aviatik est au-dessus de nous et reçoit en passant une salve bien soignée de V . . . ; il paraît touché dans ses œuvres vives, car il plonge en vitesse.

« Il en tient ! [2] . . . Il en tient ! . . . » hurle V . . . qui entame un *cake-walk* de réjouissance,[3] puis, brusquement:

« Zut ! . . . un autre ! . . .

— Quoi ?

— Un autre aviatik ! . . . Ah ! Je ne joue plus ! . . . Ils exagèrent ! . . . »

Ça commence à être moins drôle . . . beaucoup moins drôle . . .

épater, to astonish, flabbergast, fill with wonder
sang-froid, coolness, composure
traduire: se —, to be expressed, made known
tenue, holding, keeping
dépité, annoyed, chagrined
chasse: prendre en —, to start to pursue
salve, salvo, volley
mitrailleuse, machine-gun
attention ! look out ! be careful !
piquer, to speed, dive
coup: ce — ci, this time (chance)
passer: en passant, on flying by
soigné: bien —, well-aimed
touché, hit
œuvre: —s vives, vitals
plonger, to dive, go down, fall
vitesse: en —, with all speed, at high speed
tenir de, to get, be in for
hurler, to yell, roar
réjouissance, rejoicing
zut ! good heavens ! ye gods !
exagérer, to go too far

1. **Nous sommes propres?** *Are we all right?* 2. **Il en tient!** *He got it!* (i.e. *He is hit!*); note use of present for vivid description. 3. **qui entame un cake-walk de réjouissance,** *who starts a little jig of delight* (as he sits in the plane).

La manœuvre pour faire face à l'aviatik nous a séparés des camarades... Enfin..., allons-y!...

Nouvelle manœuvre, qui réussit; V..., encouragé par son récent succès, vise soigneusement, comme au stand.

Tac... tac... tac... tac... tac..., puis il s'arrête. 5

« Tire... mais tire donc, animal![1]...

— Enrayage!... Ma mitrailleuse est enrayée!... »

Ça va de moins en moins bien[2]... Je me cramponne au « manche » et commence une série de virages excentriques pour dérouter l'adversaire, tandis que V..., délaissant sa mitrailleuse in- 10 utile, continue courageusement la lutte à coups de carabine; mais elle est par trop inégale; nous sommes encore à une quinzaine de kilomètres des lignes; c'est, au minimum, dix minutes à tenir... dix minutes, dix siècles!...

« C'est pour aujourd'hui le pain KK, »[3] crie V..., blême de rage; 15 puis, subitement:

« Un copain!... un copain!... Ils ne nous ont pas encore![4]...

— Un monoplan?

— Non, un biplan!... Il a le vent pour lui[5]... Il arrive!... Il arrive!... Ah! chic! chic!... » 20

face: pour faire — à, to face
allons-y! come on! let's go (to it)!
soigneusement, carefully
stand: comme au —, as if at target practice, i.e. on the ground
tac, click (imitation of machine-gun fire)
enrayage, jamming, locking
enrayé, jammed
cramponner: se —, to seize, clutch
manche, control lever (of an aeroplane)
virage, swerving, turn
dérouter, to bewilder, disconcert
délaisser, to abandon, discontinue
carabine: à coups de —, with rifle shots
par: — trop, all too, by far too
inégal, unequal, uneven
minimum: au —, at least
tenir, to hold out, last
blême, pale
copain (*slang*), comrade, chum, pal
chic: ah! —! fine! great!

1. **Tire... mais tire donc, animal!** *Shoot... shoot then, you fool!* 2. **Ça va de moins en moins bien,** *It's getting worse and worse.* 3. **C'est pour aujourd'hui le pain KK,** *We're in for it today.* Towards the end of the World War (1914–1918), special laws were made in Germany as to the wheat content of bread; this bread was called in German **Kriegskuchen (KK).** 4. **Ils ne nous ont pas encore,** *They haven't got us yet.* 5. **Il a le vent pour lui,** *The wind is in his favor.*

A notre gauche, un biplan vient à toute allure à notre secours. A mille mètres, il engage déjà le combat; l'aviatik nous abandonne et se porte au-devant du nouvel adversaire.

Combat, merveilleux combat, auquel nous assistons presque impuissants... Les mitrailleuses crépitent... Cocardes tricolores contre croix noires [1]... Nous sommes angoissés, haletants...

Bravo!... Hurrah!... le Boche est touché!... Il vire de bord, à moitié déséquilibré, et fuit comme un oiseau blessé...

Impossible de le poursuivre; nous sommes encore sur les Boches [2] qui recommencent à nous arroser sans crainte de toucher leur avion.[3] Belle journée! Deux ennemis en déroute; mais nous ne pensons pas à la victoire.

Nos cœurs vont à ceux [4] qui nous ont sauvés, dans un élan de reconnaissance et d'admiration.

Qui est-ce?... Nous nous rapprochons... Sa « carlingue »... Ma direction m'échappe des mains... « Berthe »... c'est « Berthe »! C'est le nouveau qui nous a sauvés!...

V... et moi, nous échangeons un long regard sans parler, mais nous nous sommes compris; le remords, un remords immense nous étreint, et c'est l'oreille basse que nous regagnons notre atterrissage.

allure: à toute —, at full speed
combat: engager le —, to engage in combat
porter: se — au devant de, to go to face, go to meet
assister à, to be present at
impuissant, powerless, helpless
crépiter, to sputter, crackle
cocarde, cockade, badge
angoissé: être —s, to have one's heart in one's mouth
haletant, breathless
toucher, to hit
virer: — de bord, to tack, turn sideways
déséquilibré, out of control
arroser, to sprinkle, shoot at
avion, plane
déroute: en —, in flight
élan, impulse, enthusiasm
direction, control stick
échapper: s'— de, to slip from
étreindre, to take hold of
oreille: — basse, crestfallen
regagner, to return to
atterrissage, landing-field

1. **Cocardes tricolores,** refers to the red, white and blue insignia of the French bombers; the **croix noires** (black crosses) are the symbols on the German aeroplanes. 2. **sur les Boches,** *over the German lines.* 3. **sans crainte de toucher leur avion,** *who are not afraid (now) of hitting their (own) aeroplane.* 4. **nos cœurs vont à ceux,** *our hearts go out to those.*

A l'arrivée, en deux mots, les camarades sont mis au courant. Stupeur... puis enthousiasme débordant, et quand le « nouveau » vient se poser, le capitaine en tête,[1] nous nous portons à sa rencontre au pas gymnastique.

V... et moi escaladons sa « carlingue » et sans façon l'embrassons. Mais lui, avec un charmant sourire, nous écartant doucement: « Faites attention, Messieurs, je suis légèrement blessé, » et il nous désigne son bras gauche d'où coule un mince filet de sang.

Son bombardier explique d'une voix hachée:

« Merveilleux!... Il est merveilleux! Vous entendez... c'est un as!... un as!... C'est lui qui vous a vus en danger et qui, d'autorité, a mis le cap sur vous... Blessé... il a gouverné sans une défaillance... C'est un as!... »

Avec d'infinies précautions nous l'enlevons de son appareil, et son bras blessé vient, en frôlant l'extérieur de sa « carlingue », laisser une trace sanglante sur « Berthe », sur ce nom que nous avions tellement blagué, et le capitaine avec émotion:

« Vous venez de le baptiser avec votre sang, mon jeune camarade ... Son nom lui restera... Vous l'avez gagné... Ça fera plaisir à votre petite amie!... »

Et le « nouveau », avec un sourire de fillette, un peu crispé par la douleur:

courant: mettre au —, to inform
stupeur, amazement
déborder, to overflow, boil over
poser: se —, to land
porter: se — à la rencontre, to go to meet
pas: au — gymnastique, in double time, on the run
escalader, to climb
attention: faites —, look out, be careful
filet, trickle, streak
expliquer, to explain, cry out
haché, staccato, jerky
as [ɑːs], ace
autorité: d'—, acting on one's own responsibility
cap: mettre le — sur, to steer for, head towards
gouverner, to steer
défaillance, faltering (from exhaustion)
enlever, to remove
frôler, to touch, brush against
trace, streak, trickle
sanglant, bloody
blaguer, to make fun of, joke about
baptiser, to baptize, christen
amie: petite —, sweetheart
crispé, contorted, drawn

1. **le capitaine en tête,** *with our captain at the head* (*in front*).

« Ça fera surtout plaisir à ma maman, mon capitaine, car « Berthe », c'est le prénom de ma maman ! »

Courtesy, Librairie Delagrave "Anthologie des Conteurs d'Aujourd'hui," and Albin Michel, éditeur.

LA TRANSTÉVÉRINE

PAR

ALPHONSE DAUDET

La pièce venait de finir. Pendant que la foule, diversement impressionnée, se précipitait au dehors, ondoyant aux lumières sur le grand perron du théâtre, quelques amis, dont j'étais, attendaient le poète[2] à la porte des artistes pour le féliciter. Son œuvre n'avait pourtant pas eu un immense succès. Trop forte pour l'imagination timide et banale du public de maintenant,[3] elle dépassait le cadre de la scène, cette limite des conventions et des libertés permises.[3] La critique pédante[4] avait dit: « Ce n'est pas du théâtre ![4] . . . » et les ricaneurs du boulevard se vengeaient de l'émotion que venaient de leur donner ces vers magnifiques en répétant: « Ça ne fera pas le sou ![4] . . . » Nous, nous étions fiers de notre ami qui avait osé faire sonner, tourbillonner ses belles rimes d'or, tout l'essaim de sa ruche autour du soleil factice et meurtrier du lustre, et présenter des per-

diversement, in various ways
impressionné, impressed
lumière: aux —s, under the (lights) lamps
ondoyer, to surge
perron, stairway
être: — de, to be a member of, be one of
porte: — des artistes, stage entrance
banal, common-place, vulgar
cadre, plan
ricaneur, sneerer
tourbillonner, to whirl, roll out
essaim, swarm
ruche, hive
soleil, bright light
factice, artificial
meurtrier, deadly
lustre, foot-lights

1. The Transteverine (woman), one who lives on the right bank of the Tiber, in Rome. This story, which appeared in 1874 in a volume entitled *Femmes d'artistes*, is a sketch depicting certain phases of artistic and Bohemian life in Paris. 2. **le poète = l'auteur.** 3. This is an allusion to the attempt of the Naturalists to throw off the conventions of the stage and give a truer representation of life. 4. **la critique pédante** refers to Francisque Sarcey, the well-known dramatic critic of the time, whose two main ideas are summed up by "**Ce n'est pas du théâtre**"; "**Ça ne fera pas le sou.**"

sonnages grands comme nature, sans s'inquiéter de l'optique du théâtre moderne, des lorgnettes troubles ni des mauvais yeux.

Parmi les machinistes, les pompiers, les figurants en cache-nez, le poète[1] s'approcha de nous, sa grande taille courbée en deux, son collet relevé frileusement sur sa barbe grêle et ses longs cheveux déjà grisonnants. Il avait l'air triste. Les applaudissements de la claque et des lettrés, restreints à un coin de la salle, lui prédisaient un nombre très court de représentations, les spectateurs choisis et rares, l'affiche vite enlevée sans laisser à son nom le temps de s'imposer.

Quand on a travaillé pendant vingt ans, qu'[2]on est en pleine maturité de talent et d'âge, cette résistance de la foule à vous comprendre a quelque chose de lassant, de désespérant. On en vient à se dire: « Ils ont peut-être raison. » On a peur, on ne sait plus.[3] . . . Nos acclamations, nos poignées de main enthousiastes le réconfortèrent un peu. « Vraiment, vous croyez? C'est si bien que cela? . . . C'est vrai que j'ai fait tout ce que j'ai pu. » Et ses mains brûlantes de fièvre s'accrochaient aux nôtres avec inquiétude; ses yeux pleins de larmes cherchaient un regard sincère et rassurant. C'était l'angoisse suppliante du malade demandant au médecin: « N'est-ce pas

nature: grand comme —, life size
optique, perspective
lorgnette, opera glass
trouble, dim, blurred
machiniste, stage-hand
pompier, fireman
figurant, extra
cache-nez: en —, wearing scarfs
courbé: — en deux, bent (way) over
collet, coat-collar
frileusement, snugly, like one who is chilly
grêle, thin
applaudissement, applause
claque, hired applauders (*in French theaters*)
lettré, literary man
restreint, restricted, confined
prédire, to foretell
choisi, select
rare, curious
affiche, poster
imposer: s'—, to become known
lassant, wearisome
désespérant, disheartening, discouraging
venir: en — à, to reach the point of
poignée: — de main, handshake
réconforter, to cheer up, encourage
accrocher: s'— à, to clutch
inquiétude: avec —, anxiously
rassurant, encouraging
suppliant, beseeching

1. See Note 2, page 217. 2. **qu'on est en pleine maturité de talent et d'âge**, *and when you are in the full bloom of your talent and age.* 3. **on ne sait plus**, *you no longer know* (*what the matter is*).

que je ne vais pas mourir ? » Non ! poète, tu ne mourras pas.[1] Les opérettes et les féeries qui ont des centaines de représentations, des milliers de spectateurs, seront oubliées depuis longtemps, envolées avec leur dernière affiche, que ton œuvre restera toujours jeune et vivante. . . .

Pendant que sur le trottoir désert nous étions là à l'exhorter, à le remonter, une forte voix de contralto éclata au milieu de nous, trivialisée par l'accent italien.

« Hé ! l'artiste,[2] assez de *pouégie.*[3] . . . Allons manger *l'estoufato !* »[3]

En même temps une grosse dame entourée d'une capeline et d'un tartan à carreaux rouges vint passer son bras sous celui de notre ami d'un mouvement si brutal, si despotique, que sa physionomie, son attitude en furent tout de suite gênées.

« Ma femme, » nous dit-il; puis, se tournant vers elle avec un sourire hésitant:

« Si nous les emmenions[4] pour leur montrer comment tu fais l'*estoufato ?* » Prise par son amour-propre de cordon bleu l'Italienne consentit assez gracieusement à nous recevoir, et nous voilà partis cinq ou six avec eux pour aller manger du bœuf à l'étouffée sur les hauteurs de Montmartre[5] où ils habitaient.

féerie, spectacular play
envolé, disappeared
que = **quand**
remonter, to cheer up
trivialiser, to vulgarize, make common
entouré de, wrapped in
capeline, hooded cape, hood
tartan, plaid shawl
carreau, check
passer, to thrust
despotique, dictatorial
physionomie, expression
hésitant, hesitant
amour-propre, vanity
cordon: — bleu, first-rate cook
voilà: nous — partis, off we went
bœuf: — à l'étouffée, braised beef

1. **Non ! poète, tu ne mourras pas.** These are words of encouragement that Daudet seems to be addressing to himself. He wrote several unsuccessful plays, the best known of which is l'**Arlésienne.** In this story, Daudet seems to be reminiscing, and one is to see in the person of the discouraged poet Daudet's own feelings and disappointments. 2. **l'artiste,** *artist;* note use of the article in popular speech with nouns in direct address. 3. **pouégie** = **poésie,** *poetry;* **estoufato** = **étouffée,** *a dish of braised meat;* both of these words are a mixture of Italian and French words. 4. **Si nous les emmenions ?** *Suppose that we took them along ?* 5. **hauteurs de Montmartre,** a hill in the northern part of Paris, one of the poorer Parisian quarters.

J'avoue que j'avais un certain désir de connaître cet intérieur d'artiste. Notre ami depuis son mariage vivait très retiré, presque toujours à la campagne; mais ce que je savais de sa vie tentait ma curiosité. Il y avait quinze ans de cela,[1] dans toute la ferveur d'une imagination romantique, il avait rencontré aux environs de Rome une superbe fille dont il était devenu très amoureux.[2] Maria Assunta habitait avec son père et toute une nichée de frères et de sœurs une de ces petites maisons du Transtévère qui ont les pieds dans le Tibre et un vieux bateau de pêche au ras de leurs murs. Un jour il aperçut cette belle Italienne, les pieds nus dans le sable, avec sa jupe rouge aux plis collants, ses manches de toile bise relevées jusqu'aux épaules, retirant des anguilles d'un grand filet ruisselant. Les écailles luisantes dans les mailles pleines d'eau, le fleuve d'or, la jupe écarlate, ces beaux yeux noirs, profonds, pensifs, dont la rêverie s'assombrissait de tout le soleil environnant, frappèrent l'artiste, peut-être même un peu vulgairement, comme une estampe de romance à la devanture d'un éditeur de musique. Par hasard la fille avait le cœur libre, n'ayant encore aimé qu'un gros chat sournois

intérieur, home
retiré, secluded
nichée, brood
Transtévère, right bank of the river Tiber
Tibre, Tiber (*river in Rome*)
bateau: — de pêche, fishing-boat
ras: au — de, level with, flush with
nu: pieds —s, barefooted
pli: aux —s collants, with clinging folds
manche, sleeve
toile: — bise, unbleached linen
relevé, turned up, rolled up
retirer, to take out
anguille, eel
filet, net
ruisselant, dripping
écaille, scale
luisant, shiny
maille, mesh
fleuve, river
écarlate, scarlet
rêverie, dreaminess
assombrir: s'— de, to be deepened by
environnant, surrounding
estampe, engraving, picture
romance, popular "hit"
devanture, shop-window
éditeur, publisher; **— de musique,** music store
cœur: avoir le — libre, not to be in love
sournois, sly

1. **il y a quinze ans de cela,** *fifteen years before this.* 2. **dont il était devenu très amoureux,** *with whom he had fallen deeply in love.*

et roux, grand pêcheur d'anguilles lui aussi, et qui hérissait son poil quand on s'approchait de sa maîtresse.

Bêtes et gens,[1] notre amoureux parvint à apprivoiser tout ce monde, se maria à Sainte-Marie du Transtévère,[2] et ramena en France la belle Assunta [3] avec son cato.[4] . . .

Ah ! *povero,*[5] ce qu'il aurait dû emporter aussi, c'était un rayon du soleil de là-bas, un pan de ciel bleu, l'excentricité du costume, et les roseaux du Tibre, et les grands filets tournants du *Ponte Rotto,*[6] tout le cadre avec l'image.[7] Alors il n'aurait pas eu la cruelle désillusion qu'il éprouva quand, le ménage installé à un petit quatrième, tout en haut de Montmartre, il vit sa belle Transtévérine affublée d'une crinoline, d'une robe à volants et d'un chapeau parisien qui, toujours mal équilibré sur l'édifice de ses nattes lourdes, prenait des attitudes complètement indépendantes. A la froide et terrible clarté des ciels de Paris, le malheureux s'aperçut bientôt que sa femme était bête, irrémissiblement bête. Ces beaux yeux noirs, perdus en des contemplations infinies, ne roulaient pas une pensée dans leurs ondes de

rou–x, –sse, reddish
pêcheur, fisher
hérisser, to bristle up
apprivoiser, to tame
monde: tout ce —, all these people
pan, bit
roseau, reed
filet tournant, revolving net
cadre, frame, framework
quatrième (étage), fifth story apartment
haut: tout en — de, way up on
affublé de, rigged out in, dressed in
volant: robe à —s, gown with flounces
équilibré, balanced
édifice, top
natte, braid
ciels, *pl.* climate
irrémissiblement, unpardonably
rouler, to reflect
onde: — de velours, velvety shadow

1. **Bêtes et gens,** *cats and folks.* **Bête** usually means "beast" or "animal"; however, its exact English equivalent must often be derived from the context. 2. **Sainte-Marie de Transtévère,** the church of Santa Maria in Transtevere; one of the early churches of Christendom, built about 450 A.D. and reerected in 1140 by pope Innocent II. 3. **Assunta,** Italian for *Assumption, Virgin.* 4. **cato** = **gatto** (Italian) = **chat,** *cat.* 5. **povero,** Italian, *poor fellow.* 6. **Ponte Rotto** = *the broken bridge* (Italian). This bridge was partly demolished by a flood in 1598; only the middle arch is standing today. 7. **tout le cadre avec l'image.** This is a fine metaphor, the idea being that the French artist who married this simple Italian girl took her out of the picture without bringing the background with it.

velours. Ils brillaient animalement du calme de la digestion, d'un heureux reflet du jour, rien de plus. Avec cela la dame était grossière, rustique, habituée à conduire d'un revers de main tout le petit monde de la cabane, et la moindre résistance lui causait des colères terribles.
5 Qui eût dit que cette belle bouche, contractée par le silence dans la forme la plus pure des visages antiques, s'ouvrait tout à coup pour laisser passer l'injure à flots pressés, tumultueux ?[1] . . . Sans respect d'elle ni de lui,[2] tout haut, dans la rue, en plein théâtre, elle lui cherchait querelle, lui faisait des scènes de jalousie épouvantables. Pour
10 l'achever,[3] aucun sentiment des choses artistiques, une ignorance complète du métier de son mari, de la langue, des usages, de tout. Le peu de français qu'on lui apprit ne servant qu'à lui faire oublier l'italien, elle arriva à se composer une espèce de jargon mi-parti, qui était du plus haut comique. Bref, cette histoire d'amour, com-
15 mencée comme un poème de Lamartine,[4] se terminait comme un roman de Champfleury[5] . . . Après avoir longtemps essayé de civiliser sa sauvagesse, le poète vit bien qu'il fallait y renoncer. Trop honnête pour l'abandonner, peut-être amoureux encore, il prit le parti de se cloîtrer, de ne voir personne, de travailler beaucoup.

animalement, like an animal, stolidly
calme, calmness, blankness
cela: avec —, in addition
grossi–er, –ère, coarse
rustique, boorish
revers: — de main, sweep of the hand
monde: le petit —, the children
cabane, hut, household
contracter, to close
flot, wave, flood, stream
'haut: tout —, aloud
théâtre: en plein —, right in the theatre
querelle: chercher — à, to pick a quarrel with
mi-parti: jargon —, a half French and half Italian speech (dialect)
comique, comedy
sauvagesse, uncivilized (savage) wife
cloîtrer, to shut up, segregate

1. **pour laisser passer l'injure à flots pressés, tumultueux?** *to utter noisy floods of abuse?* 2. **sans respect d'elle ni de lui,** *without respect either for herself or for him.* 3. **pour l'achever,** *to top it off.* 4. **Lamartine (Alphonse de),** famous French lyric poet of great harmony and feeling (1790–1869). 5. **Champfleury,** (1821–1889) the precursor and *bête noire* of the Naturalistic school. The Naturalists resented being compared to him. Flaubert once declared that the only reason he wrote *Madame Bovary* was to prove to Champfleury and all others that an author could be an exact painter of life without ceasing to be an artist.

Les rares intimes, qu'il avait admis dans son intérieur, s'aperçurent qu'ils le gênaient et ne vinrent plus. C'est ainsi que depuis quinze ans il vivait enfermé dans son ménage comme dans une logette de lépreux...

Tout en pensant à cette misérable existence, je regardais l'étrange couple marcher devant moi. Lui, frêle, long, un peu voûté. Elle, carrée, épaisse, secouant des épaules son châle qui la gênait, indépendante dans sa marche comme un homme. Elle était assez gaie, parlait fort, et de temps en temps se retournait pour voir si nous suivions, appelant ceux d'entre nous qu'elle connaissait, très haut, familièrement par leurs noms, en s'aidant de grands gestes, comme elle aurait hélé une barque de pêche sur le Tibre. Quand nous arrivâmes chez eux, le concierge,[1] furieux de voir entrer à une heure indue toute une bande bruyante, ne voulait pas nous laisser monter. Entre l'Italienne et lui ce fut dans l'escalier une scène terrible. Nous étions tous échelonnés sur les marches tournantes, à demi éclairés par le gaz qui mourait, gênés, malheureux, ne sachant pas s'il fallait redescendre.

« Venez vite, montons, » nous dit le poète à voix basse, et nous le suivîmes silencieusement, pendant qu'appuyée à la rampe qui tremblait de son poids et de sa colère, l'Italienne égrenait un chapelet d'injures où les imprécations romaines alternaient avec le vocabulaire des boulevards extérieurs.[2] Quelle rentrée pour ce poète qui venait

intime, intimate friend
logette: — de lépreux, leper's cell
frêle, frail, thin
long, tall
voûté, round-shouldered
carré, squarely built
indépendant, free, striding
'héler, to hail
barque: — de pêche, fishing boat
indu: à une heure —e, at such a late hour
bande, band, party
bruyant, noisy
échelonné, strung out
mourir, to flicker feebly (of light)
gêné, embarrassed
rampe, banister
égrener: — un chapelet d'injures, to utter a stream of abuse
imprécation, curse
romain, Italian
rentrée, home-coming

1. **le concierge,** *the janitor;* an important personage in French apartments; he has a lodge at the entrance, and one may not enter or leave one's apartment without being seen by him or his wife. 2. **boulevards extérieurs,** *the outer boulevards* (of Paris). They follow the line of the old fortifications, and are inhabited by the poorer classes.

d'agiter tout le Paris artistique, et gardait encore dans ses yeux enfiévrés l'éblouissement de sa première ![1] Quel rappel humiliant à la vie ! . . .

Ce fut seulement près du feu de son petit salon que le froid glacial causé par cette sotte aventure se dissipa, et bientôt nous n'y aurions plus pensé, sans la voix éclatante et les gros rires de la *signora*[2] qu'on entendait dans la cuisine raconter à sa bonne comment elle avait secoué cette espèce de *choulato !*[3] . . . Le couvert mis, le souper préparé, elle vint s'asseoir au milieu de nous, sans châle, sans chapeau ni voile, et je pus la regarder à mon aise. Elle n'était plus belle. La figure carrée, le menton large, épaissi, les cheveux grisonnants et gros, surtout l'expression vulgaire de la bouche contrastaient singulièrement avec l'éternelle et banale rêverie des yeux. Les deux coudes appuyés sur la table, familière et avachie, elle se mêlait à la conversation sans perdre un instant de vue son assiette. Juste au-dessus de sa tête, fier parmi les mélancoliques vieilleries du salon, un grand portrait signé d'un nom illustre s'avançait de l'ombre: c'était Maria Assunta à vingt ans. Le costume de pourpre vive, le blanc laiteux de la guimpe plissée, l'or brillant des bijoux abondants et faux faisaient magnifiquement ressortir l'éclat d'un teint de soleil, l'ombre veloutée des cheveux épais plantés bas sur le

éblouissement, resplendence, dazzling sight
première, first night
rappel, recall, return
salon: petit —, small reception room
sot, -te, foolish, silly
dissiper: se —, to be dissipated, cleared up
éclatant, shrill, loud
secouer, to "blow up," best
menton, chin
épaissi, grown fleshy
coude, elbow
avachi (*popular*), flabby
vue: perdre de —, to lose sight of
vieilleries, old things, old trash
avancer: s'—, to stand out
pourpre, purple, crimson
vi-f, -ve, bright
blanc, white
laiteu-x, -se, milky
guimpe, guimpe, neckerchief
plissé, pleated
abondant, many
ressortir: faire —, to set off
teint, complexion
soleil: de —, sunny, radiant
ombre, darkness, blackness
velouté, velvety
planté, fixed

1. **première,** supply **représentation.** 2. **signora,** Italian meaning *lady, married woman* or *Mrs.* 3. **cette espèce de choulato,** popular French; translate *that miserable numskull* (*dumbbell*).

front et qu'un duvet presque imperceptible rattachait à la ligne superbe et droite des sourcils. Comment cette exubérance de beauté et de vie avait-elle pu arriver à tant de vulgarité ? . . . Et curieusement, pendant que la Transtévérine parlait, j'interrogeais sur la toile son beau regard profond et doux.

La chaleur de la table l'avait mise de bonne humeur. Pour ranimer le poète, à qui son insuccès mêlé de gloire serrait doublement le cœur, elle lui donnait de grandes claques dans le dos, riait la bouche pleine, disant en son affreux jargon que ce n'était pas la peine pour si peu de se flanquer la tête en bas du *campanile del domo.*[1]

« Pas vrai *il cato?* »[2] ajoutait-elle en se tournant vers le vieux *mato*[3] perclus de rheumatismes qui ronflait devant le feu. Puis tout à coup, au milieu d'une discussion intéressante, elle criait à son mari d'une voix bête et brutale comme un coup d'escopette :

« Hé ! l'artiste . . . , *La lampo qui filo!* »[4]

Vivement le malheureux s'interrompait pour remonter la lampe, humble, soumis, attentif à éviter la scène qu'il craignait et que malgré tout il n'évita pas.

En revenant du théâtre, nous nous étions arrêtés à la *Maison d'or*[5] pour prendre une bouteille de vin fin dont on devait arroser *l'estoufato.* Tout le temps de la route, Maria Assunta l'avait portée religieusement sous son châle et posée, en arrivant, sur la table où elle la couvait d'un œil attendri, car les Romaines aiment le bon vin.

duvet, down
rattacher, to connect
sourcil, eyebrow
chaleur, cheer
ranimer, to revive, cheer up
insuccès, failure
serrer: — le cœur, to cause a pang
flanquer: se — la tête en bas, to pitch oneself head first
perclus, crippled
ronfler, to purr
escopette, blunderbuss
remonter: — la lampe, to turn up the wick of the lamp
soumis, submissive
attentif, attentive, anxious
prendre, to purchase
arroser de, to wash down with
religieusement, carefully
couver: — d'un œil attendri, to gaze on with tender eyes
Romaine, Italian woman

1. **campanile del domo** (*Italian*), *the cathedral tower.* 2. **pas vrai** = **n'est-ce pas vrai; il cato** = **il gatto** (*Italian*) = **le chat,** *cat.* 3. **mato** = **gatto** (*Italian*), **matou,** *tom-cat.* 4. **la lampo qui filo** (mixture of Italian and French) = **la lampe qui file,** *the lamp is smoking.* 5. **la Maison d'or,** name of a wine shop.

Deux ou trois fois déjà, se méfiant des distractions de son mari et de ses grands bras, elle lui avait dit:

« Prends garde à la *boteglia* [1]..., tu vas la casser. »

Enfin, en allant à la cuisine retirer elle-même le fameux *estoufato*, elle lui cria encore:

« Surtout ne casse pas la *boteglia.* »

Malheureusement, dès que sa femme ne fut plus là, le poète en profita pour parler de l'art, du théâtre, du succès, si librement, avec tant de verve et d'abondance que... patatras!... A un geste plus éloquent que les autres, voilà la bouteille mirifique en mille pièces au milieu du salon. Jamais je n'ai vu un saisissement pareil. Il s'arrêta court, devint très pâle.... En même temps, le contralto d'Assunta gronda dans la pièce à côté, et l'Italienne apparut sur la porte, les yeux en feu, la lèvre gonflée de colère, toute rouge de la chaleur des fourneaux.

« La *boteglia!* » cria-t-elle d'une voix terrible.

Alors, lui timidement se pencha à mon oreille:

« Dis que c'est toi... »

Et le pauvre diable avait si peur, que je sentais sous la table ses longues jambes qui tremblaient [2]....

méfier: se — de, to distrust
distractions, *pl.* absent-mindedness
garde: prendre — à, to watch out for
verve, animation
abondance: avec tant d'—, so profusely
patatras! crash!
mirifique, wonderful
saisissement, shock, emotion
côté: à —, adjoining
feu: en —, on fire, blazing
gonflé de, swelled with, distended with
fourneau, furnace, cooking-stove
diable, poor wretch

1. **boteglia** = **bottiglia** (*Italian*), **bouteille,** *bottle.* 2. The ending of this story seems to be rather abrupt and unfinished; however, Daudet intended the stories that appeared in *Femmes d'artistes* to be mere sketches, "tranches de vie," as they are called by the Naturalist authors.

LES VICES DU CAPITAINE

PAR

FRANÇOIS COPPÉE

Peu importe le nom de la petite ville de province où le capitaine Mercadier — trente-six ans de services, vingt-deux campagnes, trois blessures — se retira quand il fut mis à la retraite.

Elle était pareille à toutes les petites villes qui sollicitent, sans l'obtenir, un embranchement de chemin de fer, comme si ce n'était pas l'unique distraction des indigènes d'aller tous les jours, à la même heure, sur la place de la Fontaine, voir arriver au grand galop la diligence, avec son bruit joyeux de claquements de fouet et de grelots. Elle comptait trois mille habitants, que la statistique appelait ambitieusement des âmes, et tirait vanité de son titre de chef-lieu de canton. Elle possédait des remparts plantés d'arbres, une jolie rivière pour pêcher à la ligne, et une église de la charmante époque du gothique flamboyant,[1] déshonorée par un affreux Chemin de Croix[2] venu tout droit du quartier Saint-Sulpice.[3] Tous les lundis, elle s'émaillait des grands parapluies bleus et rouges de son

retraite: mettre à la —, to retire on a pension
embranchement, branch line
indigène, native
galop: au grand —, at full (gallop) speed
diligence, stage-coach
claquement, cracking
grelot, (ringing of) little bell
compter, to comprise
tirer: — vanité de, to boast of
chef-lieu, county-seat
canton, canton, township
pêcher: — à la ligne, to fish (with rod and line)
émailler: s'— de, to be embellished with, be bedizened with
parapluie, umbrella

1. **Gothique flamboyant,** *flamboyant Gothic* (architecture); Gothic architecture flourished in France from the 12th to the 16th century; **flamboyant** means with designs like points of flames. 2. **Chemin de Croix,** *Calvary;* pictures representing the scenes of the Passion (of Christ). 3. **Saint-Sulpice,** the name of a fine church and a district on the left bank of the Seine in Paris. In this district are located many shops that sell ecclesiastical images, books, pictures, etc.

marché, et les gens de la campagne y venaient en charrettes et en berlingots; mais, le reste de la semaine, elle se replongeait avec délices dans le silence et dans la solitude qui la rendaient chère à sa population de petits bourgeois. Ses rues étaient pavées en têtes de chat; on y apercevait, par les fenêtres des rez-de-chaussée, des tableaux en cheveux et des bouquets de mariées sous un verre, et, par les demi-portes des jardins, des statuettes de Napoléon en coquillages. La principale auberge s'appelait naturellement *l'Écu de France,* et le receveur de l'enregistrement rimait des acrostiches pour les dames de la société.

Le capitaine Mercadier avait choisi cette résidence de retraite par la raison frivole qu'il y avait autrefois vu le jour, et que, dans sa tapageuse enfance, il y avait décroché les enseignes et maçonné les boutons de sonnettes. Pourtant il ne venait retrouver là ni parents, ni amis, ni connaissances, et les souvenirs de son jeune âge ne lui retraçaient que des visages indignés de marchands qui lui montraient le poing du seuil de leur boutique, un catéchisme où l'on le menaçait de l'enfer, une école où on lui prédisait l'échafaud, et, enfin, son départ pour le régiment, hâté par une malédiction paternelle.

Car ce n'était pas un saint homme que [1] le capitaine. Son an-

berlingot, berlin (a single seated carriage)
replonger: se —, to relapse
délice: avec —s, blissfully
bourgeois: petits —, plain townsfolk, lower middle class persons
tête: en — de chat, cobblestone
mariée: bouquets de —s, bridal flowers
verre: sous un —, under a glass bell
demi-porte, low gate
coquillage: en —s, made of shells
receveur: — de l'enregistrement, registry clerk
rimer, to write (rhymes, poetry)
acrostiche: des —s, acrostic verses
voir: — le jour, to be born
tapageu-x, -se, stormy
décrocher, to take down
enseigne, shop-sign
maçonner, to plaster up, stop up
bouton: — de sonnette, door-bell
âge: jeune —, early youth
retracer, to recall
indigné, indignant
boutique, shop
enfer, hell
échafaud, gallows

1. que, redundant; omit in translation; read, **Car le capitaine n'était pas un saint homme.**

cienne feuille de punitions était noire de jours de salle de police infligés pour actes d'indiscipline, absences aux appels et tapages nocturnes dans les chambrées. Bien des fois on avait dû lui arracher ses galons de caporal et de sergent, et il lui avait fallu tout le hasard et toute la licence de la vie de campagne pour gagner enfin sa première épaulette. Dur et brave soldat, il avait passé presque toute sa vie en Algérie, s'étant engagé dans le temps où nos fantassins portaient le haut képi droit, les buffleteries blanches et la grosse giberne. Il avait eu Lamoricière [1] pour commandant; le duc de Nemours,[2] près duquel [3] il reçut sa première blessure, l'avait décoré, et, quand il était sergent-major, le père Bugeaud [4] l'appelait par son nom et lui tirait les oreilles.[5] Il avait été prisonnier d'Abd-el-Kader,[6] portait les traces d'un coup de yatagan sur la nuque, d'une balle dans l'épaule et d'une autre dans la cuisse; et, malgré l'absinthe, les duels, les dettes de jeu, il avait péniblement conquis, à la pointe de

feuille: — de punitions, guard-house record, crime sheet
salle: — de police, guard-house, guard-room
infliger, to inflict
indiscipline, insubordination
appel, roll-call
tapage: —s nocturnes, being drunk and disorderly at night
chambrée, barrack-room
galon, stripe
campagne: vie de —, campaigning life
épaulette: gagner une —, to obtain a military commission
engager: s'—, to enlist
fantassin, infantryman
képi: haut — droit, high straight cap
buffleterie, strap
giberne, cartridge-box
sergent-major, first sergeant
trace, scar
yatagan, yataghan (a sharp two edged Turkish sword)
nuque, nape of the neck
cuisse, thigh
absinthe, absinthe (a strong French liqueur)
dette: — de jeu, gambling debt
péniblement, painfully
conquérir, to win

1. **Lamoricière,** a French general who served against Abd-el-Kader in Algeria; died in 1865. 2. **duc de Nemours,** second son of king Louis-Philippe of France. 3. **près duquel,** *in whose regiment.* 4. **le père Bugeaud,** *Papa Bugeaud,* a title of familiarity given to Bugeaud de la Piconnerie (Thomas Robert), Duke of Isly, governor of Algeria and Marshal of France (1784–1849). 5. **lui tirait les oreilles,** *tweaked his ears;* a familiar gesture as evidence of affection. 6. **Abd-el-Kader** (1807–1883), an Arab chief who defended Algeria against the French from 1832 to 1874; he finally surrendered to General Lamoricière and became a great friend of France.

la baïonnette et du sabre, son grade de capitaine au Ier régiment de tirailleurs.

Le capitaine Mercadier — trente-six ans de services, vingt-deux campagnes, trois blessures — venait donc d'obtenir sa pension de retraite, pas tout à fait deux mille francs, qui, joints aux deux cent cinquante francs de sa croix,[1] le mettaient dans cet état de misère honorable que l'État réserve à ses anciens serviteurs.

Son entrée dans sa ville natale fut exempte de faste. Il arriva, un matin, sur l'impériale de la diligence, mâchonnant un cigare éteint et déjà lié avec le conducteur, à qui, pendant le trajet, il avait raconté le passage des Portes de Fer;[2] plein d'indulgence du reste pour les distractions de son auditeur, qui l'interrompait souvent par un blasphème ou par l'épithète de carcan[3] adressée à la jument de droite. Quand la voiture s'arrêta, il lança sur le trottoir sa vieille valise, maculée d'étiquettes de chemins de fer, aussi nombreuses que les changements de garnison de son propriétaire; et les oisifs d'alentour furent absolument stupéfaits de voir un homme décoré — chose encore rare en province — offrir le vin blanc au cocher sur le comptoir du prochain cabaret.

Il s'installa sommairement. Dans une maison de faubourg, où

tirailleur, sharp-shooter
exempt de, without
faste, display, ostentation
impériale, top (of a bus)
mâchonner, to chew
éteint, gone out, no longer burning
lié: — avec, on friendly terms with
trajet, journey
distraction, inattention, lack of attention
épithète, term
jument, mare
trottoir, sidewalk
maculé: — d'étiquettes, bedaubed with labels
garnison, garrison
oisif, idler
alentour: d'—, round about, of the vicinity
cocher, driver, cabman
comptoir, counter
cabaret: le prochain —, the nearest tavern
installer: s'—, to take up one's abode, settle down
sommairement, summarily
faubourg, suburb

1. **croix = croix de la Légion d'Honneur**; this honor carries with it a small pension. 2. **Portes de Fer**, a narrow dangerous mountain pass in Algeria crossed by the French army in 1839. 3. **carcan**, here means *jade*, a slang term applied to a decrepit old horse.

mugissaient deux vaches captives et où les poules et les canards passaient et repassaient sous la porte charretière, une chambre meublée était à louer. Précédé d'une maritorne,[1] le capitaine gravit un escalier à grosse rampe de bois, parfumé d'une forte odeur d'étable, et pénétra dans une vaste pièce carrelée que tapissait un papier bizarre, représentant, imprimée en bleu sur fond blanc et répétée à l'infini, l'image de Joseph Poniatowski,[2] à cheval, sautant dans l'Elster.[2] Cette décoration monotone, mais qui rappelait nos gloires militaires, séduisit sans doute le capitaine, car, sans s'inquiéter du peu de confortable des chaises de paille, des meubles de noyer et du petit lit aux rideaux jaunis, il conclut sans hésitation. Un quart d'heure lui suffit pour vider sa malle, pendre ses habits, reléguer dans un coin ses bottes, et orner la muraille d'un trophée composé de trois pipes, d'un sabre et d'une paire de pistolets. Après une visite à l'épicier d'en face, chez lequel il acheta une livre de bougies et une bouteille de rhum, il revint, déposa son emplette sur la cheminée, et

mugir, to bellow
vache, cow
capti-f, -ve, tied, tethered
poule, chicken
canard, duck
porte: — charretière, carriage entrance, cart gateway
meublé, furnished
louer: à —, for rent
gravir, to climb, go up
rampe, balustrade
carrelé, tiled
tapisser, to adorn
infini: à l'—, ad infinitum, endlessly
séduire, to charm, delight
confortable: le peu de —, the uncomfortableness
noyer, walnut
jauni, yellowed
conclure, to close (the deal)
vider, to unpack
malle, trunk
reléguer, to put away
botte, boot
face: d'en —, across the street
livre, pound (*lb.*)
bougie, wax candle
emplette, purchase

1. **maritorne,** *a servant girl;* this word is derived from Cervantes' *Don Quijote*, i. 16 where he describes Maritornes, the name of a servant girl in an inn. 2. **Joseph Poniatowski** (1762–1813), a Polish general appointed by Napoleon lieutenant general and minister to Poland. He joined Napoleon in his campaign against Russia (1812). His valor at the battle of Leipzig (1813) won him a marshal's baton. Three days after this battle while trying to cover the French retreat, he was attacked on the banks of the Elster river (in Germany) and being in danger of capture rode his horse into the flooded river, thus preferring to die rather than to surrender.

promena autour de lui le regard d'un homme très satisfait. Puis, avec la promptitude des camps, il se rasa sans miroir, brossa sa redingote, inclina son chapeau sur l'oreille, et s'alla promener[1] par la ville, en quête d'un café.

5 Le séjour de l'estaminet était une habitude invétérée chez le capitaine. Il y satisfaisait à la fois les trois vices égaux dans son cœur: le tabac, l'absinthe et les cartes. Sa vie tout entière s'y était écoulée, et il aurait pu dresser, de toutes les villes où il avait garnisonné,[2] un plan par cantines, marchands de tabac à comptoir, cafés 10 et cercles militaires. Il ne se sentait vraiment à son aise qu'une fois assis sur le velours ras d'une banquette, devant un carré de drap vert près duquel s'amoncellent les chopes et les soucoupes.[3] Son cigare ne lui semblait bon que s'il avait frotté l'allumette sous le marbre de la table, et jamais il n'avait manqué, après avoir attaché son 15 sabre et son képi à la patère et s'être installé[4] en lâchant quelques boutons de sa tunique, de pousser un profond soupir de soulagement et de s'écrier:

promener . . . le regard, to look . . . with the air
raser: se —, to shave
miroir, mirror
brosser, to brush
redingote, frock-coat
incliner: — sur, to tilt over
quête: en — de, looking for
séjour, stay, frequenting
estaminet, estaminet, bar-room, café
invétéré, inveterate, deeply-rooted
tabac, tobacco
écouler: s'—, to be spent
cantine, canteen (*mil.*)
comptoir: marchand à —, retail merchant
cercle, club
velours: — ras, short-napped velvet
banquette, lounge
carré, square
drap, cloth
amonceler: s'—, to be piled up
chope, (large) beer-glass
soucoupe, saucer
frotter, to scratch, light
allumette, match
marbre, marble
attacher: — à, to hang on
patère, hat-peg, clothes rack
tunique, coat
soulagement, relief

1. **s'alla promener = alla se promener.** 2. **où il avait garnisonné,** *where he had been garrisoned;* the word **garnisonner** is a coined word not to be found in French dictionaries. 3. **s'amoncellent . . . les soucoupes;** it is customary in French cafés to leave the saucers piled up in front of a customer until the final settlement of the **addition** (bill), as the price of the drink is marked on the saucer. 4. **s'être installé = s'être assis.**

— Ça va mieux !

Son premier soin fut donc de rechercher l'établissement qu'il fréquenterait, et, après avoir fait un tour de ville sans rien trouver à sa convenance, il arrêta enfin son regard de connaisseur sur le café Prosper, situé à l'angle de la place du Marché et de la rue de la Paroisse. 5

Ce n'était pas son idéal. L'extérieur offrait bien quelques détails par trop provinciaux: ce garçon en tablier noir, par exemple, et ces petits ifs dans leurs caisses vertes, et ces tabourets, et ces tables de bois recouvertes de toile cirée. Mais l'intérieur plut au capitaine. Il fut réjoui, dès son entrée, par le bruit du timbre que toucha la 10 grasse et fraîche dame du comptoir, en robe claire, avec un ruban ponceau dans ses cheveux bien pommadés. Il salua galamment cette personne et jugea qu'elle occupait, avec une suffisante majesté, sa place triomphale entre les deux édifices de bols à punch, congrûment couronnés par des billes de billard. Il constata que la salle 15 était gaie, propre, également semée de sable jaune; il en fit le tour, se regarda passer dans les glaces, apprécia les panneaux, où des mousquetaires et des amazones sablaient le champagne dans des paysages pleins de roses trémières, se fit servir, fuma, trouva le divan moelleux et l'absinthe savoureuse, et fut assez indulgent pour 20 ne pas se plaindre des mouches qui se baignaient dans les consommations avec une familiarité toute campagnarde.

convenance: à sa —, to his liking
regard: il arrêta son — de connaisseur, his expert glance fell
angle, corner
Paroisse: rue de la —, Parish street
trop: par —, far too
tablier, apron
if, yew tree
tabouret, stool
toile: — cirée, oil-cloth
timbre, bell
gras, -se, plump
frais, fraîche, healthy-looking
clair, light-colored
ponceau, poppy-red, flaming red
pommadé, pomaded, anointed with pomade
galamment, gallantly, with great politeness
édifice, structure, ornament
bol: — à punch, punch-bowl
congrûment, suitably
bille, billiard-ball
également, evenly, smoothly
apprécier, to appraise the value of
panneau, panel
amazone, woman on horseback
sabler, to gulp down, quaff
rose: — trémière, hollyhock
moelleu-x, -se, soft
mouche, fly
baigner: se —, to swim
consommation, drink
campagnard, rustic

Huit jours après, il était devenu un pilier du café Prosper.

On y connut [1] bien vite ses habitudes ponctuelles; on prévint ses désirs, et il ne tarda point à prendre ses repas avec les patrons du lieu. Recrue précieuse pour les habitués, gens terrassés par le terrible ennui de la province et pour qui l'arrivée de ce nouveau venu, passé maître à tous les jeux et racontant assez gaiement ses guerres et ses amours, était une véritable bonne fortune; le capitaine fut lui-même enchanté de rencontrer des humains encore ignorants de son répertoire. Il en avait donc pour six mois à dire ses razzias, ses chasses, ses batailles, la retraite de Constantine,[2] la capture de Bou-Maza,[3] et les réceptions d'officiers avec leur total effrayant de punchs au kirsch.

Faiblesse humaine! Il n'était pas fâché d'être un peu oracle [4] quelque part, lui dont les petits sous-lieutenants, arrivant de Saint-Cyr,[5] fuyaient naguère les trop longues histoires.

Ses auditeurs ordinaires étaient le maître du café, gros sac à bière silencieux et stupide, toujours en manches de veste et remarquable seulement par ses pipes à sujets; l'huissier-priseur,[6] personnage goguenard et vêtu de noir, méprisé pour son habitude peu élégante d'emporter le reste de son sucre; le receveur de l'enregistrement, —

pilier, pillar
recrue, recruit
terrasser, to bore, depress, irk terribly
avoir: en — pour, to have enough of them for
razzia (*Arabic*), raid, foray
punch: — au kirsch, cherry brandy punch
fâché, sorry
sous-lieutenant, second lieutenant
naguère, not long ago, lately
auditeurs, audience
sac: — à bière, beer-belly
manche: en —s de veste, in sleeved waistcoat
pipe: — à sujets, carved pipe
goguenard, bantering, jeering
élégant: peu —, inelegant, unrefined, vulgar
sucre, sugar

1. **on y connut,** *they got to know.* 2. **Constantine,** a city in Algeria besieged and captured by the French in 1837. 3. **Bou-Maza,** name of an Arabic chieftain captured in 1845 and later liberated by Louis Napoléon, president of France. 4. **d'être un peu oracle,** *to be somewhat of an oracle.* 5. **Saint-Cyr,** French military academy corresponding to West Point in the United States; it is located about fourteen miles from Paris. 6. **l'huissier-priseur,** *the appraiser* (of goods to be sold at auction), now called **commissaire-priseur.**

celui des acrostiches, — être très doux et d'une constitution faible, qui envoyait aux journaux illustrés la solution des mots carrés et des rébus; et enfin le vétérinaire du canton, le seul qui, en sa qualité d'athée et de démocrate, se permît quelquefois de contredire le capitaine. Ce praticien, homme à favoris touffus et à pince-nez, présidait le comité radical aux époques d'élections, et, lorsque le curé faisait une petite collecte parmi ses dévotes pour orner son église de quelque horrible statue en plâtre doré et enluminé, dénonçait par une lettre au *Siècle* [1] la cupidité des fils de Loyola.[2]

Le capitaine étant un soir sorti pour aller chercher des cigares, après une discussion politique assez vive, le susdit vétérinaire grommela quelques phrases sourdes et irritées où il était question de « dire son fait », de « traîneur de sabre », et de « couper la figure ». Mais, l'objet de ces menaces vagues étant rentré soudain, en sifflant une marche et en faisant le moulinet avec sa canne, l'incident n'eut pas de suites.

En somme, le groupe vivait en bonne intelligence et se laissait volontiers présider par le nouvel habitué, dont la tête martiale et la barbiche blanche étaient vraiment assez imposantes; et la petite ville, qui était déjà fière de bien des choses, pouvait l'être aussi de son capitaine en retraite.

Le bonheur parfait n'existe pas, et le capitaine Mercadier, qui

mot: —s carrés, cross-word puzzles
rébus, rebus, riddle
qualité: en sa — de, as
athée, atheist
démocrate, liberal
permettre: se —, to take the liberty
praticien, practitioner
favoris, side-whiskers
touffu, thick
pince-nez, eye-glasses
enluminé, painted
susdit, aforementioned
grommeler, to mutter
dire: — son fait, to say what one thinks
traîneur: — de sabre, swashbuckler
couper: — la figure, to slash someone's face
siffler, to whistle
moulinet: faire le — avec, to twirl, flourish, whirl around
somme: en —, in short
intelligence: vivre en bonne —, to live peacefully
barbiche, whiskers, goatee
retraite: en —, retired

1. **le Siècle,** *the Age, Times;* name of an anti-clerical Parisian daily newspaper founded in 1836. 2. **Loyola, Ignatius** (1491–1556), a Spanish nobleman, founder of the order of the Jesuits.

croyait l'avoir rencontré [1] au café Prosper, dut [2] bientôt revenir de cette illusion.

Le fait est que le lundi, jour de marché, l'estaminet n'était pas tenable.

Dès l'aube, il était envahi par les maraîchers, les fermiers, les marchands de volailles; gens à grosse voix, à gros cous rouges, à gros fouet à la main, portant la blouse neuve et la casquette de loutre, concluant leurs affaires autour d'un litre, tapant du pied, frappant du poing, tutoyant le garçon et crevant le billard.

Quand le capitaine arrivait à onze heures pour absorber sa première absinthe, il trouvait tout ce monde déjà gris et commandant des déjeuners considérables. Sa place ordinaire était prise; on le servait lentement et mal. Le timbre du comptoir ne cessait de retentir; le patron et le garçon, la serviette sous le bras, couraient, affolés. Bref, c'était un jour néfaste et qui bouleversait son existence.

Or, un lundi matin qu'il était resté chez lui, sûr d'avance que le café serait trop bruyant et trop encombré, un doux rayon de soleil d'automne l'engagea à descendre s'asseoir sur le banc de pierre placé à côté de la porte de la maison. Il était là, assez mélancolique et fumant un cigare humide, quand il vit venir du bout de la rue, — c'était une ruelle mal pavée et aboutissant à la campagne, — une demi-douzaine d'oies que chassait devant elle avec une gaule une petite fille de huit ou dix ans.

tenable, tolerable, endurable
aube, dawn, daybreak
maraîcher, market-gardener
volaille, poultry, fowl
casquette: — de loutre, fur cap
taper: — du pied, to stamp
frapper: — du poing, to pound
crever: — le billard, to ruin the billiard table
absorber, to sip
gris, tipsy
affolé, frantic
néfaste, ill-omened, unlucky
avance: d'—, beforehand
bruyant, noisy
encombré, crowded
engager, to invite
ruelle, alley, narrow street
aboutir à, to lead to
oie, goose
chasser, to drive
gaule, switch

1. **qui croyait l'avoir rencontré,** *who thought that he had met it.* 2. **dut bientôt revenir de cette illusion,** *soon had to get over this illusion.*

Le capitaine, en arrêtant son regard distrait sur[1] cette enfant, s'aperçut qu'elle avait une jambe de bois.

Il n'y avait rien de paternel dans le cœur de ce soudard. C'était celui d'un célibataire endurci. Lorsque jadis, dans les rues d'Alger, les petits mendiants arabes le poursuivaient de leurs prières importunes, le capitaine les avait souvent chassés d'un coup de cravache; et les rares fois qu'il avait pénétré dans le ménage nomade d'un camarade marié et père de famille, il était parti en maugréant contre les bambins criards et malpropres qui avaient touché avec leurs mains grasses aux dorures de son uniforme.

Mais la vue de cette infirmité particulière, qui lui rappelait le douloureux spectacle des blessures et des amputations, émut cependant le vieux soldat. Il éprouva presque un serrement de cœur devant cette chétive créature, à peine vêtue d'un jupon en loques et d'une mauvaise chemise, et qui courait bravement derrière ses oies, son pied nu dans la poussière, en boîtant sur son pilon mal équarri.

Les volailles, reconnaissant leur domicile, entrèrent dans la cour de la laiterie, et la petite se disposait à les suivre, quand le capitaine l'arrêta par cette question:

— Eh ! fillette, comment t'appelles-tu ?

— Pierrette, monsieur, pour vous servir, répondit-elle en fixant sur lui ses grands yeux noirs, et en écartant de son front sa chevelure en désordre.

soudard, (tough) old soldier
célibataire: — endurci, confirmed bachelor
cravache, riding-whip
maugréer: — contre, to swear at
bambin: — criard, bawling brat
malpropre, dirty
dorure, gilt part
serrement: — de cœur, heart pang
chéti–f, –ve, puny, pitiful
jupon: — en loques, ragged petticoat
chemise, shirt
pilon, wooden leg
équarri: mal —, roughly made
domicile, abode, roost
disposer: se —, to prepare, get ready
servir: pour vous —, if you please
écarter, to push aside
chevelure, hair
désordre: en —, disordered, unkempt

1. **en arrêtant son regard distrait sur,** *in gazing with a far-away look at.*

— Tu es donc de la maison ? Je ne t'avais pas encore vue.

— Oui-dà et je vous connais bien, allez ! Car je couche sous l'escalier, et vous me réveillez, en rentrant, tous les soirs.

— Vraiment, petiote ? Eh bien, on marchera sur ses pointes, à 5 l'avenir. Et quel âge as-tu ?

— Neuf ans, monsieur, vienne la Toussaint.[1]

— La patronne d'ici est-elle ta parente ?

— Non, monsieur, je suis en service.

— On te donne ? [2] . . .

10 — La soupe et le lit sous l'escalier.

— Et qu'est-ce qui t'a arrangée comme cela, ma pauvre petite ?

— Un coup de pied de vache, quand j'avais cinq ans.

— As-tu ton père et ta mère ?

L'enfant rougit sous son hâle.

15 — Je sors des Enfants-Trouvés, dit-elle d'une voix brève.

Puis, ayant gauchement salué, elle rentra dans la maison en claudicant, et le capitaine entendit s'éloigner, sur le pavé de la cour, le bruit sec de la petite jambe de bois.

— Nom de nom ! [3] songea-t-il en reprenant machinalement le 20 chemin du café, voilà qui n'est pas réglementaire. Un soldat, du moins, on le flanque aux Invalides,[4] avec l'argent de sa médaille pour s'acheter du tabac. Un officier, on lui colle une perception et il se

oui-dà, yes, indeed !
allez, I do ! you see !
petiote, little girl
pointe: sur les —s, on tiptoe
patronne, landlady
service: être en —, to be in service (as a domestic)
soupe, food, board
arranger, to fix, cripple
hâle, sunburn, tan
je sors = je suis
Enfants-Trouvés, Orphan's Home
bref, brève, brief; **d'une voix —ve,** curtly
claudicant: en —, limping
réglementaire, just, fair
flanquer, to consign
coller: — une perception, to give a collectorship

1. **vienne la Toussaint,** *next All Saints' Day* (November 1st.) 2. **On te donne ? = Combien te donne-t-on ?** 3. **Nom de nom,** *the deuce! hell's fire!* 4. **on le flanque aux Invalides,** *is at least sent to the Old Soldiers' Home.* **L'Hôtel des Invalides** was built in 1670–1704 by Louis XIV for French retired veterans; the chapel of the **Invalides** is surmounted by a beautiful dome under which is the tomb of Napoleon.

marie dans sa province. Mais, à cette gamine, une pareille infirmité ! Voilà qui n'est pas réglementaire.

Ayant constaté en ces termes l'injustice de la destinée, le capitaine vint jusqu'au seuil de son cher café; mais il y aperçut une telle cohue de blouses bleues, il y entendit un tel brouhaha de gros rires et de carambolages, qu'il rentra chez lui, plein d'humeur.

Sa chambre — c'était peut-être la première fois qu'il y passait plusieurs heures de la journée — lui parut sordide. Les rideaux du lit avaient le ton d'une pipe culottée, le foyer était jonché de crachats et de bouts de cigares, et on aurait pu écrire son nom dans la poussière qui revêtait tous les meubles. Il contempla quelque temps les murailles où le sublime lancier de Leipsick [1] trouvait cent fois un glorieux trépas; puis, pour se désennuyer, il passa en revue sa garde-robe. Ce fut une lamentable série de poches percées, de chaussettes à jours, de chemises sans bouton.

— Il me faudrait une servante, se dit-il.

Puis il songea à la petite boiteuse.

— Voilà ! Je louerais [2] le cabinet voisin. L'hiver vient, et la petite doit geler [3] sous l'escalier. Elle surveillerait mes vêtements, mon linge, nettoierait le casernement. Un brosseur, quoi ?

Mais un nuage assombrit ce tableau confortable. Le capitaine se souvenait que l'échéance de son trimestre était encore lointaine, et que sa note prenait des proportions inquiétantes au café Prosper.

gamine, little girl
brouhaha, uproar
carambolage, clashing of billiard balls
humeur: plein d'—, all out of sorts
culotter, to blacken, color (by smoking)
crachat, spittle, spit
bout: — de cigare, cigar butt
revêtir, to cover
lancier, lancer
Leipsick, Leipzig (a city in Germany)
trépas, death
désennuyer: se —, to divert oneself
garde-robe, wardrobe
percé, full of holes
chaussette: —s à jour, socks full of holes
boiteuse, lame girl
nettoyer, to clean
casernement, quarters
brosseur, officer's servant
quoi ? huh !
assombrir, to darken
confortable, cosy
échéance, falling due
trimestre, three months' pay
inquiétant, disturbing, alarming

1. **lancier de Leipsick = Poniatowski.** 2. **Voilà ! je louerais,** *well now! I could rent* etc. 3. **la petite doit gêler,** *the little girl is bound to freeze.*

— Pas assez riche, rêvait-il en monologuant. Et cependant on me vole là-bas, c'est positif. La pension est beaucoup trop coûteuse, et ce barbu de vétérinaire joue comme feu Bézigue.[1] Voilà huit jours que je paie sa consommation. Qui sait ? je ferais peut-être mieux de charger la petite de l'ordinaire. La soupe au café le matin, le pot-au-feu à midi et un rata [2] tous les soirs. Les vivres de campagne, enfin. Ça me connaît.

Décidément, il était tenté. En sortant, il vit justement la maîtresse de la maison, grosse paysanne brutale, et la petite invalide, qui, toutes deux, la fourche à la main, remuaient le fumier dans la cour.

— Sait-elle coudre, savonner, faire la soupe ? [3] demanda-t-il brusquement.

— Qui ? Pierrette ? Pourquoi donc ?

— Sait-elle un peu de tout cela ?

— Dame ! elle sort de l'hospice,[4] où l'on apprend à se servir soi-même.

— Dis-moi, fillette, ajouta le capitaine en s'adressant à l'enfant, je ne te fais pas peur. Non, n'est-ce pas ? Et vous, la mère, voulez-vous me la céder ? J'ai besoin d'une domestique.

— Si vous vous chargez de son entretien.

— Alors, c'est dit. Voilà vingt francs. Qu'elle ait,[5] ce soir, une robe et un soulier.[6] Demain nous arrangerons le reste.

barbu: — de vétérinaire, bewhiskered veterinary
Bézigue: comme feu —, like the late Mr. Bésigue (i.e. like a professional)
ordinaire, daily fare, " mess "
rata, stew, fare, "grub"
vivre: —s de campagne, campaign rations
connaître: ça me connaît, I know all about that
justement, as luck would have it
brutal, rough, coarse
invalide, crippled girl
fourche, pitchfork
fumier, dunghill
savonner, to do the washing, scrub
dame ! well ! bless me !
servir: se — soi-même, to take care of oneself
mère: la —, ma'am

1. **Bézigue,** usually spelled **bésigue,** is a card-game first played in France. 2. **rata** is a popular word for " dinner "; it is an abbreviation of **ratabouille.** 3. **faire la soupe = faire la cuisine.** 4. **hospice = hospice des enfants trouvés,** *Foundlings' Home.* 5. **qu'elle ait,** *get her.* 6. **un soulier = une paire de souliers.**

Et, après avoir donné une petite tape amicale sur la joue de Pierrette, le capitaine s'éloigna, enchanté de ce qu'il venait de conclure.

— Il faudra peut-être rogner quelques bocks et quelques absinthes, pensait-il, et se méfier du bézigue du vétérinaire. Mais il n'y a pas à dire, ce sera bien plus réglementaire.

— Capitaine, vous êtes un lâcheur.

Telle fut l'apostrophe dont les cariatides[1] du café Prosper saluèrent désormais les entrées du capitaine de jour en jour plus rares.

Car le pauvre homme n'avait pas prévu toutes les conséquences de sa bonne action. La suppression de l'absinthe matinale avait suffi à couvrir les modestes frais de l'entretien de Pierrette; mais combien n'avait-il pas fallu d'autres réformes pour parer aux dépenses imprévues de son ménage de garçon ! Pleine de reconnaissance, la petite fille voulait la prouver par son zèle. Déjà la chambre avait changé d'aspect. Les meubles étaient rangés et astiqués, le foyer décent, le carreau verni, et les araignées ne filaient plus leurs toiles sur les Morts de Poniatowski placées dans les coins. Quand le capitaine revenait, la soupe aux choux l'invitait par son parfum dès l'escalier, et la vue des plats fumants sur la nappe grossière mais blanche, auprès d'une assiette à fleurs et d'un couvert reluisant, achevait de la mettre en appétit.[2] Pierrette profitait alors

tape, slap
rogner, to cut down, reduce
bock, glass of beer
méfier: se — de, to be wary of, avoid
lâcheur, deserter, quitter
apostrophe, reprimand, reproach
matinal, morning
parer: — à, to provide for
ménage: — de garçon, bachelor quarters
astiquer, to polish
décent, tidy, neat
carreau, tile floor
verni, polished
araignée, spider
toile, web
mort: —s de Poniatowski, oft-repeated "Death of Poniatowski"
chou: soupe aux —s, cabbage soup
parfum, odor
plat, dish
fumant, steaming
assiette: — à fleurs, dish with flower designs
couvert, fork and spoon
reluisant, bright, shining

1. **cariatides,** *the supporters, patrons;* "caryatids" are female figures of marble used as support columns for classical buildings. The word is here used figuratively to mean, "patron," "frequenter." 2. **achevait de le mettre en appétit,** *finished the job of whetting his appetite.*

de la bonne humeur de son maître pour avouer quelque secrète ambition. Il fallait des chenets pour la cheminée, où elle faisait maintenant du feu, un moule pour les gâteaux qu'elle réussirait si bien. Et le capitaine, que la demande de l'enfant faisait sourire et qui se sentait doucement gagner par les voluptés du *at home*, promettait d'y penser, et le lendemain remplaçait ses londrès par des cigares d'un sou, hésitait devant l'offre de cinq points d'écarté, ou se refusait son troisième bock ou son second verre de chartreuse.

Certes, la lutte fut longue; elle fut cruelle. Bien des fois, vers l'heure d'un apéritif interdit par l'économie, quand la soif lui séchait la gorge, le capitaine dut faire un effort héroïque pour retirer sa main déjà posée sur le bec de cane de l'estaminet; bien des fois il erra en rêvant de roi retourné et de quinte et quatorze.[1] Mais presque toujours il rentrait courageusement chez lui; et comme il aimait davantage Pierrette à chaque sacrifice qu'il lui faisait, il l'embrassait mieux ces jours-là. Car il l'embrassait. Ce n'était plus sa servante. Une fois qu'elle se tenait debout près de la table, l'appelant: *Monsieur!* et toute respectueuse, il n'y put tenir, il lui prit les deux mains et il lui dit avec fureur:

— Embrasse-moi d'abord, et puis assieds-toi et fais-moi le plaisir de me tutoyer, mille tonnerres!

Aujourd'hui c'est fini. La rencontre d'un enfant a sauvé cet homme d'une vieillesse ignominieuse. Il a substitué à ses vieux vices une jeune passion; il adore ce petit être infirme qui sautille autour de lui dans la chambre commode et bien meublée.

moule, mould
gâteau, cake
réussir: — si bien, to make such a success of, succeed so well in making
volupté, luxury
londrès, Havana cigar
écarté, écarté (a card game)
chartreuse, chartreuse (a famous French liqueur)
apéritif, appetizer
sécher, to dry, parch
bec: — de cane, door-knob
errer, to go away
tenir: il n'y put —, he couldn't help it
fureur: avec —, vehemently, ardently
tonnerre: mille —s, by thunder!
sautiller, to hop

1. **de roi retourné et de quinte et quatorze,** *of a king turned up and of quint and fourteen;* these terms are used in playing piquet, a card game.

Déjà il a appris à lire à Pierrette,[1] et voici que, se rappelant sa calligraphie de sergent-major, il lui trace des exemples d'écriture. Sa plus grande joie, c'est lorsque l'enfant, attentive devant son papier et faisant parfois un pâté qu'elle enlève vivement avec sa langue, est parvenue à copier toutes les lettres d'un interminable adverbe en *ment*. Son inquiétude, c'est de songer qu'il devient vieux et qu'il n'a rien à laisser à son adoptée.

Aussi voilà qu'il est presque avare; il thésaurise; il veut se sevrer de tabac, bien que Pierrette lui bourre sa pipe et la lui allume. Il compte épargner sur son maigre revenu de quoi acheter plus tard un petit fonds de mercerie. C'est-là que, lorsqu'il sera mort, elle vivra obscure et paisible, gardant accrochée quelque part, dans l'arrière-boutique, une vieille croix d'honneur qui la fera se souvenir du capitaine.

Tous les jours, il va se promener avec elle sur le rempart. Quelquefois passent par là des gens étrangers à la ville, qui jettent un regard de compassion surprise sur ce vieux soldat épargné par la guerre et sur cette pauvre enfant estropiée; et alors il se sent attendrir — oh ! délicieusement, jusqu'aux larmes — quand un de ces passants murmure en s'éloignant:

— Pauvre père ! sa fille est pourtant jolie !

calligraphie, penmanship
pâté, blot (of ink)
aussi, therefore, for this reason
avare, miserly
thésauriser, to hoard up money
sevrer: se — de, to deprive oneself of
bourrer, to stuff, fill
épargner: — sur, to save from
quoi: de —, wherewith, enough
fonds: — de mercerie, dry-goods shop
paisible, peaceful
part: quelque —, somewhere
arrière-boutique, back room (of a shop)
jeter: — un regard sur, to cast a glance at
surpris, surprised
épargné, spared
estropié, maimed, crippled
attendrir: se sentir —, to feel oneself moved
passant, passer-by

1. **il a appris à lire à Pierrette,** *he has taught Pierrette to read.*

QUESTIONS

Mon Oncle Jules

1. Qui a demandé l'aumône ?
2. De quelle ville les Davranche sont-ils originaires ?
3. La famille Davranche était-elle riche ?
4. Quel jour sortait la famille Davranche ? Où allait-on ?
5. Que découvrait-on sur la redingote du père de famille ? Comment l'effaçait-on ?
6. Pourquoi faisait-on montre des sœurs en ville ?
7. Que voyait-on entrer dans le port du Havre chaque dimanche ?
8. Quelles paroles prononçait toujours le père ?
9. Qui était l'oncle Jules ?
10. Qu'est-ce qu'il avait fait avec l'héritage sur lequel comptait le père Davranche ?
11. Pour quel pays l'avait-on embarqué ?
12. Qu'est-ce qu'il a bientôt écrit de là-bas ?
13. Quel effet a produit cette lettre sur la famille Davranche ?
14. Pour quel pays est parti l'oncle Jules deux ans plus tard ?
15. Que comptait-il y faire ?
16. Pendant combien de temps l'oncle Jules n'a-t-il pas donné de ses nouvelles ?
17. Est-ce que l'espoir de son frère diminuait ?
18. Que disait-il chaque dimanche ?
19. Pour quelle sœur se présente un prétendant ?
20. Qu'est-ce qui l'a décidé à demander sa main ?
21. Pourquoi est-ce que le voyage à Jersey est l'idéal pour les gens pauvres ?
22. Que mangeaient les dames sur le bateau ?
23. Qu'est-ce que le père Davranche a demandé à sa femme et à ses filles ?
24. Qu'est-ce qui arrive au père en mangeant une huître ?
25. À qui l'ouvreur d'huîtres ressemble-t-il ?

26. À qui faut-il demander des renseignements pour s'en assurer ?
27. Où est-ce que le capitaine avait trouvé ce vagabond ?
28. Pourquoi l'oncle Jules ne voulait-il pas retourner chez lui selon le capitaine ?
29. Qu'est-ce que Joseph laisse à l'ouvreur d'huîtres ?
30. Pourquoi la famille Davranche n'est-elle pas revenue au Havre par le même bateau ?
31. Est-ce que Joseph a revu son oncle ?
32. Quel est l'effet de cet incident sur Joseph ?

La Cloche

1. À quoi ressemblait la sonnerie de la cloche fêlée de la petite paroisse de Lande-Fleurie ?
2. Quel âge avait l'abbé Corentin ? Faites son portrait.
3. Quel anniversaire approchait ?
4. Qu'est-ce qu'on a résolu de lui offrir ?
5. Qu'est-ce qu'on a prié le vieux curé de faire avec les cent écus ?
6. Qu'est-ce que le curé a fait dès le lendemain ?
7. Combien de lieues devait marcher le curé pour prendre la diligence ?
8. Qu'est-ce qu'il a vu sur le bord de la route ?
9. Qui était assis au bord du fossé ? Que faisaient-ils ?
10. Qui a couru vers l'abbé ?
11. Qu'est-ce que la jeune fille lui a demandé ?
12. Faites le portrait physique de la zingara.
13. Quel aumône l'abbé voulait-il faire d'abord ?
14. Pourquoi s'est-il ravisé ?
15. Où se trouve le frère de la tzigane ?
16. Que sait-elle faire ? Que dit sa mère ?
17. Pourquoi les tziganes ne peuvent-ils pas trouver d'ouvrage dans le pays ?
18. Quelle réponse fait la tzigane quand le curé lui demande si elle aime Dieu ?
19. Qu'est-ce qu'elle a dit au curé en s'emparant des cent écus ?
20. Pourquoi le curé est-il revenu sur ses pas ?
21. A-t-il retrouvé la bohémienne ?

22. De quoi avait-il abusé ?
23. Quel mensonge a-t-il fait à Scholastique en rentrant chez lui ?
24. De quoi se charge sa servante lorsque le curé lui a avoué son péché ?
25. Quels mensonges fait-elle maintenant ?
26. Quels sont les effets de tous ces mensonges sur le pauvre curé ?
27. Quel jour était passé depuis longtemps ?
28. De quoi s'étonnaient les habitants de Lande-Fleurie ?
29. Quels bruits le maréchal ferrant a-t-il répandus au sujet de l'abbé ?
30. Quelle résolution l'abbé a-t-il enfin prise ?
31. Qu'est-ce qu'on a entendu au moment où il allait faire sa confession ?
32. Qui a donné cette nouvelle cloche?
33. Est-ce que les habitants de Lande-Fleurie ont jamais su ce que l'abbé allait leur confesser ?

L'Aventure de Walter Schnaffs

1. Avec quelle armée se trouvait Walter Schnaffs ?
2. Pourquoi est-ce qu'il n'aimait pas la vie militaire ?
3. À qui pensait-il quand il se couchait sur la terre ?
4. Vers quelle partie de la France s'avançait son corps d'armée ?
5. Quelle était la mission du détachement dont Walter Schnaffs faisait partie ?
6. Quelle résistance inattendue ce détachement a-t-il rencontrée ?
7. Qu'est-ce que Walter Schnaffs a fait ?
8. Pourquoi ne s'est-il pas sauvé ?
9. Comment a-t-il sauté dans le trou ?
10. Quelle résolution a-t-il enfin prise ?
11. Quels dangers allait-il courir en exécutant son plan de se constituer prisonnier ?
12. Que feraient les paysans ? les francs-tireurs ? l'armée française ?
13. Qu'est-ce que Walter Schnaffs s'imaginait à tout moment ?
14. Quand s'est-il enfin endormi ?
15. À quoi a-t-il pensé quand il s'est réveillé ?
16. Pourquoi son estomac lui faisait-il mal ?

17. Quelle idée lui a enfin paru pratique ?
18. Qu'est-ce qu'il a fait quand la nuit est tombée ?
19. Quel parti a-t-il pris ?
20. Qui est-ce qu'il a aperçu au moment où il s'apprêtait à tout oser ?
21. Qu'est-ce qu'il a fait dès que le soir a obscurci la plaine ?
22. Vers quoi s'est-il avancé ?
23. Qu'est-ce qui lui a donné une audace désespérée ?
24. Qu'est-ce que les domestiques ont fait en apercevant Walter Schnaffs ?
25. Qu'est-ce que Walter Schnaffs a fait lorsque le château est devenu silencieux ?
26. Comment mangeait-il ?
27. Comment buvait-il ?
28. Comment son repas s'est-il terminé ?
29. Qu'est-ce qu'on a entendu soudain dans le silence ?
30. Par combien de soldats Walter Schnaffs a-t-il été réveillé ?
31. Comment Walter Schnaffs a-t-il été fait prisonnier ?
32. Était-il content de se constituer prisonnier ?
33. Où l'a-t-on enfermé ?
34. Combien d'hommes ont monté la garde ?
35. Qu'est-ce que le Prussien a fait ?
36. Comment le colonel a-t-il été récompensé pour ce fait d'armes ?

La Parure

1. Est-ce que les parents de l'héroïne de ce conte étaient riches ?
2. Pourquoi ne s'est-elle pas mariée avec un homme riche et distingué ?
3. Avec qui s'est-elle mariée ?
4. Pourquoi n'etait-elle pas contente de son mariage ?
5. Pourquoi n'allait-elle pas voir son amie riche ?
6. Pourquoi n'a-t-elle pas été contente de l'invitation que son mari lui avait apportée ?
7. Combien coûterait une robe neuve et convenable pour la fête ?
8. Pourquoi Mme Loisel semblait-elle triste et inquiète avant la fête ?

9. Pourquoi ne voulait-elle pas porter des fleurs naturelles ?
10. Qu'est-ce qu'elle va emprunter à Mme Forestier ?
11. Est-ce que Mme Loisel a eu un succès à la fête ? Que faisaient les hommes en la voyant ? Comment dansait-elle ?
12. À quelle heure les Loisel sont-ils partis du bal ?
13. Est-ce qu'ils trouvent une voiture tout de suite ?
14. Qu'est-ce que Mme Loisel remarque en ôtant ses vêtements ?
15. Qu'est-ce que M. Loisel décide de faire pour trouver la rivière ?
16. Quelles démarches a-t-on faites pour retrouver le collier de diamants ?
17. Qu'est-ce que Mathilde Loisel a écrit à Mme Forestier ? Pourquoi ?
18. Où ont-ils enfin trouvé un collier pareil à celui que Mme Loisel avait perdu ? Combien valait ce collier ?
19. Combien d'argent possédait M. Loisel ?
20. Combien d'argent a-t-il dû emprunter ?
21. Comment les Loisel ont-ils dû économiser pour payer leurs dettes ?
22. Qui faisait le ménage maintenant ?
23. Où habitaient les Loisel ?
24. Que faisait M. Loisel le soir ?
25. Combien de temps leur a-t-il fallu pour payer leurs dettes ?
26. Faites le portrait de Mme Loisel dix ans après le bal chez le ministre de l'Instruction publique.
27. Où est-ce que Mme Loisel a rencontré Mme Forestier ? Interprétez (dramatize) leur entretien.
28. Qu'est-ce que Mme Loisel apprend de Mme Forestier au sujet de la rivière perdue ? Combien valait-elle ?

Les Étoiles

1. Qui raconte cette histoire ?
2. Où gardait-il ses bêtes ?
3. Qui voyait-il passer par là de temps en temps ?
4. Combien de fois par mois lui apportait-on ses provisions ?
5. Qui lui apportait généralement ses provisions ?
6. Qu'est-ce qu'il se faisait raconter alors ?

7. Quelles nouvelles l'intéressaient surtout ?
8. Pourquoi s'intéressait-il à Stéphanette ?
9. Quelles explications le berger se donne-t-il du retard de ses provisions un dimanche ?
10. Pourquoi Stéphanette est-elle venue au lieu de tante Norade ?
11. Pourquoi Stéphanette est-elle arrivée tard ?
12. Comment était-elle habillée ?
13. Le berger l'avait-il jamais vue de si près ? Que pense-t-il d'elle ?
14. Qu'est-ce que Stéphanette a voulu voir après avoir tiré les provisions du panier ?
15. Qu'est-ce qu'elle a dit au berger ?
16. Qu'avait-il envie de lui répondre ?
17. Stéphanette pense-t-elle que le berger ait une bonne amie ?
18. Sait-elle que le berger est amoureux d'elle ? Pourquoi pas ?
19. À quoi ressemblait Stéphanette ?
20. Comment est-elle partie ?
21. Le berger est-il triste de la voir s'en aller ?
22. Qu'a-t-il fait ? Pourquoi n'a-t-il pas bougé ?
23. Qu'est-ce qui l'a éveillé de son rêve ?
24. Pourquoi Stéphanette est-elle revenue ?
25. Pourquoi ne pouvait-elle retourner à la ferme ?
26. Où le berger et la belle Stéphanette ont-ils passé la nuit ?
27. Qu'est-ce que Stéphanette a fait au moindre bruit ?
28. Quelle est l'explication du berger de l'étoile filante ?
29. Qu'est-ce que Stéphanette a fait tandis que le berger essayait de lui expliquer ce qu'il voulait dire par le terme "mariages" d'étoiles ?
30. Quand s'est-elle éveillée ?
31. Que faisait le berger pendant que Stéphanette dormait ?
32. À quoi est-ce que le berger compare la belle Stéphanette ?

Naissance d'un Maître

1. Décrivez la nature morte que le peintre Pierre Douche achevait.
2. Qui est entré dans son atelier ?
3. Pourquoi le peintre Pierre Douche n'arrivera-t-il jamais, selon le romancier ?

4. S'il y a plus de tableaux que d'acheteurs et plus d'imbéciles que de connaisseurs, que faut-il faire pour arriver ?
5. Qui est entré dans l'atelier à ce moment-là ?
6. Pourquoi méprisait-elle la peinture de Pierre Douche ?
7. Que dit-elle du portrait qu'il lui a montré ?
8. Pourquoi le peintre est-il dégoûté de son métier ?
9. Que lui suggère son ami, le romancier ?
10. Combien de temps faudrait-il au peintre pour préparer vingt portraits idéo-analytiques ?
11. Qu'est-ce que le romancier conseille au peintre de répondre à toute demande d'explication ?
12. Comment s'achevait le vernissage de l'exposition Douche deux mois plus tard ?
13. Qui en était la plus grande admiratrice ?
14. Quelle réponse mystique faisait le peintre à toute demande d'explication ?
15. Qu'est-ce qu'un célèbre marchand de tableaux demande au peintre ?
16. Qu'est-ce que le romancier Paul-Émile Glaise a fait quand l'atelier s'est vidé ?
17. Qu'est-ce qu'il pense de la stupidité humaine ?
18. Qu'est-ce que le peintre a fait ?
19. Comment appelle-t-il son ami ?
20. Que pense-t-il de sa peinture idéo-analytique maintenant que tout le monde l'admire ?
21. Comment le romancier a-t-il contemplé son ami ?
22. Quelle est la réponse de Pierre Douche quand son ami lui dit que c'est lui qui a suggéré cette manière nouvelle ?

La Chèvre de M. Seguin

1. Avec quoi M. Seguin n'avait-il jamais eu de bonheur ?
2. Combien de chèvres M. Seguin avait-il perdues ?
3. Comment les avait-il perdues ?
4. Où M. Seguin a-t-il mis la nouvelle pensionnaire ?
5. Est-ce qu'elle était contente dans le clos de M. Seguin ?
6. Quand s'est-elle ennuyée ?

7. Comment lui a paru alors l'herbe du clos ?
8. M. Seguin s'est-il aperçu de l'ennui de Blanquette ?
9. Que lui a-t-il raconté pour la décourager ?
10. Que lui répond Blanquette ?
11. Où est-ce que M. Seguin l'enferme alors ?
12. Par où sort la chèvre ?
13. Qu'a-t-elle fait après être sortie de l'étable ? Comment s'amusait-elle ?
14. Est-ce que Blanquette avait peur ?
15. Qu'est-ce qu'elle a fait quand elle a aperçu la petite maison de M. Seguin ?
16. Dans quoi est-elle tombée vers le milieu du jour ? Y a-t-elle été bien reçue ?
17. Quand a-t-elle tressailli ?
18. Qu'est-ce qui l'a fait penser au loup ?
19. Qu'est-ce qui a sonné dans la vallée ?
20. Que disait le loup ?
21. Que criait la trompe de M. Seguin ?
22. Blanquette a-t-elle envie de rentrer ? Pourquoi ne rentre-t-elle pas ?
23. Pourquoi le loup ne se pressait-il pas ?
24. Pourquoi s'est-il mis à rire méchamment ?
25. Est-ce que Blanquette était encore courageuse ?
26. Quelle histoire s'est-elle rappelée ?
27. Combien de fois a-t-elle forcé le loup à reculer ?
28. Combien de temps le combat a-t-il duré ?
29. Quand le loup a-t-il mangé la chèvre ?

Le Jongleur de Notre-Dame

1. À quelle époque se passe l'action de ce conte ?
2. Qui était Barnabé ? Où est-il né ? Comment gagnait-il sa vie ?
3. De qui se composait son assistance ?
4. Comment l'attirait-il ?
5. Est-ce que Barnabé gagnait facilement sa vie ?
6. De quoi souffrait-il en hiver ?
7. Quelle espérance le soutenait ?

8. Quelle petite faiblesse avait-il ?
9. Quelle prière faisait-il devant l'image de la Vierge ?
10. Décrivez la rencontre de Barnabé et du moine.
11. Pour qui le moine le prend-il ? Pourquoi ?
12. Que pense Barnabé de son état de jongleur ?
13. Que pense le moine de l'état monastique ?
14. Quel effet les louanges de la vie monastique ont-elles sur Barnabé ?
15. Pourquoi le prieur a-t-il décidé d'emmener Barnabé dans son couvent ?
16. Dites comment chaque religieux exprimait sa dévotion pour la Vierge: Le prieur ? Le frère Alexandre ? Le frère Marbode ?
17. Que composaient les moines poètes du couvent ?
18. Que composait le Picard ?
19. Qu'est-ce que vous comprenez par le terme « en langue vulgaire » ?
20. Est-ce que Barnabé regrettait de ne pas pouvoir servir la gloire de la mère de Dieu en lui offrant une œuvre d'art ?
21. Quelle histoire a-t-on racontée un soir ?
22. Où Barnabé allait-il tous les jours à une heure où les autres moines dînaient ?
23. Qu'est-ce que le prieur a résolu de faire ?
24. Qu'est-ce que le prieur et deux anciens religieux ont vu dans la chapelle ?
25. Qu'est-ce qu'ils ont voulu faire ?
26. Qu'est-ce qu'ils ont vu alors ?
27. Quelles paroles le prieur a-t-il récitées alors ?
28. Qu'est-ce que le prieur a enfin compris ?

L'Enlèvement de la Redoute

1. Qui a conté le récit de l'enlèvement de la redoute à Mérimée ?
2. Comment le colonel a-t-il reçu le jeune officier ? Quand le colonel a-t-il changé de manières ?
3. À qui le jeune officier a-t-il été présenté par le colonel ?
4. Décrivez l'apparence du capitaine.
5. À quoi le capitaine devait-il sa voix étrange ?

6. Qu'a-t-il dit en apprenant que le jeune lieutenant venait de sortir de l'École de Fontainebleau ?
7. Où s'est levée la lune ? De quelle couleur était-elle ? À quoi ressemblait-elle ?
8. À quelle distance se trouvait la redoute de Cheverino ?
9. À quoi ressemblait-elle sur le disque éclatant de la lune ?
10. Est-ce que le jeune officier a pu dormir quand il s'est couché ?
11. Quelles sont ses pensées en attendant le jour ?
12. Combien d'hommes couvraient la plaine ?
13. Qu'est-ce que les avant-postes des Russes ont fait à l'approche des Français ?
14. Où les batteries d'artillerie se sont-elles établies ?
15. Sur qui les Russes tiraient-ils de préférence ?
16. Qu'est-ce que le capitaine a fait quand on avait donné l'ordre de marcher en avant ?
17. Pourquoi le jeune officier n'avait-il pas peur ?
18. Pourquoi était-il enchanté ?
19. Qu'a-t-il fait lorsque le colonel lui a adressé la parole ?
20. Qu'est-ce qui a enlevé le schako au jeune officier ?
21. Que lui en a dit son capitaine ?
22. Quand est-ce que le feu des Russes a diminué ?
23. Qu'est-ce que les trois bataillons français ont fait ?
24. Quel est l'effet du sifflement des balles sur le jeune officier ?
25. Comment avançaient les Français ?
26. Qu'est-ce que les Russes ont fait ? Qu'en a dit le capitaine ?
27. Quel cri ont poussé les soldats français en s'élançant sur les ruines de la redoute ?
28. Qu'est-ce que le jeune officier a vu quand la fumée s'était levée ?
29. De toute la compagnie française combien étaient restés debout après le feu des Russes ?
30. Qu'est-ce que le colonel et les survivants ont fait ?
31. Combien de soldats français étaient restés debout à la fin de la bataille ?
32. Qu'est-ce que le colonel a demandé ?
33. Qu'est-ce que le colonel a dit au jeune lieutenant ?

Les Haricots de Pitalugue

1. Que semait tout le village de Pertuis ?
2. Quelle prétention est-ce que Pertuis avait ?
3. Qui était le plus enragé de tous les semeurs ?
4. Qu'est-ce qu'il semait ?
5. Qui suivait les mouvements compliqués de Pitalugue ?
6. Combien d'argent avait-il prêté à Pitalugue l'an dernier ?
7. Combien lui devait Pitalugue maintenant ?
8. Comment compte-il être payé par Pitalugue ?
9. Qui vient au moment où M. Cougourdan s'est mis à descendre vers le champ de Pitalugue ?
10. Qu'est-ce que Zoun apportait à son mari ?
11. Qu'est-ce que l'usurier à dit à Pitalugue ?
12. Pourquoi Pitalugue avait-il adopté cette étrange manière de culture ?
13. Pourquoi Pitalugue est-il pauvre maintenant ?
14. Qu'est-ce que Pitalugue jure chaque soir ? Que fait-il le lendemain matin ?
15. Avec quelles intentions s'était-il levé aujourd'hui ?
16. Où allait-il de si bonne heure ?
17. Qui est-ce qu'il a rencontré aux portes de la ville ?
18. Qu'est-ce que le perruquier lui a proposé de faire ?
19. Qu'est-ce que Pitalugue a décidé de faire après avoir perdu la semence ?
20. Pourquoi a-t-il renoncé au jeu maintenant ?
21. Qu'est-ce que les haricots de Pertuis, sauf ceux de Pitalugue, ont fait au bout d'une quinzaine ?
22. Qu'est-ce que les haricots de Pertuis ont fait au bout de la seconde quinzaine ?
23. Qu'est-ce que les malins ont commencé à faire ? les badauds ? Zoun ?
24. Qu'est-ce que tante Dide a déclaré ?
25. Qu'est-ce que le conseil de famille des Pitalugue a décidé de faire ?
26. Que faut-il pour faire bouillir selon les règles ?
27. Qu'est-ce qu'on a fait avec la marmite ?

28. Que devait faire le jeteur de sorts ?
29. Qu'est-ce que Pitalugue n'avait pu s'empêcher de faire ?
30. Qu'est-ce que M. Cougourdan apprend de Fra ?
31. Quel conseil est-ce que Fra a donné à M. Cougourdan ?
32. Pourquoi est-ce que Zoun a pensé que M. Cougourdan avait été le sorcier ?
33. Où les quinze Pitalugue se sont-ils rangés lorsqu'on a vu venir M. Cougourdan ?
34. Pourquoi M. Cougourdan ne s'est-il pas plaint des coups de bâton qu'il avait reçus ?
35. Qu'est-ce que Pitalugue a retrouvé le soir ?
36. Qu'est-ce qu'il en a fait ? Qu'a-t-il dit à sa femme ?

Le Louis d'Or

1. Qu'est-ce que Lucien de Hem avait perdu au jeu de roulette ?
2. Quel sentiment a-t-il éprouvé en se levant de la table de roulette ?
3. Où est-il allé s'asseoir ?
4. À quoi a-t-il pensé quand il s'est jugé ruiné ?
5. Pourquoi s'est-il endormi ?
6. Quelle heure était-il quand il s'est réveillé ?
7. De quel jour de fête s'est-il alors souvenu ?
8. Qu'est-ce que le vieux Dronski lui a dit ?
9. Qu'est-ce que Lucien a fait ?
10. De quoi la rue était-elle couverte ?
11. À quoi pensait le joueur décavé tout en marchant ?
12. Quel spectacle navrant l'a brusquement arrêté ?
13. Quel âge avait la petite fille ?
14. Comment était-elle vêtue ? Où s'était-elle endormie ?
15. Quel geste machinal Lucien a-t-il fait ?
16. Qu'est-ce qu'il allait faire quand il s'est souvenu qu'il n'avait plus d'argent ?
17. Qu'est-ce qu'il a vu dans la savate ?
18. Pourquoi Lucien a-t-il volé le louis d'or ?
19. A quel moment est-il entré dans la salle de jeu ?
20. Qu'est-ce qu'il a crié ?

21. Combien de louis d'or est-ce que le louis volé a gagné ?
22. Où Lucien mettait-il l'argent gagné au jeu ?
23. À qui pensait-il tout en jouant ?
24. Qu'est-ce qu'il se promettait ?
25. Quelle heure était-il quand le chef de partie a annoncé que la banque avait sauté ?
26. Qu'est-ce que Lucien a fait alors ?
27. Que s'est-il dit en apercevant de loin la petite fille ?
28. De quoi s'est-il aperçu en soulevant l'enfant dans ses bras ?
29. Qu'est-ce qui était arrivé à l'enfant pendant que Lucien gagnait une fortune au jeu ?
30. Comment Lucien s'est-il éveillé de son cauchemar ?
31. Où Lucien avait-il passé la nuit ?
32. Quelle sorte d'officier Lucien de Hem est-il maintenant ?
33. Quelle aumône l'a-t-on vu faire l'autre jour ?

Le Pas Relevé

1. Qui étaient les habitants du château de Vornay au temps où se passe cette histoire ?
2. En quelle province se trouve le château de Vornay ?
3. Quel titre bizarre avait le vicomte de Vornay ? Comment l'avait-il obtenu ?
4. Pourquoi la fortune des Vornay avait-elle décliné ?
5. À quelle époque Marguerite et Pierre se sont-ils parlé pour la première fois ?
6. Qui était Antoine ? Catherine ?
7. De quoi Antoine était-il spécialement chargé ?
8. Qu'est-ce qui restait à l'écurie maintenant ?
9. Qui était Gargamelle ? À quoi servait-elle ?
10. Qu'est-ce qui est arrivé à Gargamelle un dimanche du mois de janvier 1840 ?
11. Pourquoi Antoine est-il allé chercher Pierre ?
12. De qui Pierre est-il le fils ?
13. Quel âge avait-il en 1840 ? Décrivez son apparence.
14. Pourquoi Pierre va-t-il à la messe tous les dimanches ? Que veut-il être ? Sur quoi y va-t-il ?

15. Que demande le vicomte à Pierre ?
16. Comment s'appelle le poney de Pierre ?
17. Comment montait Marguerite sur le dos de Bijou pour aller à la messe tous les dimanches ?
18. Quelles paroles s'échangeaient toujours Pierre et Marguerite ?
19. Comment se quittaient Pierre et Marguerite ?
20. Combien de temps ont duré ces promenades de dimanche ?
21. Quels événements ont eu lieu pendant toutes ces années ?
22. Est-ce que Marguerite s'est mariée ?
23. Est-ce que Pierre est devenu prêtre ?
24. Quelle était la seule joie de Pierre et de Marguerite ?
25. Quelle chose singulière le nouveau curé a-t-il dite à Marguerite ?
26. Quelle est la réponse de Marguerite au sujet des méchants propos des gens ?
27. Croyez-vous que Marguerite attende une demande en mariage de la part de Pierre ?
28. Qu'est-ce que Pierre a répondu à Marguerite en la quittant ?

Le Condamné Cardevaque

1. Où les exploits de Landru ont-ils produit une très forte impression ?
2. Quels exploits les trois mille forçats de Guyane admirent-ils ?
3. À qui le condamné Sicougnot compare-t-il Landru ?
4. Pourquoi Sicougnot a-t-il été condamné au centre pénitentiaire de Cayenne ?
5. Pourquoi le condamné Landru a-t-il été condamné ?
6. Qui était Pietr'Athanasi ?
7. Pourquoi avait-il été condamné ?
8. Qui Pietr'Athanasi pense-t-il être plus fort que Landru ?
9. Pourquoi y a-t-il eu un petit rire de mépris dans l'assemblée au nom de Cardevaque ?
10. À qui Cardevaque servait-il la messe ?
11. Quelle faveur avait-il obtenue de l'aumônier ?
12. Que feraient les forçats s'ils savaient le truc que Cardevaque a eu pour se faire commuer ?
13. Qu'est-ce que les forçats ont décidé de faire ?

14. Qu'est-ce que Cardevaque avait été dans son enfance?
15. Quel crime avait-il commis?
16. De quoi les journalistes l'ont-ils taxé?
17. A-t-il été condamné par le jury?
18. En quel mois avait-il été condamné?
19. En quel mois tombait Pâques cette année-là?
20. À quoi pensait Cardevaque en attendant en prison?
21. Qui est venu le visiter le jeudi saint?
22. Que lui a dit le procureur général?
23. Qu'est-ce que Cardevaque a demandé à l'aumônier?
24. Pourquoi l'aumônier ne peut-il pas célébrer la messe le jeudi saint?
25. Pourquoi ne peut-on pas exécuter le condamné le vendredi, le samedi, le dimanche de Pâques ou le lundi de Pâques en France?
26. Pourquoi le procureur général pense-t-il que Cardevaque n'ait pas besoin d'entendre la messe avant d'être exécuté?
27. À qui le refus de Cardevaque d'entendre la messe ferait-il trop de peine à ce qu'en dit Cardevaque?
28. Jusqu'à quand a-t-on remis l'exécution de Cardevaque?
29. Par qui et pourquoi Cardevaque a-t-il été gracié?

La Mule du Pape

1. Dans quelle partie de la France se trouve Avignon? Dans quelle province? Sur quel fleuve?
2. Quand est-ce que les papes demeuraient à Avignon?
3. Comment s'appelle le Pape de cette histoire?
4. Pourquoi était-il aimé du peuple?
5. Quelle était la grande préoccupation de ce pape? Où allait-il après les vêpres de dimanche?
6. Que débouchait-il dans sa vigne?
7. Que se passait-il sur le pont d'Avignon quand le Pape rentrait à la ville?
8. Quel effet la musique avait-elle sur sa mule? sur lui-même? Que disait le peuple en voyant le Pape?
9. Qu'est-ce que le Pape aimait le plus après sa vigne?
10. Quels soins montrait-il à sa mule? Que lui apportait-il?

11. Décrivez la mule du Pape: (a) la couleur de son poil (b) sa grandeur (c) sa tête (d) ses yeux (e) ses oreilles (f) sa nature.
12. Pourquoi faisait-on de bonnes manières à cette mule?
13. Qui était Tistet Védène?
14. Pourquoi son père avait-il été obligé de le chasser de chez lui?
15. Comment Tistet a-t-il parlé à la mule? Le Pape a-t-il aimé les paroles de Tistet?
16. Où est entré Tistet le lendemain? De quelles sortes de garçons se composait la maîtrise du Pape?
17. Pourquoi le Pape a-t-il laissé le soin complet de sa mule à Tistet?
18. Que faisait Tistet avec le bol de vin à la française?
19. Qui est-ce qui accompagnait Tistet à l'écurie?
20. Quels tours les clercs de maîtrise jouaient-ils à la mule?
21. La mule se fâchait-elle? À qui en voulait-elle?
22. Où est-ce que Tistet l'a fait monter un jour?
23. Est-ce que la mule a eu peur sur la plate-forme du clocheton?
24. Qui est-ce que Tistet est allé voir? Que pense le Pape de sa mule?
25. Où a-t-on envoyé Tistet Védène le lendemain? Pourquoi?
26. Comment traitait-on la mule à Avignon après cette aventure?
27. Le Pape avait-il la même confiance en elle?
28. Quand est-ce que Tistet est revenu de Naples?
29. Pourquoi est-il revenu?
30. Le Pape s'est-il souvenu de lui?
31. Pourquoi le Pape donne-t-il le grade de premier moutardier à Tistet?
32. Quels vêtements Tistet a-t-il portés pour la cérémonie de son ordination?
33. Quand est-ce que la mule a pris son élan?
34. Qu'est-ce qu'elle a dit à Tistet?
35. Qu'est-ce qui est resté de Tistet après le coup de sabot?

La Ficelle

1. Qui est l'auteur de ce conte?
2. Où se passe la scène de *La Ficelle?*

3. Comment marchaient les paysans ?
4. Où marchaient les femmes des paysans ?
5. Que portaient-elles au bras ? Qu'est-ce qu'il y avait dedans ?
6. Décrivez l'apparence et l'habit des paysannes. Que portaient-elles sur la tête ?
7. Qu'y avait-il sur la place de Goderville ?
8. De quel village venait maître Hauchecorne ?
9. Où allait-il ?
10. Qu'a-t-il aperçu par terre ?
11. Pourquoi a-t-il ramassé ce qu'il avait vu ?
12. Qui l'a vu ramasser la ficelle ?
13. Quel était le métier de maître Malandain ?
14. Pourquoi maître Malandain était-il l'ennemi de maître Hauchecorne ?
15. Où maître Hauchecorne a-t-il caché sa trouvaille ? Pourquoi ?
16. Où est-il allé ensuite ?
17. Que faisaient les paysans sur la place ?
18. À quelle heure s'est dépeuplée la place ?
19. Quelle était la plus grande auberge de Goderville ?
20. De quoi la salle de l'auberge était-elle pleine ?
21. De quoi la cour de l'auberge était-elle remplie ?
22. Qui mangeait chez Jourdain ?
23. Que discutaient les paysans tout en mangeant ?
24. De quoi le maire de Goderville a-t-il accusé maître Hauchecorne ?
25. Pourquoi a-t-on soupçonné maître Hauchecorne ?
26. Qui a trouvé le portefeuille le lendemain ?
27. Qu'a fait maître Hauchecorne quand il en a été informé ?
28. Pourquoi ne croit-on pas à l'histoire de maître Hauchecorne ?
29. Quel a été l'effet de ce soupçon sur la mentalité de maître Hauchecorne ?

Le Soupçon du Colonel

1. Qu'est-ce que le colonel Bertrand a déclaré à son petit état-major ?
2. Pourquoi le lieutenant Mainguy portait-il encore la tenue des dragons ?

3. Pourquoi cette tenue correcte était-elle en grand contraste avec les uniformes des autres soldats ?
4. En quelle année était-on ?
5. Quelles lignes tenait le régiment ?
6. Quelle attaque préparait la division ?
7. A qui a-t-on confié la reconnaissance de la position et des dispositions ennemies ?
8. Décrivez le temps qu'il faisait.
9. Décrivez la condition des tranchées.
10. Est-ce que le colonel Bertrand a plaint ses hommes quand il les a vus partir ?
11. Pourquoi le colonel Bertrand a-t-il souri en voyant partir le lieutenant de Mainguy dans son uniforme impeccable ?
12. Qu'est-ce que le lieutenant Mainguy faisait en partant ?
13. Quelles personnes attendaient le retour du lieutenant Mainguy ?
14. À quoi ressemblaient tous les soldats qui étaient revenus de leur partie de reconnaissance ?
15. Qui est arrivé le dernier ? Dans quel état était-il ?
16. Était-on désappointé de le voir si propre ?
17. Est-ce qu'on l'a complimenté de son apparence ? Qu'a-t-on fait ?
18. Dans quel état a-t-on trouvé le boyau ?
19. Pourquoi le colonel veut-il interroger tous les patrouilleurs ?
20. Quel soupçon s'emparait du colonel ?
21. Comment ce soupçon a-t-il été dissipé ?
22. Pourquoi le lieutenant Mainguy n'a-t-il pas été souillé ?
23. Pourquoi les Allemands n'ont-ils pas tiré sur lui ?
24. Qu'est-ce que le colonel a dit au lieutenant Mainguy au dîner ?

La Saint-Nicolas

1. Qui est-ce qui désire voir M. Boinville ?
2. Comment est-ce que M. Boinville reçoit la vieille dame ?
3. Faites le portrait de la vieille dame: vêtements, cheveux, figure, yeux, bouche.
4. Pourquoi est-elle venue demander du secours ?
5. Quel âge a-t-elle ?

6. Avec qui est-elle laissée seule au monde ?
7. De quelle province est-elle ?
8. Comment M. Boinville s'en aperçoit-il ?
9. Qu'est-ce que M. Boinville a dit alors à la vieille dame ?
10. Où demeure-t-elle à Paris ?
11. Où est-ce que M. Boinville avait passé son enfance ?
12. Par quelles qualités est-il devenu sous-directeur à l'âge de trente-huit ans ?
13. Qucl a été son premier et unique amour ?
14. Quelle idée M. Boinville a-t-il eue le jour où le secours a été officiellement accordé ?
15. Faites le portrait de la jeune fille qui est venue ouvrir la porte à M. Boinville: son âge, la couleur de ses cheveux, de ses yeux, ses joues, sa bouche.
16. Quels examens Claudette avait-elle passés ?
17. Quelle fête allait-on célébrer ce soir-là ?
18. Quelle est la date de la Saint-Nicolas ?
19. Est-ce que M. Boinville a accepté l'invitation de rester dîner avec les deux femmes ?
20. Qu'est-ce que Claudette est allée chercher pendant que sa grand'mère préparait le tôt-fait ?
21. Qu'est-ce que Mme Blouet a fait après le dîner ?
22. Quelle hallucination M. Boinville a-t-il eue ?
23. Quel est l'effet du souvenir de la soirée de Saint-Nicolas sur M. Boinville ? Quelle question se pose-t-il ?
24. Quelle nouvelle Mme Blouet est-elle venue annoncer à M. Boinville ?
25. Où se trouvait le poste auquel Claudette avait été nommé ?
26. Pourquoi M. Boinville n'a-t-il pu bien dormir la nuit qui a suivi la visite de Mme Blouet ?
27. Qu'est-ce qu'il a fait le lendemain après-midi ?
28. Qui est venu lui ouvrir la porte ?
29. Claudette a-t-elle été heureuse d'accepter l'offre de mariage de M. Boinville ?
30. Qui est survenu quand M. Boinville baisait les mains de Claudette ?
31. Quelle explication fait-il à Mme Blouet ?

Un Baptême

1. Quels sont les ordres du capitaine pour demain ?
2. Combien de litres d'essence fallait-il prendre ?
3. Qui est-ce que le capitaine a présenté aux vieux pilotes ?
4. Pourquoi les aviateurs ne trouvent-ils pas le nouveau à leur gré ?
5. Quelle invitation ont-ils donnée au jeune homme ?
6. Que pensent-ils du jeune homme après son refus ?
7. Que fait le jeune aviateur pendant que ses camarades jouent au poker ?
8. Pourquoi est-ce que son attitude a irrité ses camarades ?
9. À quelle heure se réunit-on sur le terrain de départ ?
10. Comment va-t-on partir selon les ordres du capitaine ?
11. Que dit le capitaine au nouveau venu ?
12. Quelle faveur lui demande le nouveau venu ?
13. Quel nom se trouve étalé sur la carlingue de l'avion du nouveau venu ?
14. Comment le capitaine réprimande-t-il le jeune pilote ?
15. Pourquoi le capitaine prie-t-il un des vieux pilotes de veiller sur le nouveau pendant le raid ?
16. Comment se conduit le nouveau quand l'escadrille passe les lignes ?
17. Pourquoi n'a-t-on pas vu l'aviatik qui les avait pris en chasse ?
18. Qu'est-ce qui est arrivé au premier aviatik ?
19. Que font l'auteur et son bombardier V. quand leur mitrailleuse a enrayé à l'attaque du deuxième aviatik ?
20. Que fait l'aviatik à l'approche du biplan français ?
21. Que fait-il quand il est touché ?
22. Quels sont les sentiments de l'auteur et de V. quand ils ont vu que c'était « Berthe » qui les avait sauvés ?
23. Qu'est-ce qu'on a fait quand le nouveau s'est posé (a atterri) ?
24. Quelle est la réponse du jeune aviateur à l'enthousiasme de ses camarades ?
25. Que lui dit le capitaine ?
26. De qui est-ce que « Berthe » est le prénom ?

La Transtévérine

1. Qu'est-ce qui venait de finir ?
2. Comment la foule qui sortait du théâtre était-elle impressionnée ?
3. Qui attendait le poète et où l'attendait-on ?
4. Pourquoi la pièce n'avait-elle pas eu un très grand succès ?
5. Quel air avait le poète en s'approchant de ses amis ? Pourquoi ?
6. Qu'est-ce qu'une voix de femme a dit au poète ?
7. Qui était-elle ?
8. Qu'est-ce qu'on a invité les amis du poète à faire ?
9. Pourquoi l'auteur de ce conte avait-il une curiosité de voir cet intérieur d'artiste ?
10. Où est-ce que son ami avait rencontré Maria Assunta ?
11. Pourquoi est-il tombé amoureux d'elle ?
12. Où est-ce que l'artiste l'a ramenée ?
13. Qu'est-ce qu'il aurait dû emporter aussi pour le cadre complet ?
14. De quoi le mari s'est-il bientôt aperçu à la froide et terrible clarté du ciel de Paris ?
15. De quoi brillaient les beaux yeux de sa femme ?
16. Est-ce qu'elle était en sympathie avec le travail artistique de son mari ?
17. Quelle sorte de jargon parlait-elle ?
18. Quel parti le poète a-t-il pris quand il a vu qu'il ne pouvait civiliser sa femme ?
19. Comment vivait-il depuis quinze ans ?
20. Contrastez l'apparence du poète et de sa femme.
21. Pourquoi y a-t-il eu une querelle entre le concierge et l'Italienne ?
22. Que disait-elle à son mari pour l'encourager de l'insuccès de sa pièce ?
23. Que lui disait-elle au milieu d'une discussion intéressante ?
24. Qu'est-ce qu'on avait acheté pour arroser l'*estoufato?*
25. Qui a cassé la bouteille de vin ?
26. Qu'est-ce que le poète a prié son ami de dire quand sa femme a apparu sur la porte du salon ?
27. Pourquoi les jambes du poète tremblaient-elles sous la table ?

Les Vices du Capitaine

1. Où s'est retiré le capitaine Mercadier ?
2. Décrivez la petite ville: (a) sa population; (b) son apparence les lundis (c) l'activité pendant le reste de la semaine.
3. Pourquoi le capitaine avait-il choisi cette ville comme résidence de retraite ?
4. Où avait-il passé toute sa vie militaire ?
5. De qui avait-il été prisonnier ?
6. Décrivez son arrivée dans sa ville natale.
7. Combien de temps lui a-t-il fallu pour s'installer ?
8. Qu'est-ce qu'il cherche après s'être rasé ?
9. Quels trois vices le capitaine satisfaisait-il au café ?
10. Comment s'appelle le café devant lequel le capitaine s'est arrêté ?
11. Quels aspects provinciaux ce café avait-il ?
12. Décrivez l'intérieur du café: (a) la dame au comptoir (b) les murs (c) le plancher (d) le divan.
13. Pourquoi le capitaine a-t-il dû renoncer à l'idée qu'il avait trouvé le bonheur parfait au café Prosper ?
14. Qu'est-ce qu'il a fait un lundi matin ?
15. Qu'est-ce qu'il a vu venir ?
16. Quelle infirmité la petite fille avait-elle ?
17. Comment s'appelle-t-elle ?
18. Quel âge a-t-elle ?
19. Où habite-t-elle ?
20. Qu'est-ce qu'on lui donne pour son travail ?
21. A-t-elle des parents ?
22. De quoi le capitaine avait-il besoin ?
23. Quelles économies ferait-il s'il avait la petite boiteuse comme domestique ?
24. Comment a-t-il conclu l'affaire avec la maîtresse de la maison ?
25. Comment les habitués du café ont-il reproché le capitaine pour ses absences ?
26. Est-ce que le capitaine traitait Pierrette comme une servante ?
27. Quel moment choisissait-elle pour demander ce qu'elle voulait ?
28. Qu'est-ce que le capitaine a substitué à ses vieux vices ?

29. Quelle est sa plus grande inquiétude maintenant ?
30. Comment compte-t-il pourvoir aux besoins de sa fille adoptée ?
31. Que fait-il tous les jours maintenant au lieu d'aller au café ?
32. Que se disent les passants en voyant le capitaine et Pierrette ?

THE FRENCH VERB

PRINCIPAL PARTS AND DERIVED TENSES

Infinitive	*Pres. Par.*	*Past Par.*	*1st. sing. Pres. Ind.*	*1st. sing. Past Def.*
Future Conditional	plu. of pres. ind. Imperf. indic. pres. subj.	Compd. tenses.	Imperative singular	Past. Subj.

Tense Endings

Present Ind.			*Imperf. Ind.*	*Future*	*Conditional*	*Past Definite*		
1.	*2.*	*3.*				*1.*	*2.*	*3.*
–e	–is	–s	–ais	–ai	–ais	–ai	–is	–is
–es	–is	–s	–ais	–as	–ais	–as	–is	–is
–e	–it	–t	–ait	–a	–ait	–a	–it	–it
–ons	–ons	–ons	–ions	–ons	–ions	–âmes	–îmes	–îmes
–ez	–ez	–ez	–iez	–ez	–iez	–âtes	–îtes	–îtes
–ent	–ent	–ent	–aient	–ont	–aient	–èrent	–irent	–irent

Present Subjunctive	*Imperfect Subjunctive*		
1. 2. 3.	1.	2.	3.
–e	–sse	–sse	–sse
–es	–sses	–sses	–sses
–e	–^t	–^t	–^t
–ions	–ssions	–ssions	–ssions
–iez	–ssiez	–ssiez	–ssiez
–ent	–ssent	–ssent	–ssent

Principal Parts of Regular Verbs: **Donner, Finir, Vendre.**

Inf.	*Pres. Par.*	*Past Par.*	*1st Pres. Ind.*	*1st. Past Def.*
donn*er*	donn*ant*	donn*e*	je donn*e*	je donn*ai*
(to give)	(giving)	(given)	(I give, am giving, do give	(I gave)
fin*ir*	finiss*ant*	fin*i*	je fin*is*	je fin*is*
(to finish)	(finishing)	(finished)	(I finish, am finishing, do finish)	(I finished)
vend*re*	vend*ant*	vend*u*	je vend*s*	je vend*is*
(to sell)	(selling)	(sold)	(I sell, am selling, do sell)	(I sold)

Formation of Tenses

Present Indicative 1st. sing. is a principal part; to form plural, drop ending *-ant* of pres. participle and add plural endings of pres. ind.
Imperfect Ind. — drop ending *-ant* of pres. par. and add imperf. endings.
Past Definite — is one of the principal parts.
Future — add future endings to the infinitive; in 3rd. conjugation drop final *-e* before adding endings.
Conditional — add conditional endings to the infinitive; in 3rd. conjugation drop final *-e* before adding endings.
Imperative — Drop 2nd. pers. sing. and 1st. and 2nd. pers. plural subject pronouns of the present indicative.
Pres. Subj. — drop ending *-ant* of pres. par. and add pres. subj. endings.
Impf. Subj. — drop final *-s* of 2nd. person sing. of the past definite and add imperfect subjunctive endings.

IRREGULAR VERBS — PRINCIPAL PARTS

(List of the commonest irregular verbs in the 2000 most frequently occurring French words. Verbs marked * take *être* as auxiliary.)

1. **aller* (to go) allant, allé, je vais, j'allai.
2. **asseoir* (s') (to sit) s'asseyant, assis, je m'assieds, je m'assis.
3. *avoir* (to have) ayant, eu, j'ai, j'eus.
4. *battre* (to beat) battant, battu, je bats, je battis.
5. *boire* (to drink) buvant, bu, je bois, je bus.
6. *conclure* (to conclude) concluant, conclu, je conclus, je conclus.
7. *conduire* (to conduct) conduisant, conduit, je conduis, je conduisis.
8. *connaître* (to know) connaissant, connu, je connais, je connus.
9. *courir* (to run) courant, couru, je cours, je courus.
10. *craindre* (to fear) craignant, craint, je crains, je craignis.

11. *croire* (to believe) croyant, cru, je crois, je crus.
12. *croître* (to grow) croissant, crû (crue), je croîs, je crûs.
13. *cueillir* (to pick) cueillant, cueilli, je cueille, je cueillis.
14. *devoir* (to owe, must) devant, dû, je dois, je dus.
15. *dire* (to say, tell) disant, dit, je dis, je dis.
16. *écrire* (to write) écrivant, écrit, j'écris, j'écrivis.
17. *envoyer* (to send) envoyant, envoyé, j'envoie, j'envoyai.
18. *être* (to be) étant, été, je suis, je fus.
19. *faire* (to do, make) faisant, fait, je fais, je fis.
20. *falloir* (to be necessary) —, fallu, il faut, il fallut.
21. *fuir* (to flee), fuyant, fui, je fuis, je fuis.
22. *lire* (to read) lisant, lu, je lis, je lus.
23. *mettre* (to put) mettant, mis, je mets, je mis.
24. **mourir* (to die) mourant, mort, je meurs, je mourus.
25. **naître* (to be born) naissant, né, je nais, je naquis.
26. *ouvrir* (to open) ouvrant, ouvert, j'ouvre, j'ouvris.
27. *plaire* (to please) plaisant, plu, je plais, je plus.
28. *pleuvoir* (to rain) pleuvant, plu, il pleut, il plut.
29. *pouvoir* (to be able) pouvant, pu, je peux (puis), je pus.
30. *prendre* (to take) prenant, pris, je prends, je pris.
31. *recevoir* (to receive) recevant, reçu, je reçois, je reçus.
32. *résoudre* (to solve), résolvant, résolu, je résous, je résolus.
33. *rire* (to laugh) riant, ri, je ris, je ris.
34. *savoir* (to know) sachant, su, je sais, je sus.
35. **sortir* (to go out) sortant, sorti, je sors, je sortis.
36. *suffire* (to suffice) suffisant, suffi, je suffis, je suffis.
37. *suivre* (to follow) suivant, suivi, je suis, je suivis.
38. *vaincre* (to vanquish) vainquant, vaincu, je vaincs, je vainquis.
39. *valoir* (to be worth) valant, valu, je vaux, je valus.
40. **venir* (to come) venant, venu, je viens, je vins.
41. *vêtir* (to dress) vêtant, vêtu, je vêts, je vêtis.
42. *vivre* (to live) vivant, vécu, je vis, je vécus.
43. *voir* (to see) voyant, vu, je vois, je vis.
44. *vouloir* (to wish) voulant, voulu, je veux, je voulus.

admettre (to admit) like *mettre.*
apercevoir (to perceive) like *recevoir.*
apparaître (to appear) like *connaître.*
appartenir (to belong) like *venir.*
apprendre (to learn) like *prendre.*
comprendre (to understand) like *prendre.*
concevoir (to conceive) like *recevoir.*
construire (to construct) like *conduire.*
contenir (to contain) like *venir.*
convenir (to suit) like *venir.*
couvrir (to cover) like *ouvrir.*
cuire (to cook) like *conduire.*
découvrir (to discover) like *ouvrir.*
décrire (to describe) like *écrire.*
détruire (to destroy) like *conduire.*
**devenir* (to become) like *venir.*
dormir (to sleep) like *sortir.*
éteindre (to extinguish) like *craindre.*

inscrire (to inscribe) like *écrire*.
interdire (to interdict) like *dire*.
joindre (to join) like *craindre*.
maintenir (to maintain) like *venir*.
obtenir (to obtain) like *venir*.
offrir (to offer) like *ouvrir*.
paraître (to appear, seem) like *connaître*.
**partir* (to depart) like *sortir*.
**parvenir* (to succeed) like *venir*.
peindre (to paint) like *craindre*.
permettre (to permit) like *mettre*.
prévenir (to precede) like *venir*.
prévoir (to foresee) like *voir*.
produire (to produce) like *conduire*.
promettre (to promise) like *mettre*.
reconnaître (to recognize) like *connaître*.
réduire (to reduce) like *conduire*.
rejoindre (to join again) like *joindre*.
remettre (to put back) like *mettre*.
reprendre (to take again) like *prendre*.
retenir (to retain) like *venir*.
revenir (to return) like *venir*.
revoir (to see again) like *voir*.
sentir (to feel, smell) like *sortir*.
se servir de (to use) like *sortir*.
soumettre (to submit) like *mettre*.
sourire (to smile) like *rire*.
**souvenir* (*se*) (to remember) like *venir*.
surprendre (to surprise) like *prendre*.
**taire* (*se*) (to be silent) like *plaire*.
tenir (to hold) like *venir*.
traduire (to translate) like *conduire*.

Present Indicative — Irregular Forms

Note: The subject pronouns *je*, *tu*, *il*, *elle*, *nous*, *vous*, *ils*, *elles* are to be supplied.

1. *aller* (to go) vais, vas, va, allons, allez, vont.
2. *asseoir* (*s'*) (to sit) assieds, assieds, assied, asseyons, asseyez, asseyent.
3. *avoir* (to have) ai, as, a, avons, avez, ont.
4. *battre* (to beat) bats, bats, bat, battons, battez, battent.
5. *boire* (to drink) bois, bois, boit, buvons, buvez, boivent.
6. *conclure* (to conclude) conclus, conclus, conclut, concluons, concluez, concluent.
7. *connaître* (to know) connais, connais, connaît, connaissons, connaissez, connaissent.
8. *courir* (to run) cours, cours, court, courons, courez, courent.
9. *craindre* (to fear) crains, crains, craint, craignons, craignez, craignent.
10. *croire* (to believe) crois, crois, croit, croyons, croyez, croient.
11. *croître* (to grow) croîs, croîs, croît, croissons, croissez, croissent.
12. *cueillir* (to gather) cueille, cueilles, cueille, cueillons, cueillez, cueillent.
13. *devoir* (to owe, must) dois, dois, doit, devons, devez, doivent.
14. *dire* (to say, tell) dis, dis, dit, disons, dites, disent.
15. *écrire* (to write) écris, écris, écrit, écrivons, écrivez, écrivent.
16. *envoyer* (to send) envoie, envoies, envoie, envoyons, envoyez, envoient.
17. *être* (to be) suis, es, est, sommes, êtes, sont.

18. *faire* (to do, make) fais, fais, fait, faisons, faites, font.
19. *falloir* (to be necessary) il faut. (Impersonal).
20. *fuir* (to flee) fuis, fuis, fuit, fuyons, fuyez, fuient.
21. *lire* (to read) lis, lis, lit, lisons, lisez, lisent.
22. *mettre* (to put) mets, mets, met, mettons, mettez, mettent.
23. *mourir* (to die) meurs, meurs, meurt, mourons, mourez, meurent.
24. *naître* (to be born) nais, nais, naît, naissons, naissez, naissent.
25. *ouvrir* (to open) ouvre, ouvres, ouvre, ouvrons, ouvrez, ouvrent.
26. *plaire* (to please) plais, plais, plaît, plaisons, plaisez, plaisent.
27. *pleuvoir* (to rain) il pleut. (Impersonal).
28. *pouvoir* (to be able) peux (puis), peux, peut, pouvons, pouvez, peuvent.
29. *prendre* (to take) prends, prends, prend, prenons, prenez, prennent.
30. *produire* (to produce) produis, produis, produit, produisons, produisez, produisent.
31. *recevoir* (to receive) reçois, reçois, reçoit, recevons, recevez, reçoivent.
32. *résoudre* (to solve) résous, résous, resout, résolvons, résolvez, résolvent.
33. *savoir* (to know) sais, sais, sait, savons, savez, savent.
34. *sortir* (to go out) sors, sors, sort, sortons, sortez, sortent.
35. *suffire* (to suffice) suffis, suffis, suffit, suffisons, suffisez, suffisent.
36. *suivre* (to follow) suis, suis, suit, suivons, suivez, suivent.
37. *vaincre* (to vanquish) vaincs, vaincs, vainc, vainquons, vainquez, vainquent.
38. *valoir* (to be worth) vaux, vaux, vaut, valons, valez, valent
39. *venir* (to come) viens, viens, vient, venons, venez, viennent.
40. *vêtir* (to clothe) vêts, vêts, vêt, vêtons, vêtez, vêtent.
41. *vivre* (to live) vis, vis, vit, vivons, vivez, vivent.
42. *voir* (to see) vois, vois, voit, voyons, voyez, voient.
43. *vouloir* (to wish) veux, veux, veut, voulons, voulez, veulent.

admettre (to admit) like *mettre*.
apercevoir (to perceive) like *recevoir*.
apparaître (to appear) like *connaître*.
appartenir (to belong) like *venir*.
apprendre (to learn) like *prendre*.
comprendre (to understand) like *prendre*.
concevoir (to conceive) like *recevoir*.
conduire (to conduct) like *produire*.
construire (to construct) like *produire*.
contenir (to contain) like *venir*.
convenir (to suit) like *venir*.
couvrir (to cover) like *ouvrir*.
découvrir (to discover) like *ouvrir*.
décrire (to describe) like *écrire*.
détruire (to destroy) like *produire*.
devenir (to become) like *venir*.
dormir (to sleep) like *sortir*.
éteindre (to extinguish) like *craindre*.
joindre (to join) like *craindre*.
maintenir (to maintain) like *venir*.
obtenir (to obtain) like *venir*.
offrir (to offer) like *ouvrir*.
paraître (to appear) like *connaître*.
partir (to depart) like *sortir*.
parvenir (to succeed) like *venir*.
permettre (to permit) like *mettre*.
prêvenir (to precede) like *venir*.
promettre (to promise) like *mettre*.
réduire (to reduce) like *produire*.
rejoindre (to join again) like *craindre*.

remettre (to put back) like *mettre.*
reprendre (to take again) like *prendre.*
retenir (to retain) like *venir.*
revenir (to return) like *venir.*
revoir (to see again) like *voir.*
sentir (to feel, smell) like *sortir.*
servir (to serve) like *sortir.*
se servir de (to use) like *sortir.*
soumettre (to submit) like *mettre.*
sourire (to smile) like *rire.*
se souvenir de (to remember) like *venir.*
surprendre (to surprise) like *prendre.*
se taire (to be silent) like *plaire.*
tenir (to hold) like *venir.*
traduire (to translate) like *produire.*

Past Definite — Irregular Forms

Note: The pronouns *je, tu, il, elle, nous, vous, ils, elles* are to be supplied.

1. *s'asseoir* (to sit down) assis, assis, assit, assîmes, assîtes, assirent.
2. *avoir* (to have) eus, eus, eut, eûmes, eûtes, eurent.
3. *boire* (to drink) bus, bus, but, bûmes, bûtes, burent.
4. *conduire* (to conduct) conduisis, conduisis, conduisit, conduisîmes, conduisîtes, conduisirent.
5. *connaître* (to know), connus, connus, connut, connûmes, connûtes, connurent.
6. *courir* (to run) courus, courus, courut, courûmes, courûtes, coururent.
7. *craindre* (to fear) craignis, craignis, craignit, craignîmes, craignîtes, craignirent.
8. *croire* (to believe) crus, crus, crut, crûmes, crûtes, crurent.
9. *croître* (to grow) crûs, crûs, crût, crûmes, crûtes, crûrent.
10. *devoir* (to owe, to have to) dus, dus, dut, dûmes, dûtes, durent.
11. *dire* (to say, tell) dis, dis, dit, dîmes, dîtes, dirent.
12. *écrire* (to write) écrivis, écrivis, écrivit, écrivîmes, écrivîtes, écrivirent.
13. *être* (to be) fus, fus, fut, fûmes, fûtes, furent.
14. *faire* (to do, make) fis, fis, fit, fîmes, fîtes, firent.
15. *falloir* (to be necessary) il fallut (Impersonal).
16. *lire* (to read) lus, lus, lut, lûmes, lûtes, lurent.
17. *mettre* (to put) mis, mis, mit, mîmes, mîtes, mirent.
18. *mourir* (to die) mourus, mourus, mourut, mourûmes, mourûtes, moururent.
19. *naître* (to be born) naquis, naquis, naquit, naquîmes, naquîtes, naquirent.
20. *plaire* (to please) plus, plus, plut, plûmes, plûtes, plurent.
21. *pleuvoir* (to rain) il plut. (Impersonal).
22. *prendre* (to take) pris, pris, prit, prîmes, prîtes, prirent.
23. *recevoir* (to receive) reçus, reçus, reçut, reçûmes, reçûtes, reçurent.
24. *rire* (to laugh) ris, ris, rit, rîmes, rîtes, rirent.

25. *savoir* (to know) sus, sus, sut, sûmes, sûtes, surent.
26. *suffire* (to suffice) suffis, suffis, suffit, suffîmes, suffîtes, suffirent.
27. *valoir* (to be worth) valus, valus, valut, valûmes, valûtes, valurent.
28. *venir* (to come) vins, vins, vint, vînmes, vîntes, vinrent.
29. *vivre* (to live) vécus, vécus, vécut, vécûmes, vécûtes, vécurent.
30. *voir* (to see) vis, vis, vit, vîmes, vîtes, virent.
31. *vouloir* (to wish) voulus, voulus, voulut, voulûmes, voulûtes, voulurent.

admettre (to admit) like *mettre*.
apercevoir (to perceive) like *recevoir*.
apparaître (to appear) like *connaître*.
appartenir (to belong) like *venir*.
apprendre (to learn) like *prendre*.
comprendre (to understand) like *prendre*.
concevoir (to conceive) like *recevoir*.
construire (to construct) like *conduire*.
contenir (to contain) like *venir*.
convenir (to suit) like *venir*.
décrire (to describe) like *écrire*.
détruire (to destroy) like *conduire*.
devenir (to become) like *venir*.
éteindre (to extinguish) like *craindre*.
joindre (to join) like *craindre*.
maintenir (to maintain) like *venir*.
obtenir (to obtain) like *venir*.
paraître (to appear) like *connaître*.
parvenir (to succeed) like *venir*.
permettre (to permit) like *mettre*.
prévenir (to precede) like *venir*.
produire (to produce) like *conduire*.
promettre (to promise) like *mettre*.
reconnaître (to recognize) like *connaître*.
réduire (to reduce) like *conduire*.
rejoindre (to join again) like *craindre*.
remettre (to put back) like *mettre*.
reprendre (to take again) like *prendre*.
retenir (to retain) like *venir*.
revenir (to return) like *venir*.
revoir (to see again) like *voir*.
soumettre (to submit) like *mettre*.
sourire (to smile) like *rire*.
se souvenir de (to remember) like *venir*.
surprendre (to surprise) like *prendre*.
se taire (to be silent) like *plaire*.
tenir (to hold) like *venir*.
traduire (to translate) like *conduire*.

Future Tense — Irregular Forms

Note: The pronouns *je, tu, il, elle, nous, vous, ils, elles* are to be supplied.

1. *aller* (to go) irai, iras, ira, irons, irez, iront.
2. *asseoir* (*s'*) (to sit) asseyerai, asseyeras, asseyera, asseyerons, asseyerez, asseyeront.
3. *avoir* (to have) aurai, auras, aura, aurons, aurez, auront.
4. *courir* (to run) courrai, courras, courra, courrons, courrez, courront.
5. *cueillir* (to gather) cueillerai, cueilleras, cueillera, cueillerons, cueillerez, cueilleront.
6. *devoir* (to owe, must) devrai, devras, devra, devrons, devrez, devront.

7. *envoyer* (to send) enverrai, enverras, enverra, enverrons, enverrez, enverront.
8. *être* (to be) serai, seras, sera, serons, serez, seront.
9. *faire* (to do, make) ferai, feras, fera, ferons, ferez, feront.
10. *falloir* (to be necessary) il faudra.
11. *mourir* (to die) mourrai, mourras, mourra, mourrons, mourrez, mourront.
12. *pouvoir* (to be able) pourrai, pourras, pourra, pourrons, pourrez, pourront.
13. *pleuvoir* (to rain) il pleuvra. (Impersonal).
14. *recevoir* (to receive) recevrai, recevras, recevra, recevrons, recevrez, recevront.
15. *savoir* (to know) saurai, sauras, saura, saurons, saurez, sauront.
16. *valoir* (to be worth) vaudrai, vaudras, vaudra, vaudrons, vaudrez, vaudront.
17. *venir* (to come) viendrai, viendras, viendra, viendrons, viendrez, viendront.
18. *voir* (to see) verrai, verras, verra, verrons, verrez, verront.
19. *vouloir* (to wish) voudrai, voudras, voudra, voudrons, voudrez, voudront.

apercevoir (to perceive) like *recevoir.*
appartenir (to belong) like *venir.*
concevoir (to conceive) like *recevoir.*
contenir (to suit) like *venir.*
devenir (to become) like *venir.*
maintenir (to maintain) like *venir.*
obtenir (to obtain) like *venir.*
parvenir (to succeed) like *venir.*
prévenir (to precede) like *venir.*
retenir (to retain) like *venir.*
revenir (to return) like *venir.*
revoir (to see again) like *voir.*
soutenir (to sustain) like *venir.*
tenir (to hold) like *venir.*

Present Subjunctive — Irregular Forms

Note: The subject pronouns *je*, *tu*, *il*, *elle*, *nous*, *vous*, *ils*, *elles* are to be supplied.

1. *aller* (to go) aille, ailles, aille, allions, alliez, aillent.
2. *avoir* (to have) aie, aies, ait, ayons, ayez, aient.
3. *boire* (to drink) boive, boives, boive, buvions, buviez, boivent.
4. *croire* (to believe) croie, croies, croie, croyions, croyiez, croient.
5. *devoir* (to owe, must) doive, doives, doive, devions, deviez, doivent.
6. *envoyer* (to send) envoie, envoies, envoie, envoyions, envoyiez, envoient.
7. *être* (to be) sois, sois, soit, soyons, soyez, soient.
8. *faire* (to do, make) fasse, fasses, fasse, fassions, fassiez, fassent.
9. *falloir* (to be necessary) (qu') il faille.
10. *mourir* (to die) meure, meures, meure, mourions, mouriez, meurent.

11. *pleuvoir* (to rain) il pleuve. (Impersonal).
12. *pouvoir* (to be able) puisse, puisses, puisse, puissions, puissiez, puissent.
13. *prendre* (to take) prenne, prennes, prenne, prenions, preniez, prennent.
14. *recevoir* (to receive) reçoive, reçoives, reçoive, recevions, receviez, reçoivent.
15. *valoir* (to be worth) vaille, vailles, vaille, valions, valiez, vaillent.
16. *venir* (to come) vienne, viennes, vienne, venions, veniez, viennent.
17. *voir* (to see) voie, voies, voie, voyions, voyiez, voient.
18. *vouloir* (to wish) veuille, veuilles, veuille, voulions, vouliez, veuillent.

apercevoir (to perceive) like *recevoir*.
appartenir (to belong) like *venir*.
comprendre (to understand) like *prendre*.
concevoir (to conceive) like *recevoir*.
contenir (to contain) like *venir*.
convenir (to suit) like *venir*.
devenir (to become) like *venir*.
maintenir (to maintain) like *venir*.
obtenir (to obtain) like *venir*.
parvenir (to succeed) like *venir*.
prevenir (to precede) like *venir*.
reprendre (to take again) like *prendre*.
retenir (to retain) like *venir*.
revenir (to return) like *venir*.
revoir (to see again) like *voir*.
soutenir (to sustain) like *venir*.
souvenir (se) (to remember) like *venir*.
surprendre (to surprise) like *prendre*.
tenir (to hold) like *venir*.

The Past Participle — Irregular Forms

1. *The Past Participle.* The past participle is used with the auxiliary verbs *avoir* and *être* to form all the compound tenses in French, and it is used with the infinitive of these auxiliaries to form the perfect infinitive. When *être* is the auxiliary with certain verbs denoting change of state, the past participle agrees in gender and number with the subject. When *avoir* is the auxiliary or *être* with reflexive verbs, and the direct object precedes, the past participle agrees with the object in gender and number, otherwise it is invariable.

2. *Formation.* The past participle is regularly formed by adding to the stem of the infinitive *–é*(e) (s) in the first conjugation, *–i*(e) (s) in the second conjugation, *–u*(e) (s) in the third conjugation and *–oir* verbs.

Note. Letters in parentheses indicate the feminine and the plural forms of the past participle.

3. *Model Verbs.*

(1)	(2)	(3)	(*-oir*)
donn–er	fin–ir	vend–re	recev–oir
donn–é, given	fin–i, finished	vend–u, sold	reç–u, received

4. *Compound Tenses.*

1. Perfect Infinitive:	*avoir donné*, to have given
	être arrivé, to have arrived
2. Perfect Participle:	*ayant donné*, having given
	étant arrivé, having arrived
3. Past Indefinite:	*j'ai donné*, I gave, etc.
	je suis allé(e), I went, etc.
	je me suis lavé(e), I washed, etc.
4. Pluperfect:	*j'avais donné*, I had given, etc.
	j'étais arrivé(e), I had arrived, etc.
	je m'étais lavé, I had washed, etc.
5. Past Anterior:	*j'eus donné*, I had given
	je fus arrivé(e), I had arrived
	je me fus lavé(e), I had washed
6. Perfect Future:	*j'aurai donné*, I shall have given, etc.
	je serai arrivé(e), I shall have arrived, etc.
	je me serai lavé(e), I shall have washed, etc.
7. Conditional Past:	*j'aurais donné*, I should have given
	je serais arrivé(e), I should have arrived
	je me serais lavé(e), I should have washed
8. Perfect Subjunctive:	*(que) j'aie donné*, I gave
	(que) je sois arrivé(e), I arrived
	(que) je me sois lavé(e), I washed
9. Pluperfect Subjunctive.	*(que) j'eusse donné*, I had given
	(que) je fusse arrivé(e), I had arrived
	(que) je me fusse lavé(e), I had washed

5. *Irregular Past Participles.*

**asseoir* (s') . . . *assis* (seated)
avoir . . . *eu* (had)
boire . . . *bu* (drunk)
conclure . . . *conclu* (concluded)
connaître . . . *connu* (known)
courir . . . *couru* (run)
craindre . . . *craint* (feared)
croire . . . *cru* (believed)
croître . . . *crû* (*f. crue*) (grown)
devoir . . . *dû* (owed)
dire . . . *dit* (said)
écrire . . . *écrit* (written)
être . . . *été* (been)
faire . . . *fait* (done, made)
falloir . . . *fallu* (been necessary)
lire . . . *lu* (read)
mettre . . . *mis* (put)
**mourir* . . . *mort* (died)
**naître* . . . *né* (been born)
ouvrir . . . *ouvert* (opened)

plaire . . . *plu* (pleased)
pleuvoir . . . *plu* (rained)
pouvoir . . . *pu* (been able)
prendre . . . *pris* (taken)
produire . . . *produit* (produced)
recevoir . . . *reçu* (received)
résoudre . . . *résolu* (solved)
rire . . . *ri* (laughed)
savoir . . . *su* (known)
suffire . . . *suffi* (sufficed)
suivre . . . *suivi* (followed)
vaincre . . . *vaincu* (vanquished)
valoir . . . *valu* (been worth)
**venir* . . . *venu* (come)
vêtir . . . *vêtu* (dressed)
vivre . . . *vécu* (lived)
voir . . . *vu* (seen)
vouloir . . . *voulu* (wished)

admettre (to admit) like *mettre.*
apercevoir (to perceive) like *recevoir.*
apparaître (to appear) like *connaître.*
appartenir (to belong) like *venir.*
apprendre (to learn) like *prendre.*
concevoir (to conceive) like *recevoir.*
conduire (to conduct) like *produire.*
construire (to construct) like *produire.*
contenir (to contain) like *venir.*
convenir (to suit) like *venir.*
couvrir (to cover) like *ouvrir.*
découvrir (to discover) like *ouvrir.*
décrire (to describe) like *écrire.*
détruire (to destroy) like *produire.*
**devenir* (to become) like *venir.*
éteindre (to extinguish) like *craindre.*
joindre (to join) like *craindre.*
maintenir (to maintain) like *venir.*
obtenir (to obtain) like *venir.*
offrir (to offer) like *ouvrir.*
paraître (to appear, seem) like *connaître.*
**parvenir* (to succeed) like *venir.*
permettre (to permit) like *mettre.*
prévenir (to precede) like *venir.*
promettre (to promise) like *mettre.*
réduire (to reduce) like *produire*
reconnaître (to recognize) like *connaître.*
rejoindre (to join again) like *craindre.*
remettre (to put back) like *mettre.*
reprendre (to take again) like *prendre.*
retenir (to retain) like *venir.*
**revenir* (to return) like *venir.*
revoir (to see again) like *voir.*
soumettre (to submit) like *mettre.*
sourire (to smile) like *rire.*
**souvenir* (*se*) (to remember) like *venir.*
surprendre (to surprise) like *prendre.*
**taire* (*se*) (to be silent) like *plaire.*
tenir (to hold) like *venir.*
traduire (to translate) like *produire.*

Imperfect Indicative — Irregular Forms

The imperfect indicative is regularly formed from the present participle by dropping the ending *–ant* and adding the imperfect endings. The only irregular verbs that do not so form their imperfect indicative are:

avoir (to have) avais, avais, avait, avions, aviez, avaient.
falloir (to be necessary), il fallait. (Present participle is lacking).
savoir (to know) savais, savais, savait, savions, saviez, savaient.

Imperative — Irregular Forms

The imperative is regularly formed from the second person singular and the first and second persons plural of the present indicative by dropping the subject pronouns of these forms. Verbs of the first conjugation drop *-s* of the second person singular. Irregular verbs that do not so form their imperative are:

avoir (to have) aie, ayons, ayez.
être (to be) sois, soyons, soyez.
savoir (to know) sache, sachons, sachez.

VOCABULARY

This vocabulary lists *all* the words that have appeared in the twenty stories of this collection, except words that are identical in form and meaning in both French and English.

Words preceded by an asterisk (*) are among the first two thousand most frequently occurring in the various French frequency counts. The student should make an effort to learn these words as a minimum basic vocabulary.

Idioms have been placed, in general, under the more specific word in the phrase: for **avoir peur**, see **peur,** etc.

Only the infinitive form of the verb is given. For a complete list of the irregular forms, see the Summary of Irregular Verbs preceding this vocabulary (pp. 267–278). This list comprises the 44 irregular verbs in the first 2000 items of the Vander Beke list.

The pronunciation of words irregularly pronounced is given. The symbols used are those of the International Phonetic Association.

Abbreviations

adj.	adjective	*m.*	masculine
adv.	adverb	*mil.*	military
conj.	conjunction	*n.*	noun
f.	feminine	*pl.*	plural
fam.	familiar (speech)	*pop.*	popular
fig.	figuratively	*prep.*	preposition
int.	interrogative	*pron.*	pronoun

VOCABULARY

A

***à,** to, at, in, on, by, for, with
***abaisser,** to lower; **s'—,** to be lowered, sink, fall, drop
abandonnée, *f.* abandoned girl, deserted girl
***abandonner,** to abandon, leave (behind), forsake; **s'— à,** to give oneself up to, give in, give way to
abat-jour, *m.* lamp shade
***abattre,** to knock down, cut down, overthrow, slaughter; **s'—,** to fall, crash down, descend, swoop down
abattu, cast down, prostrate
***abbé,** *m.* abbot, priest, father; **l'—,** father
abeille, *f.* bee
abîmer, to injure, soil, spoil; **s'—,** to be soiled, get soiled
abondamment, abundantly
abondance, *f.* abundance; **avec tant d'—,** so profusely
abondant, abundant, overabundant
abonder, to abound; **— dans le sens (de quelqu'un),** to agree (with someone)
abonné, *m.* subscriber
***abord,** *m.* approach, access; **d'—,** at first, first of all, to begin with, originally; **au premier —,** at first sight
***aborder,** to approach, accost, come alongside
***aboutir,** to end; **— à,** to end in, lead to, come out on
***abri,** *m.* shelter, cover; **à l'— de,** sheltered from; **se mettre à l'— de,** to shelter oneself from
abruti, stupefied
***absence,** *f.* absence, lack
absinthe, *f.* absinthe (a strong French liqueur)
***absolu,** absolute, positive, hard and fast
***absolument,** absolutely
***absorber,** to absorb, imbibe, engross
abstenir: s'—, to abstain, refrain
abuser, to abuse, take advantage; **— de,** to take advantage of, ask too much of, betray
Académie, *f.:* **L'— Française,** The French Academy (*a learned body of 40 men, founded by Cardinal de Richelieu in 1636. Its purpose is the supervision of the French language. To be a member of the* "**quarante immortels**" *is a very high honor.*)
acajou, *m.* mahogany; **d'—,** mahogany
accablé, overwhelmed, dejected
accablement, *m.* prostration, despondency
accabler, to overwhelm, overcome, crush; **— de,** to overwhelm with
***accent,** *m.* accent, tone; **à votre —,** by your accent
***accepter,** to accept, take
***accident,** *m.* accident, mishap
accommodé, dressed, prepared
accompagnement, *m.* accompaniment; **avec — de,** accompanied with

*****accompagner,** to accompany, escort, go with; **accompagné de,** accompanied by

accompli, accomplished, completed, finished, thorough, past

*****accomplir,** to accomplish, perform, achieve, carry out, complete

*****accord,** *m.* accord, agreement, harmony, consent

*****accorder,** to grant, bestow, accord, reconcile

accoudé, with elbows resting, resting on one's elbows

*****accourir,** to run up, hasten, flock together

accoutumé, accustomed, usual; **être — à,** to be used to

*****accrocher,** to hook on, hang up, catch, cling to; **s'— à,** to clutch, cling to

accroire (*used only in the infinitive after* **faire**); **faire —,** to make one believe; **vous ne me feriez pas —,** you can't make me believe

*****accroître,** to increase, grow, accrue

*****accueillir,** to receive, welcome, meet (a bill)

*****accuser,** to accuse, charge, blame, show

acharné, relentless, desperate, eager, hard

acharnement, *m.* desperation, fury, relentlessness

achat, *m.* purchase; **faire l'— de,** to purchase

*****acheter,** to buy, purchase

acheteur, *m.* purchaser, buyer

*****achever,** to finish, perfect, end; **— de,** to finish; **— de s'habiller,** to finish dressing; **s'—,** to come to an end

acier, *m.* steel

*****acquérir,** to acquire, get, win

acquitter, to pay; **s'— de,** to fulfil, carry out, do

acrostiche, *m.* acrostic; **des —s,** acrostic verses (the initial letters of such verses form a word)

*****acte,** *m.* act, deed; **—s notariés,** recorded deeds

*****acti–f, –ve,** active, brisk

*****action,** *f.* action, act, deed, effect, share

activer, to stir up, quicken, poke

activité, *f.* activity, operation, stir, bustle

*****actuel, –le,** present, for the time being; *m.* real one, present one

*****actuellement,** now, at present

adhérent, adherent, sticky

*****adieu,** *m.* farewell, good bye

adjoint, *m.* associate, adjutant

*****admettre,** to admit, allow, grant; **— à (un examen)** to pass (an examination)

administrati–f, –ve, administrative, official, (in the) government

*****administration,** *f.* administration, management, direction

*****admirable,** admirable, wonderful, fine, excellent

admirablement, admirably

admirati–f, –ve, admiring

*****admiration,** *f.* admiration, wonder

*****admirer,** to admire, wonder at

adoptée, *f.* adopted daughter

*****adopter,** to adopt, carry, pass

adorer, to worship, adore

adossé: — à, banked by, sloping down from

*****adresse,** *f.* address, skill, shrewdness

*****adresser,** to address, direct, send; **s'— à,** to address, turn to, speak to, apply to, inquire of

*****adversaire,** *m.* adversary, opponent

aérien, –ne, aerial

affaibli, weakened, lessened, faint (of a sound), faintly
affaiblir, to weaken, grow feeble; **s'—,** to grow weaker; die out (of sounds)
***affaire,** *f.* affair, matter, business, business transaction; **toute une —,** quite an undertaking, a big job; **avoir — à,** to have to do with; **avoir —s à,** to have dealings with; **avoir des —s ensemble,** to quarrel
affaiser: s'—, to sink down, collapse
affamé, famished, starved
***affecter,** to affect, touch, design, assume
***affection,** *f.* affection, liking
affiche, *f.* play-bill, poster
***affirmer,** to affirm, assert, vouch, pledge one's word, declare; **je n'affirmerais pas,** I wouldn't pledge my word
affirmati–f, –ve, affirmative
affirmation, *f.* statement
affliger, to afflict; **s'— de,** to grieve at
affolé, mad, panic-stricken, frantic
affre, *f.* dread, horror
***affreu–x, –se,** frightful, horrible, horrid, hideous
affreusement, frightfully, awfully
affronter, to face (risk), brave
affublé, rigged out; **— de,** arrayed in, dressed in, rigged out in
***afin de,** in order to, so as to; **afin que,** in order that, so that
Afrique, *f.* Africa; **d'—,** African
***âge,** *m.* age; **— avancé,** advanced old age; **grand —,** advanced old age; **en — de mariage,** of marriageable age; **avoir —,** to be old, be of years; **quel — avez-vous?** how old are you?
âgé, old, aged; **— de huit ans,** eight years old
agenda [aʒɑ̃da], *m.* memorandum book; **— de commerce,** (commercial) note-book
agenouiller: s'—, to kneel
***agent,** *m.* agent, broker, officer; **— de police,** policeman
aggraver, to aggravate, increase
agilité, *f.* agility, nimbleness
***agir,** to act, operate, work, do; **s'— de,** to be a question of, be the matter; **il s'agit de le faire,** it is a matter of doing it; **il ne s'agit pas de cela,** that's not the point (at issue)
***agiter,** to agitate, shake, stir (up), move, wave
agonie, *f.* agony, pangs of death, death agony
***agréable,** agreeable, pleasant, nice
agrippé, snatched up
ahurissement, *m.* amazement, bewilderment
***aide,** *m.* assistant; **— de camp,** aide-de-camp; *f.* help, relief, aid, assistance; **venir en —,** to come to aid, to come to one's assistance
***aider,** to aid, help, assist; **s'— de,** to help oneself with, make use of
aïeul, *m.* grandfather, ancestor, old man
aigre, sharp, bitter, sour
aigu, –ë, sharp, acute, shrill
aiguille [egɥiːj], *f.* needle, hand (*of a clock*)
aiguiser [egize], to whet, sharpen
***aile** [ɛl], *f.* wing
***ailleurs** [ajœːr], elsewhere; **d'—,** besides, moreover; **partout d'—,** everywhere else
***aimable,** pleasant, kind, nice
***aimer,** to love, be fond of, like,

fall in love with; **— à** (+ *inf.*), to like to; **— mieux,** to prefer; **j'aimerais mieux,** I'd rather; **il était aimé du peuple,** he was loved by the people

***aîné,** older, oldest, senior

***ainsi,** so, thus; **— que,** just as, as well as

***air,** *m.* air, look, appearance, manner, way; **grand —,** open air; **d'un — enchanté,** with a delighted look; **avoir l'— pauvre comme tout,** to look poverty stricken; **avoir l'— (de),** to seem, look like; **en l'—,** upward

Aire, *f.* Aire (a river in the Argonne, in northeastern France)

***aise,** *adj.* glad, pleased; *f.* ease, comfort, joy; **à son —,** well off; **à votre —,** as you like; **être à l'—,** to be at one's ease

aisé, easy

***ajouter,** to add

ajuster, to adjust, tune

alentour, *adv.* round about, of the vicinity; **d'—,** *adj.* round about; *m. pl.* environs

alerte, alert, spry, brisk, wide-awake, lively

Alexandre, Alexander

Alger, *m.* Algiers (capital of Algeria)

Algérie, *f.* Algeria (a French colony in northern Africa)

aligner, to align, line up

aliter: s'—, to take to one's bed

***allée,** *f.* walk, lane, path, passage

alléger, to lighten; **s'— de,** to be relieved of

allègrement, joyfully, briskly

Allemagne, *f.* Germany

***allemand,** German; *m.* German

***aller,** to go, be, do, fit, suit; **— à pied,** to go on foot, walk; **— chercher,** to go for, go and get; **ça va,** all right, O.K.; **allons!** come now! **allez!** oh, come now! "giddup!" **nos cœurs vont,** our hearts go out; **ça va mieux,** that's better; **— tout le corps en avant,** to walk leaning forward; **c'est égal, va, mauvais,** never mind, be gone with you, rascal; **je vous connais bien! allez!** I know you only too well, I do! **s'en —,** to go away; **son regard s'en va,** his eyes go wandering

allonger, to lengthen, stretch out; **s'—,** to stretch out

***allumer,** to light, fire, kindle; **— les gaietés,** to heighten the gaiety, make one merry

allumette, *f.* match

***allure,** *f.* walk, way, gait, bearing, manner; **à toute —,** at full speed; **—s d'autrefois,** former ways

***alors,** then, at that time; **— que,** when, at a time when, even if

alourdir, to make heavy (or drowsy); **— de,** to make heavy with

alterner, to alternate

amaigri, thin, emaciated

amas, *m.* mass, heap, pile

amazone, *f.* woman on horseback, equestrienne

ambitieusement, ambitiously, aspiringly

ambitieu-x, -se, ambitious; *m.* ambitious person

***ambition,** *f.* ambition

amble, *m.* gait; **— sautillant,** a skipping gait

***âme,** *f.* soul, spirit, heart, mind; **— qui vive,** a living soul

amen [amɛn]! amen! so be it! thy will be done!

*__amener,__ to bring, lead up to, take
*__am-er, -ère,__ bitter, severe
__amèrement,__ bitterly
*__américain,__ American
__Amérique du Sud,__ *f.* South America
*__ami,__ *m.* friend; __un de mes —s,__ a friend of mine; __un militaire de mes —s,__ a military friend (of mine)
__amie,__ *f.* friend; __ta bonne —,__ your sweetheart; __petite —,__ sweetheart; __son —,__ his pet (the mule)
*__amitié,__ *f.* friendship, liking
__amollir,__ to soften; __s'—,__ to soften
__amonceler,__ to pile up; __s'—,__ to be heaped, piled up
*__amour,__ *m.* love, passion; *pl.* __—s,__ love affairs
*__amoureu-x, -se (de),__ in love (with), loving; *m. or f.* sweetheart, lover
__amour-propre,__ *m.* self-esteem, self-respect, vanity, pride
*__amusant,__ amusing, entertaining
*__amuser,__ to amuse, entertain; __s'—,__ to have a good time, to while away the time; __s'— à,__ to find entertainment in
*__an,__ *m.* year; __tous les sept —s,__ every seven years; __avoir dix —s,__ to be ten years old; __plus de dix —s de cela,__ that was more than ten years ago
__analogue,__ analogous, similar, like
*__ancien, -ne,__ ancient, former, old; *m.* elder, senior member
__ancienneté,__ *f.* length of service, seniority
__âne,__ *m.* donkey, ass
__ange,__ *m.* angel
__Angélus__ [ɑ̃ʒelys], *m.* Angelus; __sonner l'—,__ to ring for the Angelus (*in the Roman Catholic church the bell is rung in the morning, noon and evening*)
*__anglais,__ English; __à l'—e,__ in the English style
__Anglaise,__ *f.* English woman
__anglaise,__ *f.* ringlet, curl
__angle,__ *m.* angle, corner
*__angoisse,__ *f.* anguish, distress, agony (of fear); __des —s de damné,__ awful pangs; __être en —,__ to have one's heart in one's mouth
__angoissé,__ distressed
__anguille__ [ɑ̃giːj], *f.* eel
*__animal,__ *m.* animal, brute, fool
__animalement,__ like an animal, stolidly, stupidly
*__animer,__ to animate; __s'—,__ to become animated
*__année,__ *f.* year; __d'— en —,__ from year to year; __les plus belles —s,__ the best years
__anniversaire,__ *m.* anniversary
*__annoncer,__ to announce, indicate; __s'— bien,__ to look promising
__annoter,__ to annotate
__annuel, -le,__ annual, yearly
__ânon,__ *m.* colt (of a donkey)
__anormal,__ abnormal, out of the ordinary, unusual
__antichambre,__ *f.* waiting room, reception room
__anticlérical,__ *m.* anticlerical (one opposed to the clergy)
__antique,__ antique, ancient, old-fashioned
__anxieu-x, -se,__ worried, eager
*__apaiser,__ to appease, quiet, calm; __s'—,__ to calm down, subside
*__apercevoir,__ to perceive, notice, see; __s'— de,__ to catch a glimpse of, notice, observe
__apéritif,__ *m.* appetizer
__apeuré,__ frightened
__aplomb,__ *m.* assurance, audacity, nerve; __prendre un — solide,__ to get a good footing

apostrophe, *f.* apostrophe; (*familiar speech*) reprimand, reproach

***apparaître,** to appear, seem, come into sight; **comme il apparaît par l'histoire de Samson,** as it is clear through, etc.

***appareil,** *m.* apparatus, outfit, machine, aeroplane

***apparence,** *f.* appearance, look

apparition, *f.* apparition, vision, sudden appearance

***appartement,** *m.* apartment, suite of rooms; **— de garçon,** bachelor quarters

***appartenir à,** to belong to, be the duty of

***appel,** *m.* call, summons, appeal, roll call; **faire l'—,** to call the roll

***appeler,** to call; **s'—,** to be named (called); **comment t'appelles-tu?** what is your name?

appétissant, tempting, appetizing

***applaudir,** to applaud; **s'— de,** to congratulate oneself on

applaudissement, *m.* applause

application, *f.* application

***appliquer,** to apply

***apporter,** to bring along, carry; **— à goûter,** to bring something to eat

***apprécier,** to appreciate, appraise the value of

appréhender, to apprehend, seize

appréhension, *f.* apprehension, fear, foreboding

***apprendre,** to learn, teach, tell, hear about, inform; **— à,** to inform, learn how to

apprenti, *m.* apprentice

apprentissage, *m.* apprenticeship

apprêt, *m.* preparation; **— de,** preparation for

apprêter, to prepare; **s'—,** to get ready

apprivoiser, to tame

approbation, *f.* approval

***approcher,** to approach, bring near, draw near; **s'— de,** to approach, draw near

***approuver,** to approve (of), agree

appui, *m.* prop, sill; **mur d'—,** breast-high wall, window-sill

appuyé (à), resting (on); **— contre un mur,** leaning against a wall

***appuyer,** to support, sustain; **s'— sur,** to rest on, lean on

âprement, bitterly

***après,** after; *adv.* afterwards; **d'—,** according to; *conj.* **— que,** after

après-dîner, *m.* after dinner, afternoon

***après-midi,** *m. or f.* afternoon; **l'—,** in the afternoon

araignée, *f.* spider

***arbre,** *m.* tree

***ardent,** ardent, burning, fervent, fiery

***ardeur,** *f.* ardor, fervor, zest, eagerness

are, *m.* are (*area of about 100 square meters*)

arène, *f.* arena, Roman arena

***argent,** *m.* money, silver; **en —,** made of silver

argenterie(s), *f.* silverware

argentin, silver-toned

Argonne, *f.* Argonne (a forest region in northeastern France)

aride, barren, fruitless

aristocratie [–si], *f.* aristocracy

***arme,** *f.* arm, weapon; **en —s,** armed, under arms

***armée,** *f.* army

***armer,** to arm; **— de,** to provide with, protect by

armoire, *f.* cupboard, wardrobe,

closet; **— à glace,** mirrored dresser

aromate, *m.* spice, aromatic flavoring

arpenteur, *m.* surveyor

***arracher,** to snatch, tear, pull out, dig up; **s'—,** to pull out; **— à,** to snatch from, take away from

***arranger,** to arrange, fix up, fix, cripple, settle; **s'—,** to agree, come to terms, make right

arrêt, *m.* arrest, stopping, stoppage; **— de mort,** death sentence; **temps d'—,** pause

***arrêter,** to stop, arrest, seize, detain; **— son regard distrait sur,** to gaze with a far away look at; **il arrêta enfin son regard sur,** his glance fell at last on; **s'—,** to stop, stay

arrière, *adv.* back, behind; **en —,** back, backwards; **retomber en —,** to fall back (backwards); **plus en —,** farther back; *m.* rear, army base, behind the lines

arrière-amertume, *f.* bitter aftertaste

arrière-boutique, *f.* back room (of a shop)

arrière-pensée, *f.* after thought, mental reservation

arrivage, *m.* arrival (of merchandise; used jestingly of persons)

***arrivée,** *f.* arrival, coming

***arriver,** to arrive, come, happen, pass, seem, succeed, get along, get by, get anywhere; **— à** (+ *inf.*), to succeed in; **en — à** (+ *inf.*), to decide, be led to; **il arrivait des bouffées d'air frais,** there came in, etc.

arroser, to sprinkle, water, shoot at; **— de,** to wash down with

***art,** *m.* skill, artfulness, art, artistry, artifice; **sans —,** unskilled in art

arthritisme, *m.* arthritis, gout

***article,** *m.* article, subject, matter

articuler, to articulate, reply

artillerie, *f.* artillery

artilleur, *m.* gunner

***artiste,** *m. and f.* artist

artistique, artistic

as [ɑːs], *m.* ace

Asie-Mineure, *f.* Asia Minor

asile, *m.* asylum, shelter

***aspect** [aspɛ], *m.* aspect, sight, appearance

assaillir, to assail, attack

assaut, *m.* assault, attack; **à l'— !** charge! **donner l'— à,** to make an attack on, charge

assavoir = (**à savoir**); **il est fait — à,** be it known to (a legal formula)

assemblée, *f.* assembly, gathering, throng

***asseoir,** to seat, set, establish; **s'—,** to sit down, be seated

***assez,** enough, rather, fairly, quite

assiette, *f.* plate, dish; **— d'étain,** pewter plate

assis, seated; **il tomba lourdement —,** he fell heavily to a sitting posture

assistance, *f.* audience, crowd, spectators, bystanders

***assister,** to be present; **— à,** to be present at, attend

***associer,** to associate, take into partnership; **s'— à,** to join in, enter into a partnership with

assombrir, to darken; **s'— de,** to be darkened by, be deepened by

assommé, stunned, beaten unmercifully, clubbed

assoupir, to make drowsy; **s'—,**

to become drowsy, sink into a slumber

assunta (*Italian*), *f.* assumption, virgin

assurance, *f.* assurance, insurance; **inspecteur d'—,** insurance inspector

assuré, assured, certain

***assurer,** to assure, insure, guarantee; **s'— de,** to make sure of

astiquage, *m.* polishing; **passer une revue d'—,** to pass an inspection (for neatness)

astiquer, to polish, polish up

astre, *m.* star, heavenly body; **les —s du ciel,** the heavenly bodies

astucieusement, artfully, craftily

atelier, *m.* work shop, studio

athée, *m.* atheist

atrabilaire, moody, irritable, ill-humored

âtre, *m.* hearth, fireplace

attablé, seated at the table

attaché, *m.* attaché; **— du cabinet,** ministerial staff

***attacher,** to attach, tie, fasten, hang; **— à,** to connect with, attribute to; **— sur,** to fasten upon

***attaque,** *f.* attack, fit

***attaquer,** to attack

attarder, to delay; **s'—,** to be delayed, tarry

***atteindre,** to attain, reach, affect, get to; **— de,** to seize by

atteint, attained, affected, stricken, attacked; **— d'une faim aiguë,** seized by sharp pangs of hunger

***attendre,** to wait, wait for, expect; **s'— à,** to expect; **en attendant,** in the meanwhile; **en — de,** while waiting to

attendri, tender, fond, compassionate

attendrir, to make tender, to move (of the feelings)

attente, *f.* expectation, waiting

***attenti-f, -ve,** attentive, careful, anxious, taking care

***attention,** *f.* attention, scrutiny; attention ! look out ! be careful ! **faire —,** to pay attention; **faire — à,** to take notice of, heed; **avec —,** attentively; **faites — !** look out ! be careful !

attentivement, attentively

atténuer, to extenuate, lessen, soften

atterré, crushed, stricken, horror-stricken, thunderstruck, downcast, dumbfounded

atterrer, to overwhelm, dismay, cast down, floor

atterrissage, *m.* landing field, grounding

attester, to attest, call to witness, bear witness to, show; **— son innocence,** to protest one's innocence

***attirer,** to attract, draw, gain, win, lure, draw towards oneself; **s'—,** to attain, incur, bring upon oneself

***attitude,** *f.* attitude, posture, position

attraper, to catch, take, seize, snatch; **— froid,** to catch cold; **attrape ! bandit !** take that, you scoundrel !

attrister, to sadden, grieve

attrition, *f.* regret, remorse

aube, *f.* dawn, daybreak; alb (priest's garment)

aubépine, *f.* hawthorn

auberge, *f.* inn, tavern

aubergine, *f.* egg plant

aubergiste, *m. or f.* innkeeper, landlord, landlady

*__aucun,__ any, anyone; (*neg.*) no, no one, none; __ne —,__ not any, no, none; __ne . . . plus —,__ no further

__audace,__ *f.* audacity, boldness, daring

__au-dessous (de),__ below

*__au-dessus__ (__de__), above, over, beyond

__auditeur,__ *m.* auditor, hearer

__auge,__ *f.* trough

*__augmenter,__ to increase, enlarge

__augure,__ *m.* augury, omen

*__aujourd'hui,__ to-day; __c'est — la Saint-Nicolas,__ today is Saint Nicholas' day

__aumône,__ *f.* alms, charity, offering; __faire l'— à,__ to give alms to

__aumônier,__ *m.* chaplain

*__auparavant,__ before hand, previously; __d'—,__ previous

*__auprès,__ near, close by, near at hand; __— de,__ near, close to, beside, to, alongside, attached to

__aurore,__ *f.* dawn

*__aussi,__ *adv. and conj.* also, so, as, therefore; __— . . . que,__ as . . . as

*__aussitôt,__ immediately, instantly; __— que,__ as soon as; __— rentré = — qu'il fut rentré,__ immediately after his return

__austère,__ austere, severe, stern

*__autant,__ as much, as many; __d'— plus,__ so much the more; __— que,__ especially as; __d'— moins que,__ so much the less that (as); __d'— plus que,__ so much the more that (as)

__autel,__ *m.* altar

*__auteur,__ *m.* author, writer

__automne,__ *m.* autumn, fall

__autorisation,__ *f.* authorization, permission

*__autoriser,__ to authorize, empower, allow

*__autorité,__ *f.* authority, power; __d'—,__ acting on one's own responsibility

*__autour,__ *adv.* around; __— de,__ *prep.* around, about

*__autre,__ other, different, former; __nous —s,__ we people; __vous —s,__ you people; __l'un l'—,__ each other; __l'un et l'—,__ both; __rien d'—,__ nothing else

*__autrefois,__ formerly, in former times; __d'—,__ of long ago

*__autrement,__ otherwise

__autrui,__ others; __d'—,__ others, other people, one's neighbors

__avachi__ (*popular*), flabby

__avaler,__ to swallow; (*fig.*) devour; __— d'un trait,__ to gulp down

*__avance,__ *f.* advance, start, lead; __à l'—,__ in advance; __d'—,__ beforehand

__avancement,__ *m.* advancement

*__avancer,__ to advance, put forward; __s'—,__ to advance, go (come) forward, stand out

*__avant,__ before, beforehand; __— de,__ before, ahead of; __— que (ne +__ *subj.*) before; __en —,__ forward; __en — de,__ in front of; __la tête en —,__ with (his) head bent forward

*__avantage,__ *m.* advantage, benefit

__avant-garde,__ *m.* vanguard, advance guard

__avant-poste,__ *m.* outpost, advanced post

__avare,__ miserly, avaricious

*__avec,__ with; __— cela,__ for all that, in addition to that, besides

__avenant,__ engaging, pleasing

*__avenir,__ *m.* future; __à l'—,__ in the future

*__aventure,__ *f.* adventure, venture, hoax, experience; __dire la bonne —,__ to tell fortunes

aventurer, to venture; **s'—,** to venture
avéré, avowed
***avertir,** to warn, notify
aveuglette: à l'—, blindly, groping
aviatik, *m.* (*name given to German planes during the World War, 1914–18*) German aeroplane, plane
avion, *m.* plane
***avis,** *m.* opinion, notice; **être d'— de,** to be of the opinion; **à mon —,** in my opinion
***aviser,** to advise, notice, consult, perceive; **— à,** to plan to, consider how to; **s'—,** to remember; **s'— de,** to take it into one's head to, venture to, realize
avocat, *m.* advocate, lawyer
avoine, *f.* oats
***avoir,** to have, hold, get, be the matter with; **y —,** to be the matter; **— quelque chose,** to have something the matter with one; **qu'as-tu?** what is the matter with you? **il y a,** *etc.* there is, etc.; **y — que** (+ *expression of time*) ago; **y — de quoi,** to be in danger of; **en —,** to have enough of (them, it); **les —,** to fool them
***avouer,** to avow, confess, admit
avril, *m.* April
axiome, *m.* axiom, rule, maxim
azuré, azure, sky-blue

B

babil [babi], *m.* chatter, prattle
babine, *f.* lip (of an animal), chop; **—s d'amadou,** red lips
badaud, *m.* idler, lounger
badigeon, *m.* whitewash, coat; **un léger —,** a thin coat of whitewash
bagarre, *f.* hubbub, squabble, brawl, scuffle; **dans la —,** during the scuffle
bagne, *m.* convict prison
bagoût, *m.* glibness of tongue, gift of gab
baigner, to bathe, swim; **se —,** to bathe
bâiller [bɑje], to yawn, gape (spasmodically), open one's mouth
bain, *m.* bath
baïonnette [bajɔnɛt], *f.* bayonet; **la — au fusil,** with fixed bayonets
baiser, to kiss
***baisser,** to lower, drop, go down; **— la tête,** to bow one's head; **le jour baisse,** night is coming on; **se —,** to stoop down, bend over, bow down, drop
bal, *m.* ball, dance
baladin, *m.* mountebank, clown, juggler, strolling performer
***balancer,** to balance, swing, waver
balbutier [balbysje], to stammer, mutter, mumble, stutter
baleine, *f.* whale; **souffler comme une —,** to puff like a porpoise
balle, *f.* bullet, ball, shot; **— morte,** spent bullet
ballon, *m.* balloon
bambin, *m.* youngster; **— criard,** bawling brat
banal, common, commonplace, vulgar
***banc** [bɑ̃], *m.* bench, seat, reef
***bande,** *f.* band, strip, tape, gang, flock, party, crowd
bandit, *m.* blackguard, rascal, villain
bank-notes [bɑ̃knɔt] *f. pl.* bank-notes (an English word borrowed by the French)
bannière, *f.* banner, flag; **—s au vent,** banners flying

banque, *f.* bank; **employé de —,** bank-clerk

banquette, *f.* bench, lounge

banquier, *m.* banker, croupier

baptême [batɛːm] *m.* baptism, christening

baptiser [batize], to baptize, christen

baraque, *f.* booth, hovel, shed

barbare, *m.* barbarian, uncivilized person

***barbe,** *f.* beard, whiskers; **à la — blanche,** with a white beard; **il a la — blanche,** his beard is white

barbiche, *f.* chin beard, billy-goat beard, goatee, whiskers

barbu, bearded; **ce — de vétérinaire,** that bewhiskered veterinary

barda, *m.* soldier's pack, kit

baronnet, *m.* baronet (an English title)

barque, *f.* boat; **— de pêche,** fishing boat

barrer, to bar, fence off, set off, outline, mark

barrette, *f.* cap, cardinal's cap

***bas, -se,** low, mean, base; **le — clergé,** the lower clergy; **à voix —se,** in a low voice; **la tête —se,** with head down; **tout —,** in a very low tone of voice; **trouver —,** to find lowly; *m.* bottom, lower part, foot (*of a mountain*); stocking; **en —,** downward, below, downstairs; **d'en —,** lower, first floor, from the valley, downstairs; **tout —,** in a very low voice

***bataille,** *f.* battle; **en —,** in battle array; **— suprême,** final effort

bataillon, *m.* battalion

bâtard: porte —e, garden-gate, house-door

bateau, *m.* boat; **— de pêche,** fishing-boat

***bâtiment,** *m.* building, vessel, ship, boat

***bâtir,** to build; **bâti de,** built up with

batiste, *f.* cambric; **— à festons,** flowered cambric

***bâton,** *m.* stick, staff, cudgel, baton

battant, beating; **par une pluie —e,** in a pelting rain; *m.* leaf (of a double, or folding, door); **porte à deux —s,** double door

battement, *m.* beat, beating, roll, rumble

batterie, *f.* battery, artillery

***battre,** to beat, scour, strike; **— des mains,** to clap one's hands; **— en retraite,** to beat a retreat, retreat; **— à grands coups pressés,** to throb violently (*of the heart*); **se — (avec, à)** to fight (with)

bavard, talkative, babbling; *m. and f.* babbler, chatterbox

béant, gaping, wide-open; **demeurer —,** to stand gaping; **bouche —e,** gaping, mouth agape

***beau, bel, belle,** beautiful, lovely, fair, handsome, fine; **avoir —** (+ *inf.*) to do (something) in vain; **il avait — protester,** it was useless for him to protest; **faire —,** to be (of the weather); **il fait beau,** the weather is fine; *m.* beauty, fine part; **ce que j'avais vu de plus —,** the most beautiful object that I had ever seen

***beaucoup,** much, many, a great deal; **y être pour —,** to have a good deal to do with it

***beauté,** *f.* beauty, loveliness; **se refaire une —,** to primp a bit

bec, *m.* beak; **— de gaz,** gas

burner, gas lamp, gas light; — **de cane,** doorknob, latch
bégayer, to stammer, stammer out
bel, belle, *see* **beau**
bêler, to bleat
belle-mère, *f.* mother-in-law
bénédiction, *f.* benediction, blessing
bénir, to bless
bénit (*archaic p.p. of* **bénir**), blessed; **eau —e,** holy water
béquille, *f.* crutch
berger, *m.* shepherd
berlingot, *m.* single-seated berlin *or* carriage (a vehicle so-called because it was first made in Berlin)
berrichon, -ne, from Berry (*name of a former province located in central France*)
Berthe, Bertha
besicles, *f. pl.* spectacles
bésigue, *m.* bezigue (*a card game*)
Bésigue, *pr. n.* Bézigue; **comme feu —,** like the late (Mr.) Bezigue (i.e. like a professional)
***besogne,** *f.* task, job, piece of work
***besoin,** *m.* need, necessity, want; **avoir — de,** to need
besti-al, -aux, bestial, animal
***bête,** silly, stupid, foolish; *f.* beast, animal, creature
bêtise, *f.* stupidity, nonsense, stupid thing, folly, blunder; **faire des —s,** to play the fool, be rather wild
bibelot, *m.* trinket, ornament
bidet, *m.* pony, (small) nag
***bien,** *adv.* well, very, quite, wholly, carefully, good, indeed, of course; **eh —,** well then; **ou —,** or else; **je crois —,** I should say so; **être — en cour,** to be in favor at court; **tant — que mal,** as well as possible; **c'est —!** good! fine! very well; **— des choses,** many things; *m.* good, goods, welfare, property; **un homme de —,** a man of worth, a good man; **— que,** *conj.* (+ *subj.*), although, though
bien-aimé, *adj. and n.* beloved, well-beloved
bien-être, *m.* well-being, welfare, comfort
bienfaisant, beneficient, bountiful, kind, beneficial
bienheureu-x, -se, blessed, blissful(ly)
***bientôt,** soon, shortly; **à —,** so long, see you later
bienveillant, kind, benevolent, kindly, good-natured, well-wishing; **peu —,** unkindly
bière, *f.* beer
bigarreau, *m.* bigarreau (cherry), white-heart cherry
bijou, -x, *m.* jewel, gem, sweetheart; **— faux,** artificial jewelry
bijoutier, *m.* jeweler
billard [bijaːr], *m.* billiards, billiard table
bille [biːj], *f.* (small) ball, billiard-ball
***billet,** *m.* note, legal note, bill, ticket, banknote; **faire des —s,** to give promissory notes; **— de banque,** banknote; **— de mille,** thousand-franc note
biographie, *f.* biography; **— romancée,** fictionized biography
biplan, *m.* biplane
bique, *f.* she-goat, nanny-goat, goat
bissac, *m.* wallet, sack, bag
bivac (= **bivouac**), *m.* encampment, camping ground, camp
***bizarre,** peculiar, odd, fantastic, strange

blâme, *m.* blame, reproach
blafard, wan, pale
blaguer, to make fun of, joke about
***blanc, blanche,** white, blank; *m.* white; **regarder dans le — des yeux,** to look straight in the eyes
blanchir, to turn white, whiten
blasphème, *m.* curse, blasphemy
blasphémer, to blaspheme, curse
blé, *m.* grain, wheat; **les —s,** the grain
blême, pale, pallid, wan
blessant, offensive, unpleasant, depressing
***blessé,** *m.* wounded person, wounded
***blesser,** to wound, hurt
***blessure,** *f.* wound, hurt, injury
***bleu,** blue
bleuâtre, bluish
***blond,** blond, fair, light
blouse, *f.* blouse, smock (the ordinary coat of the French peasant, or workingman)
Boche, *m.* Boche (a derogatory term applied to German soldiers during the World War)
bock, *m.* glass of beer
bœuf, *m.* ox, meat, beef; **— à l'étouffée,** braised beef, stewed beef
bohémien, -ne, *adj. and n.* gipsy, gipsy girl, Bohemian
***boire,** to drink; **— un coup,** to take a drink; **après —, = après avoir bu,** after drinking
***bois,** *m.* wood, woods; **de —,** wooden
boisson, *f.* drink, beverage
***boîte,** *f.* box
boiter, to limp
boiteu-x, -se, lame; *m. and f.* lame person, cripple
bol, *m.* bowl, jar; **— à punch,** punch-bowl
bombardement, *m.* bombing
bombarder, to bombard, shell
bombardier, *m.* bomber (a pilot who bombs)
***bon, -ne,** good, nice, kind, fine; **être — à quelque chose,** to be helpful in any way; **— à ramasser,** worth while picking up; **qui sentait — la lavande,** which had a sweet fragrance of lavender; **tenir —,** to hold out; **tenez —!** keep steady!
bond, *m.* bound, jump, leap; **d'un —,** with one leap
bondir, to bound, leap, spring, bound along
***bonheur,** *m.* happiness, welfare, good luck, blessing; **au petit —,** in a happy-go-lucky manner, haphazardly; **avoir le — de,** to be fortunate enough to; **par —,** fortunately, luckily; **un — n'arrive jamais seul** (*proverb*), good fortune never comes alone
bonhomie, *f.* good-nature, geniality
***bonhomme,** *m.* good fellow, good-natured fellow, worthy man, old boy; **mon —,** my good fellow; **le — LaFontaine,** good old La-Fontaine
***bonjour,** *m.* good-morning, good-afternoon, good-day
bonne, *f.* maid, servant, housemaid
bonnet, *m.* hat, cap
***bonté,** *f.* goodness, kindness
***bord,** *m.* edge, border, side, bank, shore, brim; **à — de,** on board; **au — de,** at the side of, beside
bordé, bordered; **— de rose,** framed in (edged with) pink
***borner,** to bound, limit, confine
bosquet, *m.* thicket
***boteglia* (= bouteille),** *f.* bottle

botte, *f.* boot, shoe
bottelée, *f.* (small) bundle
bouc, *m.* (he-)goat, (billy-)goat
*__bouche,__ *f.* mouth; **sa — souriante,** her smiling lips
bouchée, *f.* mouthful; **manger par grandes —s,** to gobble one's food
boucher, to stop up, plug up, clog
boucher, *m.* butcher
boucle, *f.* buckle, curl, ringlet; **à —s,** with buckles
boue, *f.* slime, mud
boueu-x, -se, muddy
bouffant, puffed out
bouffée, *f.* puff, gust, whiff
bouffette, *f.* bow, knot (of ribbon)
bouffir, to swell, bloat
bougeoir, *m.* flat candlestick, taper-stand
*__bouger,__ to move, stir, budge
bougie, *f.* wax candle
bougre, *m.* old rascal
bouillie, *f.* porridge, mush, pulp
bouillir, to boil; **faire —,** to boil
bouilloire, *f.* kettle
*__boule,__ *f.* ball, sphere, globe
boulet, *m.* ball, cannon-ball
boulevard, *m.* boulevard; **—s extérieurs,** outer boulevards, slums
*__bouleversé,__ upset, agitated, topsy-turvy
*__bouleverser,__ to upset, overthrow, wreck, tear up
*__bouquet,__ *m.* bouquet, bunch, crowning piece
bourdonner, to buzz, hum
bourg [buːr], *m.* market-town (*usually a large village*)
*__bourgeois,__ middle-class, plain; *m.* middle-class man, commoner, townsman; **petits —,** lower middle class persons, plain townsfolk; **cette —e,** that middle-class (plain-looking) woman
bourrelier, *m.* harness-maker
bourrer, to cram, stuff, fill; **— de,** to stuff with; **se —,** to stuff oneself
bourru, rough, rude, cross, peevish
boursouflure, *f.* swelling, puffiness
bousculade, *f.* jostling, pushing and shoving
*__bout,__ *m.* end, extremity, tip, point, piece; **un — de corde,** a bit of string; **au — de,** at the end of, after; **un bon — de chemin à faire,** quite a way to go; **à — de forces,** exhausted
*__bouteille,__ *f.* bottle, flask, jar
boutique, *f.* shop
bouton, *m.* button, knob; **— de sonnette,** push-button, door-bell
boutonner, to button up; **très boutonné,** very stiff, reserved, unapproachable, reticent
boyau, *m.* communication trench; **prendre par les —x,** to advance through the communication trenches
brancards, *m. pl.* shafts (of a cart)
branchage, *m.* branches, boughs (of trees); **—s enlacés,** interwoven branches
*__branche,__ *f.* branch
branle, *m.* oscillation; **en —,** in motion, wagging
braquer (**sur**), to point, level (at
*__bras,__ *m.* arm; **en se donnant le —,** arm in arm; **se retomber sur les —,** to fall back upon one's hands
brassée, *f.* armful
brasserie, *f.* brewery, café, tavern (*no exact English equivalent*)
*__brave,__ brave, honest, good, worthy, bold; **le — pape!** what a fine pope! **un — jeune homme,** a worthy young man; **un homme —,** a brave man

braver, to brave (a danger), defy
brebis, *f. sing. or pl.*, sheep, ewe; lamb (*as a term of endearment*)
bredouiller, to mumble, jabber, sputter
bref, brève, brief; **d'une voix brève,** curtly; **bref,** *adv.* in short
Bretonne, *f.* Breton girl (maid)
brevet, *m.* certificate, commission; **passer le — militaire,** to get one's military commission
bréviaire, *m.* breviary, prayer-book
brièvement, briefly
brigadier, *m.* corporal; **— de gendarmerie,** *m.* police sergeant
***brillant,** brilliant, bright, shiny, dazzling, shimmering, clean, spotless
***briller,** to shine, sparkle, glisten, be lighted, glow, be full of light, be illuminated
brin, *m.* blade, sprig; **— de marjorlaine,** sprig of sweet marjoram
***briser,** to break, shatter, smash; **— de,** to overwhelm with
bristol, *m.* card-board, pasteboard
britannique, British
broc [bro], *m.* pitcher, jug
broche, *f.* spit
brosser, to brush, dust off
brosseur, *m.* officer's servant
brouhaha [bruaa], *m.* hubbub, uproar
brouillard, *m.* mist, fog
broussailles, *f. pl.* brushwood, underbrush
brouter, to browse (on), graze, nibble
broyer, to crush, shatter
bruine, *f.* cold drizzling rain
bruire, to rustle
***bruit,** *m.* noise, sound, clatter, rumor, rustling; **un — sourd,** a muffled sound, a thud; **le — sec,** the click, or sharp thud; **le — court,** it is rumored
***brûler,** to burn, scorch, parch, consume; (*fig.*) kindle, enflame (the blood)
brume, *f.* fog, mist, haze
brumeu-x, -se, misty, foggy, hazy
***brun,** brown, dark, dusky, dark-skinned
***brusque,** blunt, abrupt, gruff, rough; **d'une voix —,** gruffly
***brusquement,** roughly, bluntly, suddenly
***brutal,** brutal, brutish, coarse, rough
brutalité, *f.* brutality; **avec —,** brutally
bruyant [bryjɑ̃], noisy
bruyère, *f.* heather
buffleterie, *f.* straps, belts
buis, *m.* boxwood
buissière, *f.* grove of box trees, box-shrubbery
buisson, *m.* bush, thicket
***bureau, -x,** *m.* bureau, desk, office; **— de recrutement,** recruiting office; **garçon de —,** office boy; **dans le monde des —x,** among office holders
bureaucratie [-si], *f.* bureaucracy; **en style de —,** in the language of office-holders
bureaucratique, bureaucratic, of red tape
burette, *f.* cruet
burin, *m.* graving tool, graver
***but** [by, *or* byt], *m.* aim, goal, target

C

***c' = ce** (*before a word beginning with a vowel, and in colloquial* *speech even before a consonant*); **c'qui me faisait deuil,** what made me sad

***ça** (*colloquial abbreviation of* **cela**) *pron.*, that, that fellow, why he, etc.; **qui — qui m'a vu?** who's that who saw me? **— n'a pas le sou,** why he hasn't a cent; **avec —,** besides, too

çà, *adv.* here, hither; **— et là,** here and there, about; **ah! —!** well now! now then!

caban, *m.* a hooded top coat (*for rainy weather*), hooded cloak

cabane, *f.* hut, cabin, household

cabaret, *m.* tavern, inn, wineshop; **le prochain —,** the nearest tavern

***cabinet,** *m.* small room, office, study, closet, cabinet

cabri, *m.* kid, young goat

cabriolet, *m.* cab, gig

cache-nez, *m.* muffler, scarf; **en —,** wearing a scarf

***cacher,** to hide, conceal; **— à,** to hide (conceal) from; **se —,** to hide

cachette, *f.* hiding-place

cadavre, *m.* corpse, dead body

cadeau, *m.* present, gift; **— d'importance,** valuable gift; **faire — de,** to give, present

cadet, -te, younger, junior

cadran, *m.* dial, face (*of a clock*)

cadre, *m.* frame, framework, plan; **dans le — de la fenêtre,** framed (i.e. like a picture) in the open window

***café,** *m.* coffee, café, restaurant

cage, *f.* cage; **en —,** caged

cahot, *m.* jolt

caillebotis, *m.* grating, trellis-like boards (placed in the bottom of a trench)

caillou, *m.* pebble

***caisse,** *f.* coffer, case, box, cashier's desk

caisson, *m.* caisson, ammunition-wagon

cake-walk, *m.* cakewalk (*a type of strut in a negro dance*); jig (of delight)

calculer, to calculate, compute

cale, *f.* hold (*of a ship*)

calice, *m.* (*botany*) calyx, cup

califourchon, astride; **à —,** astride, astraddle

calligraphie, *f.* penmanship; **sa — de sergent-major,** his elegant handwriting when he was first sergeant

***calme,** calm, quiet, still, cool; *m.* calmness, tranquillity, blankness

***calmer,** to calm, soothe, subside; **se —,** to become calm, compose oneself

calorifère, *m.* hot-air furnace, register, heating apparatus

camail, *m.* hood, cape (*worn by priests*)

***camarade,** *m. or f.* comrade, chum, companion; **— de couvent,** a (former) schoolmate at the convent

camp, *m.* camp

campagnard, rustic, countrified; *m.* rustic, countryman, peasant

***campagne,** *f.* country, fields, campaign; **à la —,** in the country; **faire —,** to see active service, campaign, be at war; **par la —,** in the open country; **les besognes de la —,** the chores of the farm; **la vie de —,** campaigning life

campanile del domo (*Italian*) *m.* cathedral tower

campanule, *f.* bell flower

camp-volant, *m.* body of scouts,

one always on the go, flying camp
canapé, *m.* sofa, couch
canard, *m.* duck
canon, *m.* gun, cannon, artillery; **— de fusil,** gun barrel
canonnade, *f.* cannonade, gun fire
canonnier, *m.* cannoneer, gunner
cantine, *f.* canteen (*mil.*)
cantique, *m.* hymn, song; **— des cantiques,** Song of Solomon
canton, *m.* canton, township
cap [kap], cape, headland, *m.* head; **mettre le — sur,** to steer for, head towards
***capable,** capable, able, fit, efficient
cape, *f.* cape, cloak
capeline, *f.* hooded cape, woman's hood
***capitaine,** *m.* captain, master, skipper
capital, *m.* capital, assets
***capitale,** *f.* capital (*city*)
capiteu–x, –se, intoxicating, strong (*of liquors*), invigorating, exhilarating; **vin —,** wine that goes to one's head
capitonné, upholstered
caporal, *m.* corporal
capti–f, –ve, captive, tethered; *m. and f.* captive, prisoner
capture, *f.* taking
Capucin, *m.* Capuchin friar (*a monk of one of the Franciscan orders*)
***car,** for, because
carabine, *f.* rifle; **à coups de —,** with rifle shots
***caractère,** *m.* character, nature, temper, disposition
caractériser, to characterize
caractéristique, characteristic
carambolage, *m.* carom, carom shot; *pl.* (*fig.*) clashing together of billiard balls
caramel, *m.* caramel, burnt sugar
carcan, *m.* iron collar; (*colloquial*), jade, worthless horse
cardin–al, –aux, *m.* cardinal
caresse, *f.* caress
***caresser,** to caress, fondle, pet
caricature, *f.* caricature, cartoon
carillon, *m.* chime, peal
carlingue, *f.* cockpit (of an aeroplane), fuselage
carnage, *m.* carnage, slaughter, bloodshed
carnet, *m.* note-book, memorandum
carré, square, squarely built; *m.* square; **— de légumes,** garden bed, vegetable patch; **mots —s,** word square(s)
carreau, *m.* pane (of glass); tile floor (made of squares of stone or wood)
carreler, to pave (with tiles or bricks)
***carrière,** *f.* career, course
carriole, *f.* light cart, trap
***carte,** *f.* map, card, bill of fare, ticket, playing card
cartonnier, *m.* filing cabinet
***cas,** *m.* case; **en tous —,** at all events; **au — où,** in case; **conter son —,** to tell his story; **faire si peu de —,** to set so little value on
case, *f.* cabin, compartment, row
caserne, *f.* barracks
casernement, *m.* quarters (in barracks)
casque, *m.* helmet; **— à pointe,** spiked helmet
casqué, helmeted
casquette, *f.* cap
cassé, broken down, shattered
***casser,** to break, break off, shatter
casserole, *f.* stewpan, saucepan
caste, *f.* caste, class distinction, class

catastrophe, *f.* catastrophe, disaster, calamity
catéchisme [kateʃism], *m.* catechism (*an elementary manual of instruction in the principles of the Christian religion*)
cato (*mixture of Italian and French*): **il —,** (= **le chat**) *m.* the cat
cauchemar, *m.* nightmare
***cause,** *f.* cause, reason; **à — de,** because of, on account of
***causer,** to cause, chat, converse
causerie, *f.* talk, chat; **— de cinq heures,** five-o'clock informal chat
cavalerie, *f.* cavalry
cavalier, *m.* horseman, rider, cavalryman
cave, *f.* cellar
Cayenne, *f.* Cayenne (*capital of French Guiana, in northeastern South America*)
***ce, c',** *pron.* (*see also* **cela** *and* **ça**), this, that, it, she, they; **— qui,** what, (a situation) which; **— que,** what; **— serait vite fini,** that would soon be over; **c'étaient comme des diables,** they were like fiends; **— fut d'abord un cri,** first there was a yell; **c'était encore le tic tac,** you could still hear the tick-tack; **— qui restait d'argent,** whatever money was left; **ça, c'est des raisons,** those are reasons; **— qu'il y a de certain, c'est,** what is certain, is; **— dont ils avaient besoin,** what they needed
***ce, cet, cette, ces,** *adj.* this, that, these, those
***ceci,** this
***céder,** to cede, yield, give up
ceint, girded, enclosed, surrounded
ceinture, *f.* belt, girdle, waist (belt)
***cela,** that, it; **avec —,** besides, in addition; **c'est —,** that's it; **nous verrons —,** we shall see about that
***célèbre,** celebrated, renowned, famous
célébrer, to celebrate, feast, solemnize, sing
céleste, celestial, from heaven, heavenly
célibataire, *m.* bachelor; **— endurci,** confirmed bachelor
***celle(-ci),** this (one), the latter; (**—-là**), that (one), the former; **—s-ci,** these, the latter; **—s-là,** those, the former; **—-où,** the one in which
cellule, *f.* cell
***celui(-ci),** this (one); **—(-là),** that (one); **—-ci,** the latter; **—-là,** the former; **— des acrostiches,** the gentleman of the acrostics
***cent,** *m. and adj.* a hundred, one hundred
***centaine,** *f.* about a hundred; **des —s,** hundreds
centime, *m.* centime (*hundredth part of a franc*)
***central,** central
***centre,** *m.* center, middle
centuple, *m.* hundredfold; **au —,** a hundredfold
***cependant,** yet, however, nevertheless
cerceau, *m.* hoop, circle
***cercle,** *m.* circle, club, bank, band
cérémonie, *f.* ceremony, formality; **avec —,** ceremoniously, in state; **sans —,** unceremoniously, informally
***certain,** certain, sure, stated, some; **enfin — jour,** finally one day

***certainement,** certainly, indeed, surely, of course
***certes,** (most) certainly, indeed, of course, surely
***certitude,** *f.* certitude, assurance
cerveau, *m.* brain, mind, intellect
cervelle, *f.* brain, brains, mind, head
***cesse: sans —,** constantly, continually, unceasingly
***cesser,** to cease, leave off, break off, stop; **ne pas —,** to be kept up
***ceux,** *m. pron.* these, those, they; **—-ci,** these, the latter; **—-là,** those, the former
***chacun,** each one, everyone
chafouin, weasel-faced, sly-looking, poor (fellow), sorry (creature)
***chagrin,** *adj.* sorrowful, sad; *m.* chagrin, grief, sorrow
chair, *f.* flesh, meat
chaire, *f.* pulpit; **monter en —,** to ascend the pulpit
***chaise,** *f.* chair
châle, *m.* shawl
***chaleur,** *f.* heat, warmth, cheer, animation; **douce —,** pleasant warmth; **— vive,** intense heat, warm glow
chamarré, bedecked; **— d'or,** bedecked with gold
***chambre,** *f.* chamber, room, bedroom, lodging
chambrée, *f.* squad-room, barrack-room
chamois, *m.* chamois, wild goat
***champ** *m.* field, ground, scope
Champagne, *f.* a province in northeastern France
champagne: (vin de) —, *m.* champagne (wine)
champion, *m.*, champion, defender
Champs-Elysées [ʃɑ̃zelize] name of a fashionable avenue in Paris
***chance,** *f.* chance, good luck; **avoir la — (des —s),** to be lucky; **porter — à,** to bring luck to
***changement,** *m.* change, alteration, shift
***changer,** to change, alter, exchange; **— de,** to change; **se — en,** to be changed into
chanson, *f.* song, singing
***chant,** *m.* song, singing, crowing
chantant, musical; (*of intonations*) sing-song, humming
***chanter,** to sing, chant, talk about, crow, peal (*of a bell*)
chanvre, *m.* hemp; **cheveux de —,** flaxen hair
***chapeau,** *m.* hat, bonnet; **grand —,** silk hat, high hat
chapelet, *m.* chaplet, beads, rosary, necklace
chapelle, *f.* chapel
chaperon, *m.* hood, cap
chapitre, *m.* chapter
***chaque,** each, every
char, *m.* chariot, car; **— à bancs,** char-a-banc (*a light vehicle without a top with seats running lengthwise*)
charbonnier, *m.* charcoal-burner
***charge,** *f.* load, burden, charge, attack; grotesque imitation
***chargé,** charged, laden, entrusted, ordered; **— de,** in charge of
***charger,** to load, entrust, fill, attack, accuse; **se — de,** to take charge of, take the responsibility for, undertake, take care of
chariot, *m.* wagon
charitable, charitable, kind
charité, *f.* charity
Charlemagne (742–814), *King of France and first emperor of the*

Holy Roman Empire; crowned emperor at Rome in 800 by the Pope

***charmant,** charming, fascinating, delightful

***charme,** *m.* charm, delight, spell, allurement

***charmer,** to charm, delight, bewitch

charnel, carnal, sensual, of the flesh

charrette, *f.* cart

charretier, *m.* charioteer

charrue, *f.* plow

chartreuse, *f.* chartreuse (*a famous French liqueur*)

***chasse,** *f.* chase, hunt, pursuit, hunting; **prendre en —,** to pursue, start after

***chasser,** to chase, drive away, drive, hunt; **— de chez lui,** to turn out of doors, drive from home

chasseur, *m.* hunter, cavalryman, light cavalryman

chasuble, *f.* chasuble (*priest's garment worn while celebrating mass*)

chat, *m.* cat; **tête de —,** cobblestone

châtaigne, *f.* chestnut

châtaignier, *m.* chestnut-tree

châtain, chestnut-brown, brown

***château,** *m.* castle, palace, mansion

***chaud,** warm, hot; **faire —,** to be warm (weather); **tenir —,** to keep warm

chaudement, warmly

chauffer, to warm, get up steam; **se —,** to warm oneself, get warm

chaussé, shod

chausses, *f. pl.* breeches

chaussette, *f.* sock; **—s à jour,** socks full of holes

chaussure, *f.* footwear, shoes

***chef,** *m.* chief, leader, commander, head; **en —,** commanding officer; **— de partie,** gambling head

chef-d'œuvre [ʃɛdœːvr], *m.* masterpiece

chef-lieu [ʃɛfljø], *m.* capital (*of a department, or county*), county seat

***chemin,** *m.* road, way, lane, path; **— de fer,** railroad; **— de (la) croix,** calvary (*a representation in 14 pictures of the Crucifixion*); **le — de Saint Jacques,** Milky Way; **un bon bout de —,** quite a journey; **se remettre en —,** to set forth again

***cheminée,** *f.* chimney, fireplace, mantel, smoke-stack

chemise, *f.* shirt, chemise, file (*for documents*), envelope; **en bras de —,** in shirt sleeves; **la mince — jaune,** the thin manila letter file

chênaie, *f.* oak-grove

chêne, *m.* oak; **en —,** oaken

chenet, *m.* andiron

***cher, chère,** dear, expensive; **rendre — à** (*fig.*) to endear to; **mon —,** my dear fellow; *adv.* dearly

***chercher,** to search, seek, look for; **— à** (+ *inf.*) to try to; **aller —,** to go for; **venir —,** to come for; **envoyer —,** to send for; **— querelle à,** to try to pick a quarrel with; **— si,** to look about, see whether

chéri, –e, dear, beloved, cherished, endearing; *m. and f.* dear one, beloved; **ma —e,** dearest

chéti–f, –ve, puny, delicate, pitiful

***cheval,** *m.* horse; **à —,** on horseback; **être à — sur les règlements,** to be a sticker for rules

chevaucher, to ride
chevelure, *f.* hair, head of hair
***cheveux,** *m. pl.* hair; **armé jusqu'aux —,** armed to the teeth; **en —,** made of hair
chèvre, *f.* she-goat; **maîtresse —,** superior goat; **— d'or,** Golden Goat (*a legendary creature of Provence*)
chevrette, *f.* little goat, young goat
***chez,** to (at, in) the house (store, etc.) of, with, in, among; **— lui,** in his own country
chic, smart, stylish, chic, fine; **ah —!** fine! great! *m.* smartness, style
chichi, *m.* frill; **à —s,** over polite, gushing; **encore un type à —s,** another sissy, poser
***chien,** *m.* dog; **— braque,** hunting dog, pointer
chienne, *f.* female dog
chiffon, *m.* rag, cloth
***chiffre,** *m.* cipher, figure, number, amount
chimie, *f.* chemistry
chiquenaude, *f.* flick (*of the finger*), tap
chirurgical, surgical
chirurgien, *m.* surgeon
chœur, *m.* chorus, choir; **enfant de —,** choir boy
***choisir,** to choose, select, pick, take one's choice
***choix,** *m.* choice, selection, pick
chope, *f.* (large) beer-glass, tankard
choquer, to shock, offend
***chose,** *f.* thing, matter, affair, fact; **autre —,** something else; **quelque — (de),** something; **peu de —,** very little; **faire des —s énormes,** to do things in a big way
chou, *m.* cabbage; **soupe aux —x,** cabbage soup
chouette, *f.* owl
***chrétien, -ne,** Christian
chronique, *f.* chronicle, report
chroniqueur, *m.* reporter
chuchoté, whispered
chuchotement, *m.* whispering
chuchoter, to whisper
***chute,** *f.* fall, drop, downfall, collapse
-ci (*shortened form of* **ici,** *used mainly with demonstrative adjectives and pronouns to mean,* **this, this one**)
***ciel,** *m. pl.* **cieux,** heaven, heavens, sky; **au —,** heavenward; **ciels,** *pl.* climate
cigale *f.* cicada, grasshopper
cime, *f.* top, tree top
***cinq,** five
***cinquante,** fifty
cinquième, fifth
***circonstance,** *f.* circumstance, occasion; **vu la —,** under the circumstances
circulaire, circular, sweeping
ciseleur, *m.* carver, sculptor, engraver
***cité,** *f.* city, oldest part of a city, metropolis; **— de Dieu,** Heaven
***citer,** to cite, quote, mention, refer to
civière, *f.* stretcher, hand-barrow, litter
***civil,** civil
***civilisation,** *f.* civilization
civiliser, to civilize, instruct (*in the arts and manners of civilized life*)
***clair,** plain, light-colored, fresh, bright; *adv.* clearly
claire-voie, *f.* lattice gate
clameur, *f.* clamor, outcry, din; **des —s formidables,** a terrible din
clan, *m.* clan, clique, set

clandestin, clandestine, secret, forbidden

claque, *f.* slap; hired applauders (*in a French theatre*)

claquement, *m.* crackling

***clarté,** *f.* light, splendor, clearness, brightness, glow, brilliancy; **à cette —,** by this light

***classe,** *f.* class, order, contingent; **une — 16 au moins,** at least a recruit of 1916

classique, classic, standard; **le Polonais —,** the typical Pole

claudicant: en —, limping

***clef** [kle], *f.* key

clerc [klɛːr], *m.* clerk, cleric; **petit —,** altar-boy; **— de maîtrise,** choir boy

clergé, *m.* clergy; **le haut —,** the higher clergy; **le bas —,** the lower clergy

client, *m.* customer

clin, *m.* wink; **en un — d'œil,** in a jiffy, in the twinkling of an eye

cliquetis, *m.* clinking, jingle

cloaque, *m.* cess pool, sink, filthy hole

cloche, *f.* bell

clocher, *m.* steeple, belfry

clocheton, *m.* bell-turret, steeple

clochette, *f.* little bell, hand bell, bell-flower

cloîtrer, to shut up, segregate

clos, enclosed; *m.* yard, enclosure

clou, *m.* nail

coaguler, to coagulate, harden, congeal, cake

cocarde, *f.* cockade, badge, rosette

cocher, *m.* coachman, driver, cabman

cochon, *m.* hog, pig

cochonnerie, *f.* filth, trashy stuff, smut; **la dernière — à la mode,** the latest smutty story in vogue

cocotte, *f.* stewpan, saucepan

***cœur,** *m.* heart, courage; **de bon —,** gladly, willingly; **avoir bon —,** to be kindhearted; **garçon de —,** kindhearted fellow; **avoir le — libre,** to be heart-free, not to be in love; **si le — vous en dit,** if you feel like it; **serrer le — à,** to make one's heart ache; **ça me fait gros —,** that makes me sick at heart; **avoir le — simple,** to be simple in heart

coffret, *m.* jewel-case

cohue, *f.* crowd, throng, mob

coiffe, *f.* headdress

***coin,** *m.* corner, angle, patch (*of ground*); **— de feu,** fireside; **tourner le —,** to round the corner

col, *m.* collar

***colère,** *f.* anger, wrath; **entrer en —,** to fly into a passion

colis, *m.* package, piece of baggage

collecte, *f.* collection

collègue, *m.* colleague, fellow worker

coller, to glue, stick, paste; give (*slang*); **— sur,** to draw tightly over; **— une perception,** to give a collectorship

collet, *m.* coat-collar

collier, *m.* necklace

colline, *f.* hill

colombe, *f.* dove

colonel, *m.* colonel

***colonie,** *f.* colony

colonne, *f.* column, row of numbers

colorer, to color, tinge, give color to

***combat,** *m.* combat, fight, battle; **engager le —,** to engage in combat; **hors de —,** disabled, killed, wounded and missing

***combattre,** to combat, fight

combattu, fought, at strife with oneself

*__combien,__ how much? how many? __— de,__ how much? how many? __— de temps?__ how long?

__combinaison,__ *f.* combination, scheme, circumstance

__comble,__ *m.* top, height; __à son —,__ at its height

*__combler,__ to heap up, heap, shower, overwhelm

__comique,__ *m.* comedy, funny part, joke

__comité,__ *m.* committee

__commandant,__ *m.* commander, major

__commande,__ *f.* order

__commandement,__ *m.* command

*__commander__ (à), to command, order, govern

*__comme,__ like, as, as if, just as, as it were, how! __douce — un ange,__ as sweet as an angel; __— qui disait,__ as one might say; __— il est gentil!__ how nice he is!

*__commencement,__ *m.* commencement, beginning, start

*__commencer,__ to commence, begin

*__comment,__ how! what! why! __— ça?__ how's that? how so? __— donc!__ why, of course!

__commerçant,__ *m.* tradesman, merchant, business-man

*__commerce,__ *m.* commerce, trade, business; __faire un — important,__ to do a big business; __agenda de —,__ commercial memorandum-book

*__commettre,__ to commit; __— des imprudences,__ to act indiscreetly

__commis,__ *m.* clerk; __petit —,__ insignificant clerk, petty clerk

*__commode,__ convenient, easy, handy, comfortable; *f.* chest of drawers, dresser

__commuer,__ to commute, change

*__commun,__ common, usual, ordinary

__communauté,__ *f.* community, religious community

__communicati-f, -ve,__ talkative; __peu —,__ uncommunicative, silent

*__communiquer,__ to communicate, tell

*__compagne,__ *f.* companion, chum

*__compagnie,__ *f.* company; __en — de,__ together with; __— de petites voitures,__ small cab company

__compagnon,__ *m.* companion, friend

__comparaison,__ *f.* comparison; __en — de,__ in comparison with, compared to

*__comparer,__ to compare, liken

__compassion,__ *f.* compassion, commiseration, pity

__compère,__ *m.* confederate, old crony, pal, godfather

__complaisance,__ *f.* kindness; __avoir la — de,__ to be so kind as to; __d'un air de —,__ complacently

*__compl-et, -ète,__ complete, full

*__complètement,__ completely, thoroughly

__compléter,__ to complete, fill up

__complice,__ *f.* accomplice, confederate

__compliment,__ *m.* compliment, *pl.* congratulations; __faire son —,__ to compliment, congratulate

*__compliquer,__ to complicate, involve

__comporter: se —,__ to behave, act

*__composer,__ to compose, make up; __se — de,__ to consist of, be composed of

*__comprendre,__ to understand, include; __— à,__ to understand about; __sans qu'il comprît,__ without his having understood; __tu comprends que,__ you can realize that; __ne — rien à,__ to be unable to make head or tail of

__compromettant,__ compromising, incriminating

compromettre, to compromise, commit

***compte,** *m.* account, reckoning, bank-account, amount; **en fin de —,** all in all, all things considered; **rendre — à,** to give an account to; **se rendre — de,** to realize, get a clear idea of; **établir ses —s,** to reckon or calculate his accounts

***compter,** to count, expect, comprise; **à — de ce moment,** from that moment

comptoir *m.* counter, bar; **la dame du —,** the lady behind the bar

compulser, to examine, run through

comtat: le —, earldom, county; (**le — vennaissin** *and* **le — d'avignon** *were papal territory until 1791*)

***comte,** *m.* count, earl

***concerner,** to regard, relate to

***concevoir,** to conceive, apprehend, realize, feel, understand

concierge, *m. and f.* concierge, doorkeeper, janitor

***conclure,** to conclude, infer, make up one's mind, put the finishing touch to, settle, close (the deal); **— un marché,** to strike a bargain

concours, *m.* competition, rivalry; **— de,** competition in

conçu, *see* **concevoir**

condamné [kõdane] *m.* convict; **— à mort,** condemned man, sentenced to death

***condamner,** to condemn, sentence, convict, doom

***condition,** *f.* condition; **à la — que,** provided; **faire —,** to stipulate

conducteur, *m.* leader, guide; **— (de voiture),** driver

***conduire,** to conduct, lead, show the way, escort, drive, manage, boss, ride

conduit, *m.* conduit, water pipe, pipe

***conduite,** *f.* conduct, behavior, management; **avoir une mauvaise —,** to misbehave

cône, *m.* cone, peak, exterior; **— d'un volcan,** crater of a volcano

confectionner, to make, prepare, mix

conférencier, *m.* lecturer

confesser, to confess, acknowledge; **se —,** to confess one's sins

***confiance,** *f.* confidence, trust

***confier,** to confide, trust, entrust; **se — à,** to trust, confide (in), rely (on)

***confondre,** to confound, confuse, put to shame; **se — en révérences,** to bow profusely

confortable, comfortable, cosy; *m.* comfort; **le peu de —,** the uncomfortableness

confrérie, *f.* brotherhood

confronter avec, to bring face to face with, confront with

***confus,** confused, mixed, dumbfounded; **rumeurs —,** jumbled sounds

confusément, confusedly, dimly

confusion, *f.* confusion, shame, embarrassment, consternation

congé, *m.* leave; **prendre —,** to take leave

congrûment, congruously, suitably, properly

***connaissance,** *f.* knowledge, acquaintance; **avoir — de,** to be aware of, know about; **faire la — de,** to make the acquaintance of

connaisseur, *m.* connoisseur, expert, judge; **son regard de —,** his expert eye *__connaître__, to know, be acquainted with, get to know; __ça me connaît__ (= __je m'y connais__), I know all about that; __je la connais ta ficelle__, I know all about your string; __se — à__, to be a good judge of

*__connu__, known, understood; __ni vu ni —__, and no one is the wiser

__conquérir__, to conquer, win

*__consacrer__, to consecrate, devote

*__conscience__, *f.* conscience, consciousness, scruple

__conscient__, conscious, aware, self-conscious

__conscrit__, *m.* conscript, recruit, new-comer

__consécration__, *f.* celebration (of Holy Mass), consecration

*__conseil__, *m.* advice, council, counsel

*__conseiller__, to advise, counsel

*__consentir__, to consent, agree

*__conséquence__, *f.* consequence

__conséquent: par —__, consequently, therefore, so

*__conserver__, to conserve, preserve, keep, maintain

*__considérable__, considerable, notable, huge, more than a little, great, large, big

*__considération__, *f.* consideration, regard, esteem

*__considérer__ to consider, regard, contemplate, examine

*__consister__, to consist, be composed; __— en__, to consist of

__consolation__, *f.* consolation, comfort

*__consoler__, to console, comfort

__consommateur__, *m.* customer (*at a café*)

__consommation__, *f.* drink, beverage

*__constant__, constant, unshaken, steady

__constatation__, *f.* verification, statement, ascertainment, declaration (*see* __constater__)

*__constater__, to state, witness, declare, prove, establish, ascertain, note

__consterner__, to astound, dismay, stagger

*__constituer__, to constitute, verify, notice; __se — en prisonnier__, to give oneself up as a prisoner

*__construire__, to construct, build

*__consulter__, to consult, refer to, heed

*__contact__ [kɔ̃takt], *m.* contact, touch, connexion

__conte__, *m.* story, tale, yarn

__contempler__, to contemplate, gaze at, stare at; __se — l'un l'autre__, to gaze at one another

*__contenir__, to contain, hold; __se —__, to restrain oneself, control oneself

*__content (de)__, satisfied (with), happy (over), glad; __rudement —__, mighty glad

__contentement__, *m.* contentment, satisfaction

*__contenter__, to content, satisfy, please, gratify; __se — de__, to be satisfied with

__contenu__, *m.* contents

__conter__, to tell, relate, narrate; __faire —__, to have told

__contigu, -ë__, adjoining

__continu__, continuous, unbroken, unchanging

*__continuer__, to continue, keep up, carry on, go on with; __— sa route__, to pass on

__contourner__, to go around, encircle

__contracter__, to contract, close

__contraindre__, to force, compel

*__contraire__, *adj. and m.* contrary, opposite, diversified; __bien au —__, quite the opposite, on the contrary

contralto, *m.* contralto, contralto voice
contrarié, vexed, annoyed, provoked
contraster, to contrast
*__contre,__ against, contrary to, alongside of, close to, near to, for; **tout —,** quite close by (to), exactly opposite
contre-coup, *m.* rebound, repercussion, jolt
contredire, to contradict, gainsay
contretemps, *m.* (*mus.*) syncopation; **à —,** at the wrong time, out of time
contrevent, *m.* shutter
*__contribuer,__ to contribute
contrit, contrite, penitent
contrition, *f.* penitence, remorse
*__convaincre,__ to convince, convict
convenable, suitable, proper
convenance, *f.* fitness, agreement; **à sa —,** to his liking
*__convenir,__ to agree, admit, suit, see fit, fit; **il convient de,** it is fitting to, it is proper to, they had to, it is well to; **il convient que** (+ *subj.*) it is proper to; **— à,** to suit, fit; **c'est convenu,** it is agreed
*__conversation,__ *f.* conversation, talk, chat
converser, to converse, talk
*__conviction,__ *f.* conviction, convincing truth
convoi, *m.* funeral procession
convoiter, to covet, desire
convoquer, to call together, convoke, summon
convulsi-f, -ve, convulsive, convulsed, jerky, feverish
copain, *m.* (*slang*) comrade, chum, pal
copeau, *m.* shaving, chip
copie, *f.* copy; **faire de la —,** to copy manuscript
copier, to copy
coq, *m.* cock, rooster
coquet, -te, coquettish, smart, stylish, dainty
coquillage, *m.* shell-work; **en —s,** made of shells
coquille, *f.* shell
coquin, -e, *m. and f.* rascal, rogue, knave; hussy, jade, minx
corbeau, *m.* crow, raven
corbeille, *f.* basket
corde, *f.* cord, rope, string
cordon, *m.* ribbon, string, shoelace; **— bleu,** blue ribbon, first class cook
corne, *f.* horn
corporation, *f.* brotherhood, guild (*of scoundrels, murderers*)
*__corps,__ *m.* body, substance, (army) corps, unit; **passer sur le — de,** to trample under foot; **prendre du —,** to grow stout, take on weight; **— à —,** hand to hand; **— d'armée,** army corps; **— de logis,** main building, block of buildings
correct [kɔrɛkt], correct, proper, accurate, exact
correspondant, *m.* correspondent
corriger, to correct, overcome
Corse, *f.* Corsica; **de —,** Corsican; *m. or f.* Corsican
corvée, *f.* forced labor; **hommes de —,** fatigue party
cosse, *f.* pod
cossu, clothed in coarse woolen cloth
*__costume,__ *m.* costume, dress, clothes
costumé de, dressed in
*__côte,__ *f.* coast, shore, hillside, rib; **— à —,** side by side
côté, *m.* side, direction, part; **à —**

de, beside, adjoining; **de chaque —**, on both sides; **de tous —s**, everywhere; **de quel —?** in what direction? **d'un —**, on the one side (hand); **de l'autre —**, on the other side (hand); **du — de**, towards, in the direction of, on the side of; **chacun de son —**, each his own way; **de mon —**, for my part; **de son —**, for his part; **des deux —s**, on either side

*__cou__, *m.* neck; **sauter au — de**, to hug, embrace

couchant, setting; *m.* sunset, west

couche, *f.* bed, layer; stock (*of a vine*), root-stock

couché, lying

*__coucher__, to put to bed, lay down, sleep; **je couche sous l'escalier**, I sleep under the stairway; **se —**, to lie down, go to bed; *m.* going to bed; **le — du soleil**, sunset

coucou, *m.* cuckoo, bombing plane (*slang*)

coude, *m.* elbow; bend (*of a road*)

coudre, to sew, sew on

*__couler__, to flow, glide, run, leak, run out, pass, fly

*__couleur__, *f.* color, hue; **— de rose**, pink, rosy, rose-colored

coulisse, *f.* wing (*of a stage*), stage, theatre

*__coup__, *m.* blow, shock, trick, spin (*of a roulette wheel*), stroke, gulp, play, master-stroke; **ce — ci**, this time (chance); **— de bâton**, whack; **— de cloche**, peal of a bell; **— de corne**, butt; **— de couteau**, knife thrust, stab; **— de dent**, bite; **— de feu**, gunshot, shot; **— de fusil**, gunshot; **— de grâce**, last drop; **— de main**, helping hand; **— d'œil**, glance; **— de pied**, kick; **— de pistolet**, pistol shot; **— de poing**, punch; **— de reins**, backward lunge; **— de sabot**, kick; **— de vent**, gust of wind; **en — de vent**, like a whirlwind; **à grands —s pressés**, with rapid thuds; **à un seul —**, in one breath, without stopping; **sur —**, in rapid succession; **avaler d'un —**, to gulp down, swallow at one gulp; **faire un (bon) —**, to play a (good) trick; **tenir le —**, to meet the emergency

*__coupable__, culpable, guilty; *m.* guilty person, culprit

coupe, *f.* cutting, cut, style

coupé, *m.* carriage, cab

*__couper__, to cut, cut off, clip, interrupt, intersect, cross; **— la figure à qqn.**, to slash someone's face; **pour — court**, to make a long story short, in short

couperose (*slang*), *f.* blotched face; **un peu de —**, a little blotchy (flushed)

couperosé, blotched, flushed, florid

*__couple__, *m.* couple, pair

*__cour__, *f.* court, yard; **être bien en —**, to be in favor at court; **faire — à**, to pay court to, pay one's respects to, make love to

*__courage__, *m.* courage, spirit, fearlessness, heart; **avoir bon —**, to cheer up; **du —!** cheer up!

courageusement, courageously, in high spirits

courageu-x, -se, courageous, brave, plucky

*__courant__, current, present; *m.* current, stream; **dans le — de la semaine**, in the course of the week; **mettre au —**, to inform

courbé, stooping down, crouching;

— en deux, bent way over, bent double
courber, to curve, bend; **se —,** to bow down, stoop
coureu-r, -se, *m. and f.* runner, wanderer, vagabond, tramp
courge, *f.* gourd, gourd-vine
***courir,** to run, frequent, hasten away, spread, play; **— au devant de,** to run to meet; **— sur,** to run over; **— de droit et de gauche,** to run hither and thither; **le bruit courait,** it was rumored; **où court un faible sourire,** on which there plays a faint smile; **un murmure courut,** a murmur passed quickly about; **faire —,** to call forth
couronner (de, par), to crown (with), top (with)
courrier, *m.* messenger, mail, post
courroie, *f.* strap, belt
***cours,** *m.* course (*in all senses*)
***course,** *f.* course, race, running, errand
***court,** short, brief; **de trop —,** too short; **pour couper —,** in short
courtoisement, politely
***cousin,** *m.* cousin
***couteau,** *m.* knife
***coûter,** to cost; **— cher,** to be dear, cost much; **en — à,** to be hard, be painful; **en — bon,** to cost dearly; **en — à (quelqu'un) de,** to be hard for (someone) to
coûteu-x, -se, costly, expensive
***coutume,** *f.* custom, habit; **comme de —,** as usual
coutumi-er, -ère, accustomed; **être — à,** to be used to
couvée, *f.* brood, batch
couvent, *m.* convent, convent school, monastery; **camarade de —,** convent school chum; **abbé de —,** abbot (*in charge of an abbey*)
couver, to brood on, gaze upon; **— d'un œil attendri,** to gaze on with tender eyes
***couvert,** *adj.* covered, protected; *m.* cover, table, fork and spoon, shelter, protection; **ajouter un —,** to set one more place; **mettre le —,** to set the table; **être à —,** to be protected; **un — reluisant,** a glistening array of table things
***couverture,** *f.* covering, quilt, blanket, rug
***couvrir,** to cover, protect; **se —,** to be covered, become cloudy
crachat, *m.* spittle, spit
cracher, to spit
***craindre,** to fear, be afraid of
***crainte,** *f.* fear, dread; **par —,** through fear; **— respectueuse,** awe
crainti-f, -ve timid, fearful, timorous
cramponner: se — à, cling to, clutch, seize
crâneur, *m.* braggart, swaggerer
craquant, crackling
cravache, *f.* riding-whip
crayeu-x, -se, chalky
crayon, *m.* pencil; **au —,** with a pencil
création, *f.* creation
créature, *f.* creature
crécelle, *f.* rattle
crèche, *f.* manger
***créer,** to create, beget
crêpe, *m.* crape
crépiter, to sputter, crackle
crescendo, crescendo (= *with voice increasing in volume*)
crête, *f.* ridge, top, crust; comb (*of a fowl*)

creusé, hollowed, furrowed, drawn; **figure —e,** hollowed (drawn) face
*__creuser,__ to dig, make hollow
creux, *m.* hollow, cavity, pit; **— du ventre,** pit of the stomach
crever, to split, puncture, tear, slash, destroy, burst; to die (*of animals*); **— le billard,** to ruin the billiard table
*__cri,__ *m.* cry, scream, yell, shout, shriek
criard, crying, noisy, bawling, urgent
cric [kri], *m.* jack, derrick
*__crier,__ to cry out, shout, scream, creak; **faire —,** to cause to creak; **— au sacrilège,** to shout " sacrilege "
*__crime,__ *m.* crime, sin, guilt
criminel, criminal, felon
crinoline, *f.* crinoline, crinoline underskirt (*a stiff material used to make the gown worn over it puff out*)
*__crise,__ *f.* crisis, fit, attack; **— de rire,** paroxysm of laughter
crispé, contorted, shriveled, drawn; **la face —e,** his face tense
crisper, to contract, shrivel, jar one's nerves
critique, *adj.* critical; *m.* critic; *f.* criticism, review
crochu, hooked, crooked
*__croire,__ to believe, think; **— à,** to believe in; **je crois bien,** I think so, I should say so; **je le crois bien que,** I certainly believe; **je croyais rêver,** I thought I was dreaming
croisée, *f.* casement window, French window
*__croiser,__ to cross, cruise, fold
croissant, growing, increasing; *m.* crescent (*of the moon*)
*__croître,__ to grow, increase
*__croix,__ *f.* cross (*of the Legion of Honor*); **— de guerre,** Military Cross (*awarded for bravery in war*); **— d'honneur,** badge of honor; **l'argent de sa —,** his pension
croquer, to crunch, chew
crosse, *f.* crooked stick, staff, crook (*of a shepherd*); butt (*of a gun*)
crosser, to club, pound, bat about
crotte, *f.* dirt, mud
crotté, soiled, splashed with mud (*or* dirt)
croupe, *f.* crupper, rump, back; **en —,** behind (*the rider*)
cru, raw, harsh; *m.* growth; **vin du —,** native wine, wine of local vintage
cruauté, *f.* cruelty
cruche, *f.* pitcher; **— au cidre,** cider jug
crue, *f.* flood, rising
*__cruel, -le,__ cruel, terrible, awful, bitter
cruellement, cruelly
crûment, crudely, harshly
c't'e (*Norman patois for* **cette**), this, that
çu (*Norman patois for* **ce**), this, that
*__cueillir__ [kœjiːr], to gather, pick
cuiller (kɥijɛːr], *f.* spoon
cuir, *m.* leather, strap; **—s anglais,** Sam Browne belt; **en —,** leathern, made of leather
*__cuire,__ to cook
cuirasse, *f.* cuirass, breast-plate
*__cuisine,__ *f.* kitchen, cooking
cuisinier, *m.* cook
cuisse, *f.* thigh
cuistot, *m.* (*slang*) cook, bottle-washer

***cuit,** cooked; **vin —,** mulled wine
***cuivre,** *m.* copper; **cercle de —,** copper band
culbuter, to upset, knock down; (*fig.*) overthrow
culotte (*or,* **— courte),** *f.* knee-breeches, knee-pants, trousers, breeches
culotter, to blacken; color (*a pipe by smoking*)
culpabilité, *f.* culpability, guilt
culte, *m.* worship, cult
cultivateur, *m.* cultivator, farmer
culture, *f.* cultivation
curé, *m.* (parish) priest; **—s,** clergy, clergymen
curieusement, curiously, inquisitively
***curieu-x, -se,** curious, inquisitive, interesting; **un —,** an inquisitive person, a gossip, curious onlooker
***curiosité,** *f.* curiosity; **avec —,** inquiringly
cylindrique, cylindrical
cytise, *m.* trefoil; cytisus (*kind of clover*)

D

daim, *m.* deer; simpleton, fool
dais, *m.* dais, canopy
dalle, *f.* flagstone, marble slab, stone floor
***dame,** *f.* lady; **— !** well ! why yes ! of course ! naturally ! to be sure ! **Notre-Dame,** Our Lady
damné, *m.* damned person, a lost soul
damner, to damn, condemn; **se —,** to go to perdition, risk damnation
dandy [dɑ̃di], dandy, sissy
***danger,** *m.* danger
***dangereu-x, -se,** dangerous
***dans,** in, into, to, within, out of, during, among, on, about, as, in the course of (time, etc.); **— Paris,** within Paris
***danser,** to dance; twinkle (*of stars*)
***date,** *f.* date
***davantage,** more, still more, longer
***de,** of, about, from, by, in, with, to, on, in regard to, for, at, than, during
déballer, to unpack, relate
débarquer, to disembark, alight, land, come
débarrasser, to clear, rid; **se — de,** to get rid of
débaucher, to debauch, demoralize, lead astray
débiter, to tell, relate
déblayer, to clean out, wash out, wash down
débordement, *m.* overflowing
déborder, to overflow, project, jut out
déboucher, to uncork, open; **— dans,** to come out of (into), appear
***debout,** upright, standing up; **être —,** to stand, be on one's feet, jump to one's feet; **tout le monde fut aussitôt —,** they were all instantly on their feet
déboutonner, to unbutton
débris, *m. pl.* debris, remains, rubbish
***début,** *m.* beginning, start, first appearance; **dès le —,** at the very beginning
décavé, ruined, " broke "; *m.* ruined gambler
décembre, *m.* December
décent, tidy, neat
déception, *f.* disappointment, deception
décharge, *f.* discharge, volley

décharger, to unload; **se — de,** to free oneself from, rid oneself of, unburden oneself of, flow

déchiqueter, to blow to pieces (shreds)

déchirant, heartrending

***déchirer,** to tear, tear up, destroy, rip, scratch

décidément, decidedly, to be sure, unquestionably, surely

***décider,** to decide, induce, determine, resolve; **— de** (+ *inf.*) to decide to; **se — à,** to make up one's mind to, resolve to; **se décidant au rabais proposé,** making up their minds to accept etc.

***décision,** *f.* decision

***déclarer,** to declare, certify

déclassé, *m.* outcast, person of no social standing

décliner, to decline, decrease

décomposé, decomposed, upset

décorer, to decorate (with the cross of the Legion of Honor)

découragement, *m.* discouragement

décourager, to discourage; **se —,** to become discouraged

découvert, discovered, uncovered; **à —,** unprotected, exposed, open

découverte, *f.* discovery; **— de vue,** vista

***découvrir,** to discover, find out, uncover

***décrire,** to describe

décrocher, to unhook, take down

décroître, to decrease, fall

dédain, *m.* disdain

dédaigner, to disdain, scorn, ignore

dédaigneusement, scornfully, disdainfully

dédaigneu-x, -se, scornful

***dedans,** within, in, inside; **mettre —,** to take, cheat, fool; **là-dedans,** in there, within

dédommager, to indemnify, compensate; **— de,** to reimburse for

défaillance, *f.* faltering; fainting (*from exhaustion*)

***défaire,** to undo, loosen, defeat, unbutton; **se — de,** to get rid of

***défaut,** *m.* defect, fault, want, flaw

***défendre,** to defend, uphold, conserve; **— (à qqn.) de,** to forbid (some one) to

***défense,** *f.* defence, prohibition; **sans —,** helpless

défiler, to advance, go (past)

définissable, definable; **mal —,** scarcely definable

définitivement, definitively, for good

déformé, misshapen, shapeless

défraîchi, faded

défrayer, to pay, lead, carry on, keep up

dégagé, indifferent, care-free, free and easy

***dégager,** to disengage, loosen, release, redeem, give off, exhale

dégeler, to thaw; **se —,** to thaw out

dégoulinant, dripping

dégoûté, disgusted

dégouttant, dripping, soaked

dégoutter, to drip

***degré,** *m.* degree, step, point, rung, stair

dégringoler, to tumble down, scramble down

déguenillé [degnije], ragged, tattered, in rags and tatters

déguster, to taste, enjoy the taste of, relish, sip

***dehors,** out; *m.* outside; **au —,** outside, outwardly

***déjà,** already, yet

***déjeuner,** to breakfast, lunch; *m.* breakfast, lunch

*__delà__, beyond, above, on the other side of; **au — de**, beyond, above
délaisser, to abandon, discontinue
délasser, to refresh, to rest; **se —**, to rest, seek recreation, relax
délectable, enjoyable, delicious
*__délicat__, delicate, weak, nice, dainty
délicatesse, *f.* delicacy, refinement; **toutes les —s**, all the elegant things in life
délices: *f. pl.* raptures; **avec —s**, blissfully
délicieusement, deliciously, delightfully
*__délicieu-x, -se__, delicious, delightful
délire, *m.* delirium, frenzy
*__demain__, *m.* tomorrow; **à —**, until tomorrow, good-bye until tomorrow
*__demande__, *f.* demand, request, claim; **— de**, request for
*__demander__, to demand, order, ask for, request; **— du temps**, to take time; **— mieux**, to ask for anything better; **se —**, to wonder
démanger, to itch
*__demeure__, *f.* dwelling, residence
*__demeurer__, to dwell, live, remain, stay, be, tarry; **— à**, to live at; **— interdit**, to stand speechless
*__demi__, half; **à —**, half, half way
demi-porte, *f.* low (garden) gate
démocrate, *m.* liberal
démodé, old fashioned
*__demoiselle__, *f.* young lady, girl, miss, spinster, young mistress; **notre —**, my master's daughter
*__démontrer__, to demonstrate, prove
dénaturer, to denature, misrepresent, distort, slander
denier, *m.* (*an old French coin*), penny, cent
dénoncer, to denounce, inform against
dénouement, *m.* solution, end, ending; **complété de son —**, now that it had an end
dénouer, to untie, loosen
*__dent__, *f.* tooth; **à belles —s**, heartily, ravenously
dentelé, indented, jagged, notched, toothed (*botanical*)
dentelle, *f.* lace; **en —**, made of lace
*__départ__, *m.* departure; **au —**, on leaving; **point de —**, starting point
*__dépasser__, to exceed, surpass, pass
dépêche, *f.* dispatch
*__dépêcher__: **se —**, to make haste, hurry
*__dépendre__, to depend, take down; **— de**, to depend on
dépens [depɑ̃], *m. pl.* cost; **à ses —**, to his sorrow
*__dépense__, *f.* expense, expenditure
*__dépenser__, to spend
dépérir, to waste away, decline, pine away
dépeupler: **se —**, to empty, become empty
dépit, *m.* spite, vexation, scorn; **avec —**, petulantly; **par —**, out of spite
dépité, annoyed, chagrined
*__déplaire__ (**à**), to displease, offend; **il lui déplaît**, she doesn't like him
déplier: **se —**, to unfold
déplorable, deplorable, lamentable
déployer, to unfold, display
dépoli, unpolished, frosted, opaque
*__déposer__, to deposit, lay down, set down, depose, bear witness
dépot, *m.* trust; **détourner un —**, to embezzle

dépouillé, stripped
dépourvu, destitute, devoid
***depuis,** *prep.*, since, for; *adv.*, since, since then, ever since, from that time, afterwards; **— que,** *conj.*, since; **— quand?** how long? **— quinze jours,** for the past two weeks; **— un instant,** a moment before
***député,** *m.* deputy, delegate
déraisonnable, unreasonable, foolish
***déranger,** to derange, disturb, inconvenience
dérision, *f.* derision; **par —,** through derision
***derni-er, -ère,** last, final, poorest; **ce —,** the latter
dérobé: à la —, stealthily, on the sly
***dérober: se —,** to steal away, disappear, hide, shun; **se — à,** slip away from, hide from
déroute, *f.* rout, disorder; **en —,** tattered, worn; **courir en —,** to rush in wild flight; **mettre en —,** to put to flight
dérouter, to bewilder, disconcert
***derrière,** *prep.*, behind; *m.* back part, hinder part, rear; **de —,** from behind; **sabots de —,** hind hoofs
***des,** of the, from the, some, any, etc.
***dès,** from, since, at, as early as; **— que,** as soon as, when; **— le petit jour,** at the very break of day; **— ce soir même,** on that very evening; **— son entrée,** the instant that he entered
désappointer, to disappoint
désarroi, *m.* disorder, confusion, disarray; **mettre en —,** to upset
désastre, *m.* disaster
***descendre** (*intrans.*), to descend, come down, go down, get off, alight, dismount; (*trans.*), to bring down, carry down
descente, *f.* descent, declivity, (the) way down; **on m'appelait dans la —,** some one was calling me from the road leading down
désennuyer, to divert oneself
désensorceler, to disenchant, to free from a spell
déséquilibré, unbalanced, out of contol
***désert,** deserted, uninhabited; *m.* desert, wilderness; (*fig.*) loneliness, solitude
déserter, to desert, abandon
désespérant, disheartening, discouraging
désespéré, desperate, hopeless, disheartened, in despair, discouraged
désespérément, desperately, woefully
***désespérer,** to despair, to have a fit of despair
désespoir, *m.* despair; **de —,** desperate
déshonorer, to disgrace, dishonor
***désigner,** to designate, point out, assign
désillusion, disillusion, disappointment
***désir,** *m.* desire, wish, longing
***désirer,** to desire, wish, covet
désolé, desolate, disconsolate; **des regrets —s,** despairing sorrows; **— de,** grieved at
désoler, to distress, grieve; **se —,** to be distressed, grieve, be upset, be disconsolate
désordre, *m.* disorder; **en —,** disordered, unkempt, untidy
désorganisé, disorganized

***désormais,** henceforth
despotique, dictatorial, despotic
***dès que,** as soon as
***desquels, desquelles,** *see* **lequel**
dessein, *m.* intention, plan; **dans le — de,** intending to
desservant, *m.* priest, minister
desservir, to clear the table
***dessin,** *m.* design, drawing, pattern
***dessous,** below, under; **au — de,** below, beneath; **le —,** the under part, lower side
***dessus,** above (it, them), beyond (it, them), over (it, them); **au — de,** above, over; **là-—,** thereupon; **ils lui tireraient — (= sur lui),** they would shoot at him
destin, *m.* destiny, fate
destination, *f.*, destination; **arriver à —,** to reach one's destination
***destinée,** *f.* destiny, doom, fate
***destiner (à),** to destine (for), mean (for)
détachement, *m.* detachment
***détacher,** to detach, take off, give, let drive, let loose, let go; **— un coup,** to let drive a kick; **se —,** to get loose, fall off; **se — de,** to stand out from
***détail,** *m.* detail, item
détaler, to take to one's heels, to scamper away, run away
dételé, unharnessed, without a horse
détendre, to unbend, to relax; **se —,** to relax
***déterminer,** to determine, resolve
***détester,** to detest, abhor, hate
détonation, *f.* detonation; report, sound of firing (*of a gun*), shot
***détour,** *m.* detour, turn, turning, roundabout way; *pl.* twists and turns
détournement, *m.* embezzlement
***détourner,** to turn aside, turn away, distort
détresse, *f.* distress, grief
***détruire,** to destroy
***détruit,** destroyed
***dette,** *f.* debt; **— de jeu,** gambling debt
deuil, *m.* mourning, grief
Deus meus es tu (*Latin, Vulgate Bible, Psalm XXIII*); "Thou art my God" (*King James version, XXII, 10*)
***deux,** two; **— fois,** twice; **les — mains,** both hands; **tous (les) —,** both; **plié en —,** bent double
***deuxième,** second
***devant,** before, in front of; **— le silence général,** under the silent spell; **aller —,** to go before, lead; *m.* front, fore part
devanture, *f.* front (*of a building*); shop window, shop front
***développement,** *m.* development, unfolding
***développer,** to develop, unfold, display; **se —,** to develop
***devenir,** to become, get, grow; **— fou,** to go crazy; **— rouge,** to turn red; **qu'allons-nous —?** what is going to become of us? **qu'allait-il —?** what was going to (would) become of him?
dévêtu, undressed
dévier, to deviate, swerve; **faire —,** to make uneven, make crooked, cause to become distorted, warp
***deviner,** to divine, guess, imagine, understand; **vous devinez,** you can guess
dévisager, to stare at
***devoir,** to have to, be to, owe; **je dois,** I must, am to, am about to; **je devrais,** I ought to, should; *m.* duty, work

dévorer, to devour, consume; (*fig.*) swallow eagerly

dévot, devoted; *m.* devout person; *f.* **—e,** devotee

***diable,** *m.* devil, deuce, fellow, wretch; **que —!** the deuce take it! **un pauvre —,** a poor wretch, an unlucky fellow

diagonal, diagonal; **en —e,** diagonally

diane, *f.* reveille; **battre la —,** to sound the reveille

dictée, *f.* dictation; **sous sa —,** at (her) his dictation

***Dieu,** *m.* God; **mon —!** good heavens!; **le bon —,** the (good) Lord; **la vérité du bon —,** God's own truth; **— merci,** thank goodness; **— soit loué!** thank Heaven!

***différence,** *f.* difference, distinction

***différent,** different, otherwise

***difficile,** difficult, hard, over-particular, hard to please

***difficulté,** *f.* difficulty, obstacle

digitale, *f.* foxglove (*a plant*)

***digne,** worthy, deserving, dignified; **— d'intérêt,** worthy of consideration

dignement, worthily

diligence, *f.* diligence, stage-coach

***dimanche,** *m.* Sunday; **le —,** Sundays; **demain —,** next Sunday; **par les —s d'été,** on Sundays in summer

dimension, *f.* dimension, size; **à quatre —s,** four-dimensional

***diminuer,** to diminish, lessen

***dîner,** to dine, have dinner; *m.* dinner

dîneur, *m.* diner, guest

***dire,** to say, tell, tell of, speak; **à vrai —,** in truth; **pour ainsi —,** so to speak; **c'est-à-—,** that is to say; **et —,** and just to think; **il n'y a pas à —,** there is no doubt about it; **— son fait,** to tell one what one thinks; **c'est dit,** agreed, it's a bargain; **dites donc!** say! look here! **— non de la tête,** to shake one's head in negation; **— à d'oreille de,** to whisper to; **on dirait deux hirondelles,** one might think it was two swallows; **on eût dit,** one might have said; **si le cœur vous en dit,** if you feel like it; **vouloir —,** to mean

***direct,** direct, straight

***directement,** directly

***directeur,** *m.* director, manager

***direction,** *f.* direction, management, control stick; **— générale,** Administration Staff

***diriger,** to direct, steer, aim, manage; **se — vers,** to go towards, make for, head for, proceed towards

discernement, *m.* insight, judgment, discretion

discipline, *f.* discipline, chastisement

***discours,** *m.* discourse, speech, address

discr–et, –ète, discreet, secret, prudent, cautious, tactful

discrètement, discreetly, quietly, cautiously

***discussion,** *f.* discussion

***discuter,** to discuss, debate, argue

disette, *f.* want, scarcity; **jamais de —,** never any want

dispensaire, *m.* infirmary

disperser: se —, to be scattered

disposé, disposed, inclined

***disposer,** to dispose, arrange; **se —,** to get ready; **se — à,** to be about to

***disposition,** *f.* arrangement, preparation, disposal, disposition; **prendre des —s,** to make arrangements
disputé, contested
***disputer,** to dispute, quarrel, fight for; **se —,** to quarrel, wrangle, argue (about *or* over)
disque, *m.* disk
dissimulé, dissimulated, camouflaged, concealed; **non —,** open
***dissimuler,** to dissimulate, conceal, dissemble, hide
dissiper, to scatter, dissipate, dispel; **se —,** to be dissipated, be dispelled, get rid of; (*of smoke*) to clear away
***distance,** *f.* distance; **à quelques pas de —,** a few steps away
distinction, *f.* distinction, discrimination
distingué, distinguished, refined, very good
***distinguer,** to distinguish, discern, make out
distraction, *f.* inattention, lack of attention; *pl.* absent-mindedness
distrait, distracted, diverted, inattentive, vacant, blasé, sophisticated; **le regard —,** the far-away look
divan, *m.* divan, couch
***divers,** diverse, various, different
diversement, differently, in various ways
divertir, to divert; **se —,** to make merry, amuse oneself
***diviser,** to divide
***dix,** ten
dix-sept, seventeen; **le —,** number seventeen
dizaine, *f.* half a score; **une —,** a half score, about ten
docile, docile, gentle, obedient
***docteur,** *m.* doctor
dodeliner, to rock, caress; **— de la tête,** to nod one's head
***doigt,** *m.* finger
dom (*a title from Latin* **dominus,** *given in certain monastic orders*), dom
***domaine,** *m.* domain, province
***domestique,** domestic; *m.* servant, maid, domestic
domicile, *m.*, abode, home
***dominer,** to dominate, rule, command; (*fig.*) rise above
dominical, Sunday; **la promenade —e,** the Sunday ride
dommage, *m.* harm, pity; **c'est —,** that's too bad; it's a pity
dompter [dɔ̃te], to subdue, overcome
***don,** *m.* gift, present
***donc** [dɔ̃ːk], then, therefore, just, now, pray; **pensez —!** just think! **mais elle est — devenue folle!** why she must have gone crazy! **qu'est-ce —?** what can be the matter? **n'est-ce pas —?** can't it now?
***donner,** to give, cause, produce; deal (*at cards*); **— sur,** (*of doors, windows, etc.*) to overlook, look out on, open on, lead to; **— l'assaut,** to charge
donneur, *m.* giver; **—s d'eau bénite,** dispensers of holy water
***dont** (*rel. pron.*), whose, of whom, of which, in (by, with, among, at) which, etc.; **la manière —,** the way in which
***doré,** gilded, golden, golden-hued, golden-colored
***dormir,** to sleep
dorure, *f.* gilt, gilding, gilt part
***dos,** *m.* back; **sur le —,** on my

(your, etc.) back; **se mettre quelque chose sur le —,** to put on something, to wear something
dossier, *m.* record, file (of papers)
dot [dɔt], *f.* dowry; **en —,** as a dowry
doter, to give a dowry to
***double,** *adj. and m.* double
doubler, to double; **— d'efforts,** to double one's efforts
doublement, doubly
***douce,** *see* **doux**
***doucement,** softly, slowly, gently, quietly, sweetly, pleasantly
***douceur,** *f.* sweetness, mildness, softness, gentleness, pleasure, delight
douer, to endow; **— de,** to endow with, favor with
***douleur,** *f.* pain, sorrow, suffering, grief
douloureu-x, -se, painful, sorrowful
***doute,** *m.* doubt; **sans —,** doubtless
***douter,** to doubt; **— de (quelque chose),** to distrust, have doubts as to, have doubts about; **se — de,** to suspect, surmise; **se — que,** to suspect that; **ne pas — que (ne +** *subj.*) not to doubt but that; **je m'en étais douté à votre accent,** I had rather thought so from your accent
***dou-x, -ce,** gentle, kind, sweet; mild, (*of weather*), soft, smooth, calm; **faire les — yeux à,** to look lovingly at; **d'un air —,** kindly
douzaine, *f.* dozen, number twelve
***douze,** twelve
dragée, *f.* Jordan almonds; **les —s d'usage,** the customary sweets
dragon, *m.* dragoon, cavalryman
drap, *m.* cloth; **fauteuil de —,** upholstered chair
draper, to drape; **— dans,** to drape in, cover with, wrap in, clad in
***dresser,** to erect, raise, set up; **se —,** to stand erect, rise, straighten up; **se — un plan,** to draw up a plan; **faire — les cheveux,** to make one's hair stand on end
***droit,** right, straight, erect, just; *m.* law, right; *adv.* **(tout) —,** directly, straight ahead; **avoir — à,** to be entitled to
droite, *f.* right hand; **à —,** at (to) the right
***drôle,** droll, odd, funny, queer; **un — de,** a queer —; *m.* rogue, scamp, rascal; **être toute —,** not to be oneself
***du,** of the, some, any
dû, due (*see* **devoir**)
***dur,** hard, rough, hardened, stern, severe, firm; **—e au jongleur,** hard for the juggler; **à la —e,** harshly
***durant,** during; **une heure —,** for a whole hour
durcir, to harden; **se —,** to harden, grow hard, stiffen
durée, *f.* duration
***durer,** to last, go on, continue; **rien qu'en durant,** by its mere continuance
duvet, *m.* down
dynamique, dynamic

E

***eau,** *f.* water; **— vive,** running water; **laver à grande —,** to scrub (a floor)
eau-de-vie, *f.* brandy
ébahi, amazed, dumbfounded, almost speechless
ébaucher, to sketch, make; **— une**

révérence, to make a curtsey; **elle ébauche une antique révérence,** she makes an old-time curtsey

éblouir, to dazzle

éblouissement, *m.* dazzling sight, resplendence, giddiness, dizziness

ébranler, to shake violently

écaille, *f.* shell, scale

écailleur, *m.* oyster opener

écarlate, scarlet, crimson

écarquiller, to open wide (the eyes); **les yeux écarquillés,** with staring eyes

***écart,** *m.* digression, fault, discrepancy, divergence; **à l'—,** aside

écarté, remote, lonely; *m.* écarté (*a card game*)

***écarter,** to push aside, remove, dismiss, scatter, spread apart, drive away, disperse; **faire — les genoux,** to make one spread the knees; **s'—,** to deviate, digress

ecclésiastique, ecclesiastical, clerical, (of the) church

échafaud, *m.* scaffold; **mourir sur l'—,** to die by the guillotine (or by hanging)

échafauder, to erect scaffoldings, build up

***échanger,** to exchange; **s'—,** to be exchanged

***échapper,** to escape, avoid; **s'—,** to escape, slip out, come out; **s'— de,** to slip from, drop out of, come out of

échéance, *f.* time for payment, maturity (of a note)

échelle, *f.* ladder

échelonné, strung out; (*mil.*), stationed at regular intervals

écheveau, *m.* hank, skein (*of yarn etc.*)

échine, *f.* spine, back

***écho,** *m.* echo

éclabousser, to splash; **— quelqu'un de,** to splash someone with

éclaboussure, *f.* splash (*of mud, etc.*)

éclairé, enlightened, instructed

***éclairer,** to illuminate, light up, enlighten, explore, give light to

éclaireur, *m.* scout

***éclat,** *m.* brightness, outburst, fragment, splinter (*of a shell*), sparkle; **partir d'un — de rire,** burst out into a peal of laughter, burst out laughing; **— de voix,** outburst, loud exclamation; **rire aux —s,** to laugh uproariously

***éclatant,** bright, sparkling, brilliant, shining, striking, resounding; **un exemple —,** a glaring example; **une preuve —e,** an overwhelming proof

***éclater,** to shine, burst, crack, be striking

***école,** *f.* school; **sortir de l'—,** to have just graduated, to be just out of school

économe, economical, thrifty, stingy

***économie,** *f.* economy, thrift, saving; **faire des —s,** to save up money, to stint

économiser, to economize; **— sur tout,** to economize in every way

écorce, *f.* shell (of a nut), bark

écorcher, to chafe, skin

écorné, horned; **autrement —,** with better horns

écorner, to remove the horns of (an animal), dissipate, curtail, impair

écoulement, *m.* drainage, flow, discharge

écouler, to flow out; **s'—,** to be spent

***écouter,** to listen (to), hear
***écraser,** to crush, run over, smash, overwhelm
***écrier: s'—,** to exclaim, cry out, cry
écrin, *m.* case, jewel case
***écrire,** to write
écriture, *f.* writing, hand writing, Scripture; **les saintes Écritures** (**l'Écriture sainte**), the Scriptures, Holy Writ
écroulé, collapsed, huddled up
écu, *m.* crown (*an obsolete coin formerly worth about 3 francs*), shield; *pl.* money, " dough "
écuelle, *f.* bowl, milking pail
écume, *f.* foam
écumoire, *f.* skimming ladle, skimmer
écurie, *f.* stable, cow stable
édifiant, edifying, inspiring
édifice, *m.* edifice; (*fig.*) top (of the head, etc).
éditeur, *m.* editor, publisher
***éducation,** *f.* education, breeding, upbringing
***effacer,** to efface, erase, scratch out, remove, rub out, dim
effaré, frightened, dismayed
effarement, *m.* fright, alarm, dismay, terror
effaroucher, to frighten; **sa figure n'avait rien d'effarouché,** her face showed no signs of alarm
***effet** [efɛ], *m.* effect, impression, purpose; *pl.* things, clothes; **en —,** indeed, in fact
effeuillé [efœje], stripped of leaves, leafless
effilé [efile], slender, sharp
***efforcer** [efɔrse]: **s'— (de),** to strive (to), strain (to), endeavor (to)
***effort** [efɔːr], *m.* effort, exertion, endeavor
effrayant [efrɛjɑ̃], frightening
***effrayer** [efrɛje], to frighten, scare, fill with dread
effronté [efrɔ̃te], shameless, impudent, brazen
effroyable [efrwajabl], frightful, dreadful, terrible
effusion, *f.* effusion, outpouring, overflowing (of the heart)
***égal** (*pl.* **égaux**), equal, like; **être — à,** to make no difference to; **c'est —,** never mind, no matter, it's all the same; **cela m'est —,** I don't care
***également,** equally, uniformly, likewise, evenly, smoothly
***égard,** *m.* regard, respect, consideration; **à l'— de,** with respect to; **sans —s,** without any consideration
égarer: s'—, to go astray, ramble
égayer, to enliven, cheer up, make merry, make gay
***église,** *f.* church
égouttement, *m.* dripping
égoutter, to drain; **s'—,** to drip
égrener, to tell (beads); **— un chapelet d'injures,** to utter a stream of abuses
égyptiaque, Egyptian
égyptien, -ne, Egyptian
***eh bien!** very well! well now! all right!
***élan,** *m.* spring, start, outburst (of passion), impulse, enthusiasm; **prendre son —,** to let loose
***élancer,** to throw; **s'—,** to spring, rush, dash, spring forward, leap, start up
***élégant,** elegant, graceful, refined; **peu —,** inelegant, unrefined, vulgar
***élément,** *m.* element
***élève,** *m. and f.* pupil, student

*__élever,__ to raise, bring up, rear; __s'—,__ to rise, be lifted
*__elle,__ she, her, it; __—s,__ they, them
__elle-même,__ herself, itself
__éloge,__ *m.* praise, eulogy
*__éloigner,__ to remove, send away; __s'—,__ to move away, depart, go away, leave, sail; die out (*of a sound*)
__éloquent,__ eloquent
__émailler,__ to enamel, glaze; (*fig.*) to embellish; __s'— de,__ to be embellished with, be studded with
__emballer,__ to pack, pack up; (*fig.*) carry away; __emballé,__ eager (for), mad (after), bent (on)
__embarquement,__ *m.* loading, bringing aboard
__embarquer,__ to embark, put on, load on, ship off
*__embarras,__ *m.* embarrassment, obstruction, trouble, difficulty
*__embarrasser,__ to embarrass, puzzle, perplex
__embaumé,__ perfumed, sweet-smelling, fragrant, savory
__embêtant,__ irritating, nerve-racking, annoying
__emblème,__ *m.* emblem, symbol
__embranchement,__ *m.* branch line
*__embrasser,__ to embrace, kiss, clasp, take up (an occupation)
__embrasure,__ *f.* embrasure, opening, recess
__embrouiller,__ to confuse, entangle, muddle
__émerger,__ to rise out; __— à,__ to come out from, rise out of, come to
__émérite,__ emeritus, retired, experienced; __un ivrogne —,__ an inveterate drinker
__émerveiller,__ to amaze, astonish
__émigré,__ *m.* (political) refugee, exile (*name given to French noblemen who fled from France during the French Revolution, in* 1792)
*__emmener__ [ãmne], to lead away, take along, carry off, take off (of death)
__émoi,__ *m.* agitation, anxiety; __mettre en —,__ to excite, put in a flutter
*__émotion,__ *f.* emotion, feeling, agitation, stir, thrill, excitement
*__émouvoir,__ to move (*the feelings*), touch, stir to pity; __s'—,__ to be moved, be stirred up
*__emparer: s'— de,__ to seize, take possession of
*__empêcher (de),__ to prevent (from), hinder (from); keep (from); __s'— de,__ to avoid, help, forbear
__empereur__ [ãprœːr], *m.* emperor
__empesé,__ starched
__emplette,__ *f.* purchase
__emplir,__ to fill; __— de,__ to fill with, fill up with
__employé,__ *m.* clerk, employee, government employee; __ses —s,__ his subordinates
*__employer,__ to employ, use, make use of, apply
__empoisonner,__ to poison
__emportement,__ *m.* transport, excitement, passion; __avec —,__ passionately, with rapture
*__emporter,__ to carry away, carry off, carry out, remove, sweep away, bring about; __l' —,__ to win out, triumph; __l'— sur,__ to win the day, get the better of, prevail over; __— la résolution,__ to help make a decision
__empourpré,__ (*fig.*) flushed, crimson (with blushes)
__empreinte,__ *f.* imprint, outline
__empressement,__ *m.* haste, eagerness; __avec —,__ readily, eagerly
*__empresser: s'—,__ to hasten, be

eager; **s'— de,** to hurry, throng about, lose no time in; **s'— autour de,** to press (crowd) around

emprunter, to borrow; **— à,** to borrow from

***ému,** touched, moved, affected (*see* **émouvoir**)

***en,** *prep.* in, into, within, by, of, like, made of, in the shape of; *pron.* some, any, of it, of them, its, from it, from this, etc.; **il y en avait qui,** there were some who; **tout le monde — veut,** everybody wants some; **— voilà assez!** enough of this! **— être à,** to have reached (a certain point); **il — fut malade toute la nuit,** he was sick from it all that night; **ils — feraient une bouillie,** they would make a pulp out of him

encadré, framed, encircled; **— de,** fringed with

enchanté (de), delighted (to), very glad (to)

***enchanter,** to enchant, delight, charm

enclave, *f.* tract, piece of enclosed land, land-locked property

encombrer, (de) to encumber, crowd, litter, clutter (with)

***encore,** still, yet, again, even so, besides, additional, once more, even then; **— un (une)** one more, another one; **— que** (+ *subj.*) although, even though; **ça se monte —,** it can be scaled, of course, but; **et —,** and then

encouragé, encouraged, heartened

endimanché, dressed up (in Sunday clothes)

endormi, asleep, sleepy, sleeping; **air —,** drowsy air or look; **tout —,** fast asleep

***endormir,** to put to sleep; **s'—,** to fall asleep, go to sleep; **il s'endormit d'un sommeil fiévreux,** he fell into a feverish sleep

***endroit,** *m.* place, spot, locality; **le notaire de l'—,** the local notary

***énergie,** *f.* energy, efficacy, stamina

énergique, energetic, forceful, vigorous, strong

énergiquement, energetically, vigorously

énervant, enervating, annoying, exasperating; **être —,** to get on one's nerves

***enfance,** *f.* infancy, childhood, boyhood

***enfant,** *m. or f.* child; **bon —** (*adj.*) good natured; **l'air bon enfant,** a look of childlike innocence; **—s Trouvés,** *m. pl.* Foundlings' Asylum

enfantin, childish, wholesome

enfer, *m.* hell

***enfermer,** to shut up, enclose, lock up or in

enfiévré, feverish

***enfin,** finally, at last, in short, after all, anyway, well; **mais —!** well!

***enfoncer,** to sink, bury; **s'— (à),** to sink, sink (in), go far or deep, penetrate, be smashed (in), bury oneself, stick; **s'— dans,** to penetrate

***enfuir: s'—,** to flee, disappear, hurry away, escape, vanish, fly away, take to flight, slip away

engagement, *m.* agreement, promise, pledge, enlistment; **— volontaire,** volunteer service; **prendre des —s ruineux,** to make ruinous pledges

***engager,** to engage, pledge, pawn,

enlist, invite, urge, persuade; **s'—,** to enlist
engloutir, to swallow (up), engulf, bolt down (*food*)
engourdi, drowsy, sleeping
engourdir, to benumb; **s'—,** to become dull; **ses idées s'engourdissaient,** his ideas were getting hazy
énigmatique, enigmatical, inexplicable, puzzling
enivrer [ãnivre]: **s'—,** to get intoxicated, get drunk
enjambée, *f.* stride, wide step
enjamber, to straddle, climb over, stride over, jump across
enjoué, sprightly, playful, merry, lively
enlacé, interwoven, tangled
enlèvement, *m.* capture, taking
***enlever,** to carry off, remove, take off, take away, relieve, carry out
enluminé, tinted, painted; **en plâtre doré et —,** plaster tawdrily tinted
enluminure, *f.* colored print, coloring, illumination (of a manuscript)
***ennemi,** hostile, inimical; *m.* enemy, foe
***ennui** [ãnɥi], *m.* tediousness, weariness, ennui, boredom
ennuyer [ãnɥije], to annoy, tire, bore; **s'—,** to get tired, be bored, become lonesome, become weary, be lonesome
***énorme,** enormous, huge, outstanding
enragé, furious, mad, wild, determined, hard; *m.* madman; **—s de tambourins,** mad tambourine players
enrayage, *m.* jamming, locking
enrayé, jammed, locked
enregistrement, *m.* registry, recording, registration; **receveur de l'—,** registrar, recorder
enroué, hoarse
enrouer, to make hoarse; **s'—,** to become hoarse
enseigne, *f.* sign, shop sign
***enseignement,** *m.* teaching, instruction
***enseigner,** to teach, instruct
***ensemble,** together, at the same time; *m.* ensemble, whole, total effect
enseveli, shrouded, buried
ensommeillé, half asleep, drowsy, dreamy
ensorcelé, bewitched, under a spell
***ensuite,** then, afterwards, next
entamé, half spent, encroached upon, slashed, grazed
entamer, to begin, enter into, penetrate, cut into, broach, slash, graze
entasser, to pile up, heap up, stack
***entendre,** to hear, understand; **— parler de,** to hear of, to hear people talk about; **— dire,** to hear, hear said; **— parler,** to hear; **— marcher,** to hear somebody walking; **j'entendis qu'on m'appelait,** I heard myself being called; **s'—,** to understand each other; come to an agreement
***entendu,** agreed, understood, clever, skilful; **bien —,** of course; **c'est bien —,** quite so, of course
enténébrer, to darken, wrap in darkness
enterrer, to bury, inter
enthousiaste, enthusiastic; *m.* enthusiast
***enthousiasme,** *m.* enthusiasm, rapture
***enti–er, –ère,** entire, whole; *m.* entirety; **tout —,** wholly

*__entièrement,__ entirely, wholly, altogether
__entorse,__ *f.* sprain, shock, wrench, twist
__entouré de,__ wrapped in
*__entourer,__ to surround, enclose, put around, envelop, encircle; (*fig.*) to hang about
__entrailles,__ *f. pl.* bowels, intestines, stomach
__entrain,__ *m.* zest, life; *pl.* animation, natural impulse, high spirits
*__entraîner,__ to carry away, train, drag, draw (away or out)
*__entre,__ between, among, in; __— nous,__ our secret; __un d'— eux,__ one of them
__entre-bâillé,__ ajar, half open
*__entrée,__ *f.* entrance, entry
__entrefaites:__ *f. pl.* __sur ces —,__ meanwhile, in the midst of all this
__entremets,__ *m.* entremets, pastry, sweets
*__entreprise,__ *f.* enterprise, undertaking, contract
*__entrer,__ to enter, come in, go in; __— dans__ (+ *noun*) to enter; __— en danse,__ to begin to dance, go into play; __faire —,__ to show in, let in; __— en conversation,__ to engage in conversation; __il entra dans une telle colère,__ he got so angry
__entretenir,__ to maintain, keep up
*__entretien,__ *m.* support, maintenance, conversation
*__entrevoir,__ to catch a glimpse of, peep in, foresee
__entr'ouvert,__ half open, ajar, half-parted
__entr'ouvrir,__ to open a little, half open; __s'—,__ to be half opened
__énumérer,__ to enumerate, count up, tell
*__envahir,__ to invade, take possession of, overcome; __le froid m'envahissait,__ the cold was chilling me to the bone
__enveloppé,__ covered; __la tête —e de,__ with their heads covered with
*__envelopper,__ to wrap up, cover, surround; __s'—,__ to cover up, wrap oneself up; __s'— de,__ to be wrapped up in
__envi: à l'—,__ vying with one another, emulously; __célébrer —,__ to vie with one another in celebrating
*__envie,__ *f.* wish, desire, longing, whim, envy; __avoir — de,__ to wish to, feel like; __j'avais — de répondre,__ I should have liked to answer; __avoir — de dormir,__ to feel sleepy; __je n'ai plus — de,__ I no longer care to
__envier,__ to envy, covet
__envieu-x, -se,__ envious
*__environ,__ about, nearly
__environnant,__ neighboring, surrounding
__environner,__ to surround
__environs,__ *m. pl.* vicinity, suburbs, neighborhood
*__envisager,__ to envisage, consider, face
__envolé,__ flown away, disappeared
__envoler: s'—,__ to fly away, soar away, float away, be wafted away, (*of an odor*) give off, emanate
*__envoyer,__ to send, send forth, send up, dispatch, hurl, spatter; __— chercher,__ to send for; __— dans l'étoile polaire,__ to send all the way to, etc.
*__épais, -se,__ thick, dense
__épaisseur,__ *f.* thickness; __par l'— d'un cheveu,__ by a hair's breadth

épaissir, to grow fleshy (stout)
épanouir, to cause to open; **s'—,** to open out, brighten up, beam, blossom, light up
épargner, to save, spare, economize
épatant, wonderful, splendid, fine, excellent
épater, to astonish, flabbergast, fill with wonder
***épaule,** *f.* shoulder
épaulement, *m.* breastwork, shoulder, ridge
épaulette, *f.* shoulder strap, epaulet; **gagner une —,** to obtain a military commission
épée, *f.* sword
éperdu, distracted, bewildered, hopeless, dismayed, frantic, wild; **amour —,** passionate (ardent) love
éperdument, wildly, frantically, passionately
épicerie, *f.* grocery, spices
épicier, *m.* grocer
épier, to spy, watch closely, observe secretly
épingle, *f.* pin
épingler, to pin, pin on
***époque,** *f.* epoch, time, period, era
***épouser,** to marry, wed, espouse
épouvantable, terrible, dreadful, frightful, appalling, awful
épouvante, *f.* fright, terror, horror
épouvanter, to terrify, appall; **à en —,** to the point of terrifying
époux, *m.* husband; **nouveaux —s,** bride and groom
***épreuve,** *f.* proof, test, trial
***éprouver,** to experience, feel, try, test
***épuiser,** to exhaust, spend; **s'—,** to tire oneself out
équarri, roughly made, squared, roughly cut
équerre, *f.* square; **en —,** forming a right angle
équilibre, *m.* equilibrium, balance; **en —,** balanced; **mettre en —,** to balance (*in juggling*)
équilibré, balanced
équipage, *m.* equipage, crew, carriage
équité, *f.* equity, fairness
ermite, *m.* hermit, recluse
errant, roving, stray
errer, to wander, go away, rove, stray
***erreur,** *f.* error, mistake, misconception
éruption, *f.* eruption
escadrille, *f.* squadron, air fleet
escalader, to scale, climb
***escalier,** *m.* staircase, stairs; **— en colimaçon,** winding staircase; **monter l'—,** to go upstairs
esclaffer: s'—, to burst out laughing, roar
escopette, *f.* blunderbuss
escrimer: s'—, to fight, struggle, work hard, try hard
***espace,** *m.* space, room
Espagne, *f.* Spain
espagnol, -e Spanish; **l'Espagnole,** the Spanish girl
***espèce,** *f.* species, kind, sort, variety; **— de choulato,** miserable numskull
***espérance,** *f.* hope, expectation
***espérer,** to hope, hope for, expect
***espoir,** *m.* hope, expectancy, expectation
***esprit,** *m.* mind, wit, spirit; **faire l'— fort,** to pretend to be skeptical
essaim, *m.* swarm (of bees)
***essayer** [esɛje], to try, try on, attempt
essence, *f.* gasoline

essieu, *m.* axle
essoufflé [esufle], out of breath, breathless
***essuyer** [esɥije], to wipe, wipe away, wipe dry
est [ɛst], *m.* east
estaminet, *m.* bar-room, coffee-house and smoking room, tap-room, café, bar, saloon
estampe, *f.* print, engraving, picture
Esterelle, *f.* (*name of a mountain fairy*)
esthète, *m.* aesthete, pretender (to artistic culture)
***estimer,** to consider, think, believe, esteem
estomac [ɛstɔma], *m.* stomach
estoufato *m.* (= **étouffée** *f.*), stew
estropier, to maim, cripple
***et,** and; **et . . . et,** both . . . and
étable, *f.* stable or shed (*for cows, oxen, sheep*)
***établir,** to establish, set up, fix, make; **— ses comptes,** to reckon up one's accounts; **s'—,** to set up, take a position, take up residence
établissement, *m.* establishment, institution
***étage,** *m.* story, floor, flight of stairs; **le premier —,** the second story, (*the first floor is called the* **rez-de-chaussée**)
étain, *m.* pewter
étaler, to spread out, display; **s'—,** to be displayed
étalon, *m.* stallion
étang, *m.* pond, pool
***état,** *m.* state, condition, occupation, calling, profession; **de mon —,** by profession; **chef d'—,** president, chief executive; **en — de,** in a position to, fit to
état-major, *m.* (military) staff, (regimental) staff
États-Unis d'Amérique, *m. pl.* United States of America
***été,** *m.* summer
été, *p.p. of* **être**
***éteindre,** to put out, extinguish; **s'—,** to go out, die away, die out (*of light*), disappear
éteint, extinct, dead, extinguished, gone out, no longer burning
***étendre,** to spread out, stretch out
***étendu,** extended, spread out
***étendue,** *f.* stretch, extent, expanse
***éternel,** eternal, endless, everlasting, perpetual
étirer, to stretch; **s'—,** to stretch, draw out
étoffe, *f.* stuff, material, fabric
***étoile,** *f.* star; **à la belle —,** in the open air; **— filante,** shooting star
***étonnant,** astonishing, amazing, wonderful
***étonnement,** *m.* astonishment, amazement, wonder
***étonner,** to astonish; **s'— de,** to be amazed at, wonder at
***étouffer,** to stifle, choke, smother, suffocate (with emotion)
***étrange,** strange, exotic, odd, queer
étrangement, strangely, oddly
***étrang–er, –ère,** strange, foreign; *m.* stranger, foreigner
étrangler, to choke, strangle
***être,** to be, belong to; have (*as auxiliary*); **— bien,** to be comfortable, happy; **— de,** to be a member of, be one of; **tu es donc de la maison?** are you a member of the household?; **— à** (+ *inf.*), to be in the act of; **en — autrement,** to be otherwise; **y — pour beaucoup,** to have a good deal

to do with it; **il en est ainsi;** such is the case; **soit** [swat], very good, all right; **il est venu,** he has come; **s'en —,** to go out; **n'est-ce pas?** isn't it true?, etc.; **c'est que,** the fact is; *m.* human being, existence, creature; **la vie des —s,** the life of animate things; **aucun — isolé (ne),** not a single person

étreindre, to embrace, take hold of, clasp

étreint, squeezed, gripped, choked

étrier, *m.* stirrup

étriqué, skimpy, tight, scanty

*__étroit,__ narrow, tight, close, narrow-minded, petty

*__étude,__ *f.* study

*__étudier,__ to study, examine, scrutinize

étui, *m.* case, box

*__eux,__ they, them

eux-mêmes, themselves

évaluer, to evaluate, estimate; **— à,** to estimate at

évangile, *m.* Gospel

évanouir: s'—, to faint, swoon, vanish

éveillé, awakened, wide-awake, jaunty, perky

*__éveiller,__ to awaken, rouse; **s'—,** to wake up, be awakened

*__événement,__ *m.* event, incident, occurrence

éventail, *m.* fan; **en —,** fan-shaped, fan-wise

*__évidemment__ [evidamɑ̃], evidently, obviously

*__éviter,__ to avoid, shun, dodge

évoquer, to evoke, conjure up

*__exact__ [ɛgzakt], exact, punctual, accurate, correct

*__exactement,__ exactly, punctually

exactitude, *f.* exactitude, accuracy

*__exagérer,__ to exaggerate, go too far

exalté, exalted, excited

exalter, to exalt, glorify

*__examen__ [ɛgzamɛ̃], *m.* examination, test, scrutiny

*__examiner,__ to examine, inspect, scrutinize, look sharply at

exaspéré, exasperated, angry, aggravated, frantic, excessive

exaspérer: s'—, to become exasperated, lose patience, grow desperate

*__excellent,__ excellent, splendid

excentricité, *f.* eccentricity, queerness

excentrique, eccentric, queer, odd

exceptionel, -le, unusual, exceptional

*__excès,__ *m.* excess

*__exciter,__ to excite, arouse, rouse

exclamer: s'—, to exclaim, ejaculate

*__excuse,__ *f.* excuse, apology; **faites bien —,** do excuse me! (*provincial expression*)

*__excuser,__ to excuse; **s'—,** to apologize

*__exécuter,__ to execute, perform, carry out, put to death

*__exemple,__ *m.* example; **par —,** for instance, let me tell you; **donner l'—,** to set the example; **— d'écriture,** sample (model) of handwriting

exempt, exempt; **— de,** without, free from, devoid of

*__exercer,__ to exercise, drill; **s'— à,** to be trained in, practice

*__exercice,__ *m.* exercise, drill

exhorter, to exhort, encourage, urge, beseech

*__exiger,__ to exact, require, demand

*__existence,__ *f.* existence, living, life

*__exister,__ to exist, be

expansi-f, -ve, exuberant, talkative, expansive, free, openhearted; **peu —,** silent, stolid
expédient, *m.* expedient, shift, way out; **vivre d'—s,** to live by one's wits
***expérience,** *f.* experience, experiment; **d'—,** from (by) experience; **par —,** from (by) experience
expirer, to expire, die, pass away
explication, *f.* explanation
***expliquer,** to explain, account for, set forth
exploit, *m.* exploit, achievement, feat, deed
explorer, to explore
***exposer,** to expose, lay open, set forth, state
expressi-f, -ve, expressive
***expression,** *f.* expression, meaning
***exprimer,** to express, declare
***exquis,** exquisite, dainty
extase, *f.* ecstasy; **en —,** enraptured
***extérieur,** exterior, outer; *m.* exterior, outside, outward appearance
extériorisation, *f.* externalization
extraire, to extract, take from
***extraordinaire,** extraordinary, unusual
***extrême,** extreme, farthest; (*fig.*) boundless; *m.* extreme limit
***extrêmement,** extremely
extrême-onction, *f.* Extreme Unction (last sacrament)
***extrémité,** *f.* extremity; *pl.* extreme measures
exubérance, *f.* exuberance, superabundance
exulter, to exult, rejoice (in triumph)

F

f = foutu (*a coarse word hence abbreviated to* **f**), done for
fabrication, *f.* manufacture
fabriquer, to manufacture, make
***face,** *f.* face, front; **en —,** straight in the face; **l'épicier d'en —,** the grocer across the street; **en — de,** opposite, in front of, facing; **pour faire — à,** to face
fâché, angry, sorry
fâcher, to anger, vex; **se —,** to become angry, be offended, take offense, "get mad"
fâcheu-x, -se, vexatious, annoying
***facile,** easy
***façon,** *f.* way, manner, fashioning, fashion; **sans —,** unceremoniously, without further ado, without formality; **à la — de,** like; **de — à,** so as to, in such a way as to; **de cette —,** in this (that) way
factice, factitious, artificial
***faculté,** *f.* faculty, power; *pl.* means
fade, tasteless, flat
***faible,** feeble, weak, faint, slight, slim; **un — détachement,** a small detachment
***faiblesse,** *f.* feebleness, weakness, faint-heartedness; **il se sentait dans les jambes de telles —s,** he felt so wobbly
faillir, to fail, err; **— à l'honneur,** to act dishonorably; **—** (+ *inf.*), to come near, almost; **— faire s'enfuir,** to almost make flee
***faim,** *f.* hunger; **avoir —,** to be hungry; **crier la —,** to complain of, i. e. to show hunger; **mourir de —,** to starve
fainéanter, to loaf, idle

***faire**, to do, make, be, form, perform, cause, practise; **— peur à**, to frighten; **— un pas**, to take a step; **— une belle réception**, to give a hearty welcome; **— non de la tête**, to shake one's head; — (+ *inf.*) to have, let, make, cause to be *or* have (done); **avoir beau —**, to act (do) in vain; **n'avoir que — de**, to have no occasion for; **se —**, to become, get; **se — à**, to get used to; **ça ne fait rien**, that makes no difference; **rien n'y fit**, nothing did any good; **tiens! fit-il**, " there "! said he; **faites-la entrer**, show her in; **— venir**, to summon; **— voir**, to show; **il se fit un grand silence**, there was a deep silence

faisceau, *m.* bundle, sheaf; **remettre en —x**, to stack (arms) again

faiseur, *m.* doer, bluffer, " four-flusher "

***fait**, *m.* fact, feat, act, deed; **tout à —**, entirely; **— de**, consisting of; **— d'armes**, feat of arms; **si fait**, yes indeed!

faix, *m.* burden, weight

***falloir**, to be necessary, need, have to; — (+ *time*), to take, require, need; **il faut** (+ *subj.*) he (she, they, you, one) must; **il me faut**, I need

***fameu-x, -se**, famous, notorious

familiariser, to familiarize; accustom to; **se — avec**, to make oneself familiar with

***famili-er, -ère**, familiar

familièrement, familiarly

***famille**, *f.* family

fané, faded, discolored

faner, to fade; **se — de**, to fade from

***fantaisie**, *f.* fancy, whim, notion

fantaisiste, *m.* fantastic, whimsical, freakish (person)

fantassin, *m.* infantry soldier, *pl.* infantry

fantastique, fantastic, odd, weird, unreal

farandole, *f.* farandole (a Provençal dance)

farceur, *m.* wag, joker, practical joker

farder, to paint, make up (the face); **se —**, to rouge, paint, make (freshen) up

farine, *f.* flour, meal

farouche, wild, grim, forbidding, shy

fasciner, to fascinate

faste, *m.* display, ostentation

fatal, fatal, fateful

***fatigue**, *f.* fatigue, weariness, hard labor; *pl.* hardships

***fatigué**, tired, fatigued, weary

***fatiguer**, to tire, weary

faubourg, *m.* suburb, outskirts

fauchage, *m.* mowing, reaping, harvesting

faucher, to mow down, decapitate, put to death

faucon, *m.* falcon, hawk

***faute**, *f.* fault, mistake, error, sin; **— de**, for want of, through lack of

***fauteuil**, *m.* armchair, easy chair

fauve, fawn colored, light tan; wild, savage (*of animals*); *m.* wild beast

fauvette, *f.* warbler (bird)

***fau-x, -sse**, false, untrue, wrong, mistaken; (*of jewels*) imitation, paste

faux, *f.* scythe

***faveur**, *f.* favor

favoris, *m. pl.* whiskers, side whiskers

fée, *f.* fairy
féerie [feri], *f.* enchantment, fairy scene, spectacular play, fairy land
fêlé, cracked (*of glass, bells*)
fêler, to crack (*glass, bells*)
féliciter, to congratulate
femelle, female; *f.* female, wife
*__femme__[fam], *f.* woman, wife; **leurs —s,** their womenfolk
fenaison, *f.* haying, haymaking
fendiller, to crack, split
fendre, to split, cleave, crack, break (heart)
*__fenêtre,__ *f.* window; **les —s d'en bas,** the ground-floor windows
fente, *f.* cleft, crack, crevice
*__fer,__ *m.* iron; **— rouge,** red hot iron; **valoir les quatre —s d'un chien,** to be worthless; **les —s de ses sabots,** her ironshod hoofs; **chemin de —,** railway
férié: **jour —,** holiday
*__ferme,__ firm, strong, resolute, steady; *f.* farm, farm house
fermé, closed, clenched; **un poing —,** a clenched fist; **une figure —e,** an irresponsive face; **une figure moins —e,** a more open face
fermement, firmly, sincerely
*__fermer,__ to close, lock up, shut, fasten; **— à double tour,** to double lock, lock tightly; **se —,** to be closed
fermeté, *f.* firmness, steadiness, strength
fermeture, *f.* fastening, clasp
fermier, *m.* farmer
férocité, *f.* ferocity, cruelty
ferraille, *f.* old iron, scrap iron
ferveur, *f.* fervor; **avec —,** fervently, ardently
*__fête,__ *f.* feast, holiday; **jour de —,** holiday; **— patronale,** patron saint's day, parish feast; **train de —s,** round of festivities
fêter, to celebrate, entertain, make much of, do honor to; **on ne fête pas ce saint-là,** they do not observe that Saint's day
*__feu,__ *m.* fire, flame, light, shot; **en —,** fiery, on fire, blazing; **— d'amour,** love's ardor; **un bon —,** a cheerful fire; **faire du —,** to light a fire; *adj.* the deceased; **— Bésigue,** the late Bésigue
*__feuille,__ *f.* leaf, sheet (*of paper*); **— de punitions,** guard house record, " black book " (*of disciplinary punishments*)
février, *m.* February
fiacre, *m.* cab
ficeler, to tie up, bind
ficelle, *f.* string, twine; **La F —,** a bit of string
*__fidèle,__ faithful; *m.* believer
fier, to trust, entrust, depend on; **se — à,** to trust
*__fi-er, -ère,__ proud, haughty, bold
fièrement, proudly, haughtily
fierté, *f.* pride, haughtiness, dignity; **avec —,** proudly
*__fièvre,__ *f.* fever
fiévreu-x, -se, feverish; **un —,** a fever patient; person with a fever
fifre, *m.* fife, fifer
fignolette, *f.* (*dialectical*), fignolette (a local cordial)
figurant, *m.* supernumerary, extra, one who takes a minor role
*__figure,__ *f.* face, figure; **par la —,** in one's face
*__figurer,__ to figure, picture, represent; **se —,** to imagine, fancy; **figurez-vous que . . .** just think
*__fil,__ *m.* thread, string; (*fig.*) hair;

quelques **—s gris,** some gray hairs
filante: étoile —, shooting star
file, *f.* file, row
filé, woven, spun
*__filer,__ to spin, weave, twine, withdraw, get away, be off
filet, *m.* net, trickle, streak, slender stream (of blood); **— tournant,** revolving net
*__fille,__ *f.* daughter, girl; **une jeune —,** a young lady; **petite —,** grand daughter; **vieille —,** old maid
fillette, *f.* little girl; **un peu trop —,** a little too sissified
filon, *m.* good spot, favorable job (*slang*); **choisir le —,** to choose a soft snap
*__fils__ [fis], *m.* son; **un — à maman,** a mama's pet (boy)
filtrer, to filter; glimmer through (*of light*)
*__fin,__ fine, dainty, thin, clever, keen, sharp, shrewd, exquisite, refined, precious; *f.* end, aim; **à la —,** at last; **sans —,** constantly, endlessly; **toute la —,** the very end, the rest; **ma perle —e,** my precious pearl; **meubles —s,** delicately wrought furniture; **mettre — à,** to put an end to
finauderie, *f.* cunning, craftiness; **— de Normand,** Norman cunning (*a Norman trait*)
finesse, *f.* fineness, ingenuity, shrewdness; **— native,** inborn shrewdness
fini, finished, all over, settled, done for
*__finir,__ to finish, end, put an end to; **— par,** finally; **il a fini par y aller,** he finally went there
fixe, fixed, staring; **les yeux —s,** with eyes staring
fixement, fixedly, intently; **regarder —,** to stare at
*__fixer,__ to fix, fasten, determine, set (time), appoint; **— les yeux sur,** to look steadily at; **— une heure,** to set an hour
flacon, *m.* flask, bottle; **le — vidé,** when the bottle was empty
flagellants, *m. pl.* Flagellant Brothers (*an order that practiced scourging in the 13th–15th centuries*)
flambant, flaming, bright, brand-new
flambée, *f.* blaze, flare
flamboyant, flaming, dazzling
*__flamme,__ *f.* flame, blaze, flash, fire; **pleine de —,** full of bright flames
flanquer, to flank, fling, consign, throw; **se — la tête en bas,** to pitch oneself head first
flèche, *f.* arrow
fléchir, to bend, give way
flegmatiquement, calmly, coldly, stolidly
*__fleur,__ *f.* flower, blossom; **en —,** in bloom, in blossom; **— d'oranger,** orange blossom; **ruban à —s,** flowered ribbon
fleurer, to exhale, be fragrant with, smell of
fleurette, *f.* little flower, blossom
fleuri, flowered, in bloom, decked, covered
fleurir, to flower, blossom, bloom
fleuve, *m.* river (*flowing into sea*)
flocon, *m.* flake, puff (of smoke)
flot, *m.* wave, flood, stream, throng; **un — d'hommes,** a surging throng
*__flotter,__ to float, drift about, fluctuate
flux [fly], *m.* course

fluxion, *f.* inflammation; **— de poitrine,** pneumonia
***foi,** *f.* faith, trust; **mauvaise —,** dishonesty; **ma —!,** upon my word! to be sure, of course
foie, *m.* liver; (*pop.*) **avoir les —s,** to be afraid, be "yellow"
foin, *m.* hay
foire, *f.* fair, market place; **jour de —,** market day
***fois,** *f.* time; **une —,** once; **encore une —,** once more, again; **une — de plus,** once more; **toutes les — que,** every time that; **à la —,** at the same time, at once, each time, at a time; **qu'une — assis,** until he was (comfortably) seated
fol *see* **fou**
***folie,** *f.* madness, folly
follet, -te: une barbe —te, a downy beard
***fonction,** *f.* function, duty
fonctionnaire, *m.* functionary, public official, government employee
***fond,** *m.* bottom, back, background, ground, basis, base, depth, heart; **à —,** thoroughly; **au —,** at heart, really, in the depths, fundamentally, at the bottom, in the most remote part; **au — de l'horizon,** on the verge of the horizon; **au — de mon être,** to the depths of my being; **la porte du —,** the rear door; **les —s de boutique,** old stock; **un petit — de merceries,** a small drygoods shop
***fonder,** to found, establish, base
***fondre,** to melt, cast
fontaine, *f.* fountain, spring
fonte, *f.* cast iron
forçat, *m.* convict
***force,** *f.* force, strength, might, ability, skill; **à — de,** by dint of, by, through; **être en —,** to be strong; **à toute —,** by all means, in spite of everything, at all costs; **de toutes ses —s,** with all his might, as fast as possible
***forcé,** forced, obliged
***forcer** (**à** *or* **de**), to force (to), oblige (to), break open
foresti-er, -ère, forest (clad), covered with forests, backwoods
***forêt,** *f.* forest
***forme,** *f.* form, shape
***former,** to form, shape, devise (a plan)
***formidable,** formidable, terrific
formuler, to formulate, express
***fort,** strong, powerful, great, clever, intense, good; *adv.* very, very much, greatly, loud; **parler —,** to talk aloud
***fortement,** strongly, firmly, very much, loudly
fortifier, to fortify, strengthen
***fortune,** *f.* fortune, chance, luck; **une fois — faite,** once one's fortune is made
fossé, *m.* ditch
fossette, *f.* dimple; **à —s,** dimpled
***fou, fol, folle,** mad, foolish, crazy, insane, stupid; *m. and f.* silly thing, fool, lunatic, jester
foudroyant, terrifying, crushing, overwhelming
fouet, *m.* whip
fouetter, to whip, switch, lash, beat
***fouiller,** to dig, excavate, search; **— dans la poche,** to fumble in one's pocket
***foule,** *f.* crowd, multitude, throng, mob; **la — inconnue,** the unknown masses
four, *m.* oven; **au —,** in the oven;

le — **chauffe pour moi,** things are getting hot for me
fourche, *f.* fork, pitchfork
fourmi, *f.* ant
fourneau, *m.* oven, furnace, stove
fourniment, *m.* shoulder belt, straps
***fournir,** to furnish, supply, provide
fourré, *m.* thicket
fourrer, to stuff, stick, thrust, poke; **se —,** to hide oneself, hide away
fourrure, *f.* fur
***foyer,** *m.* hearth, fireside, home
fracas, *m.* crash, noise, din
fragile, fragile, weak
fragment, *m.* piece, part, bit, chunk
***fraîche,** *see* **frais**
fraîchement, freshly, newly
fraîchir, to freshen, blow fresh, grow cool
***frais, fraîche,** fresh, cool, young, healthy; *m.* cool; **au —,** in the shade; *m. pl.* expense(s), cost; **à grands —,** at great expense
***franc, franche,** frank, free
***franc,** *m.* franc (*a coin formerly valued at 20 cents*)
***français,** French; **à la —e,** in the French style
Français, *m.* Frenchman
***franchir,** to leap over, clear, pass, cross, cross over
franc-tireur, *m.* sniper (member of a guerilla company)
***frapper,** to strike, hit, impress, knock, slap, tap, beat; **— du poing,** to pound; **frappé au cœur,** stricken to the core
frêle, frail, weak, fragile, weak-looking, thin, faint
frémir, to shudder, tremble, quiver, quake, throb; **— de,** to throb with
frémissant, shaking, trembling
frénétique, frantic, distracted, raving
frénétiquement, frenziedly, madly, like a madman
fréquent, frequent
fréquenter, to frequent, associate with, be with
***frère,** *m.* brother, friar, monk; *pl.* brethren; **— quêteur,** mendicant friar
friand, dainty, appetizing, delicious; **être — de,** to be fond of
frileusement, like one who is chilly
frimousse (*slang*) *f.* little (wry) face
fripé, rumpled
frisé, curled, curly
frisotter, to curl, wave
frisson, *m.* shiver, shudder, quiver
frissonnant, shuddering, shivering
frissonner, to shiver, tremble, shudder
frivole, frivolous, trivial, shallow
***froid,** cold, cool; *m.* cold; **avoir —,** to be cold; **faire —,** to be cold (weather)
froidement, coldly, coolly
froideur, *f.* coolness, coldness
froissé, cold, offended; **d'un air —,** with a show of annoyance, with an offended look, coolly
froissement, *m.* rustling, rustle, rumpling
froisser, to offend, hurt (one's feelings)
frôlement, *m.* rustling
frôler, to touch, brush lightly against, graze
fromageon, *m.* cream cheese, ewe-milk cheese
froncer, to wrinkle, knit; **— le sourcil,** to frown
***front,** *m.* forehead, brow, face; (war) front
frottement, *m.* rubbing, scraping

frotter, to rub, scratch, light (by scratching)
*__fruit,__ *m.* fruit, result
fruiti–er, –ère, fruit-bearing; *m.* fruit dealer; **chez le —,** to the fruit-dealer's
frusques, (*slang*) *f. pl.* old clothes, togs
*__fuir,__ to flee, take flight, take refuge; (*fig.*) to fly
*__fuite,__ *f.* flight, cscapc
fumant, smoking, steaming
*__fumée,__ *f.* smoke, fume, vapor, cloud of smoke
fumer, to smoke, steam
fumier, *m.* dunghill, manure
furet, *m.* ferret
fureur, *f.* fury, rage, passion; **avec —,** vehemently, ardently
*__furieu–x, –se,__ furious, wild, mad, raging, enraged; *m.* maniac, madman
fusée, *f.* fusee, rocket (*for signaling*)
*__fusil__ [fyzi], *m.* gun, rifle; **— à** pierre, flint lock; **la baïonnette au —,** with fixed bayonets
fusillade [fyzijad], *f.* fusillade
fusiller [fyzije], to shoot
futaie, *f.* high forest tree, forest of high trees
*__futur,__ future, coming; *m.* intended (husband); **–e,** *f.* intended (wife)

G

gâcher, to spoil, waste
gage, *m.* pledge, security; *pl.* wages, pay; **mettre en —,** to pawn
*__gagner,__ to earn, win, gain, reach
*__gai__ [ge], gay, merry, cheerful, lively, jolly
gaiement, gaily, merrily
*__gaieté,__ *f.* gaiety, mirth, liveliness; **en —,** in high spirits, merry (after drinking); **allumer les —s,** to make merry
gain, *m.* gain, winnings
galamment, gallantly, with great politeness
galant, *m.* lover, sweetheart, suitor; **de nouveaux —,** new suitors
galanterie, *f.* gallantry, pretty speech, compliment
galère, *f.* galley, boat
*__galerie,__ *f.* gallery, corridor, landing
Galice, *f.* Galicia (a province in N. W. Spain)
galon, *m.* (silk) braid, lace, stripe
galop, *m.*: **au grand —,** at full speed
galopin, *m.* rascal, scamp
gambader, to gambol, frisk about
*__gamin,__ *m.* brat, urchin, imp, little scamp; **—e,** *f.* little girl, lass
gant, *m.* glove
*__garçon,__ *m.* boy, lad, waiter, bachelor; **— de bureau,** office boy, office attendant
garçonnet, *m.* little fellow, lad
*__garde,__ *m.* guard, keeper, watchman, guardian; *f.* guard, watch, keeping, care; **— nationale,** National Guard; **prendre — (à)** to be careful (of), watch out (for); **prendre — de,** to take care not to; **prenez — de tomber,** take care not to fall; **monter la —,** to mount guard; **tomber en —,** to put oneself on the defense
*__garder,__ to guard, keep, watch over, take care of; **se — de,** be careful not to, be careful of
garde-robe, *f.* wardrobe
*__gardien__ [gardjɛ̃], *m.* guard, guardian, keeper

*__gare,__ *f.* railroad station
__garnement,__ *m.* scamp, good-for-nothing fellow, ne'er-do-well
__garnir: — de,__ to garnish with, adorn with, hang with, fit out with
__garnison,__ *f.* garrison
__garnisonner__ (*a made-up word*), to be garrisoned
__garrotté,__ garroted, bound hand and foot, tied
__gars__ [gɑ] (*fam.* = __garçon__), fellow, lad, boy
__gaspiller,__ to waste, squander
__gâteau,__ *m.* cake
*__gâter,__ to spoil, pamper
*__gauche,__ left, awkward, clumsy; *f.* left hand, left side; __à (la) —,__ to (at, on) the left ; __de —,__ to the left
__gauchement,__ awkwardly, clumsily
__gaule,__ *f.* switch, stick, pole
__gavotte,__ *f.* gavotte (kind of dance); __petit pas de —,__ dance step, brisk dancing gait
__gaz__ [gɑːz] *m.* gas
__gazon,__ *m.* grass, turf
__gel,__ *m.* frost, freezing; __de —,__ frosty
__gelé,__ frozen
__gelée,__ *f.* frost
__geler,__ to freeze
__gelinotte,__ *f.* hazel-grouse (a delicious game bird)
__gémir,__ to groan, wail, moan
__gémissement,__ *m.* groan, moan, whine
__gênant,__ annoying, embarrassing, hindering, bothersome
__gendre,__ *m.* son-in-law
__gêne,__ *f.* annoyance, constraint, poverty, privation
*__gêner,__ to inconvenience, trouble, embarrass, constrain, bother
*__général,__ general; *m.* general
*__généreu–x, –se,__ generous, liberal, bountiful
__générosité,__ *f.* generosity, liberality
__genêt,__ *m.* broom (*yellow flower*); __— d'or,__ golden broom
*__génie,__ *m.* genius, gift
*__genou,__ *m.* knee; __être à —x,__ to be kneeling; __se jeter à —x,__ to fall at someone's feet
*__genre,__ *m.* genus, kind, sort, species; __il trouva cela bon —,__ he considered it a sign of good breeding
*__gens,__ *m. pl.* people, persons, servants, men, folk; __les — des champs,__ the rustics, the country folk; __jeunes —,__ *m.* or *f. pl.* young men, young people
*__gentil__ [ʒɑ̃ti], __–le__ [ʒɑ̃tiːj], nice, kind, pleasing, amiable
__gentiment,__ gently, gracefully
__gerber,__ to harvest, do away with
__gerfaut,__ *m.* gerfalcon (*bird of prey*)
__gésir,__ to lie; __gisaient,__ were lying
*__geste,__ *m.* gesture, motion, movement; __d'un — de la main,__ with a wave of the hand; __d'un —,__ with a gesture; __avoir un —,__ to make a gesture
__gibecière,__ *f.* pouch, game-bag, knapsack
__giberne,__ *f.* cartridge-box, pouch
__gigantesque,__ gigantic, huge
__gigot,__ *m.* leg of mutton
__gilet,__ *m.* vest, waistcoat
__giron,__ *m.* lap
__gisait,__ lay (*see* __gésir__)
__gîter,__ to lodge
*__glace,__ *f.* ice, mirror
__glacé,__ frozen, chilled, icy, benumbed, cold
__glacial,__ icy; (*fig.*) cutting
__glapissant,__ yelping, squeaking, strident, sharp

*__glisser,__ to slide, glide, slip; **se —,** to creep into, slip, glide

*__gloire,__ *f.* glory

glorieux, -se, glorious, proud, triumphant, elated; **l'air —,** with a proud look, with a swagger

glouglou, *m.* bubbling

goguenard, jeering, mocking, scoffing, bantering

gonflé, swollen, distended, puffed up

gonfler, to swell, inflate, swell out, puff out; **— de,** to bulge with

*__gorge,__ *f.* throat, defile, ravine, entrance; **serrer la —,** to have a lump in one's throat

gosier, *m.* gullet, throat

gosse, *m.* youngster, "kid"

gothique, gothic; **— flamboyant,** flamboyant Gothic (*architecture characterized by flame-like curves*)

gourmand, greedy; *m.* gourmand, glutton

gourmet, *m.* gourmet, epicure; **en véritables —s,** like real epicures

gousset, *m.* waistcoat pocket, vest (fob) pocket

*__goût,__ *m.* taste, flavor, savor, liking

*__goûter__ (**à, de** *or trans.*), to taste, try; **à —,** something to eat; **y —,** to taste it (them); **voilà vingt ans que je n'y ai goûté,** I haven't tasted any for twenty years

*__goutte,__ *f.* drop (*of liquid*)

gouvernante, *f.* governess, housekeeper

*__gouvernement,__ *m.* government

gouverner, to steer (a ship), govern

*__grâce,__ *f.* grace, charm, thanks, pardon, mercy; **avec —,** gracefully; **— à,** thanks to, owing to; **— au ciel!** thank Heaven! **de —!** for goodness' sake! **faire — à (de),** to pardon, spare

gracier, to pardon

gracieusement, graciously, pleasantly, favorably

gracieu-x, -se, gracious, graceful

grade, *m.* rank, grade; **par —,** according to rank

*__grain,__ *m.* grain, corn

graine, *f.* seed

*__grand,__ large, tall, great, big, main, chief, grand; **laver à —e eau,** to scrub

grand'chose, *pron. m.* much

*__grandeur,__ *f.* size, height, bulk, greatness, grandeur

*__grandir,__ to grow, increase

grand'mère, *f.* grandmother

grand'messe, *f.* high mass

grand'peine, *f.* great difficulty, hard time

grange, *f.* barn

grappe, *f.* cluster

gras, -se, fat, plump, greasy; guttural (*accent*)

gratter, to scratch; **— à mort,** to scratch to death

*__grave,__ grave, solemn, serious, hollow, dirgelike (*sound*)

graver, to engrave; **— dans,** to engrave into

*__gravement,__ gravely, seriously

gravir, to go up, climb, clamber over

gravure, *f.* picture; **— à l'eau forte,** etching

*__gré,__ *m.* will, wish, pleasure, liking; **à notre —,** to our liking

Grèce, *f.* Greece

greffier, *m.* clerk (of a court), recorder (of a tribunal)

grêle, slender, thin, shrill (*voice*)

grelot, *m.* small round bell (like a sleigh-bell); (*ringing of*) little bell

grelottant, shivering
grenadier, *m.* grenadier (a soldier who throws grenades)
grenier, *m.* attic, loft, garret, granary
grièvement, grievously, seriously, severely
griffe, *f.*: **coup de —,** scratch
griller, to broil, grill; **— au four,** to roast, bake
grimace, *f.* grimace, grin; **faire la —,** to make a wry face
grimper, to climb, creep, cling
grippé, *m.* influenza victim, person ill with the grippe
***gris,** gray, tipsy; **en avoir de —es,** to have a merry (hot) time
grisé, intoxicated, carried away
grisonnant, turning gray (*of hair*)
grog [grɔg], *m.* grog (a strong drink)
grogner, to grunt, growl, grumble
grommeler, to grumble, mutter
***gronder,** to scold, rumble, roar
***gros, -se,** big, stout, coarse, rough, fat, large; **ses — yeux,** her bulging eyes; **faire — cœur,** to make sick at heart
grossi-er, -ère, coarse, vulgar, ruthless, crude, uncivilized
grossir, to increase, grow bigger, rise, swell (of rivers)
***groupe,** *m.* group; **par —s,** in groups
grouper, to group
***guère,** scarcely; **ne — guère,** scarcely, hardly; **ne . . . — que,** scarcely anything but
***guerre,** *f.* war; **faire la — à,** to war on; **la Grande Guerre,** the World War (1914–18)
guetter, to watch for, be on the lookout for, spy about
gueuler, to speak loudly, shout out, stand out
gueusard, *m.* rascal, scoundrel
gueux, *m.* beggar, rascal, scoundrel
guider, to guide, conduct
guimpe, *f.* guimpe, neckerchief, veil
guise, *f.* fancy, way; **à sa —,** to one's (his, her) heart's content, in one's own way, according to one's fancy

H

(*The sign* ' *preceding a word indicates that* **h** *is aspirate*)

habileté, *f.* ingenuity, skill, ability
***habiller,** to dress; **s'—,** to get dressed, to dress oneself
***habit,** *m.* suit, dress-coat, garment, uniform, coat; *pl.* clothes
***habitant,** *m.* inhabitant, resident, occupant
***habiter,** to live in (*or* at), inhabit
***habitude,** *f.* habit, custom, use, practice; **d'—,** habitually, usually; **avoir l'— de,** to be in the habit of
habitué, accustomed, used; **être — à,** to be used to; *m.* frequenter, inmate, regular customer
***habituel, -le,** habitual, customary, usual
habituer, to accustom; **— à,** to accustom to; **s'— à,** to become accustomed to, get used to
haché, hashed, staccato, jerky
hagard, haggard, wild, drawn (*face*)
*'**haie,** *f.* hedge, hurdle
'**haillon,** *m.* rag, tatter
*'**haine,** *f.* hatred, hate, odium
'**hâle,** *m.* sunburn, tan
haleine, *f.* breath; **reprendre —,** to catch (recover) one's breath
'**haletant,** panting, breathless
'**haleter,** to pant, breathe hard, gasp

'hallebarde, *f.* halberd (*an ancient long-handled weapon*)
hallucination, *f.* hallucination, delusion
'halte, *f.* halt, stopping (*for a moment*), stop; **faire —,** to halt, stop
'hameau, *m.* hamlet, small village
'hanneton, *m.* may-bug, beetle
'hanter, to haunt; **— de,** to haunt with
'harceler, to harass, torment
***'hardi,** bold, daring, hardy, rough
hardiment, boldly
'haricot, *m.* bean; **—s de semence,** seed-beans
harmonie, *f.* harmony; **table d'—,** sounding board
harmonieu-x, -se, harmonious, symmetrical
'harnachement, *m.* trappings, rig, harnessing, heavy clothing
'harnacher, to harness, bedeck, rig out
***'hasard,** *m.* chance, luck, venture, hazard; **par —,** by chance; **à tout —,** at all hazards; **au —,** at random
***'hâte,** *f.* haste, hurry; **à la —,** hastily; **en —,** quickly
***'hâter,** to hurry, hasten; **se —,** to hurry, make haste
'hâti-f, -ve, hasty, premature, prematurely
***'hausser,** to raise, lift, shrug; **— les épaules,** to shrug one's shoulders
***'haut,** high, tall, upper, raised, loud; **le chemin —,** the upper road; **le — clergé,** the higher clergy; **l'arme —,** with guns raised; **à —e voix,** aloud; **là-—,** up there; **tombant de —,** falling from above; **du — en bas,** from top to bottom; **tout —,** aloud; *adv.* aloud, loudly; *m.* top; **en —,** upstairs, upwards; **de —,** from above; **tout en — de,** way up in
***hauteur,** *f.* height, elevation, haughtiness; **à la — de,** on the level of, up to the level of; **prendre —,** to get altitude, go up
'hé, *interj.* ho! well! **— 'hé!** well, well!
hectare, *m.* hectare (about $2\frac{1}{2}$ acres)
'hein! eh! huh! what (do you say)?
***hélas** [elɑːs]! alas!
'héler, to hail, call
***herbe,** *f.* grass, herb, plant; **mauvaises —s,** weeds; **aux —s,** by the grass
héréditaire, hereditary, inherited
'hérisser, to bristle up, cause to bristle, make stand on end
hériter, to inherit, receive an inheritance
***héroïque,** heroic, brave
héroïquement, heroically, bravely
hésitant, hesitating
***hésitation,** *f.* hesitation
***hésiter,** to hesitate, waver, falter
***heure,** *f.* hour; **à l'— même,** just now, at that very hour; **à la bonne —,** well and good; **tout à l'—,** in a little while, presently; a little while ago; **de bonne —,** early; **à l'— présente,** just then; **sur les trois —s,** about three o'clock; **quelle — est-il?** what time is it? **à toute —,** at any moment
***heureusement,** happily, fortunately, luckily; **— que,** fortunately (that)
***heureu-x, -se,** happy, fortunate, lucky; **la bien-heureuse vierge**

Marie, the blessed Virgin Mary; *m. or f.* happy person, happy one

*'**heurter**, to run against, bump, hit, knock, shock

'**hibou**, *m.* owl

***hier** [iɛːr *or* jɛːr], yesterday; **d'—**, yesterday

'**hiérarchie**, *f.* hierarchy, rank

hirondelle, *f.* swallow

***histoire**, *f.* history, tale, story; **— de rire**, just for a joke, something to laugh at; **toute une —**, quite a long story

***historique**, historical

***hiver**, *m.* winter

'**hocher**, to shake, wag (the head)

hommage, *m.* homage, respect; *pl.* acts of homage or respect; **rendre — à**, to pay homage to

***homme**, *m.* man, husband; *pl.* mankind; **— sans aveu**, vagabond, vagrant, criminal; **— de bien**, a good (upright) man

***honnête**, honest, well-bred, respectable, polite, honorable, virtuous; **—s gens**, respectable people

honnêtement, honestly, fairly, respectably, respectfully, properly, politely

***honneur**, *m.* honor, good faith, credit; **faire — à**, to honor, make good (an indorsement, a signature)

'**honte**, *f.* shame, disgrace; **une sorte de —**, a feeling of shame; **avoir —**, to be ashamed; **faire —**, to shame, make ashamed

'**honteu-x, -se**, ashamed, bashful, shameful, shame-faced

hôpital [ɔpital], *m.* hospital

'**hoquet**, *m.* hiccup, gasp

***horizon**, *m.* horizon; **à l'—**, on the horizon

horloge, *f.* large clock, (town or church) clock

***horreur**, *f.* horror, loathing, dread

***horrible**, horrible, frightful, horrid

*'**hors** (**de**), out (of), beside, except, save; **— de soi**, beside oneself (with rage, etc.); **— de combat**, disabled

hospice, *m.* alms-house, orphans' home, asylum

hostile, hostile, unfriendly

hostilité, *f.* hostility

***hôtel** [ɔtɛl], *m.* hotel, mansion, town-house, building, government building; **— du ministère**, official mansion (*of the minister*)

'**hou!** hoo! (howling of a wolf)

'**houppelande**, *f.* cloak, overcoat

'**hourra**, *m.* hurrah, cheer

huissier, *m.* door-keeper

huissier-priseur (= **commissaire-priseur**), *m.* appraiser

*'**huit**, eight; **— jours**, a week

huître, *f.* oyster

***humain**, human, humane; *m. pl.* human beings, people, mankind

***humanité**, *f.* humanity (*all senses*)

***humble**, humble, lowly, meek

humecter, to moisten; **s'—**, to become moist

***humeur**, *f.* humor, mood, disposition, bad humor; **plein d'—**, out of sorts, in bad temper; **en belle —**, in good humor, in fine spirits; **bonne —**, cheerfulness

humide, damp, moist, wet, humid, watering (of the mouth)

humilié, humiliated, humbled

humiliant, humiliating, mortifying

humilité, *f.* humility, humbleness

'**hurlement**, *m.* howling, roar

'hurler, to howl, yell, roar
hymne [imn], *m.* hymn, song, anthem
hystérique, hysterical

I

ibis [ibis], *m.* ibis (bird)
***ici,** here, this place
***idéal,** *m.* ideal; **l'— du voyage,** the ideal trip
***idée,** *f.* idea, notion, thought, sense, plan, opinion; **c'est mon —,** that's my opinion
identique, identical
idéo-analytique, ideo-analytic
idiot, *m.* idiot, fool, imbecile
if [if], *m.* yew-tree
ignominieu-x, -se, disgraceful, inglorious
***ignorant,** ignorant; *m.* ignorant person, ignoramus, dunce
***ignorer,** to be ignorant of, not to know, be unaware of
***il,** he, it; *impersonally,* **il** = there; **— y a,** there is (are); **— est,** there is (are); **— vint un grand orage,** there came a great storm, i.e. a great storm came
***île,** *f.* island, isle
***illusion,** *f.* illusion, delusion
illusoire, deceptive, imaginary, deceitful, delusive
***illustre,** illustrious, famous, well-known
îlot, *m.* small island, islet
***ils,** they
***image,** *f.* image, picture, reflection, likeness
imaginaire, imaginary, fancied
***imagination,** *f.* imagination, fancy
***imaginer,** to imagine, picture, think, conceive, figure out; **s'—,** to imagine, fancy
***imbécile,** silly, stupid; *m. or f.* imbecile, fool
***imiter,** to imitate, copy, mimic
immédiat, immediate, instant
***immédiatement,** immediately, at once
***immense,** immense, huge, vast, boundless, mighty
***immobile,** still, unmoved, motionless
immodéré, immoderate, excessive
***impatience,** *f.* impatience, lack of patience; **avec —,** impatiently, anxiously
impeccable, impeccable, faultless
imperceptible, imperceptible, invisible, unnoticed, unseen, very faint
imperceptiblement, faintly, imperceptibly
impériale, *f.* top, upper deck (of a bus, stage-coach)
impérieux, imperious; **besoin —,** pressing (compelling) need
implorer, to implore, beg (for)
***importance,** *f.* importance, moment, magnitude; **chose d'—,** important matter
***important,** important; *m.* important thing
***importer,** to matter, signify, be important; **n'importe,** no matter, it doesn't matter; **n'importe où,** anywhere
importun, importunate, persistent, urgent, tiresome, unfortunate, vexatious
imposant, imposing, impressive
***imposer,** to impose, enforce, inspire (respect), lay on; **s'—,** to become known, obtrude oneself; **s'— à,** to intrude, force oneself upon
***impossible,** impossible, not feasible
impôt, *m.* tax, toll

imprécation, *f.* curse
imprégné (de), filled (with)
***impression,** *f.* impression, print
impressionné, impressed, affected
imprévu, unforeseen, unexpected, unlooked-for
***imprimer,** to print, imprint, impress; **s'—,** to be printed
improviser, to improvise, construct
imprudent, imprudent, shameless, thoughtless, not cautious
impuissant, powerless, helpless, beyond help, impotent
impulsion, *f.* impetus, impulse, push
***incapable,** incapable, unfit, unable, incompetent
inchangé, unchanged (*of price, etc.*)
***incident,** incidental, casual; *m.* incident, event, occurrence
incliner, to incline, bend down, slope; **— la tête,** to nod; **s'—,** to bow
***inconnu,** unknown, strange; *m.* unknown person, stranger
incontinent (*archaic*), at once, forthwith
incrédule, incredulous, skeptical; *m.* incredulous person, unbeliever, skeptic
***indépendance,** *f.* independence, freedom
indépendant, independent, free, striding (*in gait*)
Indes, *f. pl.* East Indies
index [ɛ̃dɛks], *m.* index finger, forefinger
indifférence, *f.* indifference, lack of interest, unconcern
***indifférent,** indifferent, unconcerned; **quelques —s,** some disinterested persons
indigène, *m. or f.* native
indigne, unworthy, undeserving
indigné, indignant, angry
indigner, to anger, make angry, to excite indignation; **s'—,** to become angry
***indiquer,** to indicate, show, point out, designate
indiscipline, *f.* insubordination, indiscipline, lack of discipline
indiscre-t, -ète, indiscreet, inconsiderate, injudicious
indiscrétion, *f.* imprudence
***indispensable,** indispensable, essential, absolutely necessary
***individu,** *m.* individual, fellow, person
Indo-Chine, *f.* Indo-China
indu, untimely, late, unreasonable; **une heure —e,** at (such) a late hour
indulgence, *f.* indulgence, pardon, leniency
indulgent, indulgent, lenient, kind
***industrie,** *f.* industry, manufacture, trade
***industriel,** industrial; *m.* manufacturer
inégal, unequal, uneven
inégalité, *f.* inequality
inestimable, invaluable, priceless
inévitable, unavoidable, bound to happen
infâme, vile, scoundrelly
infect [ɛ̃fɛkt], foul, filthy, stinking
***inférieur,** inferior, lower; *m.* inferior person
infernal, infernal, hellish, accursed
***infini,** infinite, endless, extreme, boundless; **à l'—,** infinitely, endlessly, *ad infinitum;* *m.* infinity, infinite
infirmier, *m.* hospital attendant, orderly, male nurse
infliger, to inflict
***influence,** *f.* influence, sway
informe, shapeless, formless

***informer,** to inform, acquaint; **s'— de,** to inquire about, ascertain
infortuné, unfortunate, unlucky
ingénieur, *m.* engineer
ingénument, frankly, openly, sincerely
injurier, to insult, abuse, berate; **s'—,** to insult one another, call one another names
injuste, unjust, unfair
***innocent,** innocent; *m.* simpleton
innommable, unnamable, nondescript
innovation, *f.* innovation, new method (of crime)
inoffensi-f, -ve, inoffensive, harmless
inouï [inwi], unheard of
***inqui-et, -ète,** uneasy, troubled, restless, fidgety, worried, disturbed, anxious
inquiétant, alarming, disturbing
***inquiéter,** to make uneasy, alarm, disturb, trouble; **s'— (de),** to worry (about), be uneasy (about)
***inquiétude,** *f.* uneasiness, restlessness, anxiety, worry; **avec —,** anxiously
***inscrire,** to inscribe, register, enter, write
insensiblement, gradually, imperceptibly, unconsciously
insignes, *f. pl.* insignia, marks
***insister,** to insist, persist
insondable, fathomless, unfathomable
***inspirer,** to inspire, prompt, arouse
***installer,** to install, set up, settle; **s'—,** to take up one's abode, establish oneself, settle down
***instant,** urgent; *m.* instant, moment; **à l'—,** immediately
***instinct** [ɛ̃stɛ̃], *m.* instinct; **leur — d'élégance,** their instinctive recognition of elegance
instincti-f, -ve, instinctive
***institution,** *f.* institution, establishment
***instruction,** *f.* instruction, education, knowledge, ingenuity; **juge d'—,** examining magistrate
***instruire,** to instruct, teach, inform, educate, train, tell
insuccès, *m.* failure, lack of success
intact, intact, unchanged, untouched, spotless
intègre, honest, upright
***intelligence,** *f.* intelligence, knowledge, understanding, wisdom; **vivre en bonne —,** to live on good terms
***intelligent,** intelligent, keen; intellectual
***intention,** *f.* intention, intent, purpose, meaning; **avoir l'— de,** to intend to, mean to
***interdire,** to prohibit, deprive
interdit, forbidden, dumbfounded, speechless, overwhelmed, confused, disconcerted
***intéressant,** interesting, of interest
intéressé, *m.* person concerned
***intéresser,** to interest; **s'— à,** to take an interest in, be interested in
***intérêt,** *m.* interest; **—s superposés,** compound interest
***intérieur,** interior, internal; *m.* interior, home; **à l'—,** within, inside
intérieurement, inwardly, internally, mentally
interminable, interminable, endless
internation-al, -aux, international
interprète, *m.* interpreter
***interroger,** to question, question closely, cross-examine

*interrompre, to interrupt; s'—, to break off, pause, stop (speaking, etc.)

*intervention, *f.* intervention, interference

*intime, intimate, close, loyal, private; *m. or f.* close friend

intimider, to frighten, intimidate, overawe; s'—, to be frightened, become abashed

intituler, to entitle, call

intolérable, intolerable, unbearable

intonation, *f.* intonation, inflection (*of one's voice*)

intrépide, intrepid, fearless

intrigant, *m.* intriguer, schemer

intrigue, *f.* intrigue, scheming, plot; voilà ce que c'est que l'—, that's what scheming can do

intrigué, puzzled, curious

*introduire, to introduce, show in, put in

inusable, durable, that cannot be worn out

*inutile, useless, needless, unnecessary

invalide, *m. and f.* crippled person

invariablement, invariably

*inventer, to invent, devise, trump up

*invention, *f.* invention, trick

invétéré, inveterate, deeply rooted

invincible, unconquerable, uncontrollable

*invisible, invisible, imperceptible

*inviter (à), to invite (to), ask, request

ironie, *f.* irony

ironique, ironical; jeu —, ironical quirk

irrégulier, irregular, desultory

irrémissiblement, unpardonably, irreparably, irretrievably

irrésistiblement, irresistibly

irrité, irritated, angry, angered

irriter, to irritate, provoke, make angry, exasperate, bore

*isolé, isolated, solitary, detached, alone

issue, *f.* way out, issue, end; sans —, hopeless

*italien, -ne, *adj.* Italian; Italien, -ne, *m. and f.* Italian

ivoire, *m.* ivory

ivre, intoxicated, drunk; homme —, drunken man, drunkard

ivresse, *f.* intoxication, drunkenness, rapture

J

Jacques [ʒɑːk] James

*jadis [ʒadis], formerly, once, of old

jalousie, *f.* jealousy

*jalou-x, -se, jealous, anxious

*jamais, ever; ne . . . —, never; à —, forever; — de réclamations, (there were) never any protests

*jambe, *f.* leg

*janvier, *m.* January

jaquette, *f.* jacket, coat (falling below the knees), frock; traîner sa — dans les ruisseaux, to loaf (wander) about all the gutters

*jardin, *m.* garden

jardinier, *m.* gardener; le — d'en bas, the gardener (who lives) below

jargon, *m.* jargon, lingo

jaser, to chatter, gossip, prattle

*jaune, yellow; *m.* yellow

jauni, become yellow, turned yellow

*je, I

Jeanneton (diminutive and pet name of Jeanne), sweetheart

jetée, *f.* jetty, pier

*__jeter,__ to throw, cast, fling, utter; __— un cri,__ to utter a cry; __— un regard,__ to cast a glance; __— bas,__ to bring down; __lui jetant au cœur une audace désespérée,__ giving him the boldness of desperation

__jeteur,__ *m.* thrower, caster (of spells)

*__jeu,__ *m.* play, gambling, game, sport; __au —,__ in playing (gambling)

*__jeudi,__ *m.* Thursday; __— saint,__ Maundy Thursday (day before Good Friday)

*__jeune,__ young, youthful; __— fille,__ young lady, girl

*__jeunesse,__ *f.* youth, youthfulness, boyhood, girlhood, young people

__joaillier__ [ʒwɑje], *m.* jeweler, maker (or seller) of jewels

*__joie,__ *f.* joy, mirth, pleasure; __folle de —,__ mad with joy

*__joindre,__ to join, add, clasp (together), unite, combine, attack; __— les mains,__ to clasp one's hands

__joint,__ joined, clasped; __— à,__ added to; __à pieds —s,__ with one's feet together

*__joli,__ pretty, nice, fine, good-looking, handsome

__jonc__ [ʒɔ̃], *m.* rush, cane, reed, ring

__joncher (de),__ to strew, scatter, litter, cover (with)

__jongler,__ to juggle, do tricks

__jongleur,__ *m.* minstrel, juggler, trickster, tumbler

*__joue,__ *f.* cheek

*__jouer,__ to play, play for, gamble, joke; __ne — plus,__ to drop out (of a game)

__joueur.__ *m.* gambler, player, card player

*__jouir de,__ to enjoy, use, have, get a laugh out of

__joujou,__ *m.* plaything, toy

*__jour,__ *m.* day, daylight, daybreak; __ce —-là,__ on that day; __tout le —,__ all day long; __tous les —s,__ every day; __de tout le —,__ all day long; __au petit —,__ at daybreak; __au — tombant,__ at nightfall; __au — levant,__ at daybreak; __quinze —s,__ two weeks; __tous les quinze —s,__ every fortnight; __des jours bien durs__ very hard times; __— de première (représentation),__ first night (*of plays*)

*__journal,__ *m.* journal, newspaper; __il se rendit aux journaux,__ he went to the newspaper offices

__journalisme,__ *m.* journalism

__journaliste,__ *m.* newspaper man, reporter

*__journée,__ *f.* day, day's work

__joyeusement,__ joyfully, cheerfully, gleefully

*__joyeu-x, -se,__ joyful, merry, cheerful

*__juge,__ *m.* judge

*__jugement,__ *m.* judgment, opinion

*__juger,__ to judge, think, consider, criticize

__juillet,__ *m.* July

__jument,__ *f.* mare

__jupe,__ *f.* skirt

__jupon,__ *m.* petticoat; __— en loques,__ ragged petticoat

__juré,__ *m.* juryman, juror

*__jurer,__ to swear, blaspheme, vow; __— avec,__ to contrast with

__jus,__ *m.* juice, gravy

*__jusque,__ to, as far as, until; __jusqu'à,__ as far as, up to, to; __jusqu'à ce que,__ until; __jusqu'à dimanche,__ so long until next Sunday; __jusqu'aux larmes,__ to the point of tears; __jusqu'aux donneurs d'eau bénite,__ all, even to, etc.

*__juste,__ *adj. and adv.* just, right,

exactly, correct; **au —,** exactly, precisely
***justement,** justly, precisely, just then, as luck would have it; **— ce soir-là,** on that particular evening
***justice,** *f.* justice, law (and order)
justifier, to justify
juvénile, juvenile, youthful, girlish

K

Kasba, *f.* Casbah, native and slum district (*of Algiers*)
képi, *m.* cap; **le haut — droit,** the high straight cap (*originated in Algeria by the French, and worn by French soldiers until 1915*)
kilomètre, *m.* kilometer (*about* $\frac{5}{8}$ *of a mile*)

L

***la,** *f.* the, her, it
***là,** there, here; **par —,** up there, around there, in that vicinity
-là, (*joined to a noun to indicate* that *or* those); **cette maison-là,** that house; **ces maisons-là,** those houses
***là-bas,** over there, yonder
laboureur, *m.* plowman, farm-laborer
lac, *m.* lake
lâchage, *m.* releasing, discharge
***lâcher,** to loosen, let go, release, drop
lâcheté, *f.* cowardice, baseness
lâcheur, *m.* quitter, deserter
là-dedans, in there, in it, inside, in that one
là-dessus, thereon, thereupon, on that, above; **par —,** over and above all that
là-haut, above, up there; **tout —,** away up there
laideur, *f.* ugliness
***laine,** *f.* wool; **de —,** woolen
laïque, *m.* laic, layman
***laisser,** to leave, let, let have, allow, bequeath, leave behind, cause to be; **— tomber,** to drop, slip; **— voir,** to allow to be seen; **se —,** to allow oneself to be; **se — faire,** to make no resistance; **— beaucoup de corde,** to give a lot of rope; **se — tomber,** to throw oneself
lait, *m.* milk
laiteu-x, -se, milky
laiterie, *f.* milk-house, dairy, barn
lambrusque, *f.* wild vine
lame, *f.* blade
lamentable, deplorable, pitiful
lamenter, to lament; **se —,** to deplore, bewail
lampe,** *f.* lamp; ***la lampo qui filo = (**la — file**), the lamp is smoking
lance, *f.* lance; **— à feu,** slow match, fusee
lancement, *m.* throwing, launching; **faire un — de,** to make a start with
***lancer,** to throw, fling, dart, utter, let go, blow out, call forth, announce
lancier, *m.* lancer
***langage,** *m.* language, speech, style of utterance
***langue,** *f.* tongue, language; **prendre —** (*slang*), to start a conversation
languir, to languish, pine; **se — (de),** to pine away (for), miss, yearn (for)
lapin, *m.* rabbit
***laquelle,** *see* **lequel**

*__large,__ broad, wide, ample, liberal; *m.* open space, freedom
*__larme,__ *f.* tear; **une crise de —s,** a fit of hysterical weeping
larmoyant, full of tears, pathetic
larron, thievish; *m.* thief
*__las, -se,__ tired, weary
lassant, wearisome
lasser: se —, to get tired, grow weary; **se — de,** to get tired from
*__latin,__ *m.* Latin; **en —,** in Latin
latitude, *f.* latitude, freedom
lavé, washed; **le ciel étant —,** the sky having cleared
laver, to wash; **— à grande eau,** to scrub (with lots of water); **se —,** to wash oneself
*__le,__ the, him, it, so; **mon cœur me — dit,** my heart tells me so; **comme l'espérait son mari,** as her husband hoped
*__leçon,__ *f.* lesson
lecteur, *m.* reader
*__lecture,__ *f.* reading
légalement, legally
légende, *f.* legend
*__lég-er, -ère,__ light, slight, slightly, softly, gently
légume, *m.* vegetable; (*slang*) ' big shot '
Leipsick [lɛpsik], Leipzig (*a city in Germany*)
*__lendemain,__ *m.* tomorrow, next day, following day, day after
*__lent,__ slow, dilatory, lingering, deliberate, slow-moving (*of a crowd*)
*__lentement,__ slowly; **couler —** (*of tears*), trickle down
*__lequel, laquelle, lesquels, lesquelles,__ which, who, whom, that; which (one)?
*__les,__ the, them
leste, light, nimble, lively, brisk
*__lettre,__ *f.* letter; **avoir des —s,** to be educated, to be an educated person
lettré, *m.* literary man, scholar
*__leur,__ *pron.* to (for) them; **le (la) —, les —s,** theirs
levée, *f.* rising, uprising, upheaval
*__lever,__ to raise, lift; **se —,** to rise, get up, break; **se — de table,** to leave one's dinner (table); *m.* rising; **à son —,** when it rises
*__lèvre,__ *f.* lip; **du bout des —s,** in a forced (artificial) manner
lézard, *m.* lizard; *fig.* flash
liane, *f.* bindweed, creeper
liard, *m.* penny, cent (*old French coin*)
liasse, *f.* bundle, roll, file (*of documents*)
libéral, liberal, generous
*__liberté,__ *f.* liberty, freedom
libertin, *m.* free-thinker; **un peu —,** somewhat of a free-thinker
*__libre,__ free, independent; **— de liens,** free from (his) bonds
librement, freely
librettiste, *m. or f.*, librettist
lice, *f.* warp; **tapissées de hautes —s,** strewn with broad pieces of tapestry
licence, *f.* licence, laxity, lack of restraint
licol (= **licou**), *m.* halter
lié, tied, intimate, familiar; **être — avec,** to be on friendly terms with, intimate with
*__lien,__ *m.* bond, tie, link; **libre de —s,** free from bonds
*__lier,__ to tie, connect
*__lieu,__ *m.* place, spot; **au — de,** instead of, in the place of; **avoir —,** to take place; **— du combat,** place of battle

lieue, *f.* league (*about* $2\frac{1}{2}$ *miles*); **faire une —,** to travel a league
***lieutenant,** *m.* lieutenant
lièvre, *m.* hare
***ligne,** *f.* line, front line; **en —,** lined up; **pêcher à la —,** to fish with rod and line
***limite,** *f.* limit, boundary
limpide, limpid, clear
linge, *m.* linen, (cotton or linen) cloth, house linen, clothes; **un — blanc,** a white (linen) cloth
liqueur, *f.* liqueur, liquor, cordial, spirits; **— du pays,** cordial made in one's own province
liquide, *m.* liquid, drink, juice
***lire,** to read, discern, detect
lis [lis], *m.* lily
lisière, *f.* border, edge (of a wood)
***lit,** *m.* bed
liteau, *m.* stripe; **à —x,** striped
litre, *m.* litre (*about* $\frac{7}{8}$ *of a quart*), litre measure; (*fig.*) **un —,** a jug (*of wine, cider, etc.*)
littéralement, literally
livide, livid, pale, gray, ashen
***livre,** *m.* book; *f.* pound (*weight of about 490 grammes); also a coin no longer in use, worth about* one franc; *in speaking of one's income* = 1 franc
***livrer,** to surrender, give up, betray, deliver, hand over; **se — à,** to give oneself up to, devote oneself to
loc–al, –aux, local
locution, *f.* expression, phrase
logement, *m.* lodging, apartment, household, (*mil.*) billet, quarters; **changer de —,** to change lodgings, to move
loger, to lodge, house, live, billet
logette, *f.* small cell; **— de lépreux,** leper's cell
***logique,** logical, reasonable
logis, *m.* lodging, home, house
***loi,** *f.* law
***loin,** far away, distant; **de —,** from afar, from (at) a distance; **au —,** at a distance, far off, in the distance
***lointain,** distant, far away; *m.* distance
loisir, *m.* leisure, opportunity, time
Londres, *m.* London
londrès [lɔ̃drɛs], *m.* Havana cigar (*so-called by the French because it was originally made for the London* [**Londres**] *market*)
***long, longue,** long, lengthy, tall, slow, elongated, thin; *m.* length; **le — de,** along; **tout le — de,** all along; **de —,** along
longe, *f.* tether, lead-rope
***longtemps,** a long time, a long while; **depuis —,** for a long time, long since
longue, *f.* length; **à la —,** in the long run
longuement, at length, for a long time, deliberately
loque, *f.* rag; **en —s,** tattered
lorgnette, *f.* glass, opera-glass, field glass
Lorraine, *f.* Lorraine (*a former province in northeastern France*)
***lors,** then; **— de,** at the time of; **depuis —,** from that time
***lorsque,** when
louange, *f.* praise; **chanter (célébrer) les —s de Dieu,** to praise the Lord
louer, to praise, rent; **— de,** to praise for; **à —,** for rent, to let
louis, *m.* louis; **— d'or,** gold louis (*old French coin worth about $4*)
loup, *m.* wolf

*__lourd__, heavy, weighty, dull, sultry
__lourdement__, heavily, clumsily
__loutre__, *f.* otter; __casquette de —__, fur cap
__loy-al, -aux__, loyal, faithful, honest
__Lubéron__, a thickly wooded chain of the Alps in southern France
__lueur__, *f.* gleam, light, glimmer; __à la —__, by the gleam (light)
__lugubre__, mournful, dismal, gloomy
__lugubrement__, dismally, dolefully, gloomily, sadly
*__lui__, he, him, to him, to her, to it
*__lui-même__, he, himself, itself; __dans —__, to himself
__luire__, to shine, gleam, glisten
__luisant__, shining, gleaming, shiny
*__lumière__, *f.* light; __aux —s__, under the (lights) lamps; *fig.* enlightenment
__lumineu-x, -se__, luminous, glowing, illuminated
__lundi__, *m.* Monday; __le —__, on Monday, Mondays
*__lune__, *f.* moon
__lunettes__, *f. pl.* spectacles
__lustre__, *m.* chandelier; (*theatre*) footlights
__luthier__, *m.* lute-maker, maker of stringed instruments
*__lutte__, *f.* struggle, fight, contest, tussle, ordeal
*__lutter__, to struggle, fight, contend, wrestle; __— contre__, to contend (with), fight (against)
*__luxe__, *m.* luxury, sumptuousness
__lycée__, *m.* (French) high-school

M

__machinal__, mechanical
__machinalement__, mechanically, involuntarily, by force of habit
*__machine__, *f.* machine, engine
__machiniste__, *m.* sceneshifter, stagehand
__mâchonner__, to chew; __— un cigare__, to chew a cigar
__maçonner__, to plaster up, seal up (with cement or plaster)
__maculé__, spotted, muddy
__maculer__, to spot; __maculé d'étiquettes__, bedaubed with labels
*__madame__, *f.* madam, Mrs., lady; Madame (*in addressing the Virgin*)
*__mademoiselle__, *f.* miss, lady, young lady
__magasin__, *m.* shop, store, magazine; __— pittoresque__, illustrated magazine
__magie__, *f.* magic; __— noire__, black art
__magique__, magic(al)
__magnanime__, magnanimous, eager for glory, high-spirited
__magnétiser__, to magnetize, attract
*__magnifique__, magnificent, splendid, fine, grand, wonderful
__magnifiquement__, magnificently
*__mai__, *m.* May
*__maigre__, thin, lean, meagre
__maigrir__, to grow thin
__maille__ [maːj], *f.* stitch, mesh (in knitting); mail (armor)
*__main__, *f.* hand; __à la —__, in my (your, his, etc.) hand, by hand, in long hand; __à deux —s__, with both hands; __d'un tour de —__, with a twist of the hand; __serrer la — à__, to shake hands with; __tendre la —__, to hold out one's hand; __entre les —s de__, at the mercy of; __d'une — discrète__, discreetly
*__maintenant__, now
*__maintenir__, to maintain, keep, uphold, stick to

mairie, *f.* town hall, mayor's office
***mais,** but; (*excl.*) why!; **— oui (si) !** yes indeed! why certainly! **— non !** of course not! **— enfin !** well, what of it!
***maison,** *f.* house, home, household, firm; **— de ville,** town hall
maisonnette, *f.* small house, cottage; **à la —,** at home; **tu es donc de la —?** so you're one of the family?
maît', *colloq. for* **maître**
***maître,** *m.* master, teacher; Mr.
***maîtresse,** main, chief, capable, superior; *f.* mistress, teacher; **la — de la maison,** the hostess; (*in direct address*) miss, ma'am
maîtrise, *f.* singing school (for choir boys)
***mal** (*pl.* **maux**), bad, evil; *adv.* badly, wrongly; *m.* evil, harm, ill, hurt, damage, misfortune, difficulty; **se faire — à l'estomac,** to get the stomach ache; **faire — à,** to hurt
***malade,** sick, ill; *m. or f.* patient, sick person
***maladie,** *f.* illness, sickness, disease, complaint
maladroit, awkward, clumsy
mâle, male; *m.* male, man; *pl.* men folk
malédiction, *f.* curse; **— paternelle,** paternal curse
***malgré,** in spite of, notwithstanding
***malheur,** *m.* misfortune, bad luck, unhappiness, woe; **par —,** unfortunately; **pour mon —** unfortunately for me
***malheureusement,** unfortunately
***malheureu-x, -se,** unlucky, unfortunate, unhappy; *m. or f.* unfortunate person, wretch, poor fellow; **descends —se !** come down, wretched creature!
malice, *f.* malice, roguishness, mischievousness, craftiness
malin, maligne, shrewd, cunning, sly, clever, crafty; *m.* rascal, shrewd fellow, sly one, wag; **quelque chose de —,** something sly; **gros —,** you old rascal; **vieux —, va !** go along, you old rascal!
malle, *f.* trunk (*for travel*)
malpropre, dirty, untidy
***maman,** *f.* mamma, mother
manant, *m.* boor, ill-bred fellow
manche, *f.* sleeve; **en —s de chemise,** in shirt sleeves; **en —s de veste,** in sleeved waistcoat; **la Manche,** the English Channel; *m.* handle, control lever (of an aeroplane)
mander, to order, summon, send for
mangeaille (*slang*), *f.* victuals, food, " eats "
mangeoire, *f.* manger
***manger,** to eat, eat up, squander; **salle à manger,** *f.* dining-room
mangeur, *m.* eater, diner
***manière,** *f.* manner, way, kind, style (*of painting*); **belles —s,** courtly manners; **bonnes —s,** attentions; **par — de récompense,** by way of repayment; **d'une — délicate,** in a dainty manner
manifeste, *m.* manifesto, proclamation
***manifester,** to manifest, show, display, demonstrate, make known
manille [maniːj], *f.* manille (card game)
manœuvre, *f.* maneuver, strategy, manipulation

manœuvrer, to maneuver, handle, drill, scheme

***manquer,** to fail, miss, be insufficient, be wanting, lack; **ne — plus que,** to be the last straw; **— de tomber,** to come near falling, barely escape falling

mansarde, *f.* garret, attic, cheap lodging quarters

***manteau,** *m.* cloak, coat, wrap, mantle, soldier's overcoat

manuscrit, *m.* manuscript

maquignon, *m.* horse dealer

maquis, *m.* thicket

maraîch-er, -ère: jardin —, vegetable garden; **l'odeur —ère du jardin,** the odor of the vegetable garden; *m.* market gardener

maraîchèrement, *adv.*, as a market garden

marais, *m.* marsh, bog, mire

marbre, *m.* marble, marble top *or* slab

***marchand,** *m.* merchant, shopkeeper, dealer, trader; **un gros — de bois,** a big lumber dealer; **— de tableaux,** picture-dealer

marchander, to bargain (for), haggle over

marchandise, *f.* merchandise, goods

***marche,** *f.* walk, march, procession, gait, step, progress; walking; **en —,** in motion, walking, marching; **—s tournantes,** winding steps

***marché,** *m.* market, bargain, bargaining, dealing; **à bon —,** cheap, cheaply

***marcher,** to walk, tramp, march, pace about, pass; **ça marche,** it's working, all right; **— devant,** to walk straight ahead; **marchant en mésure** (*of poetry*), keeping the right (measure) meter

mardi, *m.* Tuesday; **à —,** until Tuesday

maréchal-ferrant, *m.* farrier, shoeing-smith, blacksmith

marginal, marginal, on the margin

marguillier, *m.* churchwarden

***mari,** *m.* husband

***mariage,** *m.* marriage, matrimony, match, wedding

***marié,** married; **non —,** unmarried

mariée, *f.* bride; **bouquets de —s,** bridal flowers (*such as are worn in the hair by French brides for the wedding ceremony*)

***marier,** to marry, give in marriage, join in marriage; **se —,** to marry; **se — avec,** to get married to; come into conjunction with (*of stars*)

marin, *m.* mariner, sailor, seaman

maritorne, *f.* servant, scullery maid, wench

marjorlaine, *f.* marjoram (*sweet-smelling mint-like plant used in cooking*)

marmite, *f.* kettle

marmotter, to mutter, mumble

***marque,** *f.* mark, stamp, brand, token, sign

***marquer,** to mark, show, stamp, brand; **— le pas,** to beat time

marraine, *f.* godmother

marronier, *m.* chestnut tree

mars [mars], *m.* March

marteau, *m.* hammer, knocker (on an outer door)

martyre, *m.* martyrdom, torment

massacrer, to massacre, slaughter, murder

***masse,** *f.* mass, quantity, crowd, lump, bulk, pile

massi-f, -ve, massive, bulky, solid

matelot, *m.* sailor, seaman

***matériel,** *adj. and m.* material; stock (of a factory), stuff
mathématiques, *f. pl.* mathematics
martial, warlike, soldierlike
***matière,** *f.* matter, material, subject, stuff
***matin,** early; **(il est) bien —,** (it is) very early; *m.* morning; **le —,** in the morning; **le — même,** that very morning; **du —,** A.M. (before noon); **un beau matin** (some) fine day; **du — au soir,** from morning until evening
mato (= **matou**), *m.* tom-cat
maturité, *f.* maturity; **sa — commençante,** his middle age now at hand
maudit, cursed, bothersome, horrible
maugréer, to curse and swear, grumble; **— contre,** to (grumble) swear at
maussade, surly, peevish, bad-tempered; **de très — humeur,** very cross
maussadement, sullenly, crossly, gloomily
***mauvais,** bad, evil, ill, nasty, wicked, poor, wrong; **trouver —,** to dislike; **ce n'est qu'un — moment,** this is not going to last; *m.* villain
***maux,** *pl. of* **mal**
***me,** me, myself, for (to, from) me (myself)
mé, Norman patois for **moi**
mê! maa! **faire —,** to cry out ma-a-a, bleat
mécanique, mechanical; **arts —s,** mechanic arts
mécano (= **mécanicien**), *m.* mechanic
méchamment, maliciously, spitefully
***méchant,** wicked, evil, mean, malicious, mischievous; *m.* wicked person, mean person, naughty boy; **—e,** *f.* mischievous girl, naughty girl
méconnaître, to fail to recognize, not to appreciate, ignore, overlook
mécréant, unbelieving, godless
médaille, *f.* medal (of the Legion of Honor)
médaillon, *m.* medallion; **chaise à —,** medallioned (inlaid) chair
***médecin** [mɛtsɛ̃], *m.* doctor, physician
méditer, to meditate; **— sur,** to think over
méfier: se — de, to distrust, be wary of; **méfiez-vous!** beware!
***meilleur,** better; **le —, la —e,** the best
***mélancolie,** *f.* melancholy, sadness, gloominess
mélancolique, melancholy, gloomy, sad, mournful, in a dismal mood
mélancoliquement, sadly, mournfully
mélanger, to mingle (together), mix
mêlée, *f.* scuffle
***mêler,** to mix, mingle; **se — à,** to mix in (with), meddle with, interfere with, take part in; **se — de,** to meddle in; **mêlez-vous de vos affaires,** mind your own business
mélodie, *f.* melody, tune
mélodieu-x, -se, melodious
***membre,** *m.* member, limb
***même,** same, self, very; *adv.* even, indeed; **tout de —,** just the same, all the same
***mémoire,** *f.* memory, recollection; **de —,** from memory; **se re-**

venir à la —, to recur to one's mind
menace, *f.* menace, threat
*__menacer,__ to threaten, menace
*__ménage,__ *m.* household, home, family, establishment, married couple, housework; **faire son —,** to do one's housework
*__ménager,__ to manage, save, look after, treat kindly, arrange, be thrifty with, not to waste, procure, get; **— à,** to procure for; *m.* tenant, farmer
mendiant, *m.* beggar
*__mener,__ to lead, conduct, carry, bring; **— une vie affreuse,** to live a horrible life
*__mensonge,__ *m.* lie, falsehood, fiction; **faire un —,** to tell a lie
menterie (*colloquial for* **mensonge**) *f.* fib, lie
menteux, *m.* (*Norman patois for* **menteur**), liar, fibber
mention, *f.* mention, note
mentir, to lie, tell a falsehood
menton, *m.* chin
menu, small, petty, little, trifling; *m.* bill of fare
méprendre: se —, to be mistaken, make a mistake; **s'y —,** to be mistaken about it
*__mépris,__ *m.* contempt, scorn, sneer; **de —,** contemptuous
mépriser, to despise, scorn, treat with contempt, make light of, look down on
*__mer,__ *f.* sea, ocean
mercerie, *f.* haberdashery, dry-goods store
*__merci,__ *f.* mercy; *m.* thanks; *adv.* thank you; no thank you
mercredi, *m.* Wednesday
*__mère,__ *f.* mother; **la —,** ma'am, old Mrs., old lady
mérinos [merinɔs], *m.* merino (cloth)
*__mérite,__ *m.* merit, desert, talent, good quality, worth, skill
*__mériter,__ to merit, deserve, earn
*__merveilleu-x, -se,__ marvelous, wonderful, amazing
*__mes,__ *see* **mon**
*__messe,__ *f.* mass, church service; **grand'—,** high mass
*__messieurs,__ *m. pl.* gentlemen
*__mésure,__ *f.* measure, propriety, proportion; **à — que,** in proportion as, as; **marchant en —,** moving with measured step
*__mésurer,__ to measure, measure off, estimate, weigh, consider, examine, proportion
métairie, *f.* small farm
métal, *m.* metal
*__méthode,__ *f.* method, way, system
*__métier,__ *m.* trade, profession, calling, skill; **— à dentelle,** lace-making loom; **faire notre —,** to practice our profession
*__mètre,__ meter (*about 3.3 feet*)
mets, *m.* dish, food
*__mettre,__ to put, place, hang; **— dedans,** to cheat; **— la table** to set the table; **— dans l'erreur,** to lead into error; **se — à,** to begin to, set about, set down to (at); **se — en route,** to set out; **se — quelque chose sur le dos,** to wear something; **se — en bataille,** to form for battle
*__meuble,__ *m.* piece of furniture, furniture; *pl.* furniture
meublé, furnished
meuglement, *m.* mooing, bellowing
meurtre, *m.* murder
meurtri-er, -ère, deadly, fatal

meute, *f.* pack (*of hounds*)
miarro (*Provençal* = **garçon de ferme**), *m.* farm boy
***midi,** *m.* noon, midday, twelve o'clock
***mien: le —, la —ne, les —s, les —nes,** mine, my own
***mieux,** better; **de mon (son) —:** as best I (he, she) could; **le —,** the best
mignon, -ne, darling, dainty, frail, dear little, sweet
***milieu,** *m.* middle, midst, mean, environment, surroundings; **au — de,** in the midst of; **au beau — de,** in the very midst of
***militaire,** military, army; *m.* soldier, officer
***mille,** thousand, a thousand
***millier,** *m.* (a) thousand; **des —s de,** thousands of, countless
***million,** *m.* million
***mince,** thin, slight, slender, meagre
***mine,** *f.* mien, look, countenance, bearing; **belle —,** good looks; **de —,** in appearance; **faire — de,** to pretend to
miniature, *f.* miniature
minimum [minimɔm], *m.* minimum; **au —,** at least
***ministère,** *m.* ministry, office, ministry building, board, administration, department, government office; **la fête du —,** the Ministerial ball
ministeriel, -le, ministry, departmental
***ministre,** *m.* minister, cabinet minister
minuit, *m.* midnight; **— passé,** after midnight; **au coup de —,** at the stroke of twelve
***minute,** *f.* minute
mi-parti, half and half; **jargon —,** half (French) and half (Italian) dialect (speech)
mirifique, wonderful
miroir, *m.* mirror, looking-glass
***misérable,** miserable, wretched, unfortunate; *m.* unfortunate fellow, poor wretch
misérablement, wretchedly
***misère,** *f.* misery, misfortune, poverty, wretchedness, want; **bien des —s,** many hardships; **toutes les —s,** every kind of misery; **— honorable,** respectable poverty; **l'air —,** a poverty-stricken look
miséricorde, *f.* mercy; **—!** mercy on me! (us!)
***mission,** *f.* mission
mitrailleuse, *f.* machine gun
mi-voix: à —, in a whisper, in an undertone
Mme, *abbrev. for* **Madame**
mobilier, *m.* furniture, set of furniture
mobiliser, to mobilise, draft into active military service
***mode,** *f.* mode, fashion, style, way; **à la —,** in fashion (style)
modèle, *m.* model
modelé, *m.* modelling, relief (*of art*)
***moderne,** modern, up-to-date
***modeste,** modest, unpretentious, small, moderate, slight; **un —,** an unpretentious, humble fellow
***modifier,** to modify, alter, vary, change, give a new look to
moduler, to modulate
moelleu-x [mwalø], **-se,** soft, mellow, pithy
moellon [mwalɔ̃], *m.* quarrystone, rough stone, rubble
***mœurs** [mœrs], *f. pl.* manners, habits, customs, ways

*moi, I, me, myself, to me

*moindre, less; le (la) —, (the) least, (the) slightest; le — bruit, the slightest noise; le — de ses gestes, his every gesture; et pas la — Jeanneton, and not even one little Jenny dear

moine, m. monk

*moins, less; le —, the least; du —, at least, at all events; au —, at least; de — en —, less and less; tout au —, at least; d'autant — que, so much the less as

*mois, m. month

moisson, f. harvest, production

*moitié, f. half; à —, half, half way, partly; la — de, half of

mollement, softly, feebly, half-heartedly

*moment, m. moment, instant; un —, (for) a moment; à (en) ce —, just then; par —s, at times; au — que, the instant that, just as; d'un — à l'autre, at any moment

*mon, ma, mes, my; (*often used in direct address:* oui, mon père, yes, father; oui, mon colonel, yes, colonel)

monastique, monastic

*monde, m. world, people, society, company; tout le —, everybody; tout ce —, all these people; au —, alive; — officiel, officials; le petit —, the children; peu de —, few people; venir au —, to be born; dans le — officiel des bureaux, among office-holders; le plus simplement du —, with the utmost simplicity; pas le moins du —, not the least bit

mondi-al, -aux, *adj.* world

monnaie, f. money, small change; pièce de —, coin

monologuer, to talk to oneself, soliloquize

monopole, m. monopoly

monoplan, m. monoplane

monotone, monotonous; vie —, (dull) monotonous life

*monsieur [m(ə)sjø], m. gentleman, Mr., sir; — le maire, his honor the mayor; — le prieur, your reverence

monstrueu-x, -se, monstrous, dreadful

*montagne, f. mountain

monté, mounted, equipped, gone up, on board

montée, f. rise, ascent, gaining altitude

*monter, to mount, go up, climb, come to, carry up; — en ondulant, to rise in waves; ça se monte encore, ces choses-là, one can go up those things; le chemin qui monte, the road that leads up; faire —, to cause to rise, make higher

monticule, m. hillock, knoll, small hill

montre, f. show, display; watch (*timepiece*); faire — de, to show off

*montrer, to show, point out; — du doigt, to point to, or at

montueu-x, -se, hilly

monumental, monumental, imposing

*moquer: se — de, to pay no attention to, ignore, not to mind, laugh at, make fun of

moquerie, f. scoff, scoffing, mockery; *pl.* jeers

*moral, moral, mental

*morceau, m. piece, bit, morsel (of food)

mordre, to bite

morne, gloomy, dismal, downcast
***mort,** dead; *f.* death; *m.* dead person; **un —,** a dead man; **—s de Poniatowski,** oft-repeated " Death of Poniatowski "
mortel, -le, mortal, deadly
mortuaire, burial, funeral
Moselle, *f.* Moselle (a river in N. E. France)
***mot,** *m.* word, response, retort; **— carré,** cross-word puzzle; **— patois,** dialectical word; **donner le —,** to pass on the word
***mou, mol, molle,** soft
mouche, *f.* fly
moucheté (de), spotted, flecked, speckled (with)
***mouchoir,** *m.* handkerchief
***mouiller,** to wet, moisten, soak, bathe, move; **— la bouche,** to make one's mouth water
mouillure, *f.* wetness, wetting, drenching, dampness
moule, *m.* mould, form, pattern
moulinet, *m.* winch, turnstile; **faire le — avec,** to whirl around, twirl, flourish
***mourir,** to die; to flicker feebly (of light); **— de faim,** to starve to death; **— de froid** to freeze to death
mousquetaire, *m.* musketeer
mousqueterie, *f.* musketry, volley of musketry
mousse, *f.* moss, froth, foam
moustache, *f.* mustache; **passer la main sur la —,** to stroke one's mustache
moutardier, *m.* mustard maker; **le premier — du pape,** the pope's head mustard maker
mouton, *m.* sheep; **peau de —,** sheepskin
***mouvement,** *m.* movement, impulse, motion; **se mettre en —,** to start out
***moyen, -ne,** mean, average; *m.* means; **au — de,** by means of; **le — de?** how can I (you, she, etc.)? **trouver —,** to find a way
m'sieu, *represents the most usual pronunciation of* **monsieur**
mucre, damp, moist (*in Norman patois*); mouldy, musty (*in old French*)
muet, -te, mute, silent, dumb, speechless
mugir, to bellow, low (of cows), howl, moan, roar (*of sea or wind*)
mule, *f.* mule, she-mule; slipper
mulet, *m.* mule, he-mule; **têtu comme un —,** as stubborn as a mule
munition, *f.* munition; *pl.* military stores
***mur,** *m.* wall; **— d'appui,** retaining wall, breast-high wall, sill (*of a window*)
***mûr,** ripe, mature, mellow
***muraille,** *f.* (high, thick) wall, partition
murmure, *m.* murmur, whisper
murmurer, to murmur, mutter, grumble, whisper
museau, *m.* muzzle, nose (*of animal*)
***musique,** *f.* music
mutisme, *m.* silence, dumbness
myope, *m. and f.* myope, near- *or* short-sighted person
myrte, *m.* myrtle
***mystère,** *m.* mystery, mysteriousness, mystery play; **en grand — sérieux,** very mysteriously and solemnly
***mystérieu-x, -se,** mysterious
mystique, mystic, obscure, occult

N

nager, to swim; **— des pattes,** to kick the feet (as in swimming), to swim with all fours

naguère, lately, not long ago (*or* since), formerly

***naïf, naïve,** artless, unaffected, naïve, unsophisticated, guileless, simple; **l'œil —,** with a guileless eye

***naissance,** *f.* birth, noble birth

naissant, new-born, dawning, growing; **au jour —,** at daybreak

***naître,** to be born, grow

napolitain, Neapolitan, of Naples

nappe, *f.* tablecloth; **— de trois jours,** tablecloth already used for three days

narine *f.* nostril

narquois, sly, bantering

narration, *f.* account, story, narrative, narration

narrer, to narrate, relate, tell

naseau, *m.* nostril (of an animal)

nasiller, to say with a nasal twang, snuffle

natal, native, of one's birth; **pays —,** birthplace

nati-f, -ve, native, inborn

***nation,** *f.* nation, people, race

***national,** national

natte, *f.* braid (of hair)

***nature,** *f.* nature, character; **— morte,** still-life (painting); **grand comme —,** life size

***naturel, -le,** natural, native, unaffected; supernatural, extraordinary; *m.* naturalness

***naturellement,** naturally, of course

navet, *m.* turnip

navette, *f.* shuttle

navire, *m.* ship, vessel

navrant, heart-rending, distressing

navré, broken-hearted, heart-broken

navrer, to break (rend) one's heart, distress

***ne (n'),** *neg. particle,* generally used with the words **pas, point, jamais,** etc.

***néanmoins,** nevertheless, yet, still, notwithstanding

***nécessaire,** necessary, needful

***nécessité,** *f.* necessity, need

nécessiteu-x, -se, needy, destitute, poor; *m. pl.* poor people

néfaste, ill-omened, unlucky

négligent, negligent, negligible, careless, neglectful

***négliger,** to neglect, slight, overlook, miss; **ne rien —,** to leave nothing undone

nègre, *m.* negro

***ne . . . guère,** scarcely; **— que,** hardly except

***neige,** *f.* snow

***ne . . . ni . . . ni,** neither . . . nor

néo-Homérique, neo-Homeric

***ne . . . plus,** no longer; **ne . . . plus que,** no more but, no longer except

***nerveu-x, -se,** nervous, highly-strung

***net** [net], **-te,** clean, neat, clear, fair, short, legible, pure; **arrêter —,** to stop short; **mettre au —,** to put in order, keep

***nettement,** clearly, plainly

nettoyer, to clean

***neuf,** nine

***neu-f, -ve,** new, brand new, unusual

neveu, *m.* nephew

***nez,** *m.* nose, front part; **le — par terre,** with their shafts on the ground; **lever le —,** to lift one's head, sprout (*of beans*)

***ni,** neither, either, nor; **ne — . . . —,** neither . . . nor

nichée, *f.* brood, whole nest (of young birds)
nier, to deny
nimbe, *m.* halo
nimbé, surrounded with a halo
nippé, fitted out, provided (with clothes), dressed up
n°, *abbrev. of* **numéro,** number
*__noble,__ noble, aristocratic; *m.* noble, nobleman
noce(s) *f.* wedding, wedding party; **— d'or,** golden jubilee
noceur, *m.* play-boy
noctambule, night-going, noctambulant, night-roving
nocturne, nocturnal, nightly
nœud, *m.* knot, bow
*__noir,__ black, dismal, dark, swarthy; **— de poudre,** black with powder; *m.* black
noisette, *f.* hazelnut
*__nom,__ *m.* name, noun; **au — de,** in the name of; **sacré — d'un chien!** curses! by all that is holy! **— d'un —!** the deuce! what the dickens!
nomade, nomadic, roving, wandering
*__nombre,__ *m.* number
*__nombreu–x, –se,__ numerous, many
nomination, *f.* nomination, appointment
*__nommer,__ to name, call (by name), appoint; **se —,** to be named, be called; **il se nomme,** his name is; **comment vous nommez-vous?** what is your name?
*__non,__ no, not; **— pas,** not at all; **— plus,** no more, no longer; **— point,** not at all; **ni moi — plus,** nor I either; **lui — plus,** nor he either
*__nord,__ *m.* north
*__normal,__ normal
nostalgie, *f.* homesickness, longing; **une — de tendresse,** a longing for tender affection
notablement, notably, considerably, especially
notaire, *m.* notary
*__note,__ *f.* note, bill, account, mark
*__noter,__ to note, notice, mark
notion, *f.* notion, idea, conception; **perdre la — des choses,** to lose consciousness gradually
*__notre,__ *pl.* **nos,** *poss. adj.* our
nôtre: le —, la —, les —s, *poss. pron.* ours, our own; **il est des —s,** he is one of us
Notre-Dame, *f.* Our Lady (*the Virgin Mary*), Notre Dame (*cathedral of Paris*)
noué, tied; **— à la va-vite,** tied in haste
nouer, to tie, knot; **— de,** to tie with
nourri, sustained, nourished, fed, well-directed, well-sustained
*__nourrir,__ to nourish, feed; **— de,** to live on
nourriture, *f.* nourishment, food; **paquet de —,** gulp of food
*__nous,__ we, us, to us, ourselves, each other; **nous nous regardons,** we look at each other (one another); **— autres,** we, the rest of us
*__nouveau__ **(nouvel, nouvelle, nouveaux),** new, recent, other, novel; **de —,** again, once more, over again; *m.* newcomer, "freshman"; **un — (venu),** a newcomer; **deux —x morts,** two more men killed
*__nouvelle,__ new; *f. pl.* news; **demander des —s de,** to ask about; **donner de mes —s,** to hear from me; **prendre des —s de,** to

inquire about; **une nouvelle,** a novelette

***novembre,** *m.* November

***noyer,** to drown, flood, drench

noyer, *m.* walnut tree, walnut (wood)

***nu,** naked, bare, nude; **les pieds —s,** barefooted

***nuage,** *m.* cloud

***nuance,** *f.* shade, hue, tinge, tint

nuire (à), to harm, hurt, injure

***nuit,** *f.* night, darkness; **cette —,** tonight, last night; **la —,** at night, by night; **la — venue,** at nightfall, after nightfall; **ne pas dormir de la —,** not to sleep all night long; **la — vient,** night is falling

nuitamment, by night

***nul,** -**le,** no, not any; *m.* no one, none; **—le part,** nowhere

***nullement,** in no way, not at all, by no means, at no time

numéro, *m.* number (in a series), winning number

nuque, *f.* nape of the neck

nu-tête, bareheaded

O

***obéir,** to obey; **— à, to obey,** comply with

obéissance, *f.* obedience

objecter, to interpose (as an objection)

objectif, *m.* objective, place (*or* end sought)

***objet,** *m.* object, subject, article

***obligation,** *f.* obligation, bond, promise

obligeant, obliging, kind, civil, courteous

***obliger,** to oblige, compel (by force)

***obscur,** dark, dim, obscure, not easily understood

obscurcir, to darken, overcast, render less visible

***observation,** *f.* observance, observation, remark, comment; **se remettre en —,** to be on the lookout again

***observer,** to observe, keep in view, watch, take notice of

***obtenir,** to obtain, secure, get possession of, acquire

obus [ɔbys], *m.* shell

***occasion,** *f.* occurrence, opportunity, chance, bargain; **avoir l'— de,** to have a chance to; **c'est une —,** that's a rare opportunity

***occupation,** *f.* occupation, pursuit; **sa grande —,** his main pastime

***occuper,** to occupy, take hold; **s'— de,** to look after, attend to, see to, meddle with; **occupé de,** busy with, engaged in

octaédrique, octahedral (having equal plane faces)

octogénaire, *m. or f.* octogenarian (one who is 80 years old, or between 80 and 90)

***odeur,** *f.* odor, smell, scent, aroma

odieu-x, -se, odious, hateful, offensive, disgusting

odorant, fragrant, odorous

***œil** (*pl.* **yeux**) *m.* eye, look, glance; **avoir à l'—,** to keep an eye on; **d'un — irrité,** angrily; **l'— ouvert,** with one's eyes wide-open; **un coup d'—,** a glance; **yeux humides,** tearful eyes

œsophage, *m.* esophagus, gullet

œuf [œf], *m.* egg; *pl.* **œufs** [ø], eggs

***œuvre,** *f.* work (of art, literature, etc.); **—s vives,** vitals

***office,** *m.* office, duty, worship,

divine service, mass, prayers; **chanter l'—**, to chant matins and lauds; **— de la vierge,** to chant the office of the Virgin, to offer special devotional prayers
*__officiel, -le,__ official
officiellement, officially
*__officier,__ *m.* officer
offre, *f.* offer; **l'— de cinq points d'écarté,** an invitation to play five points (at écarté)
*__offrir,__ to offer, propose, tender, bid; **s'— (quelque chose),** to treat oneself to (something)
ohé ! hello ! hi there !
oie, *f.* goose
*__oiseau,__ *m.* bird; aeroplane
oisi-f, -ve, idle; *m. or f.* idler
olive, *f.* olive, ornament
olivier, *m.* olive tree
*__ombre,__ *f.* shade, shadow, darkness, blackness; **des —s glissaient dans les fourrés,** shadows (of men) were stealing through the brake (thicket)
*__on,__ *or* **l'on,** one, people, we, you, they, some one; **on dit,** it is said
*__oncle,__ *m.* uncle
onde, *f.* wave, undulation; **— de velours,** velvet shadow
ondé, wavy (of hair)
ondoyer, to undulate, surge
onduler, to undulate, wave; **monter en ondulant,** to rise in waves
ongle, *m.* (finger) nail, claw
*__onze,__ eleven
*__opération,__ *f.* operation
opérette, *f.* operetta
*__opinion,__ *f.* opinion, belief, judgment
*__opposer,__ to oppose; **s'— à,** to be opposed to, oppose
optique, *f.* optics, perspective
*__or,__ *conj.* now, well; **— ça,** now then; *m.* gold; **d'—,** golden
*__orage,__ *m.* storm, thunderstorm, tempest; **au temps des —s,** in stormy weather
oranger, *m.* orange tree; **fleurs d'—,** orange blossoms (*suggesting a wedding*)
orbe, *m.* orb, sphere
*__ordinaire,__ ordinary, customary, usual; **à l'—,** usually, as usual; **d'—,** usually; *m.* custom, wont, board, mess; **comme à son —,** as was his custom
ordonnance, *f.* orderly, officer's attendant
*__ordonner,__ to order, prescribe
*__ordre,__ *m.* order, rate, command; **petit —,** minor report; **grand —,** major report
ordure, *f.* filth, dirt, refuse, garbage; *pl.* slops, sweepings
*__oreille,__ *f.* ear; **l'— basse,** crestfallen; **tendre l'—,** to listen intently
*__organiser,__ to organize; **s'—,** to become organized
*__orgueil,__ *m.* pride, conceit, excessive self-esteem
orgueilleu-x, -se, proud, haughty
originaire de, originally from, native of
*__original,__ original, odd, queer, primitive
*__origine,__ *f.* origin, beginning, outset
*__orner,__ to adorn, ornament, grace
ornière, *f.* rut, trough (in a quagmire), ditch
orphelin, *m.:* **-e,** *f.* orphan
os [ɔs; *pl.* o], *m.* bone, bones
*__oser,__ to dare, venture, have the courage; **tout —,** to take any risk
osseu-x, -se, bony

*__ôter__, to take off, remove; __— la vie à__, to take someone's life (i.e. to kill)

*__ou__, or; __— bien__, or else, on the other hand; __ou . . . ou__, either . . . or

*__où__, where; __par —__, in what way? how? which way?

__ouailles__, *f. pl.* sheep, herd (of sheep); *fig.* flock (of a priest)

*__oublier__, to forget; __— de__, to forget to

__ouest__ [wɛst], *m.* west

*__oui__, yes; __—-dà__ (*dialectical*), yes indeed! to be sure! bless you!

__ourdisseu-r, -se__, *m. and f.* warper, (woman) weaver

__ours__ [urs] *m.* __-e__, *f.* bear; __grande —e__, Great Bear

__outil__ [uti], *m.* tool, implement

*__outre__, beyond, besides; __en —__, in addition, also, besides, moreover; __— que__, not only, apart from the fact that, besides

*__ouvert__, open, frank

*__ouverture__, *f.* opening, aperture

*__ouvrage__, *m.* piece of work, work (i.e. a book)

__ouvreur__, *m.* opener

*__ouvri-er__, *m.* __-ère__, *f.* workman, laborer (i.e. one who does manual labor)

*__ouvrir__, to open; __s'—__, to be opened, open, bloom

P

__pacifique__, peaceful, peace loving, good-natured

__pacifiquement__, peacefully, peaceably

*__page__, *f.* page (of a book); __à cinq sous la —__, at five cents a page

*__paille__, *f.* straw; __en —__, straw, of straw

*__pain__, *m.* bread, loaf

__paisible__, peaceful, quiet; __d'un trot —__, at a peaceful (slow) gait

*__paix__, *f.* peace, peacefulness

*__palais__, *m.* palace, mansion

*__pâle__, pale, wan, pallid

__palette__, *f.* (artist's) palette

__pâleur__, *f.* paleness, wanness

__pâlir__, to grow pale, turn pale, fade out, grow dim

__palissade__, *f.* palisade, stockade, board or picket fence

__palme__, *f.* palm, palm branch; __— de Dieu!__ Heavens! __valoir la —__, to win one's decoration

__pan__, *m.* skirt, flap, bit; __—!__ bang!

__panier__, *m.* basket; __le — au bras__, with a basket on the arm

__panique__, *f.* panic, sudden fright, confusion

__panneau__, *m.* panel

__pantalon__, *m.* (long) trousers, pair of trousers; __—s__, (long) trousers; __—s de velours__, corduroy trousers

__Panthéon__, *m.* Pantheon (*a government building in Paris, its crypt is the burial place of some of the famous men of France*)

*__papa__, *m.* papa, daddy

__papal__, papal

__pape__, *m.* pope

__paperasse__, *f.* (old) paper, document; __—s administratives__, dusty old documents, red tape

*__papier__, *m.* paper

__papillon__, *m.* butterfly; __un léger — bleu__, an airy blue butterfly

__paquebot__, *m.* steamer

__Pâques__, *m. or f. pl.* Easter

*__paquet__, *m.* package, bundle, parcel; __— de nourriture__, chunks of food

*__par__, by, through, per; __—-ci__, here, this way; __—-là__, there, that way; __— trop__, all too, by far too;

—-ci . . . —-là, here and there, now and then; **— terre,** on the ground; **— une nuit de décembre,** on a night in December; **— moments,** at times, now and then; **— amitié,** through friendship; **— plaisanterie,** in jest, as a joke; **— an,** a year, yearly; **— un mouvement convulsif,** with a convulsive movement; **— trop,** far too, unduly; **— cantines,** according to canteens; **— où?** in what way?

paradis, *m.* paradise, heaven

***paraître,** to appear, seem; **il paraît,** it seems; **à ce qu'il paraît,** as it seems

paralyser, to paralyze

parapet, *m.* parapet, rampart (*to protect troops from enemy fire*)

parapluie, *m.* umbrella

parbleu! by Jove! upon my word! good gracious!

***parc,** *m.* park, enclosure, sheepfold

***parce que,** because

***parcourir,** to go over, run through, glance at, glance through (a book or paper)

par-dessus, over, above; *m.* overcoat, topcoat; **en —,** wearing a topcoat

***pardon,** *m.* pardon, forgiveness; **—!** excuse me!

***pardonner** (à), to pardon, forgive, excuse

***pareil, -le,** like, similar, equal, such; **un —** (**une —le**) such a (one); **une mule —le,** a mule to match her; **— à,** like; **sans —,** unequaled, unprecedented

***parent,** related; *m.* relative, kinsman; *pl.* parents, relatives, family

parenté, *f.* relationship

***parer,** to adorn, dress up; **— à,** to provide for; **ne pouvant être parée,** being unable to dress luxuriously

***parfait,** perfect, thorough, fine, complete

***parfaitement,** perfectly, certainly, exactly, quite so, very well

***parfois,** sometimes, at times, occasionally, now and then

***parfum,** *m.* perfume, fragrance, odor, smell

parfumé, perfumed, sweet-scented, fragrant; **— d'une forte odeur d'étable,** reeking strongly of a stable

parisien, -ne, Parisian

par-là, this way (*see* **par-ci**)

***parlementaire,** parliamentary

***parler,** to speak, talk; **dont il est parlé,** spoken of; **— au cœur,** to touch one's heart; **— fort,** to talk aloud

***parmi,** among, amid

paroisse, *f.* parish, parish church, rectory; *pl.* parishioners

paroissial, parish, parochial

paroissien, *m.*, **-ne,** *f.* parishioner

***parole,** *f.* word, speech; **adresser la — à,** to speak to, address; **sur —,** on credit; **— d'honneur,** on my word of honor; **ces —s,** the following words

paroli, *m.* wager of double stakes; **faire le —,** to double the stake (wager)

parquet, *m.* hardwood floor, office of the public prosecutor

parrain, *m.* godfather

***part,** *f.* part, share, portion, side; **de la — de,** from; **de votre —,** on your part; **quelque —,** somewhere; **de — en —,** through and through; **d'une —,** on the one hand; **d'autre —,** on the other hand; **de toutes —s,** from all sides; **quelque —,** somewhere; **nulle —,** nowhere

*__partager,__ to share, divide, split, partake

*__parti,__ *m.* party, side, decision, match; **prendre son —,** to make up one's mind, resign onseself; **être du — de,** to sympathize with; **prendre un —,** to come to a decision

participer à, to take part in

*__particuli-er, -ère,__ private, peculiar, special, particular; **— à,** characteristic of

*__particulièrement,__ particularly, especially

*__partie,__ *f.* part, game, match, party; **faire — de,** to be a member of, belong to, take part in; **chef de —,** banker (*of a gaming table*)

*__partir,__ to depart, set out, start; **— de,** to leave; **à — de,** from; **parti de,** coming from; **à — de ce moment,** from this moment on; **vous partez toujours?** do you still intend to leave?

*__partout,__ everywhere; **de —,** on all sides

parure, *f.* ornament, necklace, jewelry

*__parvenir,__ to arrive; **— à,** to arrive at, succeed in, attain, reach

*__pas,__ *m.* step, pace, gait, stride; **d'un —,** at a gait; **marcher du même —,** to walk at the same gait; **à — tranquille,** at an easy gait; **au — de course,** running, on the double quick; **au — gymnastique,** at a run; **le — relevé,** the high-stepper, prancer; **aller le — relevé,** to be a prancer; **revenir sur ses —,** to retrace one's steps; **marquer le —,** to mark time; **faire un —,** to go (take) a step; **marcher à grands —,** to stride along, hasten; **à — lents,** with slow steps; **allonger le —,** to lengthen one's stride

*__pas,__ *neg. with or without* **ne,** not; **ne . . . pas,** not; **non —,** not, not at all; **— un,** not a single

*__passage,__ *m.* passage, passing, going, way, part; **sur son —,** on going by, in passing, on the way; **au —,** in passing, as he (she) went by

passant: en —, by the way, incidentally; on flying by; *m.* passer-by

*__passé,__ past, over, bygone; *m.* past

passe-montagne, *m.* cap-comforter, warm woolen cap, aviator's cap

*__passer,__ to pass, pass on (by, around, over), go, fly by, spend, thrust, cross, protrude, step into; **— dessus,** to tread over, step over; **— pour,** to be considered; **— dans,** to go over into; **se —,** to take place, happen, pass by, elapse; **se — la main sur,** to stroke, draw one's hand over; **se — de,** to do without, get along without

passerelle, *f.* foot bridge, bridge (of a ship)

*__passion,__ *f.* passion

patatras! bang! crash! crack!

pâte, *f.* paste, hash, pulp

pâté, *m.* pastry, blot (of ink)

patère, *f.* hat-peg, clothes-peg

paternel, -le, paternal, fatherly, a father's

paternellement, paternally

pâteu-x, -se, doughy, pasty, sticky, gluey; **la bouche —se,** with a dark brown taste in one's mouth

*__patience,__ *f.* patience; **en —,** patiently

patois, *m.* dialect, jargon, folk speech; *adj.* local; **des mots —,** local lingo

pâtre (*poet.*), *m.* shepherd, herdsman

*__patrie,__ *f.* native land, fatherland, home

patrimoine, *m.* patrimony, heritage, inheritance

patriotisme, *m.* patriotism

*__patron,__ *m.* patron, proprietor, employer, "boss"; **les —s du lieu,** the masters of the place

patronale: fête —, patron saint's day

patronminet, (*dialectical*) *m.* day break

patrouille, *f.* patrol; **faire la —,** to patrol

patrouilleur, *m.* member of a patrol

patte, *f.* foot (of birds); paw (of animals); leg (of insects); claw (of wild beasts); **marcher à quatre —s,** to go on all fours; **lié par la —,** feet tied together

pâturage, *m.* grazing-ground, pasture, pasture-ground

pâture, *f.* pasture, food (for cattle); **jeter en —,** to feed, recount

paume, *f.* palm (of the hand)

paupière, *f.* eyelid, eye

*__pauvre,__ poor, wretched, shabby; *m.* poor person, beggar; **le — homme,** poor fellow; **— diable,** poor (devil) fellow

pauvresse, *f.* poor woman, beggar girl, beggar woman

pauvreté, *f.* poverty, wretchedness, shabbiness, need

pauvrette, *f.* poor little thing, poor creature, poor thing

pavé, paved; *m.* paving stone, pavement

paver (de), to pave (with)

pavillon, *m.* pavilion, flag, tent

pavoiser, to deck with flags; to draw up

*__payer,__ to pay, pay for; **— de,** to pay for

*__pays__ [pei], *m.* country, land, native land, birthplace, region

pays, *m.* **payse,** *f.* (*pop.*) fellow-countryman, fellow-country-woman

*__paysage,__ *m.* landscape

*__paysan,__ *m.*, **—ne,** *f.*, peasant, peasant woman; *m. pl.* country people, farmers

*__peau,__ *f.* skin, hide, pelt

pécaïre! (*Provençal oath or interjection*) Heaven knows! alas!

pêche, *f.* fishing

péché, *m.* sin, trespass

pécher, to sin, trespass, offend

pêcher, to fish, fish for; **— à la ligne,** to fish with rod and line

pêcheur, *m.* fisherman, fisher

pédant, learned; *m.* pedant

peigner, to comb; **mal peignée,** bedraggled, with frowzy hair, unkempt

*__peindre,__ to paint, portray, depict

*__peine,__ *f.* suffering, pain, grief, difficulty, trouble, punishment; **avoir la —,** to have difficulty; **être la —,** to be worth while, be necessary; **donnez-vous la — d'entrer,** please come in; **faire — à,** to hurt; **à —,** scarcely; **— suprême,** death penalty; **ce n'est pas la —,** it isn't worth while; **avec —,** laboriously; **à — . . . que,** hardly . . . when

peintre, *m.* painter
peinture, *f.* painting, picture
pélage, *m.* fur, coat (*of animals*)
pêle-mêle, *m.* pell-mell, helter-skelter, jumble
pèlerinage, *m.* pilgrimage
pelisse, *f.* fur coat
pelle, *f.* shovel
peloton, *m.* platoon, main body, squad, company
peluche, *f.* plush
*__pencher,__ to lean, bend, incline; **se —,** to bend over, bend down; bend forward; **penché sur,** leaning over; **penché dessus,** leaning (stooping) over (it, them)
*__pendant,__ during, for; **— que,** while
*__pendre,__ to hang, hang up
pendule, *f.* clock, timepiece, mantel-clock
*__pénétrer,__ to penetrate, pierce, break into, go into, get into, enter; **— jusqu'à,** to make one's way as far as
*__pénible,__ painful, laborious, hard, trying, difficult
péniblement, painfully, with difficulty
pénitent, *m.* Penitent (*a name distinguishing certain Roman Catholic orders*); repentant
pénitentiaire, penitentiary
*__pensée,__ *f.* thought, idea, opinion, notion, conception
penser, to think, reflect; **— à,** to think of, think about; **— de,** to think of, have an opinion as to; **Maître Hauchecorne pensa,** Mr. H— bethought himself; **vous pensez quelle humiliation,** you can imagine what humiliation (that was)
pensi–f, –ve, pensive, thoughtful, brooding
*__pension,__ *f.* board and room, boarding-school, boarding-house, pension, meals
pensionnaire, *m. or f.* boarder
*__pente,__ *f.* slope, incline; **en —,** sloping
percé, pierced, full of holes; **une porte —e dans un long mur,** a door opening through a long wall
*__percer,__ to pierce, bore, drill, set in
percher, to perch, roost
perclus, crippled, impotent
*__perdre,__ to lose, waste, ruin, destroy; **n'était-ce pas à en — la tête?** wasn't it enough to make one lose his head because of it?
perdu, lost, ruined, done for; **de —,** wasted; **une belle —e,** a stray bullet
*__père,__ father, head (of a family); (*term often applied affectionately or familiarly*); **de — en fils,** from father to son
perfectionnement, *m.* perfecting, improvement
perfide, perfidious, sly, treacherous, false
péricliter, to be in jeopardy; threaten to fall (*of buildings*); decline, degenerate
*__peril__ [peril], *m.* peril, danger, jeopardy
péripétie, [peripesi], *f.* vicissitude, sudden turn of fortune, unexpected event
perle, *f.* pearl; **— fine,** real pearl (*term of endearment*)
perlé, pearly, polished, finished
*__permettre,__ to permit, allow, give one's permission; **se —,** to take the liberty
perpétuel, –le, perpetual, everlasting

perpétuellement, perpetually, everlastingly, continually
perpétuité, *f.* perpetuity; **un condamné à —,** a lifer; **à —,** for life; **travaux forcés à —,** hard labor for life
perron, *m.* flight of steps (*before a house*), perron, platform
perruquier, *m.* wig-maker, hairdresser, barber
***personnage,** *m.* personage, person; character (*in a play*); **faire le — de,** to play the part of
***personne,** *f.* person, individual; **ma —,** myself; *pron. m.* any one, no one; **ne . . . —,** nobody, no one, not any one
***personnel, -le,** personal, selfish; *m.* personnel, staff of servants or officials, persons, occupants
perspective, *f.* perspective, prospect, view, vista; **par la —,** at the thought
***persuader,** to persuade, convince
***perte,** *f.* loss, ruin, death, doom
pesant, heavy, weighty
pesée, *f.* weight, pressure; **par la — sur la charrue,** by bending heavily on the plough
***peser,** to weigh, ponder; **— sur,** to rest on, hang over; **— ferme,** to weigh heavily
pétard, *m.* firecracker
pétillement, *m.* crackling, sparkling
petiot, tiny, wee; *m.* little one, little pet; **—e,** *f.* little girl, darling
***petit,** little, small, petty; **au — trot,** at a slow pace; **— commis,** petty clerk; **le — jour,** dawn, daybreak; **rien qu'une —e,** just one (little) hand; *m.* **le —,** the little fellow, the little one; *f.* **la —e,** the little girl; **cette toute —e (étoile),** that tiny one
petite-fille, *f.* granddaughter
petit-matin, *m.* dawn
***peu,** *adv.* little, not much, few, not many, somewhat, rather; **— de choses,** little, not much; **à — près,** almost, nearly, about; **— élégant,** not very refined, inelegant; *m.* little, few, bit; **un —,** a little, slightly, somewhat; **— à —,** gradually, little by little; **dans —,** shortly; **laissez un — que je . . .,** do let me; **le — de comfortable,** the uncomfortableness
***peuple,** *m.* people, common people, working-class, nation; **une femme du —,** a woman of the common people
peupler, to people; **— de,** to people with, embellish with, enliven with
peuplier, *m.* poplar
***peur,** *f.* fright, fear; **avoir —,** to be afraid; **faire — à,** to frighten, scare; **de — de,** for fear of; **de — que ne** (+ *subj.*), for fear that, lest
***peut-être** (que), perhaps, maybe, possibly
phare, *m.* lighthouse, beacon; **— à acétylène,** acetylene lamp
***phénomène,** *m.* phenomenon
philosophe, *m.* philosopher, deep thinker; **— de campagne,** rustic philosopher
philosophiquement, philosophically
***phrase,** *f.* sentence, phrase, words; **—s pompeuses,** pompous speech
physionomie, *f.* face, countenance, look, appearance, expression; **à la —,** with an expression
***physique,** physical; *f.* physics
***piano,** *m.* piano
pic, *m.* peak

Picard, *m.* native of Picardy, Picard

***pièce,** *f.* piece, play, coin, room, material; **la —,** apiece; **— blanche,** silver coin; **— de monnaie,** coin; **— de théâtre,** play

***pied,** *m.* foot; **à —,** on foot; **coup de —,** kick; **—s nus,** barefooted; **à —s joints,** feet held tightly together; **mettre — à terre,** to dismount; **sur la pointe des —s,** on tiptoe

piédestal, *m.* pedestal

Piémont, Piedmont (*a mountainous region in northern Italy*)

***pierre,** *f.* stone, precious stone, gem; **en —,** stone, made of stone

pierreries, *f. pl.* precious stones, gems

piété, *f.* piety

piéton, *m.* pedestrian, foot-passenger

pieu, *m.* stake, pile

pieu-x, -se, pious, religious, devout

pilier, *m.* pillar, habitué

pilon, *m.* pestle, stamper, wooden leg

pilote, *m.* pilot

pin, *m.* pine-tree, pine; **pomme de —,** pine-cone

pince-nez, *m.* folding eye-glasses

pioche, *f.* pickaxe, mattock

piocher, to dig (*with a pickaxe*); to cram (*for examinations*)

***pipe,** *f.* pipe, tobacco pipe; **— à sujets,** carved pipe

piquant, sharp, stinging, biting, cutting, pointed

***piquer,** to prick, sting, bite, goad, excite, speed, dive; **se — au jeu,** to persist in playing (a game)

***pire,** *adj.* worse; **le (la) —, les —s,** the worst

***pis,** *adv.* worse; **le —,** the worst

pistole, *f.* pistole (*an old French coin worth about ten francs*)

pistolet, *m.* pistol; **— d'ordonnance,** army pistol

piteu-x, -se, pitiful, miserable, wretched

***pitié,** *f.* pity, compassion

pitoyable, pitying, pitiful

pittoresque, picturesque, graphic

***place,** *f.* place, seat, room, spot, public square, position, job; **en —,** in position; **tenaient si peu de —,** had so small a share; **nous restons maîtres de la —,** we are in control of the position

***placer,** to place, put, assign, set to work; **en attendant d'être placée,** while waiting to be appointed; **se —,** to station oneself; **bien placé,** well-timed

plafond, *m.* ceiling

***plaindre,** to pity, take pity on, be sorry for; **se —,** to complain, lament

***plaine,** *f.* plain, flat country, field, lowland

***plainte,** *f.* complaint, wail, sigh, groan, lamentation

***plaire,** to please, suit one's convenience, be attractive; **— à,** to please; **s'il vous plaît,** if you please; **il me plaît,** I like

plaisant, pleasing, agreeable, funny, droll, joking; *m.* wag, joker

plaisanter, to joke, banter, jest

plaisanterie, *f.* pleasantry, joke, fun; **par —,** for a joke, in jest

***plaisir,** *m.* pleasure; **faire — à,** to please, give pleasure to; **faire à quelqu'un le — de,** to do one the favor of; **prendre — à,** to take pleasure in, enjoy

***plan,** *m.* plan, map, sketch map

plancher, *m.* ceiling, floor; **— du dessus,** upstairs, the floor above
planer, to soar, hover
***plante,** *f.* plant; **—s utiles,** vegetables; **—s agréables,** flowers
planté, planted, fixed
***planter (de),** to plant (with)
plat, flat, smooth, drab, commonplace; **à — ventre,** flat on the ground; *m.* dish, plate, platter, course (at a meal)
platane, *m.* plane-tree
plate-forme, *f.* platform
plâtre, *m.* plaster, mortar
***plein,** full, filled; **en —,** full, in full, all, in the heart of; **en — sur,** all on; **il avait le cœur —,** he was sorry at heart; **en — jour,** in broad daylight; **avoir le cœur —,** to be sad, be full of grief
***pleurer,** to cry, weep, mourn, bewail, shed tears
pleuvoir, to rain
pli, *m.* fold, crease, depression; **aux —s collants,** with clinging folds; **— de terrain,** ridge, rise in the ground
***plier,** to fold, fold up, bend; **plié en deux,** bent double
plissé, folded, wrinkled, pleated; **les lèvres —es,** with lips compressed (in derisive doubt)
***plonger,** to plunge, dive, sink, go down, fall
***pluie,** *f.* rain; **un jour de —,** a rainy day
***plume** *f.* feather, pen, quill
***plupart: la — de,** most of, the majority of
***plus,** more; **le (la, les) —,** the most; **plus . . . plus,** the more . . . the more; **au —,** at most; **ne . . . —** no more, no longer; **ne . . . — que,** no longer except, now only, nothing more but; **— que,** more than; **de — en —,** more and more; *in negations:* **— de,** no more; **— de Quinquet,** no more Q.; **ni moi non —,** nor I either; **il ne restait — que,** the only thing that remained; **ne . . . — rien,** nothing except
***plusieurs,** *pl.* several
***plutôt,** rather, sooner
***poche,** *f.* pocket
poêle [pwal], *m.* stove
poème, *m.* poem, piece of poetry
***poésie,** *f.* poetry
***poète,** *m.* poet, author
***poids,** *m.* weight, load, burden
poignée, *f.* handful, fistful; **— de main,** handshake
poignet, *m* wrist, cuff (*of coat, frock*)
poil, *m.* hair (*of an animal*), fur; **chapeaux à longs —s,** long-napped hats; **le — sur sa peau,** all the hair on his skin
***poing,** *m.* fist; **— fermé,** clenched fist
***point,** *m.* point, spot, mark; **à —,** marvelously, to perfection; **être sur le — de,** to be about to; **— de vue,** viewpoint; *adv.* not at all; **ne . . . point,** not at all; **c'est — tant la chose,** it isn't so much the thing itself; **non —,** not at all
***pointe,** *f.* point, peak, very tip; **sur la — des pieds,** on tiptoe
pointu, pointed, sharpened (at the end)
***poisson,** *m.* fish
***poitrine,** *f.* breast, chest, bosom, lungs
poker [pɔkeːr], *m.* poker (*card game*)

polaire, polar; **étoile —,** pole-star
Pôle-Nord, *m.* North Pole
***poli,** polite, polished, shined, well-bred
***police,** *f.* police; **agent de —,** policeman; **salle de —,** guard-room
poliment, politely, courteously
polir, to polish, burnish, make polite, put the finishing touches on
***politesse,** *f.* politeness, good breeding; **par —,** out of politeness
***politique,** political, politic; *f.* politics; policy
polonais, Polish; **Polonais,** *m.* **Polonaise,** *f.* Pole
pommadé, smeared with pomade
pomme, *f.* apple; **— de terre,** potato
pommette, *f.* cheek-bone
pommier, *m.* apple tree
pompeusement, pompously, with a dignified air
pompeu–x, –se, pompous, stately
pompier, *m.* fireman
pompon, *m.* (*mil.*) tuft, tassel
ponceau, flaming red; *m.* culvert, small bridge; poppy
ponctuel, –le, punctual, exact, precise
***pont,** *m.* bridge, deck (of a ship)
ponter, to punt (at play), bet, or gamble, against the bank (as in faro)
popote, *f. fam.*, kitchen, mess
***populaire,** popular, common
porc [pɔːr] *m.* hog, pig; **en peau de —,** of pig skin
porche, *m.* portal (of a church), covered porch; (*arch.*) portico
***port,** *m.* port, harbor
***porte,** *f.* door, gate, door-step; **— charretière,** carriage entrance; **— bâtarde,** house door, garden gate; **— des artistes,** stage entrance
porte-cigare, *m.* cigar holder; **—s,** cigar case
porte-drapeau, *m.* (*mil.*) ensign-bearer, color-bearer, ensign
***portée,** *f.* range, scope, reach, shot; **— de canon,** gunshot (distance)
portefeuille, *m.* portfolio, bill-case, pocketbook, wallet
porte-monnaie, *m.* pocketbook, purse
***porter,** to carry, wear, bear, put, bring; **se — à la rencontre,** to go to meet; **se — au devant de,** to go to face, go to meet
porteur, *m.* bearer, carrier
***portrait,** *m.* portrait, likeness, description, painting, picture
portraitiste, *m.* portrait-painter
pose, *f.* pose, attitude; **le faire à la —,** to be a poser, be high-hat
***poser,** to place, put, set down, pose, sit, ask (a question); **se —,** to perch, alight, land; **se — en,** to set oneself up as (a)
positi–f, –ve, positive, sure
***position,** *f.* position; **en bonne —.** well established
***posséder,** to possess, own, hold
***possession,** *f.* possession, occupation
***possible,** possible; *m.* possible, possibility, what is possible; **ce n'est pas —,** it is out of the question; **faire son —,** to do one's best
***poste,** *m.* post, position; *f.* post-office, mail
posté, stationed, placed
poster, to post; **se —,** to take up a position, take one's stand, stand
posture, *f.* posture, position, attitude

pot, *m.* pot, jug; **— de pharmacie,** mortar (pharmaceutical vessel)
potager: jardin —, *m.* kitchen garden
pot-au-feu, *m.* beef stew (made of beef and vegetables)
potée, *f.* stew, potful
poterie, *f.* pottery, earthenware
potier, *m.* potter; **chez le —,** at the potter's shop
potin, *m.* gossip, scandal
pouce, *m.* thumb; inch
poudrer, to powder, shower money on
pouffer (de rire), to burst out (laughing), bubble over (with laughter)
poule, *f.* hen; sweetheart (*slang*)
poulet, *m.* chicken
***pour,** for, in order to; **— que,** in order that, so that; **le — et le contre,** the pros and cons, both sides
pourboire, *m.* gratuity, tip
pourpoint, *m.* doublet
pourpre, *m. and adj.* purple, crimson, livid; **de —,** crimson
***pourquoi,** why? for what reason? **— cela?** why so? **— pas?** why not? **c'est —,** that's why, therefore
***poursuite,** *f.* pursuit, chase, running after
***poursuivre,** to pursue, chase, hunt, continue; **— son chemin,** to proceed on one's way
***pourtant,** however, yet, nevertheless, still
pourvoi, *m.* appeal (for reversal of judgment); **— en grace,** petition for mercy
pourvoir, to provide; **— à l'entretien de,** to support
***pourvu que** (+ *subj.*) provided that, if only
pousse, *f.* shoot, sprout
***pousser,** to push, drive, urge, sprout, urge on, utter, grow, shove open, shove, send out; **— des cris,** to scream out, utter cries
***poussière,** *f.* dust, haze, spray; **une — de soleil,** a sunlit haze
poussi-f, -ve, short winded, asthmatic, wheezy
poutre, *f.* beam, girder
***pouvoir,** to be able; **ne — rien,** to be of no avail (use); **n'en — plus,** to be worn out; **n'en — dire plus long,** to be unable to say any more; **se —,** to be possible; **il se peut que,** it may be that; *m.* power, authority
prairie, *f.* meadow, pasture
praticien, *m.* practitioner
***pratique,** practical, experienced; *f.* practice, experience; **vieille —,** old scamp
pré, *m.* meadow, field, pasture
***précaution,** *f.* precaution, caution; **avec —,** cautiously
précédent, preceding, before, foregoing
***précéder,** to precede, go before, have precedence
***précieu-x, -se,** precious, valuable, costly
***précipiter,** to precipitate, hasten; **se —,** to rush, hurry, dash out, rush forward, fling oneself
***précis,** precise, exact, sharp, definite; **à minuit —,** at exactly midnight; **à l'heure —e où,** at the very hour when
***précisément,** precisely, exactly, just so, just now
***préciser,** to state precisely, specify
***précision,** *f.* precision, accuracy; *pl.* particulars

précoce, precocious, premature, early

prédire, to predict, foretell

préfecture, *f.* prefecture, office of the prefecture; **— de police,** police headquarters

préférence, *f.* preference; **de —,** preferably, in preference; **tirer de —,** to prefer to fire

*__préférer,__ to prefer, like better, choose

préjuger, to prejudge, judge offhand, judge without examination

*__premi-er, -ère,__ first, chief, foremost; *f.* first performance, first night; **au première étage,** on the second floor; **le — moutardier,** the head mustard maker

*__prendre,__ to take, take up, get, seize, put up with, accept, purchase; **— pour,** to consider, mistake for; **— soin,** to take care, look after; **— à,** to take from; **— un temps,** to take one's time; **à tout —,** everything considered, all in all; **s'y —,** to go about it, manage it; **— par terre,** to pick up from the ground

prénom, *m.* first (Christian) name, given name

préparatif, *m.* preparation; **faire des —s,** to make preparations

*__préparation,__ *f.* preparation, getting ready

*__préparer,__ to prepare, get ready; **se —,** to get ready

*__près,__ near, nearby, at, with, at the home of; **— de,** near, close to, at the home of, with; **de si —,** at such close range, so close; **de plus —,** from a nearer point, more closely; **serrer de —,** to press hard; **à peu —,** nearly, just about, almost; **— de la reine Jeanne,** to the court of Queen Joan; **— de** (+ *inf.*) on the point of

présager, to presage, forebode

presbytère, *m.* parsonage, rectory, vicarage, parish-house

*__présence,__ *f.* presence; **en — de,** in the presence of

*__présent,__ present; *m.* present, present time; **à —,** now, just now; **jusqu'à —,** thus far; **dès à —,** from now on

*__présenter,__ to introduce, present, offer

*__président,__ *m.* president (of a republic); presiding judge

présider, to preside over, be chairman of

*__presque,__ almost, nearly

pressé, hurried; **— autour,** crowded around

*__presser,__ to press, urge, crowd, squeeze, hurry; **— le pas,** to hurry, hasten one's step; **se —,** to hurry, be in a hurry, crowd, press close, swarm

prestance, *f.* noble bearing or look, commanding appearance, good looks

preste, nimble, quick

*__prêt__ (à), ready (to), prepared (to)

prétendant, *m.* claimant, suitor, wooer

*__prétendre,__ to pretend, claim, state, declare, intend

*__prétention,__ *f.* pretension, claim

*__prêter,__ to lend, impart, give; **— à,** to give rise to, cause; **— attention,** to pay attention

prêteur, *m.* lender, money lender

*__prétexte,__ *m.* pretext, pretence

*__prêtre,__ *m.* priest

*__preuve,__ *f.* proof, evidence; **à —,** for instance

prévenance, *f.* kindness, consideration, thoughtfulness, kind attention

***prévenir,** to anticipate, forestall, prevent, forewarn, let know, inform beforehand, bias; **se —,** to be prejudiced, to have one's mind made up in advance

***prévoir,** to foresee, anticipate

***prier,** to pray, beg, request, ask; **se faire —,** to require much urging; **je t'en prie,** I beg of you, please

***prière,** *f.* prayer, request, entreaty

prieur, *m.* prior (superior of a monastery)

prieuré, *m.* priory

***prince,** *m.* prince; **être bon —,** to be a good fellow

***principal,** principal, chief, main, leading

principalement, principally, especially

***principe,** *m.* principle, primary cause, beginning, privilege; **dans le —,** to begin with, at the outset

printani–er, –ère, spring-like, spring, youthful

***printemps,** *m.* spring

***pris,** taken, overcome, seized, captured; **— de,** overcome by; **—e à la taille,** close-fitting, taken in at the waist, snug-fitting

***prise,** *f.* capture, taking, catch

***prison,** *f.* prison, jail

***prisonnier,** *m.* **prisonnière,** *f.* prisoner

***priver,** to deprive

***prix,** *m.* price, cost, prize; **à tout —,** at all costs

***probablement,** probably

***problème,** *m.* problem

***procédé,** *m.* procedure, process, way (of doing things)

***procéder (à),** to proceed (to), go on (with)

***prochain,** near, approaching, coming, next, nearest, neighboring; *m.* neighbor, fellow man

***proche,** near, close, at hand

procureur, *m.* attorney, district attorney, public prosecutor; **— général,** Attorney General, public prosecutor

prodigieu–x, –se, prodigious, tremendous, remarkable, amazing

production, *f.* production, product, output

***produire,** to produce, bring forth; **se —,** to occur, happen

profession, *f.* profession; **faire — de,** to make a business of

***profit,** *m.* profit, benefit, gain, personal advantage; **tirer —,** to get (emolument) compensation

***profiter,** to benefit, profit; **— de,** to avail oneself of, profit by

***profond,** profound, deep, fervent, grave, sunk (in silence); **— et doux** (*of a forest*) profoundly peaceful; **un — ennui,** utter boredom

***profondément,** deeply, profoundly

***profondeur,** *f.* depth, profundity, profoundness

***programme,** *m.* program, course

***progrès,** *m.* progress, headway, advancement

***projet,** *m.* project, scheme, plan

prolongé, prolonged, long-drawn-out

***prolonger,** to prolong, extend, lengthen; **se —,** to extend

***promenade,** *f.* walk, stroll, drive, ride; **faire une —,** to go for a walk

***promener,** to lead, take out for a walk (ride, etc.); **se —,** to go for (take) a walk (ride, etc.); — **le regard sur,** to survey; — **ses regards,** to look about; **aller se —,** to go out for a walk, a stroll

promeneur, *m.* pedestrian; — **endormi,** sleep-walker, drowsy observer

***promettre,** to promise; **faire —,** to offer

promptement [prɔ̃tmɑ̃], promptly, right away

***prononcer,** to pronounce, declare, say, pass (sentence), utter; **se —,** to declare oneself

pronostic, *m.* prediction, prognostication

prophète, *m.* prophet, seer

prophétique, prophetic

proportion, *f.* size

***propos,** *m.* remark, subject, talk, conversation, object proposed; *pl.* gossip; **à —,** by the way; **à tout —,** on every occasion, at every turn, continually; **des méchants —,** mean gossip, unkind talk, backbiting

***proposer,** to propose, offer, suggest

***proposition,** *f.* proposition, motion, offer, proposal

***propre,** proper, clean, own, nice, fine; **être —,** to be in a fine fix; **nous voilà —s,** we're in a pretty fix!

***propriétaire,** *m. or f.* proprietor, owner, landlord, landlady

***propriété,** *f.* property, estate, ownership

prosterner: se —, to prostrate oneself, bow one's head, lie flat

***protection,** *f.* protection, defense, support, patronage

***protéger,** to protect, shield, defend, shelter

protestation, *f.* protest

***protester,** to protest; *intr.* to make a protest; **— de son innocence,** to protest one's innocence

***prouver,** to prove, show, substantiate

provenç-al, -aux, Provençal; *m.* Provençal, native of Provence; provençal, Provençal language

Provence, *f.* the name of a former province in southern France

providence, *f.* providence, foresight

***province,** *f.* province, country; **en —,** in the provinces, in the country (outside of Paris); **dans sa —,** in his own province; **de —,** provincial, countrified

provision, *f.* provision, supply, stock, food

***provoquer,** to provoke, challenge, instigate, give rise to

prudence, *f.* prudence, caution; **avec —,** prudently, cautiously, warily; **par —,** as a matter of precaution

prunelle, *f.* pupil (of the eye), eyeball; *pl.* eyes

prussien, -ne, Prussian; **le Prussien,** the Prussian

psychologique, psychological

***publi-c, -que,** public; **crieur —,** town crier; **le —,** the public

***publier,** to publish, make public, expose

publiquement, publicly

***puis,** then, next, after that, later, besides

***puisque** [pɥisk(ə)], since, as, because

***puissance,** *f.* power, strength, sway, force

***puissant,** powerful, mighty, potent

puits, *m.* well; **le Puits des eaux vives;** "A well of living waters"

punch [pɔ̃ːʃ], *m.* punch, toddy; **— au kirsch,** cherry brandy punch; **bol à —,** punch bowl
punir, to punish
punition, *f.* punishment
***pur,** pure, clear, sheer
purger, to purge, cleanse, purify

Q

quadrupède [kwadrypɛd], *m.* quadruped, four-footed animal
quai [ke], *m.* quay, wharf, stone embankment (along a river)
***qualité,** *f.* quality, capacity; **en — de,** as
***quand,** when, even if, though; **— même** (*not followed by a verb*), nevertheless, all the same; **— même** (+ *verb*), even if, even though
***quant à,** as for, as to, as regards
***quantité,** *f.* quantity, amount, lot, plenty
***quarante,** forty
***quart,** *m.* quarter, fourth part; **en —,** reserved fourth (*of a forest*)
***quartier,** *m.* quarter, district, neighborhood
quasi [kazi], almost, nearly, all but
quasiment [kazimɑ̃], almost, as it were
quatorze, fourteen; " fourteen points " (scored at piquet for 4 kings and 4 aces)
***quatre,** four; **— par —,** in fours
quatrième, fourth; *m.* **— (étage),** fifth story apartment
***que,** *conj. and adv.* that, in order that, than, until, as, when; **ne . . . que,** only, but, except; **—!** what a! how! **— c'est beau!** how beautiful it is! **à peine . . . que,** hardly . . . when; **— de!** what a lot of! how many (much)! **— de larmes!** how many tears!
***que,** *rel. pron.* whom, which, that; **ce —,** what, that which
***que,** *int. pron.* what? **qu'est-ce —?** what? **qu'est-ce qui?** what? **— faire?** but what is (was) to be done?
***quel,** what, what a, which, who; **—(le) que** (+ *subj.*), what ever, which ever
***quelconque,** any, some, whatever, of any kind
***quelque,** some, any, a few, several
***quelque chose,** *ind. pron.* something, anything; **avoir —,** to be something the matter (with one); **— (de** + *adj.*) something, anything; **— de bon,** something good
***quelquefois,** sometimes
***quelqu'un, (une), quelques-uns, (unes),** somebody, someone, some, a few
querelle, *f.* quarrel; **chercher — à,** to pick a quarrel with
***question,** *f.* question, enquiry; **poser une — à quelqu'un,** to ask someone a question; **l'homme dont il est —,** the man whom we have in mind; **où il était — de,** wherein something was said about; **il n'en fut plus —,** no one talked about it any more
questionner, to question, ask
questionneur, *m.* questioner, enquirer, inquisitive person
quête, *f.* quest, search; **en — de,** looking for; **faire la —,** to take up a collection
quêter, to go in quest of, look for, seek
quêteur, *m.* gatherer, collector; **frère —,** mendicant friar

***queue** [kø], *f.* tail, end, cue (at billiards)
***qui,** *rel. pron.* who, whom, which, that; *int. pron.* who? whom? whoever?
quinte, *f.* quint (a sequence in piquet of five cards of like color); **rêvant de — et quatorze,** dreaming of having command of all the cards
quinzaine, *f.* fortnight, about fifteen; **de —,** fortnightly
***quinze,** fifteen; **— jours,** two weeks, a fortnight
quitte, quit, free, rid; **vous en voilà —,** you are safe; **— ou double,** quits if you win, double (the stakes) if you lose; **être — avec quelqu'un,** to be quits with, be rid of someone
***quitter,** to leave, quit, give up, take off, abandon; **— des yeux,** to take one's eyes off; **se —,** to take leave of each other
***quoi,** *int. and rel. pron.* which, what, that, what? **— qu'il en soit,** however that may be, be that as it may; **— de,** wherewith, enough; **— que** (+ *subj.*), whatever; **— qu'il arrive,** whatever happens; **je ne sais —,** something or other; **mais —?** but what can be done about it? **quoi!** huh!
***quoique,** although, even though, though

R

rabais, *m.* reduction, discount, rebate, offer; **au —,** at a reduced price; **se décidant au — proposé,** deciding to accept the proposed offer
rabattre, to beat down, diminish
rabiot (= **rabiau**), *m.* extra work, overtime
***race,** *f.* race, breed, stock, species, ancestry, sort; (*fig.*) **de toute —,** of all sorts, of every description
racine, *f.* root
***raconter,** to tell, narrate, recount
radieu-x, -se, radiant, beaming with joy
raffiné, refined, keen, subtle
raffoler (de), to be passionately fond (of), dote (on)
rafraîchir, to refresh, cool, cool off
rafraîchissement, *m.* coolness, cooling effect; *pl.* refreshments
***rage,** *f.* rage, fury, madness
raid [rɛd], *m.* raid (military term adopted from English)
raide, stiff, inflexible, tough, rigid
raidir, to stiffen, render inflexible, make rigid
raie, *f.* streak, beam (of light), row; **étoffe à —s,** striped stuff
railleusement, mockingly, banteringly, sneeringly
***raison,** *f.* reason, motive, grounds; **avoir —,** to be right
***raisonnable,** reasonable, thoughtful, fair, adequate
raisonné, rational, reasoned out
raisonner, to reason out, support by argument
ralentir, to slacken, slow up, slow down
rallyepaper, *m.* "hare and hounds", paper chase (on horseback)
***ramasser,** to pick up, gather, collect
***ramener,** to bring (again), bring back home, restore, take out, bring out
rampe, *f.* railing, balustrade, banister, flight (in a staircase); *pl.* hand-rails

rancune, *f.* rancor, grudge, spite, ill-will, malice; **sans —,** without malice
rancunier, rancorous, spiteful, grudge-bearing, resentful, bitter, vindictive
***rang,** *m.* rank, row, class, file, line; **se mettre sur les —s,** to submit one's candidacy, to come forward as a candidate
rangé, steady, settled, orderly; **homme —,** steady man
rangée, *f.* row, file, line; **— de droite,** row at the right
***ranger,** to arrange, set in order, marshal, array; **se —,** (*mil.*) to take one's stand, draw up, fall in
ranimer, to reanimate, to revive, cheer up
rapatrier, to repatriate, send foreigners back to their own country
râpé, thread-bare, shabby
***rapide,** rapid, fast, quick, swift; *m.* express train
***rapidement,** rapidly, quickly, fast
rapiécer, to piece together, patch (up)
rappel, *m.* recall, calling back, return; (*mil.*) roll-call
***rappeler,** to recall, call, summon, remind; **se —,** to remember, recollect
***rapport,** *m.* report, account, record, yield, return, relation, connection
***rapporter,** to bring back, relate, return, report; **se — à,** to refer to
***rapprocher,** to bring nearer together (again), bring together; **se — de,** to draw nearer (together)
***rare,** rare, scarce, unusual, few; **les —s fois,** the few times
***rarement,** rarely, seldom
ras, close-cropped, shorn; **velours —,** short-napped velvet; *m.* short-nap cloth; **au — de,** on a level with, close to, flush with
raser, to shave; **se —,** to shave (oneself)
***rassembler,** to reassemble, collect, gather, muster, bring together, come together
rasseoir: se —, to sit down again
rassurant, encouraging, comforting
***rassurer,** to reassure, cheer, hearten, strengthen, encourage, console; **se —,** to take courage again
rata, *m.* (*slang*) stew, grub (often consists of beans or potatoes)
ratatiné, withered, shriveled, wizened, weather-beaten, wrinkled; **vieille —e,** *f.* (*slang*) wrinkled old crone
râteau, *m.* rake
rater, to miss, fail
rattacher, to connect, fasten, link; **se — à,** to be connected with, belong to, cling to
rattraper, to catch again, to overtake, regain, win again
rauque, hoarse, husky, harsh, rough
ravagé, ravaged, weather-beaten
***ravi (de),** delighted, highly pleased (with); **— de joie,** overjoyed
ravin, *m.* ravine, gorge, gutter (made by a flood)
ravine, *f.* mountain-torrent
***ravir,** to ravish, delight, enrapture
raviser: se —, to change one's mind, think better of it
ravissement, *m.* delight, rejoicing, rapture, ecstasy
***rayon,** *m.* ray (of light), beam; shelf, counter, department; **— de lune,** moon-beam

rayonnant, radiant, beaming, sparkling
rayonnement, *m.* radiance, radiancy
razzia [razja], (*Arabic word*) *f.* raid
***réaliser,** to realize, carry out, profit, convert into money; **se —,** to be realized
***réalité,** *f.* reality, truth; **en —,** really
rebâtir, to rebuild, build again
rébus [rebyːs], *m.* rebus, riddle, pun
recarreler [rəkarle], to pave (*a floor, etc.*) anew
***récemment** [resamɑ̃], recently, newly, lately
***récent,** recent, new, late
receveur, *m.* receiver, tax collector; **— de l'enregistrement,** registry clerk, registrar
***recevoir,** to receive, get, entertain
réchapper, to escape, recover; **si j'en réchappe,** if I get out of this
réchauffer, to warm up, heat again
***recherche,** *f.* research, search, quest, enquiry, investigation
recherché, sought after, in demand, of studied elegance or refinement
***rechercher,** to search for, investigate, run after, court, woo
récipient, *m.* receiver, receptacle
***récit,** *m.* recital, account, narration, tale
réciter, to recite, utter, tell, relate, give an account of
***réclamer,** to claim, beg, call upon, demand, ask again, proclaim, object
récolte, *f.* crop, harvest; **à la —,** at harvest time; **faire la —,** to reap the harvest
récolter, to reap; **— la tempête,** to be scolded
recommandation, *f.* recommendation, esteem, value, reference, consideration; **lettre de —,** letter of introduction
***recommander,** to recommend, urge, enjoin, request, exhort; **se — à Dieu,** to implore divine mercy
***recommencer,** to recommence, begin again, do again
***récompense,** *f.* recompense, reward
récompenser, to reward; **— de,** to reward for
reconduire, to take back, show out, accompany to the door; **— jusqu'à,** to see as far as
réconfortant, comforting, strengthening
réconforter, to comfort, cheer up, strengthen, encourage
***reconnaissance,** *f.* gratitude, acknowledgement, recognition; (*mil.*) reconnoitring, exploration, reconnoitring party; **en —,** on a reconnoitring expedition; **des —s,** reconnoitring parties, scouts; **faire une —,** to reconnoitre
reconnaissant, grateful, thankful
***reconnaître,** to recognize, admit, find out, acknowledge, reconnoitre, explore, ascertain
reconstituer, to reconstitute, recoup
recours, *m.* recourse, resort; **— de (en) grâce,** petition for mercy or pardon
recouvert (de), covered, trimmed (with)
***recouvrir,** to cover again, cover up
récréer: se —, to divert oneself, to take recreation
recrue, *f.* (*mil.*) recruit
recrutement, *m.* (*mil.*) recruiting, recruitment

recueil, *m.* collection
recueilli, absorbed in thought, peaceful, placid
***recueillir,** to collect, gather, pick up; **se —,** to become absorbed in contemplation
reculé, remote
***reculer,** to move back, retreat, recoil, give way; **— devant,** shrink from; **— de vingt ans en arrière,** to go back twenty years
rédacteur, *m.* editor, writer (of periodicals)
rédemption, *f.* redemption, release, deliverance
redescendre, to come down again, go down again
***redevenir,** to become again (once more)
rédiger, to draw up, write
redingote, *f.* frock coat
redoubler, to redouble, increase; **— d'efforts,** to exert oneself still more; **des coups redoublés,** blow after blow
***redoutable,** redoubtable, fearful, formidable, dreadful
redoute, *f.* (*mil.*) redoubt, fort
***redouter,** to dread, fear; **se faire —,** to keep oneself in awe
redresser, to raise, straighten up; **se —,** to straighten up, stand up, sit up, get up again, stand erect (again)
***réduire,** to reduce, smash, lower, conquer; **en être réduit,** to be reduced
***réel, -le,** real, actual, substantial, true
***réellement,** really, actually
refaire, to make again, do again, go over again, renew, retrace
***réfléchir,** to reflect, think, think over, ponder, consider
reflet, *m.* reflection, reflect, shimmer
refléter: se —, to be reflected
***réflexion,** *f.* reflection, thought, idea; **toute — faite,** all things considered, on thinking everything all over
refondre, to recast, melt again
réforme, *f.*, reform, change (*in mode of living*)
reformer, to form again; **se —,** to be formed again
refus, *m.* refusal, denial
***refuser,** to refuse, decline, not to accept, deny, reject; **se — à,** to decline to, resist; **se — de,** to refuse to
regagner, to regain, return to, win back; **— la maison (son logis)** to return home
regaillardir, to cheer up, make merry, enliven
***regard,** *m.* look, glance, gaze, stare; *pl.* eyes, attention, notice; **détourner le —,** to take one's eyes from; **jeter un — sur,** to cast a glance at, look at; **en — de,** opposite, facing; **il arrêta son — de connaisseur,** his expert glance fell; **tous les —s,** every eye; **sous un — de,** at a look from
***regarder,** to look at, concern, consider, watch, note; **— de travers,** to look askance at, look cross at; **— dans les yeux,** to stare at; **— fixement,** to stare at; **— comme,** to consider as; **se —,** to look at oneself
***régime,** *m.* regime, rule, government, system, diet
***régiment,** *m.* regiment
***région,** *f.* region, district
registre, *m.* register, account-book

***règle,** *f.* rule, order; **dans les —s,** according to rules

***règlement,** *m.* rule, settlement, regulation; *pl.* rules and regulations

réglementaire, fair, just, customary, right

***régler,** to rule, regulate, set in order, settle, adjust

***régner,** to reign, rule, obtain, prevail, be in fashion

***regret,** *m.* regret, sorrow, longing; **à —,** reluctantly; **des —s désolés,** despairing regrets

***regretter,** to regret, be sorry for, miss; **— de,** to be sorry for, yearn for, miss

***réguli–er, –ère,** regular, orderly, even, business like

reine, *f.* queen; **— du ciel,** Virgin Mary

reins, *m. pl.* loins, back, hindquarters; **d'un coup de —,** by a sudden lunge

***rejeter,** to reject, throw down, throw back, set aside

***rejoindre,** to join again, meet again, reunite; **aller —,** to go and rejoin; **se —,** to meet again, come together again; **— son régiment,** to rejoin one's regiment

rejouer, to gamble again

***réjouir,** to rejoice, gladden, delight; **se — de,** to rejoice at, to be glad of

réjouissance, *f.* rejoicing, merrymaking, festivity

reléguer, to relegate, put away, put aside, remove

relève, *f.* (*mil.*) relief, reenforcement (of troops), change of guard

relevé, above the ordinary, raised up, turned up, noble; **manches —s,** sleeves rolled up; **elle va le pas —,** she's a high-stepper; **le pas —,** lifting the feet high, stepping high, prancing

***relever,** to raise, lift up, point out; **il fut relevé,** he was lifted to his feet; **— de,** to spring from; **se —,** to rise again, get up again

religieusement, religiously, piously, carefully, punctually, strictly

***religieu–x, –se,** religious, sacred; **un —,** a monk, friar

***religion,** *f.* religion, piety, faith

reluire, to shine, glisten, glitter

reluisant, shining, bright, glistening

***remarquable,** remarkable, noteworthy, conspicuous

***remarquer,** to remark, observe, notice, take notice of; **se faire —,** to attract notice

rembourrer, to pad, stuff

***remercier (de),** to thank, give *or* return thanks (for)

***remettre,** to put back, put on again, restore, put off, hand over, postpone; **se — en ses mains,** to deliver oneself, to entrust oneself; **se — à** (+ *inf.*), to begin again to; **il se fit — le prisonnier,** he had the prisoner turned over to him; **se —,** to regain one's composure, recover; **se — en observation,** to start one's watch again

***remonter,** to go (come, climb, run) up again, come back again; **— la lampe,** to turn up the wick

***remords,** *m.* remorse, compunction

remous, *m.* counter air-current

rempart, *m.* rampart, bulwark

***remplacer,** to replace, take the place of; (*mil.*) to serve as a substitute

***remplir (de),** to fill up, refill (with), replenish, fulfil, perform

remporter, to carry off, gain, win

***remuer,** to move, move about, stir, stir up, disturb, rake up; **— la tête,** to shake one's head (*to express disbelief*); **— contre,** to stir beside

***rencontre,** *f.* meeting, encounter; **aller à la — de,** to go to meet

***rencontrer,** to meet, run into, come across, encounter, find

***rendre,** to return, give back, depict, restore, render, yield; **— malade,** to make ill; **— l'aventure publique,** to make known the incident; **se —,** to surrender, go; **se — à,** to go to, betake oneself to, proceed to; **se — sur les lieux,** to go to the spot; **se — compte de,** to realize

***renfermer,** to shut up, comprise, contain, enclose, hold

renier, to deny, repudiate, disclaim

***renoncer,** to renounce, give up, disown, forego

renouveler, to renew, renovate, repeat, make again, refresh

renouvellement, *m.* renewal, renovation, change

***renseignement(s),** *m.* information, inquiry

renseigner, to inform, direct, tell, instruct

***rente,** *f.* income, revenue

rentré, sunken, receding, driven in; **lèvres —es,** receding lips

rentrée, *f.* re-entering, homecoming, return

***rentrer,** to re-enter, return (home), bring back, come or go back; *tr.* **quand nous le rentrons,** when we bring it in

***renverser,** to overthrow, upset, turn upside down, throw, spill, throw on; **se —,** to bend back, throw oneself backwards, lie on one's back, be upset; **être renversé sur,** to be lying (outstretched) on

***renvoyer,** to send back *or* away, dismiss

***répandre,** to spread, diffuse, scatter, give off; **se —,** to spread, scatter, become scattered; **se — dans,** to deploy over

reparaître, to reappear, make one's reappearance

réparer, to repair, mend, make amends for; **faire —,** to have repaired; **— le temps perdu,** to make up for lost time

reparler, to speak again

***repartir,** to set out again, reply, retort

***repas,** *m.* meal, repast

repasser, to pass again; to pass by again, review

repérage, *m.* locating (of an objective)

repéré, marked, spotted

répertoire, *m.* repertory, list

***répéter,** to repeat, say (tell) again

replier, to fold up (again), fall back; **se —,** (*mil.*) to fall back, retreat, retire

***répliquer,** to reply, answer, retort

replonger, to plunge again, dive again, relapse

***répondre (à),** to answer, reply, respond (to); **je vous en réponds,** I'll be responsible for it, take my word for it

***réponse,** *f.* answer, reply, response

reporter, to take back, carry back, bring back, return

***repos,** *m.* rest, repose, peace of mind

***reposer,** *intr. and tr.* to rest, lay down, lie, repose, refresh; **se —,** to rest, sleep

repoussant, repulsive, disagreeable, disgusting, repellent

***repousser,** to push away or back, repulse, repel, drive back; **— l'ennemi,** to repulse the enemy

***reprendre,** to take up again, resume, continue, go on with, begin again, recapture, reply; **le jeune officier reprit,** the young officer continued

représentation, *f.* performance

***représenter,** to represent, perform, picture

réprimander, to reprimand, rebuke

réprimer, to repress, hold back, restrain

repris, recaptured

reprise, *f.* recapture; darning, patching, mending; **à plusieurs —s,** repeatedly, over and over again, several times

réprobation, *f.* reprobation, censure, blame; **être en —,** to be reproved, be under suspicion

***reproche,** *f.* reproach, blame

***reprocher,** to reproach, blame, hold against; **se —,** to blame oneself

reproduire, to reproduce; **se —,** to be reproduced, recur, occur again, reappear

reps [rɛps], *m.* ribbed cloth, rep (silk or woolen fabric)

républicain, republican

***république,** *f.* republic, commonwealth

***réputation,** *f.* reputation, repute, name, fame

***réserve,** *f.* reserve, reservation, caution; (*mil.*) body of reserves

***réserver,** to reserve, save, set apart

réservoir, *m.* reservoir, great store, cistern, well, receptacle

***résigner,** to resign, give up

résistance, resistance, opposition

***résister,** to resist, withstand, oppose, endure

résolu, resolved, resolute, bold; **— à,** determined to

***résolution,** *f.* resolution, decision, mind, determination; **avec —,** resolutely, stoutly; **prendre la — (de),** to resolve (to), make up one's mind (to)

résonner, to resound, clank, rattle

***résoudre,** to resolve, solve, determine

***respect** [rɛspɛ], *m.* respect, regard, deference

***respecter,** to respect, have regard for

respectueu-x, -se, respectful, reverential; **crainte —se,** awe

respiration, *f.* breathing, breath; **prendre sa —,** to get one's breath; **couper la —,** to choke

***respirer,** to breathe, inhale

resplendissant, resplendent, bright, brilliant

responsable, responsible, liable, accountable; **— de,** responsible for, accountable for

***ressembler** (à), to resemble, be like, look like

ressortir, to go out again; **faire —,** to set off

***ressource,** *f.* resource, expedient, means, income, supply

ressusciter, to resuscitate, revive

restant, *m.* remainder

restauration, *f.* restoration; **la R—,** reign of Louis XVIII and Charles X in France (1814–1830)

***reste,** *m.* rest, remainder, remains;

du —, besides, moreover; **au —**, besides

***rester,** to remain, stay, be left; **il ne reste que,** there's nothing left but; **— en arrière,** to lag behind; **il resta stupéfait,** he stood aghast

restituer, to restore, pay back, give back

restreint, restricted, restrained, confined

***résultat,** result, outcome

***résulter,** to result, follow, ensue

résumer, to resume, sum up

***retard,** *m.* delay; **en —,** late, behindhand, slow

retardement, *m.* delay, stop, retardment

retarder, to retard, delay, put off

***retenir,** to keep back, retain, keep hold of

***retentir,** to resound, re-echo, ring forth

retiré, secluded, lonely

***retirer,** to withdraw, recover, take out, get, take away, extract, draw back; **se —,** to retire, withdraw, retreat

***retomber,** to fall down again, relapse, fall back on one's hands

***retour,** *m.* return, coming back; **au —,** on returning, on the homeward journey; **— offensif,** counter attack; **sans —,** irreparably; **être de —,** to have returned, to be back; **en —,** on returning, on the homeward journey

***retourner,** to return, turn, turn inside out, turn around, show; **— ses poches,** to turn one's pockets inside out; **— sur ses pas,** to retrace one's steps; **se —,** to turn around, look about, look behind, turn back; **en rêvant de roi retourné,** dreaming that he had turned up a king

retracer, to retrace, recall

***retraite,** *f.* retreat, refuge, retirement, hiding-place; (*mil.*) retiring pension; **officier en —,** retired officer; **battre en —,** to retreat; **mettre à la —,** to retire on a pension; **faire des —s si fréquentes,** to go so often into seclusion

rétrospecti–f, –ve, retrospective, looking backward

***retrouver,** to find again, recover, find, get back; **pour aller — votre dîner,** to get back to your dinner; **se —,** to meet again, get back to, find one's way again

***réunion,** *f.* meeting, reunion, assembly, gathering

***réunir,** to reunite, bring together, assemble, meet, gather; **se —,** to gather, meet, come together

***réussir,** to succeed, make a success of, be a success, prosper, turn out well; **— à,** to succeed in; **— si bien,** to make such a success of, succeed so well (in making)

***revanche,** *f.* revenge, retaliation, return; **en —,** in return, on the other hand, on the contrary, by way of retaliation

***rêve,** *m.* dream; (*fig.*) day-dream, vision

réveil, *m.* waking, awakening; (*mil.*) reveille

***réveiller,** to awaken, arouse; **se —,** to wake up; **se — en sursaut,** to start up out of one's sleep

révélat–eur, –rice, revealing, telltale

révélation, *f.* revelation, act of

revealing divine truth, revealing (of truth), disclosure
*__révéler,__ to reveal, disclose, detect, discover
*__revenir,__ to return, come back, get over, recover, cost, amount to; __— de,__ to recover from, give up, get over; __s'en —,__ to return, wend one's way back; __— sur ses pas,__ to retrace one's steps
__revenu,__ *m.* revenue, income
*__rêver,__ to dream, ponder; __— à__ *or* __de,__ to dream of, ponder, wonder about
*__révérence,__ *f.* reverence, bow, curtsey; __se confondre en —s,__ to bow profusely; __faire une grande —,__ to make a low curtsey or bow
__rêverie,__ dreaminess, revery, musing, daydream
__revers,__ *m.* back, reverse side (*of a coin or medal*), other side; __— de main,__ back-handed blow, sweep of the hand; __coup de —,__ back-handed stroke
*__revêtir,__ to clothe, dress, put on, cover, bestow; __— de,__ to invest one with
__rêveu-r, -se,__ dreamy, pensive, thoughtful
*__revoir,__ to see again, meet again, review; __au —,__ goodbye
*__révolution,__ *f.* revolution
__revolver__ [revɔlvɛːr], *m.* revolver, pistol
__revue,__ *f.* review, (literary) magazine; __passer en —,__ to review, inspect
__revuiste,__ *m. and f.*, composer of revues (*author of satirical plays about recent events*)
__rez-de-chaussée,__ *m.* ground floor
__rhabiller,__ to dress again, patch, repair; __se —,__ to dress again
__rhum__ [rɔm], *m.* rum (a liqueur)
__rhumatisme,__ *m.* rheumatism; __les —s__ twinges of rheumatism; __réveiller les —s,__ to bring back one's rheumatism
__rhume,__ *m.* cold; __attraper un —,__ to catch a cold
__ricaner,__ to sneer, laugh derisively, chuckle
__ricaneur,__ *m.* sneerer, giggler
*__riche,__ rich, wealthy, well-to-do, costly, handsome; __qu'on disait —,__ who were reputed to be wealthy; __pas —,__ poor, hard up
__richement,__ richly, wealthily, to one's financial advantage
*__richesse,__ *f.* riches, wealth, richness
__ride,__ *f.* wrinkle, ripple
__ridé,__ wrinkled; __tout —,__ wrinkled
*__rideau,__ *m.* curtain, screen
*__ridicule,__ ridiculous; *m.* ridicule, ridiculousness, absurdity
*__rien,__ nothing, anything; __ne . . . rien,__ nothing; __— que,__ simply, only, nothing but; __— que pour moi,__ for myself alone; __on n'est pas pour — la mule du Pape,__ it does mean something to be the Pope's mule; __— d'effarouché,__ no sign of alarm; __— que pour moi,__ all to myself; __— qu'en les regardant,__ simply by looking at them
__rieu-r, -se,__ laughing, smiling, merry
__rigidité,__ *f.* rigidity, stiffness
__rigole,__ *f.* little gutter, trench, drain, furrow, ditch
__rigoler,__ (*fam.*) to laugh
__rigueur,__ *f.* rigor, severity, sternness; __tenir — à,__ to refuse to come to, be denied, keep up a grudge against; __de —,__ indispensable

rime, *f.* rhyme; (*fig.*) verse
rimer, to write (*rhymes, poetry*), put into rhyme
riposter, to reply, make a smart reply, retort
***rire,** to laugh; **— aux larmes,** to laugh uproariously; **avoir de quoi —,** to have something to laugh at; *m.* laughter; **un bon gros —,** a hearty laughter; **— aux éclats,** to laugh heartily, roar; **en riant,** with a laugh; **il vous riait si bien,** he would smile upon you so kindly; **ce qui ne faisait pas — les cardinaux,** which didn't seem funny to the cardinals
risque, *m.* risk, danger
***risquer,** to risk, endanger, chance; **— de,** to risk
rissolé, browned, browned and crisp, crisp brown
rive, *f.* bank (of a river), shore
***rivière,** *f.* river, creek; **— de diamants,** string of diamonds
***robe,** *f.* dress, gown, frock, coat (of certain animals), robe; **— montante,** high-necked dress; **en —s de juges,** in judges' gowns
robuste, robust, strong, sturdy, hardy, stalwart
roche, *f.* rock, stone, boulder
rôder, to rove, roam
rogner, to cut down (off), pare, crop, clip, reduce, curtail
***roi,** *m.* king
roidi, stiffened, rigid
***rôle,** *m.* role, part; **jouer un —,** to play a part
romain, Roman, Italian; **la Romaine** the Roman, i.e., the Italian (woman)
roman, *m.* novel
romancé, fictionized
romance, *f.* sentimental song, popular " hit "
romancier, *m.* novelist
romantique, romantic
***rompre,** to break, break off, break open, interrupt, cut short
ronce, *f.* bramble, briar, thorn
ronchonner, to grumble, growl
***rond,** round, plump, rounded; *m.* ring, circle; **en —,** in a ring, in a circle, round
***ronde,** round; *f.* round, patrol, beat; **à la —,** round about
rondelet, -te, roundish, plumpish, plump
rondeur, *f.* roundness, rotundity, frankness
rondouillard, roundish, chubby
ronfler, to snore, roll, roar (*of cannon, or fire*), hum, buzz, purr, crackle
***rose,** rosy, pink, flushed; *f.* rose; **— trémière,** hollyhock; *m.* rose color, pink; **en —,** in pink
roseau, *m.* reed
rosée, *f.* dew
rosier, *m.* rose bush
rôti, roasted
roue, *f.* wheel
***rouge,** red, flushed, blushing, rosy, red in the face, blood-shot; *m.* red; **la —** (= **la couleur rouge**), the red (one)
***rougir,** to grow red, redden, blush, flush; **— de colère,** to grow red from anger, flush with anger
rouiller, to rust, get rusty
roulant, rolling, round, swaying, revolving, drawling
rouleau, *m.* roll, stack
roulement, *m.* rolling, roll, rumbling, beating
***rouler,** to roll, twine, revolve, roll over, reflect, think; **le tambour roula,** the beat of a drum

was heard; **— sur,** to turn to (of a conversation)

roulette, *f.* roulette, small wheel

roulotte, *f.* caravan, gipsy-van, gipsies' wagon

rousseur, *f.* redness, freckle; **avoir des taches de —,** to be freckled

*__route,__ *f.* road, path, route, course, way; **se mettre en —,** to set out, start; **grande —,** main highway; **continuer sa —,** to pass on; **sur sa —,** as she passed by; **la — de Paris,** the road to (*or* from) Paris

rou-x, -sse, reddish, brown

*__royal,__ royal, regal, kingly

ruade, *f.* kick (with both legs); **d'une —,** by letting fly with her hind legs

ruban, *m.* ribbon; **— à fleurs,** flowered ribbon

rubis, *m.* ruby; **couleur de —,** ruby colored

ruche, *f.* hive, bee-hive

*__rude,__ rough, hard, severe, rude; **les —s travaux,** the hard toil

rudement, rudely, awfully, roughly, abruptly, harshly, mighty, hard; **je suis — content,** I'm mighty glad

*__rue,__ *f.* street, way

ruelle, *f.* alley, narrow street, lane

*__ruine,__ *f.* ruin, downfall

*__ruiner,__ to ruin

ruisseau, *m.* brook, rivulet, stream, gutter, flood (of tears)

ruisselant, dripping, streaming, trickling

rumeur, *f.* rumor, talk, gossip, murmur, noise

ruse, *f.* ruse, cunning, trick

russe, Russian; **Russe,** *m.* Russian

rustique, rustic, country, plain, boorish

S

*__s',__ contraction of **se**

*__sable,__ *m.* sand

sabler, (*fam.*) to gulp down, swig, toss off (champagne, etc.)

sabot, *m.* wooden shoe, hoof; **— de derrière,** hind hoof; **coup de —,** kick

sabre, *m.* saber, sword; **traîneur de —,** swashbuckler

*__sac,__ *m.* sack, bag; **— d'osier,** wicker basket; **— à bière,** beer-belly, toper

saccadé, jerky, jolting; **d'une voix —e,** in a jerky, staccato voice; **au trot —,** with a jerky trot

saccader, to jerk

sacerdoce, *m.* priesthood

*__sacré,__ holy, sacred, consecrated; (*fam.*) cursed

*__sacrifice,__ *m.* sacrifice, offering

sacrilège, *m.* sacrilege (sin against the church); **crier au —,** to cry out against the sacrilege

sacristain, *m.* sexton, vestryman; **—s fleuris en robes de juges,** sextons gorgeously arrayed in judges' robes

safran, *m.* saffron; **de —,** saffron-colored, deep yellow

*__sage,__ wise, good, virtuous, sensible, prudent, well-behaved, gentle, steady; *m.* sage, wise man

sagesse, *f.* wisdom, prudence, discretion

saillant, jutting out, projecting, salient

saillie, *f.* *fig.* witticism, sally, joke, flash of wit

*__sain,__ sound, healthy, wholesome; **— et sauf,** safe and sound

sainfoin, *m.* sainfoin, timothy grass
***saint,** saintly, holy; *m.* saint; **—e mère de Dieu,** Holy Mother
saintement, holily; **— protégée par,** under the holy protection of
Saint-Esprit, *m.* Holy Ghost
Sainteté, *f.* saintliness, Holiness
Saint Jacques de Galice, Saint James of Galicia
Saint-Nicolas: la —, Saint Nicholas' Day (Dec. 6th.)
Saint-Père, *m.* Holy Father (pope)
Saint-Sacrifice, *m.* Blessed Sacrament
***saisir,** to seize, grasp, catch, strike (with wonder), take hold of; **— à,** to take from
saisissement, *m.* shock, violent compression, pang
***saison,** *f.* season
sale, dirty, filthy
***salle,** *f.* hall, room; **— à manger,** dining-room; **— de jeu,** gambling-room; **— de police,** guard-house, guard-room; **— de réception,** drawing-room
Salomon, *m.* Solomon
***salon,** *m.* drawing-room, reception-room, salon, exhibition; **petit —,** small reception room
saltimbanque, *m.* mountebank, strolling player, juggler, quack
***saluer,** to salute, greet, bow to, bid good-bye, say good-bye to; **faire —,** to make one salute
***salut,** *m.* safety, salvation, greeting, good-bye; **faire le — à,** to greet, bow to; **— (maîtresse) !** good luck (Miss) !
salve, *f.* salvo, volley
samedi, *m.* Saturday
***sang,** *m.* blood; **se faire de mauvais —,** to worry; **se ronger les —s,** to prey upon one's mind
sang-froid, *m.* coolness, self-control, composure, sang-froid
sanglant, bloody, cruel
sanglé, tight-fitting, bound with a girth
sanguinaire, sanguinary, bloodthirsty, bloody
***sans,** without; **— que** (+ *subj.*) without
***santé,** *f.* health
saoul (*old spelling of* **soûl**) [su], satiated, glutted, full; **— de,** glutted with
sapin, *m.* pine-tree, fir-tree
Sarrasin, *m.* Saracen, Arab
***satisfaction,** *f.* satisfaction, gratification, amends
***satisfaire** (à), to satisfy, please, comply (with), gratify, appease
satisfait, satisfied, contented
sauce, *f.* sauce; **à toutes les —s,** in all sorts of ways
saucisson, *m.* large sausage
***sau-f, -ve,** safe; **sauf,** *prep.* save, except; **— votre respect,** with due reverence to you
saut, *m.* jump, leap; **d'un —,** with one leap
***sauter,** to leap, jump, spring, dive; be bankrupt, be "broke"; **— au cou de,** to fall on one's neck, hug, embrace
sautillant, skipping, hippety-hop
sautiller, to jump, hop, go pit-a-pat (of the heart)
***sauvage,** savage, wild, shy, isolated
sauvagesse, *f.* uncivilized (savage) woman (wife)
***sauver,** to save, rescue, deliver; **se —,** to escape, run away, fly away
sauvetage, *m.* rescue
***savant,** scholarly, learned, clever; *m.* scholar, scientist, learned person, savant

savate, *f.* old worn-out shoe
saveur, *f.* savor, smell, stench
***savoir,** to know, know how to; to find out, learn; **je ne sais quoi,** something or other; *m.* knowledge, skill, learning, erudition
savonner, to soap, wash with soap, do the wash; (*fig.*) to scrub
savourer, to relish, appreciate, enjoy
savoureu-x, -se, savory, tasty, delicious
scandale, *m.* scandal, offense; **faire —,** to scandalize, shock
scandaliser, to scandalize, shock; **se — de,** to be shocked at, take offense at
scander, to scan, stress; **— ses phrases à contretemps,** to make one's pauses out of time, pause at the wrong place in speaking
***scène,** *f.* stage, scene; **faire une — à,** to have a row with; **faire des —s abominables à,** to scold terribly, berate
schako, *m.* shako (military cap)
***science,** *f.* science, knowledge, learning
scientifique, scientific
scintiller, to scintillate, twinkle
scolastique, *f.* scholasticism, scholastic philosophy
***scrupule,** *m.* scruple, qualm
sculpté [skylte], carved; **en bois —,** made of carved wood
sculpteur [skyltœːr], *m.* sculptor, carver; **— d'or,** goldsmith
***se (s'),** himself, herself, itself, themselves, oneself, each other; to himself, etc.
***séance,** *f.* sitting, session, meeting, seance
***sec, sèche,** dry, gaunt, thin, lean; **la taille sèche,** with a lean figure; **la tête sèche,** with a thin head; **l'air —,** with a hard look; **le bruit —,** the sharp thump (of the wooden leg); **mettre à —,** to drain dry, impoverish, leave penniless
sèchement, drily, bluntly, curtly
sécher, to dry, parch; **faire —,** to dry; **se faire —,** to get oneself dry
***second** [səgɔ̃], second (of two); *m.* second one
***seconde** [səgɔ̃ːd *or* zgɔ̃ːd], *f.* second (of time); **toutes les trois —s,** every three seconds, every other second
***secouer,** to shake, toss, jolt, " blow up," best, shake up; **— étrangement,** to shake up terribly; **il secouait gentiment,** he would flourish prettily
***secours,** *m.* help, aid, relief, succor; **une demande de —,** a request for relief
secouru (*p.p. of* **secourir**), aided
***secret,** secret, private, reticent; *m.* secret, privacy, private matter, mystery
***secrétaire,** *m.* secretary
séduire, to seduce, charm, fascinate, delight, entice, tempt
séduisant, seductive, attractive, charming, captivating, fascinating, lovely
***seigneur,** *m.* lord, noble, nobleman; **le Seigneur,** the Lord, God; **—!** good Lord!
séjour, *m.* stay, sojourn, visit; **le — de l'estaminet,** the tarrying in the café
***selon,** according to
***semaine,** *f.* week; **— sainte,** Holy Week (week preceding Easter);

l'autre —, the next week (*dialectical*)
***semblable** (**à**), similar, like, such, alike
semblablement, similarly, likewise
semblant, *m.* semblance, appearance; **faire — de**, to pretend to, feign to
***sembler**, to seem, appear, look; **— à**, to seem to; **il lui semblait voir**, it seemed to him that he saw; **où bon leur semblerait**, wherever they might see fit
semelle, *f.* sole (of a shoe); **battre la —**, to stamp one's feet (in order to warm them)
semence, *f.* seed, seeds
***semer**, to sow, scatter, spread; **— de**, to strew *or* sprinkle with
semeur, *m.* sower, planter
séminaire, *m.* seminary, clerical college
semis, *m.* seed-plot, sowing; **— d'arbres**, saplings
***sens** [sɑ̃ːs], *m.* sense, meaning, opinion, direction; **— dessus dessous**, upside down, topsy turvy; **j'abonde dans votre —**, I am of your opinion
***sensation**, *f.* sensation, feeling, sense; **faire —**, to make a stir, cause a sensation, make a big hit
sensibilité, *f.* sensitiveness, feeling, compassion, tenderheartedness
***sensible**, sensitive, susceptible, tender, visible; **femme —**, responsive *or* loving woman
sensiblement, perceptibly, obviously
***sentier**, *m.* path, track, footpath
***sentiment** (**de**), *m.* sentiment, feeling (for), emotion, sensation, opinion
sentinelle, *f.* sentinel, sentry; **être en —**, to stand sentry, be on sentry duty, be on the watch
***sentir**, to feel, be conscious of, smell, sniff; **— l'étable**, to reek of the cowshed; **— bon la lavande**, to have a sweet fragrance of lavender; **se — la force de**, to feel strong enough to
***séparer**, to separate, sever; **se —**, to be separated, part, go one's way
***sept** [sɛt], seven
***septembre** [sɛptɑ̃ːbr], *m.* September
septentrional, northern, north
sergent, *m.* sergeant; **— de police**, policeman
***série**, *f.* series, range, progression
***sérieusement**, seriously, in earnest, gravely, coolly
***sérieu-x, -se**, serious, real, in earnest, grave; *m.* serious one
serment, *m.* oath
sermon, *m.* sermon
serré, tight, narrow, pressed, pinched, tightened; **la gorge —**, gasping; **les lèvres —es**, with lips tightly set; **—s l'un contre l'autre**, locked in each other's arms
serrement, *m.* squeezing; **— de cœur**, pang (shrinking) of the heart, heaviness of heart
***serrer**, to press, squeeze, hug, clasp, put away, tighten, contract; **— le cœur**, to make sick at heart; **— la main**, to shake hands; **se —**, to tighten, shake; **la poitrine de Boinville se serra**, B— felt a clutching of the heart; **se —**, to huddle, crouch, to press, squeeze, cling tightly
***servante**, *f.* house-maid, servant

*__service,__ *m.* service, performance of official duties; **homme de —,** service man; **être en —,** to be employed (as a servant); **je suis en —,** I'm a hired girl; **le — de Dieu,** divine worship

serviette, *f.* napkin, towel, serviette

*__servir,__ to serve, aid, be of use, wait upon; **— de,** to serve as, take the place of; **qui peut —,** which may be of use, **pour vous —,** at your service, if you please; **se — de,** to make use of, use; **leur charme leur servant de naissance,** their charm taking for them the place of high birth

*__serviteur,__ *m.* servant

*__seuil,__ *m.* threshold, sill, doorstep, doorway

*__seul,__ alone, only, single, sole; **à elle —e,** all by herself, all alone; **ce — mot,** that one word; **le souvenir —,** the mere recollection

*__seulement,__ only, solely, but, however, merely, even, just; **dites —, monsieur,** just say what it is, sir

*__sévère,__ severe, stern, hard, strict

sevrer (de), to wean, sever (from); **se — de,** to deprive oneself of

*__si,__ *conj.* if, what if, suppose; **— on peut dire!** how can anyone tell (such lies)! *adv.* so, so much; **j'avais — peur,** I was so frightened; yes (*when it contradicts a negative statement*); **si fait,** yes indeed

*__siècle,__ *m.* century

*__siège,__ *m.* seat, bench, chair; (*mil.*) siege

*__sien:__ **le —, les —s; la —ne, les —nes,** his, hers, its; **les —s,** his (her) folks, relatives, family; **l'inquiétude des —s,** the anxiety of her family

sieste, *f.* siesta, afternoon nap

sifflement, *m.* whistling, hissing, whizzing

siffler, to whistle, hiss, prompt

signal, *m.* signal, sign; **le — de,** the signal to (for)

signaler, to signal, make signals, point out

*__signe,__ *m.* sign, gesture, beckoning; **— de tête,** nod; **faire — à,** to beckon to

signé, signed; **— de,** signed by

*__signer,__ to sign; **se —,** to cross oneself, make the sign of the cross

*__signifier,__ to signify, mean, notify; **que signifie?** what is the meaning of?

*__silence,__ *m.* silence, stillness, pause; **faire —,** to become silent

silencieusement, silently, quietly

*__silencieu-x, -se,__ silent, quiet, of few words

silhouette, *f.* silhouette, outline

sillage [sijaːʒ], *m.* track, wake

sillon, *m.* furrow

sillonner, to furrow, plough

*__simple,__ simple, plain, (a) mere, just a, half-witted, unadorned, plainly dressed, unsophisticated; *m.* simple-minded person, person pure of heart; **heureux sont les —s,** "blessed are the poor in spirit"; *pl.* **simples,** medicinal herbs

*__simplement,__ simply, merely, just

*__simplicité,__ *f.* simplicity, simpleness, artlessness, credulity

sincère, sincere, real, open-hearted

singe, *m.* monkey, ape

*__singulier,__ singular, peculiar, odd, strange, uncertain

singulièrement, singularly, peculiarly, unusually, strangely

sinistre, sinister, dismal, forbidding, ominous

***sinon,** if not, else, or else, except, unless, otherwise; **— que,** except that

sire, *m.* lord, sire (*title given to kings and emperors in addressing them*)

sitôt, as soon as; **— que entré,** the moment he was inside

***situation,** *f.* situation, position, condition, state, plight

***situer,** to situate, place, locate

***six,** six

snob [snɔb], *m.* snob, upstart, pretentious fellow

sobriété, *f.* sobriety, soberness, moderation; **manquer à la —,** to fail to keep sober

***social,** social

***société,** *f.* society, social class, community, companionship

soda, *m.* soda water

***sœur,** *f.* sister

soi, oneself; **—-même,** oneself, itself

soie, *f.* silk

soif, *f.* thirst

soigné, cared for, carefully done, well got up; (*fig.*) remarkable, first rate, fine; **bien —,** well aimed

***soigner,** to care for, take care of, nurse, look after

soigneusement, carefully, attentively

***soin,** *m.* care, attention, concern; **avec —,** carefully; **avoir — de,** to take care of, look after; **avoir — que,** to take care that; **donner des —s à,** to attend to

***soir,** *m.* evening, night, afternoon; **le (au) —,** in the evening; **à ce —,** so long until tonight, see you tonight

***soirée,** *f.* evening, evening party

soixantaine: une —, about sixty

***soixante,** sixty

***sol,** *m.* ground, earth, soil

***soldat,** *m.* soldier; **simple —,** private

solde, *f.* soldier's pay

***soleil,** *m.* sun, sunshine, bright lights; **de —,** sunny, brilliant

***solennel, -le** [sɔlanɛl], solemn, formal

solennellement, solemnly, with due ceremony

***solide,** solid, strong, substantial, firm, fast, in good health

solitairement, alone

***solitude,** *f.* solitude, loneliness, wilderness

solliciter, to solicit, apply for, incite, urge

solliciteu-r, -se, solicitor, petitioner

***sombre,** dark, gloomy, dim

sommairement, summarily, without ado, speedily, quickly

***somme,** *f.* sum, amount; **en —,** in short, all in all

somme, *m.* nap; **faire un —,** to take a nap

sommer, to summon, call upon

***sommeil,** *m.* sleep, sleepiness; **avoir —,** to be sleepy

sommet, *m.* summit, top, pinnacle

***son, sa, ses,** his, her, its

***son,** *m.* sound, ring, tone

***songer,** to dream, see in a dream, imagine, think; **— à,** to dream of, think of; **elle songeait aux grands salons,** she would dream of large drawing-rooms; **il songea que . . .,** it occurred to him that

***sonner,** to sound, ring, resound,

ring up, ring for; strike, hit hard, "bang" (*slang*)
sonnerie, *f.* ring, ringing (of bells); peal (of church bells); (*mil.*) sound of the trumpet, bugle-call
sorcier, *m.* sorcerer, conjurer, enchanter
sordide, mean, untidy, squalid
***sort,** *m.* fate, spell, lot, fortune, destiny; **tirer au —,** to draw lots
***sorte,** *f.* kind, sort, way, manner; (de) **en — que,** so that, in such a way that; **faire en — que,** to see to it that; **de la —,** in this manner, in that way, so; **de telle —,** in such a way
sortie, *f.* going out, exit, way out, departure, leaving; **jour de —,** holiday; **à la — de l'église,** when church was out; **à la — des vêpres,** after vespers
***sortir,** (*aux.* être), to go out, come out, come forth, leave, show up, protrude, stick out, bulge out; **— de,** to leave, go out of, stand out from; **au — de,** on leaving; **je sors des Enfants-Trouvés,** I'm from the Orphans' Home; (*aux.* **avoir**), to bring out, take out, lead out, throw out; **il sortit sa tête,** he thrust out his head
sot, -**te,** foolish, silly
sottise, *f.* silliness, folly, stupidity
***sou,** *m.* sou (coin formerly worth about one cent)
souche, *f.* root, stalk, vine-root
***souci,** *m.* care, worry, concern, anxiety; **avoir — de,** to worry, be troubled about; **sans —,** free from care, carefree
soucier: se — de, to concern oneself about, worry about, mind
soucoupe, *f.* saucer
***soudain,** *adj. and adv.* sudden, unexpected, suddenly
soudard, *m.* (*fam.*), tough old soldier, weather-beaten old soldier, veteran soldier
***souffle,** *m.* breath
***souffler,** to blow, puff, breathe, pant, recover one's breath
***souffrance,** *f.* suffering, pain
***souffrir,** to suffer, bear, endure, be ill, admit of
***souhaiter,** to wish, desire, long for
souiller, to soil, stain, sully
soûl [su], drunk, tipsy, gorged, satiated
soulagement, *m.* relief, alleviation, comfort
soulager, to relieve, alleviate, assist
***soulever,** to raise, stir up; **se —,** to rise, get up
***soulier,** *m.* shoe; **— de chasse,** hunting boot; **être (avoir l'air) dans ses petits —s,** to be ill at ease, be on pins and needles, be in a critical position
***soumettre,** to submit, subdue, subject, overcome; **se —,** to obey, submit, yield, give way, be submissive; **— à,** to undergo
soumis, subservient, submissive, humble
soupçon, *m.* suspicion, bit, surmise, smack, ray
***soupçonner,** to suspect
soupe *f.* soup, food, board; (*fig.*) meals; **— grasse,** meat soup; **la — et le lit,** (my) board and room
souper, to eat supper, sup; *m.* supper
soupière, *f.* soup-tureen
***soupir,** *m.* sigh, gasp

soupirer (après), to sigh, pine, yearn (for)
souplesse, *f.* suppleness, flexibility; **— d'esprit,** cunning
***source,** *f.* source, spring, fountain
sourcil [sursi], *m.* eyebrow
sourciller, to knit one's eyebrows, move an eyelash, frown, wince
***sourd,** deaf; (of sounds) dull, muffled, faint, low, indistinct; *m.* deaf man
***souriant,** smiling, beaming, cheerful; **en —,** with a smile
***sourire,** to smile; **— de,** to smile at; *m.* smile
***sous,** under
sous-chef, *m.* deputy head-clerk, second head-clerk, assistant-manager
sous-directeur, *m.* assistant director
sous-directorail, of the assistant director
sous-lieutenant, *m.* second lieutenant, ensign
sous-officier, *m.* non-commissioned officer
sous-préfecture, *f.* sub-prefecture (district or office in charge of a **sous-préfet**)
sous-sol, *m.* basement, dugout, subterranean cave
soutache, *f.* (*mil.*) braid (of a hussar's shako)
soutane, *f.* cassock
***soutenir,** to sustain, support, maintain, assert, assist, encourage
souterrain, subterranean, underground
soutien, *m.* support, mainstay
***souvenir,** *m.* memory, recollection, remembrance; **se — de,** to remember, recall, recollect
***souvent,** often
***spécial,** special, particular, peculiar
spécialement, especially, particularly
***spectacle,** *m.* spectacle, sight, show, play
spectateur, *m.* spectator, looker-on
sphinx [sfɛ̃ːks], *m.* sphinx; **un sourire de —,** a sphinx-like smile
***spirituel, -le,** spiritual, sacred, witty
stand, *m.* firing-range, rifle-range; **comme au —,** as if at target practice (i.e. on the ground)
***station,** *f.* station, halt, stop
statistique, *f.* statistics, census records
***statue,** *f.* statue
statuette, *f.* statuette, small statue
stature, *f.* stature, size, height
steeplechase [stipləṭʃɛs], *m.* hurdle-race, steeplechase
stupéfait, amazed, surprised, dumbfounded, astonished
stupeur, *f.* stupor, amazement, stunned inaction; **avec —,** in amazement, thunderstruck
***style,** *m.* style, language, tone, manner
***subir,** to undergo, submit to, suffer
subitement, suddenly
subordonné, *m.* subordinate (officer)
substituer (à), to substitute (for)
subtil [syptil], subtle, keen, sharp, artful
suc, *m.* juice; (*fig.*) essence
***succéder,** to succeed, follow; **— à,** to inherit; **se —,** to follow one another
***succès,** *m.* success, result; **mauvais —,** ill-success, failure
successivement, in succession, one after the other
sucre, *m.* sugar
suer, to sweat, perspire

sueur, sweat, perspiration; **à la — de son front,** by the sweat of his brow

***suffire,** to suffice, be enough; **— à,** to be sufficient for, suffice; **cela suffit,** that will do, that's enough

suffisant, sufficient, adequate

suffoquer, to suffocate, choke, stifle; **— de,** to choke with, be speechless (with indignation)

suggérer [sygʒere], to suggest, hint, intimate

***suite,** *f.* succession, continuation, following, result, outcome, sequence; **tout de —,** immediately, at once

***suivant,** following; *prep.* according to

***suivre,** to follow; **— de l'œil,** to watch, follow with one's eyes; **— le même chemin,** to go along the same way

***sujet,** *m.* subject, matter, cause, ground; **mauvais —,** worthless fellow, bad lot; **au — de,** about, as to; **à ce —,** about this matter; **pipe à —s,** carved pipe

***superbe,** superb, splendid, fine, magnificent

superbement, haughtily, superbly, splendidly

***supérieur,** superior, upper, higher; *m.* superior

superposé, superposed, added; **intérêts —s,** compound interest

superstitieu-x, -se, superstitious

superstition, *f.* superstition

suppliant, supplicating, beseeching, prostrate

***supplier,** to supplicate, beg, beseech, entreat

supplique, *f.* request, petition

***supporter,** to support, endure, bear, stand

***supposer,** to suppose, infer, imagine

***supprimer,** to suppress, abolish, repeal

***suprême,** supreme, last

***sur,** on, upon, over, at; **— lui,** on his person

***sûr,** sure, safe, certain; **bien —,** certainly, to be sure, surely

surélevé, raised, elevated

sûreté, *f.* safety, security; **en —,** safe; **la S—,** Criminal Investigation Department

surexcité, greatly excited

***surface,** *f.* surface

surgir, to rise, come out, arise

surmonter, to surmount, rise above; **— de,** to surmount with, crown by, top with

surnommer, to surname

surnois, sly, cunning

surnuméraire, *m.* supernumerary; **un simple —,** a petty government official

***surprendre,** to surprise, take by surprise

surpris, surprised, astonished

***surprise,** *f.* surprise, astonishment; **une violente —,** an amazement; **avec —,** in surprise

sursaut, *m.* involuntary start; **en —,** with a start, startled; **avoir un —,** to be startled, give a start; **se réveiller en —,** to wake up with a start

***surtout,** above all, especially; *m.* overcoat

***surveiller,** to watch, look after, supervise, keep an eye on

survivant, *m.* survivor

survoler, to fly over

susdit [sysdi], aforesaid

***suspendre** (à), to suspend (from), hang (on, from)

suspendu, hanging; **rester —,** to hang
***sympathie,** *f.* sympathy, fellow feeling
synthèse, *f.* synthesis, composition
***système,** *m.* system, plan

T

***t'** *see* **te**
***ta** *see* **ton**
tabac [taba] *m.* tobacco
***table,** *f.* table; **— d'harmonie,** sounding-board, lute; **— ouverte,** open house
***tableau,** *m.* picture, table; **— noir,** blackboard
tablier, *m.* apron
tabouret, *m.* stool
tac, *m.* click (imitation of machine-gun fire)
tache, *f.* spot, stain
***tâche,** *f.* task, job
tacher, to stain, spot
***tâcher (de),** to try, attempt, strive, endeavor (to)
***taille,** *f.* height, stature, cut, waist, shape, size, figure, body, deal (at cards); **la — sèche,** with a gaunt figure
tailler, to cut, carve, deal; **en — une,** to deal a hand (at cards)
taillis, *m.* copse, wood, underwood; **bois —,** copsewood
***taire: se —,** to be silent, hold one's tongue, be quiet; **tais-toi!** hush! be quiet! **tout se tut,** everything became silent
***talent,** *m.* talent, faculty, gift, attainment(s), wit
talisman, *m.* talisman, charm
talon, *m.* heel; **il lui tourna les —s,** he showed him his heels, went away, went off
talus, *m.* slope, bank
tambour, *m.* drum; **le — roula,** the beat of the drum was heard
tambourin, *m.* tambourine, drum, tabor; **ces enragés de —s,** those fiendish drummers
***tandis que,** while, whereas
tanière, *f.* den, lair
tanné, tanned
***tant,** so much, so many, as much, as many, as long, as far, as well; **— que,** as long as; **— et —,** so often; **— soit peu,** ever so little; **— mieux,** so much the better; **— pis,** so much the worse; **— bien que mal,** somehow
tante, *f.* aunt
***tantôt,** soon, presently, just now; **— . . . —,** now . . . now, at one time . . . at another (time); **à —,** see you again soon
tapage, *m.* racket, uproar, noisy row; **pour —s nocturnes,** for being drunk and disorderly at night
tapageu-x, -se, noisy, stormy, riotous
tape, *f.* tap, slap, pat
taper, to strike, tap, stamp; **— du pied,** to stamp
tapir: se —, to crouch (*from fear*), cower; **tapi comme un lièvre,** cowering like a hare
***tapis,** *m.* carpet, rug, table cover, cloth (*for tables*)
tapisser, to hang with tapestry, paper, adorn
tapisserie, *f.* tapestry, hangings
tapoter, (*fam.*) to tap, thrum; **— du pied,** to tap one's foot
***tard,** late; **plus —,** later, afterwards
***tarder,** to delay, be late, loiter, be long; **— de,** to delay by; **sans**

— **d'une minute,** without a moment's delay; — **à,** to be long in, delay in; **elle ne tardera pas à rentrer,** she will soon be back; *impers.* to long; **il me tarde de la voir,** I long to see her

tartan, *m.* tartan, plaid shawl

tas, *m.* pile, heap

tâter, to feel, feel of, touch, try; — **de,** to taste, try one's hand at

tâtonner, to feel one's way, grope, hesitate

tatouer (de), to tattoo (with)

taux, *m.* rate (of interest)

taxer, to tax, charge, accuse; — **de,** to label as

***te,** you, to you, yourself, to yourself

teint, *m.* dye, color; complexion

teinte, *f.* tint, shade, hue, coloring

teinté, tinted, tinged, colored

***tel, –le,** such, like, as, so; *pron.* such a one, some; **un tel (une telle),** So-and-So, such a; **tel que je l'ai vu,** just as I saw him

télégraphe, *m.* telegraph; **les T—s,** the (Government) Telegraph Service or offices

téléphoniste, *m.* telephone operator

***tellement,** so, in such a way, so much

témérité, *f.* temerity, rashness, audacity

témoignage, *m.* evidence, testimony, proof

témoigner, to testify, bear witness to, show, express

***témoin,** *m.* witness, second (in duels)

tempête, *f.* storm, tempest

***temps,** *m.* time, weather; **à —,** on time; **de — en —,** from time to time; **du — de,** in the time of; **du (au) — que,** at the time when; **grand —,** much time; **l'heureux — !** what happy days ! **avec le —,** in the course of time; **par un — de neige,** in snowy weather

tenable, tenable, endurable, bearable, possible to hold

tenailler, to hold tight, grip, torment, torture with red hot tongs

***tendre,** tender, loving, kindly, fond, devoted

***tendre,** to stretch, stretch out, hand over, hold out, extend; — **la main (à),** to beg assistance, beg alms (from), shake hands (with); — **les mains,** to hold out one's hands; — **l'oreille,** to listen intently

***tendresse,** *f.* tenderness, affection, fondness, love

tendu, stretched, hung, upholstered, covered

ténèbres, *f. pl.* darkness, night, gloom, shadows

ténébreu–x, –se, dark, gloomy, overcast, shadowy

***tenez !** look ! listen ! see ! look here ! wait ! there !

***tenir,** to hold, keep, hold out, last; — **de,** to be in for, get; — **à,** to wish to, be anxious to, care for, like, feel bound to; **ne pas — en place,** to be restless, keep fidgeting; **il n'y put tenir,** he couldn't control himself; **se —,** to keep, stand, sit, be, stay, hold out; **se — debout,** to stand up, remain standing; **s'en — à,** to stop at, be satisfied with; **Tistet ne s'en tint pas là,** Tistet was not satisfied with that

***tenter,** to tempt; — **de,** to attempt, try, prompt

tenture, *f.* hangings, tapestry, drapery
***tenue,** *f.* bearing, carriage; (*mil.*) dress, uniform, clothes, appearance, holding, keeping; **en grande —,** in full dress, in Sunday clothes, in one's best, all dressed up
***terme,** *m.* term, word, end, time, account
***terminer,** to terminate, end, wind up; **en terminant,** in conclusion; **se —,** to end
***terrain,** *m.* ground, landing-field, site; **— de départ,** flying-field (for taking off)
terrasser, to knock down, crush, bore, irk terribly
***terre,** *f.* earth, land, ground, dirt; **sous —,** under the ground; **à (par) —,** (from) on the ground, on land; **— glaise,** clay; **en — étrangère,** on foreign soil; **le nez par —,** with their shafts on the ground
***terreur,** *f.* terror, dread, fear, horror, feeling of terror
terreu-x, -se, earthy, sickly, dull, ashen
***terrible,** terrible, horrible, terrific, dreadful, awful; **le —,** the terrifying thing; **le — c'est,** the worst was
terrien, -ne, landed, possessing land
terrier, *adj.* relating to lands; *m.* burrow, hole; register of lands
territoire, *m.* territory
terroir, *m.* soil, land, country; **avoir un goût de —,** to have a native tang, smell of the soil; **cet accent de —,** that accent of one's birthplace
***tête,** *f.* head, top; **faire une —,** to look glum; **en —,** in front; **la — en avant,** looking ahead; **en — de chat,** cobble-stone; **prendre la — de,** to take the lead of; **faire à notre —,** to do as we please; **la — me tournait,** I was feeling dizzy; **la — en l'air,** with her head raised, looking upward; **faire — à,** to face (an enemy), stand one's ground; **histoire de rire en voyant sa —,** just for a joke when they saw his expression
tête-à-tête, *m.* tête-à-tête, private interview; **en —,** in private
***théâtre,** *m.* theatre; **en plein —,** right in front of the theatre
***théorie,** *f.* theory, speculation
thésauriser, to hoard up money
Tibre, *m.* Tiber (*river that flows through Rome, Italy*)
tic-tac, *m.* tick-tack
tiennes: les —, *f. pl.* yours, your own
***tiens!** look here! there! (*see* **tenez**)
tige, *f.* stem, stock, stalk, family; **vieilles —s,** old timers, veterans
tigre, *m.* tiger
tilbury, *m.* [tilbyri] (*English word*) tilbury, two-wheeled carriage, gig
timbre, *m.* bell
timbré, stamped
timidement, timidly, slyly
tintement, *m.* ringing, tinkling, jingle
tinter, to ring, tinkle, jingle
tirailler, to plague, pester, pull about, tease; *intr.* to shoot wildly, bang away
tirailleur, *m.* sharpshooter, skirmisher
tirebouchonné, in ringlets (*of hair*)
***tirer,** to pull, pull off, draw, drag,

awaken, shoot, get out, take, obtain, suck, inhale, tug; **— de,** to shoot at, get from, get for, take out from; **— vanité de,** to be proud of, pride oneself in, boast of; **— quelque chose,** to get definite information; **— au mur,** to practice kicking at the wall; **— dessus,** to shoot at; **s'en —,** to get along, make both ends meet; **se — d'affaires,** to get on well, get along, succeed, get out of trouble; **— les oreilles à quelqu'un,** to tweak someone's ears; **la — de là-haut,** to get her down; **— sur,** to shoot at; **— au sort,** to draw lots

tireur, *m.* puller, plucker, marksman; **— de garance,** madder-root gatherer

tiroir, *m.* drawer (*of a table,* etc.)

tisonner, to stir, poke (*the fire*)

tisser, to weave

***titre,** *m.* title, title deed; **mon — de pension,** my pension right (*which can be used as collateral to borrow money*)

***toi,** you, to you, yourself

***toile,** *f.* linen, cloth, web, canvas, gauze, picture, oil painting; **— cirée,** oilcloth; **— d'araignée,** cobweb, spider's web; **— de tente,** tent-cloth; **— bise,** unbleached linen

***toilette,** *f.* toilet(-table), washstand; gown, dress; **— de bal,** formal gown, ball gown; **— de soirée,** evening gown; **elle n'avait pas de —s,** she had no fine gowns

***toit,** *m.* roof, house-top

tombé, fallen; **— en demence,** gone insane

tombeau, *m.* tomb, grave

***tomber,** to fall, fall off, tumble, drop, crumble, fall due; **— sur,** to run across, meet; **— dans,** to chance upon; **laisser —,** to let fall; **— sur,** to run across; **tombé en démence,** gone insane; **se laisser —,** to drop

***ton, ta, tes,** your

***ton,** *m.* tone, voice, pitch, cast, color, shade, style; **d'un — bas,** in a low voice; **d'un — résigné,** in a resigned voice

tondre, to shear

tonnant, thundering, roaring

tonnerre, *m.* thunder, thundering noise; **— de Dieu !** by thunder ! thunder and lightning ! **mille —s,** by thunder ! **coup de —,** peal of thunder

torchère, *f.* floor-lamp, tall candelabrum, hall-lamp

torchon, *m.* rag, dish-cloth

***torrent,** *m.* torrent; (*fig.*) flood, stream

tors, twisted, crooked; **les jambes —es,** bow-legged, bandy-legged

torse, *m.* torso, trunk, body, chest

***tort,** *m.* wrong, harm; **avoir —,** to be wrong

tortue, *f.* tortoise, turtle; **à pas de —,** at a snail's pace

torturer, to torture, torment

***tôt,** soon, early; **plus —,** earlier

***total,** total, whole, entire; *m.* sum, total, whole sum; **au —,** all in all

tôt-fait, *m.* (*dialectical*), hasty-pudding, cake

touchant, touching, pathetic, affecting

touché, touched, affected, hit

***toucher,** to touch, stroke, graze, hit (of a bullet), feel, play (an instrument), ring (a bell), touch or move (emotionally); **— à,** to feel, touch, touch upon, be near

touffe, *f.* tuft, cluster (of trees), bunch, clump

touffu, thick, bushy

***toujours,** always, ever, still, anyhow, continually; **elle demandait —,** she kept asking

***tour,** *f.* tower, castle

***tour,** *m.* turn, trick, trip, stroll, tour, revolution, fringe, roll (*of hair*); **faire un —,** to take a stroll; **un bon —,** a clever trick; **faire un** (le) **— de,** to stroll around, go around, encircle; **faire un — de jetée,** to go for a walk on the pier; **faire des —s,** to perform tricks, juggle; **à — de rôle,** in turn; **—s de force et d'adresse,** feats of strength and skill; **— de cheveux,** fringe of hair; **— à —,** in turns

tourbillon, *m.* whirlwind

tourbillonner, to whirl, swirl, roll out, eddy around

tourelle, *f.* turret; **escalier en —,** winding turret-stairway

tourmenter, to torment, worry, plague, sorely puzzle, bother

tournée, *f.* round (of visits); **faire une —,** to make the rounds, go all about; **se mettre en —,** to start off on a round of visits

***tourner,** to turn (out, about, around, over), ruminate, rotate, revolve, spin, go around; **— les cartes,** to deal a hand (at cards); **— à l'aveuglette,** to grope in the dark, *or* blindly; **se —,** to turn around, turn about; **tournant le dos,** with his back turned

***tous, toutes,** *pl. of* **tout, toute,** all, every; **— (les) deux,** both; **— les jours,** every day

***tout,** all, every, whole, any; *adv.* entirely, quite, rather; **— à coup,** suddenly, all at once; **— à fait,** entirely; **— de suite,** immediately, at once; **— à l'heure,** just now, presently; **— au moins,** at least; **— de même,** just the same, all the same; **— d'un coup,** all at once; **— le monde,** everybody; **du —,** not at all; **rien du —,** nothing at all; **— au plus,** at the very most; **— un Avignon fantastique,** Avignon in a fantastic panorama; **— ce qui, — ce que,** all that, whatever; **en — cas,** in any case; **comme —,** like everything; **— de même,** just the same; **— haut,** aloud; **— là-haut,** away up there; **sa vie — entière,** his whole life; **—e réjouie,** fairly beaming with joy

***toutefois,** nevertheless, however

toux, *f.* cough, coughing

***trace,** *f.* trace, track, mark, scar, streak, trickle

tracer, to trace, draw

***tradition,** *f.* tradition

traditionnel, -le, traditional, usual, full of traditions

***traduire,** to translate, convey; **se —,** to be expressed, made known

***trahir,** to betray, reveal

***train,** *m.* train, pace, rate, continuity, succession, activity, movement, mood; **— de vie,** course of life, way of living; **— de derrière,** hind-quarters, haunches; **être en — de,** to be on the verge of, busy (in), in the act of; **mettre en —,** to set going, excite, enliven

traînant, dragging, trailing; **voix —e,** drawling voice

*__traîner,__ to drag, draw along, trail, lead; **se —,** to drag oneself, creep along

traîneur, straggler; **— de sabre,** swashbuckler, sword-dangler, bully

traire, to milk; **se laisser —,** to allow itself to be milked

*__trait,__ *m.* draught, trait, stroke, feature, shaft; **avaler d'un —,** to swallow at a single gulp

*__traité,__ *m.* treaty, treatise, bargain

*__traiter,__ to treat, deal; **— de,** to deal with, treat as, consider

trajet, *m.* journey, course, trip, distance; **faire le long — à pied,** to walk the long distance

tranchée, *f.* trench

*__tranquille__ [trɑ̃kil], quiet, still, tranquil, calm, undisturbed, peaceful; **laisser —,** to leave alone, not to bother; **ne pas être —,** to be disturbed, worried; **à pas —s,** at an easy gait

tranquillité, *f.* calmness, serenity; **avec —,** tranquilly, quietly

*__transformer (en),__ to transform, convert, change (into)

*__transport,__ *m.* transport, conveyance, transportation

*__transporter,__ to transport, convey

Transtévère, right bank of the river Tiber

Transtévérine, *f.* an inhabitant of the right bank of the Tiber river, in Rome

trappe, *f.* trap-door

*__travail,__ *m. pl.* **travaux,** work, workmanship, labor, toil, job, accomplishment, duty; **travaux forcés,** hard labor, penal servitude; **se mettre au —,** to set to work

*__travailler,__ to work, be at work, till, labor, cultivate; **à force de —,** by dint of hard work

travailleur, *m.* worker, laborer, workman

*__travers,__ *m.* breadth, width, regularity; **à —,** across, through; **de —,** awry, askew, the wrong way; **regarder de —,** to scowl, look crossly at; **au — de,** through, over

traverse, *f.* short cut; **chemin de la —,** cross road, short cut

*__traverser,__ to cross, traverse, pass through, pierce

trébucher, to stumble

tremblé, trembling, wavering, shaky

*__trembler,__ to tremble, shake, quake, quiver; **— de tous ses membres,** to shake all over

trémière, *f.* hollyhock; **rose —,** hollyhock

trempé, wet, soaked; **— de,** soaked with; **toute —e,** thoroughly soaked

tremper, to steep, soak, wet, drench

*__trente,__ thirty

trépas, (*poetic word for* **mort**), death, demise

*__très,__ very, very much, very well, most, greatly

*__trésor,__ *m.* treasure, treasury; darling

tressaillir, to start up nervously, tremble, shudder, be startled, quiver (of muscles); **— de joie,** to tremble with joy

trêve, *f.* truce, cessation of hostilities

tribu, *f.* tribe, clan

tricolore, tricolored, three-colored; **drapeau —,** *m.* tricolored flag (*the French flag*)

tricot, *m.* knitting; knitted vest
trimestre, *m.* quarter (of a year), three months' pay
triomphant, triumphant, triumphal, victorious, glorious
***triomphe,** *m.* triumph, exultation, victory; **s'achever en —,** to come to a triumphant close
triompher, to triumph, gloat, carry the day, be exultant
tripot, *m.* gambling den, gambling house
trique, *f.* cudgel, stick, club
***triste,** sad, sorrowful, gloomy, dismal, dreary
tristement, sadly, mournfully
***tristesse,** *f.* sorrow, sadness, gloom, melancholy
trivialiser, to make commonplace, vulgarize, make common
***trois,** three
***troisième,** third; fourth story (of a building)
trompe, *f.* trumpet, horn
***tromper,** to deceive, delude, cheat, outwit; **se —,** to be mistaken, be wrong, delude oneself; **se — de chemin,** to take the wrong road
trône, *m.* throne
***trop,** too, too much, too many; **— de,** too much (many); **par —,** far too much (many)
trophée, *m.* trophy, memento
troquer, to exchange; **— contre,** to trade for, to exchange for, swap for
trottiner, to trip, skip along, toddle along, walk briskly
trottoir, *m.* sidewalk, pavement
***trou,** *m.* hole; shell-hole, trench; eye (of a needle); hiding-place; **les petits —s de ses joues,** the dimples of her cheeks
***trouble,** *m.* disturbance, agitation, turmoil, confusion of mind, distress
***troubler,** to disturb, agitate, upset (the mind), excite, fluster, stir, blur, dim
troué, full of holes, torn
***troupe,** *f.* troop, band
troupeau, *m.* flock, herd
troupier, *m.* (*familiar word before* 1914 *for* **soldat**), trooper, soldier
trouvaille, *f.* lucky find, discovery
trouvé, found; **un enfant —,** a foundling
***trouver,** to find, discover, consider, think; **se —,** to be, feel, happen, happen to be, be situated, find oneself; **il se trouva que,** it so happened that
truc, *m.* trick, scheme
truite, *f.* trout
trumeau, *m.* pier, pier-glass, narrow mirror
***tu,** you
***tuer,** to kill; **se —,** to kill oneself, get killed
tue-tête: à —, as loud as one can, with all one's might, at the top of one's voice
tuile, *f.* tile
tumulte, *m.* uproar, disorder, din (of voices)
tumultueu-x, -se, tumultuous, riotous
tunique, *f.* tunic, coat
tutoyer, to address familiarly, affectionately, (*i.e. to address one as* "**tu,**" "**toi**" *instead of* "**vous**")
tuyau, *m.* pipe, tube, secret, inside information; tip (*slang*)
***type,** *m.* type
tzigane [tsigan], *m. and f.* (Hungarian) gipsy

U

ultérieur, subsequent, later

***un, une,** a, an, one; *m.* one; **l'— à l'autre,** to each other; **l'— l'autre,** each other; **l'— et l'autre,** both; **l'— ou l'autre,** either; **les —s,** some; **près de l' — l'autre,** next to each other; **les —s . . . les autres,** some . . . others; **— à —,** one at a time, one by one; **une idée lui parut,** one idea (i.e. the following idea) came to him; **l'— après l'autre,** one after another; **ni l'— ni l'autre,** neither, neither the one nor the other

unanimité, unanimity; **à l'— du jury,** unanimously by the jury

uniforme, even, regular, uniform; *m.* uniform; **en grand —,** in full dress, in full uniform

***union,** *f.* union, unity, concord

***unique,** only, sole, unique, single, one; **fils —,** only son

uniquement, solely, only, entirely

***unir,** to unite, join

***usage,** *m.* use, usage, custom, practice

usé, worn-out, threadbare (of garments)

***user,** to use, use up, wear away; **usant ses ongles,** wearing her finger nails down to the quick; **— de,** to make use of, avail oneself of, wear off, ruin

usine, *f.* factory, works

usure, *f.* usury; wearing out, wear and tear; **l'— des sièges,** the shabbiness of the chairs

usurier, *m.* usurer, money-lender

***utile,** useful, serviceable, effective

***utiliser,** to utilize, make the best use of

V

va! go along! indeed! **— donc!** pray go! get out! (*for other forms of* **va,** *see* **aller)**

vacance, *f.* vacancy; *pl.* holiday, vacation; **en —(s),** on a holiday, on vacation, taking the day off; **aux —s,** during the holidays

vache, *f.* cow

va-et-vient, *m.* motion to and fro, backward and forward motion

vagabond, *m.* vagabond, tramp, vagrant

***vague,** vague, hazy, empty, idle; *f.* wave(s), surge

vaguement, vaguely, indefinitely, dimly

***vain,** vain, useless, conceited, frivolous, ineffectual

***vaincre,** to vanquish, conquer, overcome

vaincu, *m.* vanquished, conquered person

vainqueur, *m.* conqueror, victor

vaisselle, *f.* plates and dishes, plate (*of gold or silver*); **laver la —,** to wash the dishes

valet, *m.* footman, man-servant, flunkey; **— de ferme,** farm-hand; **— de chambre,** valet, man servant

***valeur,** *f.* value, worth; valor

vallée, *f.* valley; **le fond des —s,** the depths of the valleys

***valoir,** to be worth; **— une louange,** to bring praise; **— la peine,** to be worth the trouble; **— plus cher,** to be worth more; **il vaut mieux,** it is better

valser, to waltz

valter (*patois for* **voyager),** to travel, wander

***vanité,** *f.* vanity, conceit; **tirer — de,** to pride oneself on

vanter, to boast of, praise, praise up; **se — de,** to boast about
vanvole (= **venvole**) *f.:* **à la —,** heedlessly, lightly
vaqeur, *f.* vapor, mist, smoke, haze; *m.* (= **bateau à —**) steamer
vaquer, to be vacant, be at leisure; **— à,** to go about, or attend to (one's business)
***varier,** to vary, differ, change
vase, *f.* slime, mud, slush, mire
vaseu-x, -se, muddy, miry, slimy
***vaste,** vast, spacious, wide, great, extensive
vaurien, *m.* good-for-nothing, scamp, ne'er-do-well; **ce — de Tistet,** this rogue of a Tistet
vautrer: se —, to wallow, sprawl, roll, tumble
veau, *m.* calf; veal; calf's leather
***veille,** *f.* keeping awake, watch, vigil; night before; **— de Noël,** Christmas Eve
veillée, *f.* evening (spent in chatting), evening sewing party, evening gathering, watching, eve; **la — de Saint Nicolas,** the night before Saint Nicholas' day (i.e. Dec. 5)
***veiller,** to keep awake, lie awake, sit up, keep watch; **— à,** to look out for, look after, be careful about; **— sur,** to keep watch over, look out for, keep an eye on
veine, *f.* vein; (*pop.*) good luck; **avoir une —,** to be lucky, have a stroke of good luck; **bonne —,** run of good luck (at play)
***velours,** *m.* velvet; **— à côtes,** striped velvet, corduroy
velouté, velvety, soft; *m.* velvety softness
venant, *m.* coming, comer; **à tout —,** to all comers, to the first comer
vendange, *f.* vintage
***vendre,** to sell; **se —,** to sell for, be sold for, betray one another
vendredi, *m.* Friday
vénéré, revered, respected
venger: se —, to avenge oneself, be revenged, take vengeance
***venir,** to come, fall (of night), happen, chance; **— de** (+ *inf.*) to have just; **en — à,** to come to the point of; **— chercher,** to come for; **— au cœur,** to seize; **d'où vient que?** how does it happen that? **s'en —,** to wend one's way; **vienne la Toussaint,** next All Saints' Day; **il me vient à l'esprit,** it occurs to me
vénitien, -ne, Venetian
***vent,** *m.* wind; **— de côté,** side wind; **bannières au —,** banners flying in the wind; **— au frais,** in the cool breeze
***vente,** *f.* sale
ventre, *m.* stomach, abdomen, waist-line; **tendre son —,** to throw out one's chest; **à plat —,** lying flat on the ground; **lui redonnait un peu de cœur au —,** put some courage in her again
venu, *m.* comer; **nouveau —,** new comer
vêpres, *f. pl.* vespers, evening mass
verdâtre, greenish
verdeur, *f.* greenness; vigor, freshness
verdoyer, to become green, be verdant or green
verdure, *f.* verdure, foliage, green branches
verger, *m.* orchard, fruit-garden
***véritable,** real, genuine, veritable, true

*vérité, *f.* truth, veracity; **à la —,** in truth, in fact, indeed, I confess; **en —,** really
vermoulu, worm-eaten, rotten
vernir, to varnish, polish; **le carreau verni,** the floor polished
vernissage, *m.* varnishing, preview, preliminary exhibit; " private view " (of an art exhibition), dress-rehearsal (of a play)
*verre, *m.* glass; **petit —,** small glass of brandy; **sous un —,** under a glass ball (case, jar)
*vers, towards, to, at; *m.* verse, line (of poetry); *pl.* poetry
*verser, to pour, shed, spill; **— à boire,** to pour out a drink
verset, *m.* verse (of the Bible)
*vert, green; **tout de —,** all in green; **les verts,** *m. pl.* green vegetables, green stuff
vertige, *m.* vertigo, dizziness, dizzy spell; **des —s,** fits of dizziness; **donner le — à,** to make giddy; **éprouver un —,** to feel a kind of dizzy spell
*vertu, *f.* virtue, virtuousness
vertueu-x, -se, virtuous, with good intentions, upright, worthy, chaste
verve, *f.* spirit, animation, vim, liveliness; **mettre en —,** to put in good spirits; **avec —,** racily, spiritedly
veste, *f.* jacket, waistcoat; **toujours en manches de —,** always wearing his sleeved waistcoat
*vêtement, *m.* garment; *pl.* clothes; **—s pour la sortie,** wrap(s)
vétérinaire, *m.* veterinary (surgeon)
*vêtir (de), to clothe (in), dress (with), cover (with), **vêtu de soie ancienne,** upholstered with (rich) old silk
*vêtu, clothed; **— de,** adorned with
*veuillez (*imp. of* **vouloir**); **—** (+ *inf.*) please
veuve, *f.* widow
viande, *f.* meat
*vice, *m.* vice, defect, weakness; **les —s du capitaine,** the failings (shortcomings) of the captain
vicomte, *m.* viscount
*victime, *f.* victim (of sacrifice), sufferer
*victoire, *f.* victory, conquest, triumph; **remporter la —,** to gain the victory, win the day
victorieu-x, -se, victorious, triumphant
*vide, empty, vacant; *m.* emptiness, void, vacuum, empty space; **— de,** devoid of; **se trouver dans le —,** to find oneself (be) suspended in empty space
vider, to empty, unpack; (in drinking) to gulp, drain; **se —,** to be emptied, become empty
*vie, *f.* life, lifetime, existence; **de la — ordinaire,** of everyday life; **en —,** alive; **ôter la — à,** to take the life of, kill
*vieil, *see* **vieux**
*vieille, *feminine form of* **vieux,** old; *f.* old woman
vieilleries, *f. pl.* old things, old stuff, old rubbish
vieillesse, *f.* old age, oldness, declining years
vieillir, to grow old, age; **vieilli de cinq ans,** grown five years older
vieillot, -te, oldish, elderly, somewhat old
vierge, virginal, pure; *f.* virgin; **la V—,** the Virgin (Mary); **la Sainte V—,** the Holy Virgin
*vieux (**vieil** *before a vowel*), **vieille,** elderly, old; **le —,** (the) old

man, old fellow; **la vieille,** (the) old woman, old lady; **les —,** the old folks; **un — de la vieille école,** one of the old school, a member of the old company; **se faire —,** to age, to grow old

***vi-f, -ve,** alive, live, quick, lively, keen, bright, glowing, intense; **eaux vives,** running waters

***vigne,** *f.* vine, vineyard; **après sa —,** next to his vineyard (in his affections)

vigoureu-x, -se, vigorous

viguier, *m.* provost, magistrate, high judge (name formerly given to the **prévôt** in Southern France)

vilain, villainous, vile, ugly, nasty, wicked, naughty; **jouer un — tour,** to play a nasty trick

***village,** *m.* village

villageois, *m.* villager, countryman

***ville,** *f.* city, town; **en —,** in town; **dîner en —,** to dine out

***vin,** *m.* wine

***vingt,** twenty

vingtaine: une — de, about twenty, a score of

***violence,** *f.* violence, vehemence, outrage

***violent,** violent, vehement, strong (*of suspicion*); boisterous; **une —e surprise,** a great astonishment; **des —s coups de tonnerre,** heavy thunderclaps

violet, -te, violet-colored, purple; (*fig.*) black

violon, *m.* violin, fiddle

virage, *m.* turning, banking, cornering, swerving, turn

virer, to veer, turn, twist; **— de bord,** to tack about, go about, turn sideways

virginité, *f.* virginity, maidenhood

***visage,** *m.* face, visage, countenance, look; **le — impassible,** with an unconcerned expression

***viser,** to aim, take aim at, sight

visibilité, *f.* visibility

***visible,** visible, obvious, at home

visiblement, visibly, apparently, obviously, evidently

***visite,** *f.* visit, call, inspection; **faire —,** to pay a visit

***visiter,** to visit, examine, inspect, search

visiteur, *m.* visitor

visiteuse, *f.* lady visitor

visqueu-x, -se, viscous, slimy, sticky, clammy

***vite,** quick, soft, fast; quickly, fast; **—! —!** quick! make haste! **au plus —,** as quickly as possible

***vitesse,** *f.* speed, velocity, quickness; **en —,** with all speed, at high speed

***vitre,** *m.* pane of glass, window-pane

vitreu-x, -se, vitreous, glassy

vivacité, *f.* vivacity, liveliness, ardor; **avec —,** lively, vivaciously, a bit sharply

***vivant,** living, alive, lifelike; **du — de,** during the lifetime of; **de son —,** in his (her) lifetime, while he (she) lived

***vivement,** briskly, sharply, keenly, warmly, quickly, hastily, forcefully

vivifier, to vivify, invigorate, endue with life, animate

***vivre,** to live, exist, live on, make a living; **faire —,** to support, maintain, feed; **vive!** long live! *m. pl.* provisions; **—s de campagne,** campaign rations

vocabulaire, *m.* vocabulary, stock of words

vociférant, yelling, bawling, shouting

vociférer, to vociferate, yell, shout, cry out

***vœu,** *m.* vow, solemn promise, wish; *pl.* (monastic or religious) vows

vogue, *f.* vogue, style, fashion

***voici,** here is, here are; **me —!** here I am!

***voie,** *f.* way, road; **— lactée,** Milky Way

***voilà,** there is, there are, that is, those are, you see, look! **— tout,** that's all, barely, just; **— comment,** that's how; **en — assez,** enough of this; **— que,** you see, indeed; **mais —,** well, that's it; **me —,** here I am; **comme te — effrayée!** how frightened you are! **— sept ans que je te le garde!** for seven years I've been saving it for you! **— qui n'est pas réglementaire,** that's not according to regulations; **— . . . que,** for; **nous — partis,** off we went

voile, *m.* veil

voilé, veiled, hidden, insinuating

***voir,** to see; **faire —,** to show; **voyons!** see here! come now! **— le jour,** to be born

***voisin,** neighboring, adjoining; *m.* neighbor

***voisinage,** *m.* neighborhood

***voiture,** *f.* carriage, vehicle, conveyance; **compagnie de petites —s,** cab company

***voix,** *f.* voice, vote; **à — basse,** in a low voice; **à haute —,** aloud; **d'une — ferme,** in a firm voice; **— de contralto,** contralto voice; **sans —,** speechless; **éclat de —,** outburst; **à demi-—,** in an undertone; **d'une — brusque,** gruffly

vol, *m.* theft; flight; **— d'essai,** trial flight; **prendre son —,** to fly away

volaille, *f.* poultry, fowls; **marchand de —s,** poultry dealer

volant, *m.* flounce (of a dress); **robe à —s,** gown with flounces

volcan, *m.* volcano

***voler,** to steal, rob, swindle; to fly

voleur, *m.* thief, robber

***volontaire,** voluntary, willing, obstinate; *m.* volunteer

***volonté,** *f.* will; *pl.* whims, desires, fancies, caprices

***volontiers,** willingly, gladly, voluntarily, readily, with pleasure

voltiger, to flutter, hover; **— sur,** to flit across

volubilité, *f.* volubility, fluency (of speech)

volupté, *f.* voluptuousness, bliss, pleasure, luxury

vomir, to vomit, belch forth

***voter,** to vote

***votre,** *pl.* **vos,** your

vouer, to vow, pledge, dedicate; **se —,** to devote oneself

***vouloir,** to wish, want, will, expect; **— bien,** to be willing; **je veux bien,** I'm quite willing; **veux-tu bien descendre?** won't you please come down? **— dire,** to mean; **en — à,** to be angry with, have a grudge against, blame

***vous,** you, to you; yourself, to yourself

***voûte,** *f.* vault, arch

voûté, vaulted, crooked, bent, round-shouldered

voûter, to arch; **se —,** to begin to stoop, grow round-shouldered

***voyage,** *m.* trip, journey, voyage; **faire bon —,** to have a good trip; **— de retour,** return voyage, return trip
voyager, to travel, journey
***voyageur,** *m.* traveller, passenger, wayfarer
***voyons!** let's see! come now! I tell you!
***vrai,** real, genuine, true; **en — Normand,** like a true Norman; **c'est —,** that's true; **à — dire,** to tell the truth
***vraiment,** really, truly, indeed
***vue,** *f.* view, sight; **à — d'œil,** as one can see at a glance, visibly; **perdre de —,** to lose sight of
vulgaire, popular, common; **en langue —,** in the vernacular (i.e. in French)
vulgairement, vulgarly, commonly, basely
vulgarité, *f.* vulgarity, commonness, coarseness (*of manners, or language*), triviality

W

whiskey [wiski] *m.* whiskey
whist [wist] *m.* whist

Y

***y,** *adv.* there; *pron.* to, at, in *or* on it; to, at *or* in them, etc.; **il y a,** there is, there are; **si on y mangeait tous les jours,** if it gave a man something to eat every day; **y croire,** to believe it; **j'y pense,** I'm thinking of it
yatagan, *m.* yataghan (a short Turkish saber)
***yeux,** *m. pl.* (*see* œil)
Yvetot, a small town in Normandy; **un pape d'—,** a good-natured pope

Z

zébré, striped
zèle, *m.* zeal
zingara, *f.* gipsy
zut [zyt]! (a popular exclamation expressing contempt, spite, etc.) good heavens! ye gods!